L'ESCHOLIER
DE DIEU

Mika WALTARI

L'ESCHOLIER
DE DIEU

*

roman

Traduction de Monique Baile et Jean-Pierre Carasso

FRANCE LOISIRS
123, boulevard de Grenelle, Paris

Paru sous le titre original :
« Mikael el Hakim »
aux éditions WSOY, Helsinki

Édition du Club France Loisirs, Paris,
avec l'autorisation des éditions Olivier Orban

Mikaël Karvajalka raconte sans détour en ces dix livres sa jeunesse et ses aventures à travers diverses contrées...

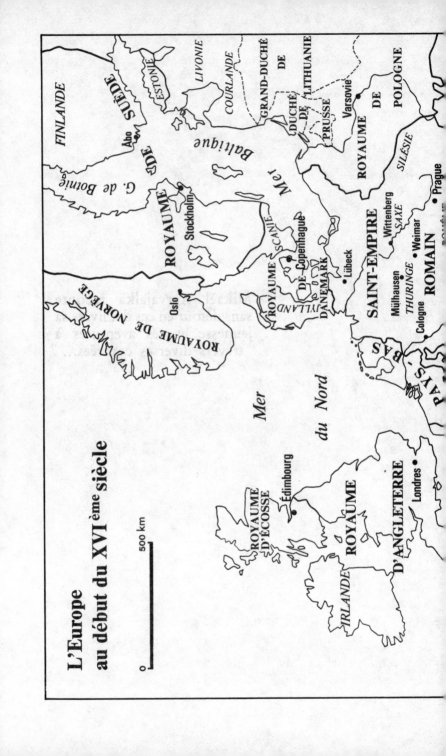

L'Europe
au début du XVI ème siècle

0   500 km

FINLANDE

ROYAUME DE SUÈDE

Åbo

G. de Botnie

Stockholm

G.DE
Botnie

Mer Baltique

ESTONIE

LIVONIE

COURLANDE

GRAND-DUCHÉ DE

DUCHÉ DE LITHUANIE

PRUSSE

Varsovie

ROYAUME DE POLOGNE

SILÉSIE

ROYAUME DE NORVÈGE

Oslo

SCANIE

ROYAUME DE DANEMARK

JYLLAND

Copenhague

Lübeck

SAINT-EMPIRE ROMAIN

Mülhausen

Wittenberg

SAXE

THURINGE   Weimar

Cologne

Prague

PAYS-BAS

Mer du Nord

ROYAUME D'ÉCOSSE

Édimbourg

IRLANDE

ROYAUME D'ANGLETERRE

Londres

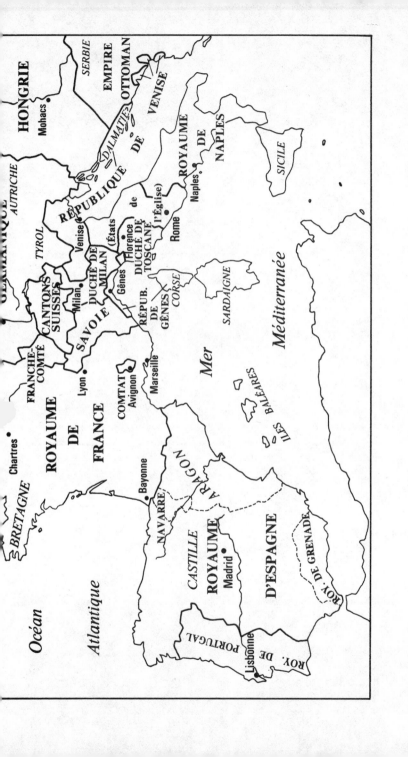

MIKAËL BAST : KARVAJALKA

J'ai vu le jour dans une belle et vaste contrée, une contrée lointaine presque ignorée du monde civilisé, à laquelle les géographes ont donné le nom de Finlande. Les gens du Sud imaginent que cette terre nordique est une terre déserte et inhospitalière, uniquement peuplée de sauvages vêtus de peaux de bêtes et encore esclaves du paganisme et de la superstition. Il ne saurait y avoir idée plus erronée ! La Finlande se flatte de posséder deux grandes cités : à l'est la ville fortifiée de Viborg, et au sud Turku, ou Åbo, ma ville natale. En ce qui concerne le paganisme et la superstition, il ne faut point oublier que la Finlande a vécu durant de longs siècles dans le sein de l'Église unique et véritable, même si en ces jours maudits l'on peut avec raison accuser son peuple d'apostasie. Car le pays, converti à la doctrine de Luther sous la férule impitoyable de son roi, le cupide Gustav, est devenu la brebis égarée du troupeau de la Chrétienté; il n'y a guère dès lors à s'étonner que ses fils soient retombés dans la sauvagerie, l'ignorance et le péché. Mais ne devrait-on point en rejeter la faute sur ses mauvais chefs plutôt que sur les malheureux qu'ils gouvernent ?

La Finlande est loin d'être un pays pauvre. Ses forêts regorgent de gibier et la pêche au saumon, que l'on pratique tout au long de ses rivières, rapporte de bons bénéfices. La bourgeoisie d'Åbo se consacre activement au commerce maritime et, sur la côte de Bothnie, les chantiers navals sont florissants. Le bois de construction abonde et Åbo exporte, outre le poisson salé, les peaux et les bols habilement travaillés dans le bois, des lingots de fonte en provenance des mines de la région intérieure des lacs. Le négoce du poisson séché et des harengs salés en caques constitue une si riche source de revenus que le pays ne pourra longtemps se permettre de s'abuser d'une fausse doctrine qui ne tient aucun compte des jours maigres, dont l'observance rigoureuse, selon les ordonnances de la sainte Église catholique, est essentielle à la prospérité d'un grand nombre de nos pieux citoyens.

Si je me suis montré aussi bavard au sujet de mon pays natal, c'est afin que nul n'ignore que je ne suis en rien un barbare.

Lorsque j'étais âgé de six ou sept ans, vers la fin de l'été, l'amiral jyllandais Otto Ruud remonta la rivière pendant la nuit, à l'insu des sentinelles endormies de la forteresse d'Åbo, et déclencha à l'aube une attaque surprise sur la cité. Cet affreux événement eut lieu en l'an de grâce 1509, cinq ans à peine avant la béatification de saint Hemming; j'ai donc probablement vu le jour en 1502 ou 1503.

Il me souvient encore de mon réveil : j'étais couché entre des draps de fine toile de lin, sous une couverture de fourrure, et un grand chien me léchait le visage; quand j'éloignai de moi son museau, l'animal joyeux saisit délicatement ma menotte dans sa gueule comme pour m'inviter à entrer dans le jeu. Beaucoup plus tard, j'ai souvenir d'une femme mince vêtue de gris qui s'approcha de ma couche en m'observant de ses yeux gris et froids; elle vint ensuite m'apporter une soupe. Comme je croyais avoir franchi les portes de la mort, grand fut mon étonnement à constater que cette créature était dépourvue d'ailes.

— Suis-je en paradis ? demandai-je avec timidité.

Elle me palpa les mains, la gorge et le front. Sa paume était rêche comme du bois.

— As-tu toujours mal à la tête ? s'enquit-elle.

Je portai les mains à mon front et m'avisai qu'il était bandé ; puis, lorsque je remuai la tête en signe de négation, ce mouvement déclencha dans ma nuque une douleur aiguë.

— Comment t'appelles-tu ? interrogea la femme.

— Mikaël ! répondis-je sur-le-champ.

Je connaissais bien ce nom que l'on m'avait donné en baptême en l'honneur du saint archange.

— Qui est ton père ?

Je ne pus répondre sur le moment, mais finis par dire :

— Mikaël, le fils du ferblantier. Suis-je au ciel pour de vrai ?

— Mange ta soupe ! intima-t-elle sèchement avant d'ajouter : Je vois... tu es l'enfant de Gertrude, la fille de Mikaël...

Elle s'assit au bord du lit et d'un geste plein de douceur passa sa main sur ma nuque endolorie.

— Moi, je suis Pirjo Matsdotter de la famille Karvajalka[1]. Tu es ici chez moi et je te soigne depuis plusieurs jours.

Je me souvins alors des Jyllandais et de tout ce qui s'était passé ; le nom de la femme me remplit de frayeur au point que je perdis tout appétit pour la soupe.

— Êtes-vous sorcière ? demandai-je.

Elle se leva en se signant.

— Ainsi voilà ce que l'on raconte derrière mon dos, n'est-ce pas ? dit-elle sur un ton courroucé. Puis, se reprenant, elle ajouta : Mais non, je ne suis pas sorcière ! Je suis une femme qui guérit les malades et si Dieu et ses saints ne m'eussent point octroyé ce don de guérir, toi et beaucoup d'autres encore eussiez péri en ces jours de malheurs !

Bien que gêné par mon ingratitude, je ne pouvais lui en demander pardon parce que je savais qu'elle était véritable-

---

1. KARVAJALKA signifie littéralement « jambe poilue ». On croyait au Moyen Age que l'enfant né avec cette marque avait été conçu par un incube (démon mâle) et une femme. Ce nom indique en tout cas une filiation diabolique, d'où la frayeur du jeune Mikaël.

ment la fameuse sorcière d'Åbo, celle de la famille des Karvajalka.

— Où sont les Jyllandais ?

Elle me conta alors qu'ils avaient repris la mer quelques jours auparavant, emmenant captifs les prêtres, les bourg-mestres, les conseillers et tout ce que la ville comptait de riches citoyens. Åbo n'était plus que misère : les Jyllandais, qui au cours des précédents étés avaient acheté les plus beaux navires de nos bourgeois, venaient à présent de mettre à sac jusques à notre cathédrale, s'emparant de ses trésors les plus précieux. J'étais dans la cabane de Pirjo depuis une longue semaine, grièvement blessé et en proie à une forte fièvre.

— Mais comment suis-je arrivé ici ? demandai-je encore.

Et, tandis que je la regardais fixement, j'eus soudain l'impression que sa tête devenait celle d'un cheval bonasse; cependant je n'en conçus nulle crainte, car je savais bien que les sorcières peuvent à leur gré changer de forme. Le chien s'approcha en remuant la queue et quand il passa un coup de langue sur ma main, Pirjo reprit son premier aspect. Je n'avais dès lors plus aucun doute au sujet de sa sorcellerie, mais mon cœur, je ne saurais dire pourquoi, était pénétré de confiance en elle.

— Vous avez une tête de cheval ! dis-je d'une petite voix.

Ces paroles la touchèrent, car elle avait cette vanité propre à toutes les femmes même lorsque le charme de leurs jeunes années s'est enfui depuis bien longtemps. Elle poursuivit néanmoins son récit. Elle me raconta comment elle-même avait échappé au massacre en donnant des soins à un capitaine de navire jyllandais qui, dans sa hâte du pillage, avait sauté le premier sur le rivage et s'était foulé la cheville. Trois jours après cet événement, l'un des envahisseurs m'avait apporté chez elle, lui payant trois monnaies d'argent pour qu'elle s'occupât de guérir mes blessures. Sans doute le désir d'expier ses fautes lui inspira-t-il cet acte charitable; nombre d'envahisseurs, en effet, éprouvaient quelques remords de conscience après le pillage de la cathédrale. A la description qu'elle me fit de cet homme, je reconnus en lui le meurtrier de mes pauvres grands-parents.

16

Lorsque dame Pirjo eut achevé le récit de mon arrivée dans sa demeure, elle dit en guise de conclusion :

— J'ai ôté le sang de ta chemise et tes braies sont pendues dans la buanderie. A présent tu peux t'habiller et partir où bon te semble. Pour moi, j'ai tenu ma parole et les soins que je t'ai prodigués valent bien davantage que trois malheureux thalers !

Il n'y avait rien à répondre, aussi je m'habillai et sortis de la maison. Dame Pirjo ferma la porte, puis s'en fut visiter les malades et les blessés qui n'avaient pas été transportés au monastère ou à la maison du Saint-Esprit parce qu'ils préféraient, s'ils devaient mourir, rendre l'âme sous leur propre toit. Je m'assis au soleil sur une marche de l'entrée, mes jambes encore flageolantes du fait de ma maladie, et restai là à contempler l'herbe grasse et les plantes étranges que l'été avait fait croître dans le jardin. Le chien vint se coucher près de moi et, parce que je ne savais où aller, je passai mes bras autour de son cou et fondis en larmes amères.

C'est ainsi que dame Pirjo me trouva lorsqu'elle revint à la nuit tombée. Elle se contenta d'abaisser sur moi un regard irrité par-dessus son épaule, avant de pénétrer dans sa demeure. Peu après, elle m'apporta un quignon de pain.

— On a déjà jeté dans la fosse commune les parents de ta défunte mère, en compagnie de tous les malheureux occis par les Jyllandais. La ville entière est sens dessus dessous et nul ne sait par où commencer pour que la situation se rétablisse; cependant les corneilles croassent sur le toit de ta maison.

Voyant que je ne comprenais goutte à ses propos, elle m'expliqua :

— Tu n'as plus de foyer, mon pauvre petit, et tu ne peux avoir droit à l'héritage puisque ta mère n'avait point de mari. Le monastère a pris possession de la maison et des terres y attenant, d'après une promesse verbale faite par Mikaël Mikaëlsson et son épouse pour le salut de leur âme.

Il n'y avait là non plus rien à répondre. Plus tard, dame Pirjo revint encore près de moi et me mit trois pièces dans la main.

17

— Prends ton argent ! dit-elle. Qu'il m'en soit tenu compte au jour du Jugement Dernier ! C'est par pure pitié et non par souci de profit que je t'ai soigné, mon pauvre enfant... bien que peut-être eût-il mieux valu pour toi être mort ! A présent, va-t'en ! Pars d'ici !

Je la remerciai de ses bontés, donnai une caresse d'adieu au chien, et serrai les trois monnaies dans le pan de ma chemise. Puis, à grand-peine, je pris le chemin de ma maison. Tout en marchant le long du fleuve, je remarquai que l'on avait enfoncé les portes des riches demeures et dérobé les vitres des fenêtres de l'hôtel de ville. Personne ne prit garde à moi, les femmes des bourgeois étant bien trop affairées à récupérer leurs bêtes affolées que l'on venait de ramener de leurs cachettes au fond des bois; quant aux gens du voisinage, ils se trouvaient occupés à fureter dans les maisons désertes pour sauver tout ce qui pouvait encore servir avant que cela ne se perde ou ne tombe aux mains des voleurs.

Il n'y avait plus rien dans notre cabane lorsque enfin j'en poussai la porte : envolés rouet, seau, casseroles et cuillères en bois ! Plus le moindre petit morceau de chiffon dans lequel m'envelopper ! Seules, quelques flaques de sang coagulé que le sol durci n'avait pu absorber ! Je m'assis sur le banc de pierre et sombrai dans un profond sommeil.

J'en fus tiré tôt le matin par l'arrivée d'un moine tout de noir vêtu qui cependant ne m'inspira nulle crainte, tant son visage rond débordait de sympathie. Il me souhaita la paix du Seigneur, puis me demanda si cette maison m'appartenait. Sur ma réponse affirmative, il dit :

— Réjouis-toi donc, parce que le monastère Saint-Olaf vient d'adopter cette résidence, te libérant ainsi de tous les soucis qu'entraîne la possession de biens matériels. Grâces en soient rendues à Dieu qui t'a permis de vivre le temps nécessaire pour voir cet heureux jour ! Et sache en outre que je suis envoyé ici afin de débarrasser cette demeure de tous les mauvais esprits qui hantent les lieux témoins de morts violentes.

A ces mots, il se mit en devoir d'arroser le sol, le foyer, les gonds des portes et les volets avec de l'eau bénite et du sel qu'il avait apportés dans des vases, tout en se signant et en récitant en latin de puissantes conjurations. Ensuite, il vint s'asseoir à mes côtés sur le banc où j'avais passé la nuit, et sortit de sa besace du pain, du fromage et de la viande séchée qu'il m'invita à partager avec lui, affirmant qu'une petite collation était toujours bienvenue après si redoutable oraison.

Ce frugal repas terminé, je lui fis part de mon vif désir de faire célébrer une messe à l'intention des âmes de Mikaël Mikaëlsson et de son épouse, afin de leur épargner les tourments du purgatoire qui, bien le savais-je, étaient pires que tous ceux que l'on pouvait endurer ici-bas.

— As-tu quelque argent ? interrogea le bon moine.

Je dénouai le pan de ma chemise et lui montrai mes trois monnaies d'argent. Son sourire devint encore plus doux.

— Appelle-moi Pierre, dit-il en me caressant la tête. Pierre est mon nom bien que je ne sois point une pierre ! N'as-tu rien de plus ?

Je fis non de la tête et vis la tristesse envahir son visage car, m'expliqua-t-il, une si petite somme ne suffit point à payer une messe.

— Mais, ajouta-t-il, si nous pouvions persuader saint Henrick — qui lui-même a péri de mort violente par la main d'un meurtrier — si nous pouvions le persuader d'intercéder pour les âmes de ces bonnes gens, nul doute que le pouvoir de cette sainte intercession ne soit bien supérieur à la meilleure des messes !

Je lui demandai alors comment déposer ma requête auprès du saint, mais il hocha du chef.

— Ton humble petite prière suffirait largement pour lui mais... je crains fort qu'elle ne soit emportée comme fétu de paille dans le torrent de prières qui déferlent en ces jours autour de son trône. Néanmoins, si un homme de prières, un homme véritablement puissant, de ceux qui ont consacré leur vie entière à la pauvreté, la chasteté et l'humilité, prenait l'affaire en mains, si, une semaine durant, il priait à chaque heure canonique pour tes défunts grands-parents, saint Henrick prêterait certainement l'oreille à sa requête.

— Mais où pourrais-je trouver un homme de prières aussi puissant ?

— Il est ici, devant toi ! répondit le père Pierre sur un ton de simple dignité.

Et, tout en disant ces mots, il s'empara des pièces que je tenais dans ma main et les fit prestement glisser dans son gousset.

— Je commencerai les prières dès aujourd'hui à la sixième et à la neuvième heure, et je continuerai aux vêpres et aux complies. Hélas ! Je suis loin de jouir d'une santé assez solide pour veiller comme les autres moines, aussi notre bon prieur me dispense-t-il des offices nocturnes ! Mais tes parents bien-aimés n'en souffriront point : j'augmenterai d'autant le nombre de prières au cours des autres heures.

J'étais loin de saisir tous ses arguments mais il parlait d'une manière si convaincante que, pas un instant, je ne doutai d'avoir mis mon affaire entre les meilleures mains du monde. Et c'est pourquoi je le remerciai en toute humilité. Il retint la porte lorsque nous quittâmes la maison, fit encore maints signes de croix et me donna sa bénédiction. Puis nous nous séparâmes et moi, je m'en retournai vers la cabane de dame Pirjo parce que je ne connaissais point d'autre endroit.

J'avais très peur qu'elle ne se mît en colère en me voyant, car je m'étais aperçu que c'était une femme pleine de sévérité. Je me cachai donc et entrai dans l'étable lorsque la pluie se mit à tomber; les murs étaient couverts de mousse et de touffes d'herbe, des fleurs avaient poussé sur le toit et l'unique occupant de ces lieux était un énorme cochon. Je regardai ses épaules grasses et me pris à envier cet animal qui, lui, avait un toit sur la tête et le boire et le manger assurés. Je m'endormis sur la paille et, lorsqu'en ouvrant l'œil, je sentis le cochon à côté de moi, je ne fis pas un geste et restai ainsi, blotti contre lui, me réchauffant à sa chaleur.

Quand dame Pirjo vint porter un seau de restes à l'animal, elle se montra très courroucée de me trouver là.

— Ne t'avais-je point dit de t'en aller ?

Le cochon me donna un petit coup de groin amical avant de se lever pour manger. Son auge était pleine de cosses de petits pois, de navets coupés en morceaux, dé lait et d'avoine. Je demandai timidement la permission de partager son repas avec l'animal s'il voulait bien me le permettre. Ce ne fut point la faim qui me poussa à faire cette demande — j'étais trop triste pour souffrir de la faim ! — mais la soupe du cochon me paraissait mille fois plus appétissante que tout ce que j'avais mangé chez nous depuis de longs mois.

— Misérable sans vergogne ! Insinuerais-tu par hasard que j'ai des leçons de charité à recevoir de mon cochon, sous prétexte qu'il te réchauffe dans sa bauge et partage sa pâtée avec toi ? Ne t'ai-je point donné trois pièces d'argent ? Même un homme trouverait à se loger et se nourrir pendant un mois au moins avec une somme pareille ! Tu pourrais aussi te faire héberger une année entière par un bourgeois ou un compagnon qui te prendrait comme apprenti si tu l'en priais poliment ! Pourquoi n'utilises-tu pas ta fortune ?

Je lui répondis qu'ainsi avais-je fait puisque je l'avais donnée au père Pierre afin qu'il priât pour délivrer les âmes de mes grands-parents des tourments du purgatoire. Dame Pirjo s'assit alors sur le seuil de la porcherie, tenant la gamelle d'une main et appuyant sur l'autre son grand menton; elle resta un long moment les yeux fixés sur moi.

— As-tu perdu la tête ?

Je répondis que je ne le savais mie, personne ne me l'avait dit jusques ici, mais que depuis que j'avais reçu ma blessure, la vie en effet me semblait tout à fait bizarre et déconcertante.

Dame Pirjo hocha la tête.

— Je pourrais te conduire à la maison du Saint-Esprit où l'on t'admettrait peut-être avec les autres infirmes, les aveugles ou les convulsionnaires... Je suis bien sûre qu'à t'écouter parler, ils jugeraient que tu as l'esprit dérangé... Mais si tu pouvais tenir ta langue et te montrer intelligent, peut-être alors pourrais-je toucher un mot à ton sujet aux compagnons de la guilde de Mikaël le ferblantier, et peut-être arriverais-je à les convaincre d'assurer ton entretien jusques à ce que tu sois assez grand pour subvenir toi-même à tes besoins.

Je la priai de me pardonner ma maladresse, jamais je n'avais eu l'occasion de m'exprimer avec qui que ce soit. Lorsque Mikaël le ferblantier parlait, il fallait que j'écoute en silence, et quand ma grand-mère ouvrait la bouche c'était toujours pour évoquer les terreurs de l'enfer et les tourments du purgatoire, sujets sur lesquels mes connaissances étaient si rudimentaires que j'étais bien incapable de lui donner la réplique.

— Mais je connais beaucoup de mots en langue allemande ou en suédois, et même en latin !

Et, comme je désirais du plus profond de mon cœur montrer mon savoir à dame Pirjo, qui était la première personne à s'adresser à moi avec gentillesse, je me mis à débiter tous les mots étrangers que j'avais retenus pour une raison ou pour une autre : des mots glanés dans les boutiques, à l'église, au cours de réunions de compagnons ou encore sur le port, comme par exemple : *salve, pater, benedictus, male spiritus, pax vobiscum, haltsmaul, arsch, donnerwetter, sangdieu* et *heliga kristus*. Quand, à bout de souffle, je repris haleine, dame Pirjo se bouchait les oreilles avec les mains. Mais je ne me décourageai point pour autant et poursuivis mon discours en lui affirmant que je connaissais également les lettres et pouvais écrire mon nom. Comme elle ne voulait pas me croire, je pris un bout de bois et traçai de mon mieux sur le sol : MIKAËL. Alors dame Pirjo qui, elle, ne savait pas lire, me demanda qui m'avait enseigné.

— Personne ! répondis-je, et j'ajoutai que j'étais sûr de pouvoir apprendre très vite pour peu que quelqu'un me montrât comment faire.

La nuit était venue tandis que nous causions et l'ombre se faisait plus épaisse. Dame Pirjo me conduisit à l'intérieur de sa demeure, alluma une chandelle, puis se pencha sur moi et pressa la blessure de ma tête entre ses doigts rêches. Elle m'expliqua qu'elle m'avait cousu le cuir chevelu avec du fil et une aiguille mais que la plaie s'était infectée. Elle allait donc la nettoyer, avant de la bander après l'avoir recouverte de toiles d'araignées et de moisissures. Enfin elle me donna à souper et me permit de partager sa couche.

C'est ainsi que ma vie commença chez dame Pirjo. Je me rendais utile en ramassant pour elle des fientes de coqs noirs, ou des crins de queue de cheval ou encore de la laine d'encolure de bélier que je cherchais dans les troupeaux des bourgeois; je repérais les endroits où poussaient des herbes médicinales et l'aidais à les cueillir au temps de la nouvelle lune. Mais, ce qui compte pour moi par-dessus tout, c'est qu'elle demanda au père Pierre de m'apprendre à lire et à écrire, et qu'il m'enseigna également l'art de résoudre maintes questions de calcul domestique à l'aide d'un rosaire.

On eût dit que ma blessure à la tête avait complètement transformé ma vie et mon caractère. Et cette transformation subsista, même après ma guérison, quand les cheveux eurent caché la cicatrice; je ne perdis rien de ma vivacité, de ma curiosité ni de ma rapidité à apprendre, laissant dans l'oubli l'enfant timoré qui, autrefois, n'osait ouvrir la bouche en présence d'un inconnu. Il faut dire que dame Pirjo ne porta jamais la main sur moi et ne chercha à aucun moment de me faire peur; elle me traitait fort bien, au contraire, et montrait un grand respect devant mes connaissances. L'étude, qui pour nombre d'enfants n'est qu'une corvée grosse de coups de fouet et de grincements de dents, était pour moi un jeu qui ne m'apportait que de la joie. Plus j'apprenais, plus j'avais soif d'apprendre ! Je ne saurais dire cependant ce qui me fut le plus profitable, des histoires édifiantes du père Pierre ou de l'enseignement de dame Pirjo, lorsque, par les claires nuits d'hiver, elle me parlait des étoiles, ou quand, serrant ma main dans la sienne, elle m'emmenait par une fraîche soirée d'été promener dans les bois ou le long des ruisseaux, et m'expliquait quelles herbes convenaient le mieux pour guérir telle ou telle maladie. Dame Pirjo était en effet une guérisseuse réputée et elle vivait en bonne intelligence avec le clergé et les frères du monastère.

Dans le commencement, le père Pierre avait pris mon

éducation à la légère, mais, lorsqu'il s'avisa des grands progrès que j'avais faits au cours d'un seul hiver, bien qu'il ne vînt à la cabane de dame Pirjo qu'une ou deux fois par semaine entre ses heures de prière et qu'il y passât presque tout son temps à boire et à manger, il se mit en devoir de parler sérieusement avec ma protectrice. Car mieux valait à son avis me faire entrer au monastère ou à l'école de la cathédrale dans la classe du père Martinus, afin que je puisse étudier grammaire, rhétorique et dialectique selon les règles.

— Au nom de la Vierge et de tous ses saints ! s'exclamat-il en essuyant d'un revers de sa manche noire sa bouche dégoulinante de graisse. Si j'avais un fils comme Mikaël — ce qu'à Dieu ne plaise ! — je l'enverrais sans plus tarder sur les bancs de l'école, car je suis convaincu que cet enfant fera plus tard l'orgueil de l'Église. Il peut devenir chanoine ou même évêque ! Songez qu'il connaît déjà par cœur son Pater Noster et son Ave et qu'il sait compter en latin jusqu'au chiffre vingt ! Je n'en sais guère moi-même davantage !

A ces mots, il avala une gorgée de vin dont il loua les qualités rafraîchissantes et revigorantes.

— Mais père Pierre, rétorqua dame Pirjo, vous oubliez que Mikaël est un pauvre orphelin de basse extraction ! L'Église ne prend guère à son service des enfants de prostituées ! Quelle joie pourrait donc lui apporter tout son savoir si entrer dans les ordres lui demeure interdit ?

— A votre place, j'utiliserais de préférence le mot plus savant et plus convenable de « bâtard », observa le père. C'est un mot qui évoque aussitôt à l'esprit une origine élevée, et ceux qui l'entendront essaieront de rappeler à leur mémoire les noms de tous les nobles seigneurs qui ont fait un séjour à Åbo au cours de ces dernières années. Il est évident que si vous dites au père Martinus que le garçon n'est qu'un vulgaire enfant du hasard, il sera sur-le-champ convaincu que le père de Mikaël était marin ou homme d'armes ou peut-être encore conducteur de bœufs, et il vous rira au nez de votre demande !

— Voulez-vous dire qu'il faudrait que je mente au sujet de sa naissance ?

— Trêve de sottises ! coupa-t-il avec dédain. *Pro primo*,

24

les traits finement dessinés de l'enfant, sa chevelure soyeuse, la petitesse de ses mains et de ses pieds, pour ne point mentionner son intelligence ni ses connaissances ni sa bonne conduite, sont autant de preuves de son haut lignage. *Pro secundo*, ce mot, à quelque classe que l'on appartienne dans la société, fait référence à la même chose : le fruit d'un acte coupable, *fructus inhonestis et turpis*, sans préjudice de ceux qui l'ont commis.

Je portai la main à ma tête pour toucher mes cheveux, qui étaient particulièrement raides; mes mains n'étaient point douces, pas même propres et, tout confus, je me frottai la jambe du bout de mon pied sale.

— Croyez-moi, poursuivit le père d'un ton persuasif, tout en levant sa chope, croyez-moi noble et pieuse dame Pirjo, allez voir le magister Martinus et parlez avec lui ! Si par la même occasion vous pouviez lui apporter une belle pièce d'étoffe, assez longue pour tailler une tunique par exemple, et si vous en enveloppiez un bon jambon bien gras tout en faisant discrètement tinter quelques monnaies d'argent, il prêterait, j'en suis sûr, une oreille attentive à votre requête, aussi incongrue qu'elle puisse vous paraître; il faudrait alors que vous murmuriez délicatement : « L'enfant est un bâtard… » et vous verriez aussitôt sa curiosité s'éveiller. Puis montrez-vous inébranlable, dites que vous avez fait le terrible serment de ne jamais prononcer un seul mot sur cette affaire, et magister Martinus donnera plus d'attention au cas de Mikaël qu'à celui des autres élèves — tandis que le jambon et les thalers parleront en sa faveur.

Le discours du père Pierre plongea dame Pirjo dans un abîme de réflexions, et j'avoue qu'il trouva même un écho douloureux dans mon propre esprit. Ce soir-là, mon hôtesse demeura plus longtemps qu'à l'accoutumée le menton appuyé sur sa rude paume et les yeux fixés sur moi, se parlant à elle-même. Je crois que le père Pierre avait réussi à la convaincre que j'étais un bâtard véritable.

Du fait que j'en étais le benjamin, ma vie à l'école de la cathédrale était plus dure que ce qu'elle eût pu être. Mes condisciples, en effet, pour la plupart des jeunes gens à la barbe naissante, avaient une conduite honteuse qui révélait plus grand amour des vanités et abominations de ce monde que des déclinaisons latines. Le magister Martinus et ses assistants disposaient pour tout matériel d'enseignement d'une verge de bouleau ramollie dans de la saumure, et il m'arriva maintes fois de penser qu'ils faisaient erreur quant à la partie du corps la plus apte à apprendre. Je dois reconnaître cependant que les règles de grammaire que l'on nous a imprimées sur le postérieur restent plus profondément gravées dans nos mémoires ! Plus nous étudiions, plus nous éprouvions d'attachement à l'égard de cette lugubre école dont les murs épais ensevelissaient notre jeunesse. Nous nous promettions avec solennité les uns aux autres de ne rien épargner à nos successeurs quand viendrait notre tour, et lorsqu'en construisant nos propres phrases latines nous sentions les règles grammaticales, ces règles que nous avions rabâchées, se presser telles des esclaves au service de notre pensée, en vérité nos cœurs se gonflaient de bonheur.

La réunion ecclésiastique la plus importante à laquelle il me fut donné d'assister ces années-là, fut la solennelle exhumation des os de saint Hemming. J'étais alors à l'école depuis quatre ans et allais bientôt commencer les cours de dialectique en compagnie de quelques camarades, dont plusieurs auraient eu une belle barbe si les élèves n'eussent été tenus de se raser.

Je dois avouer ne m'être guère senti particulièrement solennel lorsque, après avoir soulevé les dalles de la cathédrale au moyen de barres de fer, nous nous mîmes en devoir d'extraire les os sacrés, car une horrible puanteur due à la corruption envahit l'église malgré les épais nuages d'encens et d'oliban répandus autour de nous. Je m'étais récemment distingué en célébrant en vers le séjour terrestre et les miracles de l'évêque Hemming, et c'est ce qui m'avait valu l'insigne honneur de déterrer ses restes. Nous en trouvâmes en grand nombre et, tout en les lavant et en les débarrassant de leurs impuretés, nous eûmes soudain

26

l'impression, au milieu des cantiques que les prêtres chantaient, d'être emplis d'une force merveilleuse et réconfortante, un peu comme si nous eussions bu du vin ou reçu le Saint-Esprit. Nous avions les joues incendiées, les yeux brillants et, tout à coup, parvint jusques à nous la fragrance d'un céleste baume; cette impression se fit particulièrement intense lorsque nous prîmes entre nos mains le crâne brun où quelques dents cassées tenaient encore accrochées à la mâchoire. Nous passions les os un à un à l'évêque Arvid et aux dignitaires de sa suite qui, après les avoir oints d'huile sainte, les déposaient dans un sarcophage neuf. D'un geste brusque et sans réplique, le révérend nous fit comprendre qu'il y avait suffisamment d'ossements, et j'espère que l'on ne considérera point comme un péché le fait que je me sois alors emparé d'une vertèbre et d'une dent en supplément que je glissai dans ma poche.

Peu avant le jour de la cérémonie, nous avions été chargés en vue de la fête d'attraper des colombes et des pinsons vivants. Si nous avions été prévenus l'hiver précédent, nous aurions pu préparer des pièges pour des jaseurs ou des bouvreuils qui auraient été, à mon avis, plus décoratifs. Hélas ! ces oiseaux ne se chassent point en été.

Dans la cathédrale, on avait disposé des guirlandes, des couronnes, des écus, et des scènes de la vie du saint homme dessinées sur des banderoles éclairées par derrière. L'intérieur de la nef était illuminé par des milliers de cierges et par plus d'une centaine de lampes. Tout d'abord on souleva les dalles, puis on déposa dans un reliquaire doré les os sacrés enveloppés dans des étoffes précieuses. Tandis qu'une procession solennelle transportait les reliques tout autour de la nef, devant les fidèles à genoux, les enfants dont je faisais partie jetaient des poignées d'étoupe enflammée remplies de poudre à travers un trou de la voûte. Les fidèles, croyant à un incendie, poussèrent à ce moment sacré des cris de terreur; je me suis d'ailleurs souvent demandé, depuis, comment le feu n'avait point pris à l'édifice tout entier quand ses combles en étaient si sales et ses poutres si sèches et que les corneilles ne cessaient de voleter en croassant au-dessus de nos têtes.

Ensuite, nous lâchâmes un à un les pinsons et les colombes, qui tournoyèrent en volant sous le toit, tandis que nous jetions des fleurs et du pain consacré sur les ouailles afin de les inciter à se montrer généreuses. Du reste, les offrandes recueillies remboursèrent largement la cathédrale des frais engagés à l'occasion de cette fête, si bien que l'on put dire que saint Hemming avait payé son passage avec libéralité. A vrai dire, tout le monde se retira satisfait et dame Pirjo elle-même reconnut de bonne grâce avoir reçu, en échange de son argent, son content de beauté et d'édification spirituelle. On vit un vieil infirme jeter ses béquilles après avoir baisé le reliquaire et, les jambes guéries, partir en courant; une pensionnaire de la maison du Saint-Esprit, muette depuis de longues années, recouvrit la parole; toutefois, comme elle se révéla par la suite singulièrement bavarde, certains considérèrent cet événement plutôt comme une disgrâce que comme une bénédiction.

J'ai fait ce récit afin que l'on sache que mes années d'école ne furent point seulement lourdes d'angoisse et de terreurs, mais qu'elles me donnèrent également l'occasion de vivre certaines expériences spirituelles de la plus haute élévation.

Du fait de mon jeune âge et grâce à la bonté de dame Pirjo, je n'avais point à gaspiller mes jours de vacances comme les autres écoliers, obligés de vagabonder de paroisse en paroisse afin de mendier leur pain et l'argent nécessaire à leurs études. Ma protectrice m'assurait le gîte et le couvert, le feu et la lumière, et alla même jusqu'à m'acheter un livre, si bien que je fus le premier étudiant de dialectique à en posséder. Elle me donna la permission d'écrire sur la page de garde : MIKAËL BAST : KARVAJALKA, et la date : A. D. MDXV. J'ajoutai en dessous une énergique malédiction en latin à l'intention de celui qui volerait mon livre ou le vendrait à mon insu. Dame Pirjo l'avait obtenu bon marché, et les noms inscrits sur la couverture ainsi que l'usure des pages prouvaient nettement qu'il était passé en de nombreuses mains ; cependant, ce volume constitua durant des années mon trésor le plus précieux ! Il avait pour titre *Ars Moriendi*, ce qui signifie l'« Art de Mourir » ; tout le monde, dès lors, comprendra la nature de cet ouvrage encore lu de nos jours et qui sans doute ne cessera de l'être, car il constitue un guide précieux pour franchir les portes de la mort et pour la vie future.

Je n'arrivai pas à saisir la raison qui poussait dame Pirjo à me témoigner une si grande bienveillance et à se lancer dans des frais pareils en mon honneur — bien qu'à vrai dire cette question ne vînt jamais troubler mon esprit et que j'acceptasse tout, aussi naturellement qu'elle-même me le donnait. Peut-être se comportait-elle ainsi à mon égard parce que, vivant en marge de la société en raison de sa famille et de son activité secrète, elle avait fini par se lasser de la seule compagnie de son chien et de son porc.

Tout au long des vacances, elle m'emmenait avec elle et m'enseignait maintes choses utiles ; de mon côté, il m'arrivait de lui lire certains passages de mon livre en les lui expliquant : elle disait alors que les idées contenues dans cet ouvrage, bien que parfaitement évidentes à toute personne douée de bon sens, paraissaient bien plus saisissantes exprimées en latin.

Au printemps, à l'époque où l'on mène les troupeaux au pâturage, les personnes prudentes accouraient toutes chez dame Pirjo, après que le père Pierre, pour sa part, avait fait ce qui était en son pouvoir pour assurer aux bêtes une bonne santé. Nul n'ignorait, en effet, que si ma mère adoptive manquait à jeter son bon œil sur les animaux, les vaches maigriraient, les veaux viendraient mort-nés, les agneaux se rompraient les pattes et les chevaux iraient s'égarer dans les marais : bien assez de témoins dignes de foi pouvaient le confirmer ! Et donc dame Pirjo recevait une sorte de taxe pour le bien-être des troupeaux appartenant aux familles aisées.

Parmi les visiteurs qui avaient accoutumé de venir à la maison, mon attention fut très vite attirée par maître Laurentius auquel, par les glaciales soirées d'hiver, elle offrait du vin chaud épicé. Il portait parfois des provisions dans un sac de cuir tout taché, mais je ne parvins jamais à voir ce qu'il y avait d'autre à l'intérieur. Sa veste de cuir était pleine d'éclaboussures et il arborait un air mélancolique qui ne le quittait jamais. Dame Pirjo l'appelait « maître » et je ne me préoccupais guère de savoir en quel art, jusques au jour où je le vis à l'œuvre pour la première fois. Il ne se présentait jamais avant le crépuscule, se retirait à la nuit déjà noire et je ne le rencontrai pas une seule fois en ville bien qu'il fût sans doute, à en juger par la cordiale estime que dame Pirjo lui manifestait, un des citoyens les plus distingués d'Åbo.

Leur amitié était si vive que j'en vins à considérer maître Laurentius comme un soupirant fidèle n'ayant point encore perdu espoir, malgré les déclarations maintes fois réitérées par dame Pirjo de rester célibataire jusques à la fin de ses jours, et je voyais dans le fait qu'elle lui servît le vin en une coupe d'argent, un signe des plus sûrs. Personnellement, je n'avais rien contre lui car il se montrait toujours fort amical et je le jugeais un homme solide, plein de sérieux, aimant à deviser au sujet de la mort et à écouter les conseils que mon livre donnait pour se préparer à abandonner le monde d'ici-bas.

Un matin de printemps, au temps où les bouleaux bourgeonnent et la campagne reverdit, le magister Martinus nous donna congé afin de nous permettre d'assister à la pendaison de deux pirates récemment capturés; sans doute jugeait-il ce spectacle édifiant hautement profitable pour de jeunes cervelles. La nuit, maître Laurentius vint chez nous et, comme de coutume, dame Pirjo lui offrit le vin dans sa coupe d'argent. J'avais déjà eu l'occasion de le saluer après l'exécution — sous les yeux ahuris de mes compagnons — et en me revoyant à présent, il se frottait les mains d'un air embarrassé tout en évitant mon regard.

Timidement, je lui dis que jamais je n'aurais imaginé que la vie puisse quitter le corps d'un homme avec autant de rapidité et de facilité. Il crut que je lui faisais compliment de sa compétence, et me répondit :

— Tu es un brave garçon, Mikaël ! Tu ne ressembles guère aux jeunes de ton âge qui, dès qu'ils me voient, s'enfuient à toutes jambes pour se cacher et me jeter des pierres ! D'ailleurs, à cet égard, leurs parents ne valent guère mieux ! Quand je rentre dans la taverne, l'atmosphère change aussitôt et je dois m'asseoir tout seul à une table. La vie d'un bourreau est une vie solitaire et, de coutume, cet office se transmet de père en fils comme dans ma famille. Dis-moi franchement, Mikaël, as-tu peur de me toucher ?

Et il me tendit la main. Je la pris sans crainte et la gardai serrée quelques instants en le regardant dans les yeux.

— Tu es un brave garçon, Mikaël ! répéta-t-il avec un profond soupir. Si tu ne réussissais aussi brillamment à l'école, je te prendrais bien comme apprenti car je n'ai pas de fils. Le bourreau exerce le métier le plus important du monde. Devant lui, princes et rois doivent plier le genou. Sans lui, les juges sont impuissants et leurs sentences demeurent lettre morte. Aussi gagne-t-il bien sa vie, et comme l'humaine nature est incorrigible et le crime éternel, un exécuteur de justice, même en temps de paix, a l'assurance de vivre correctement. Et au cours d'époques troublées, on a vu nombre de bourreaux faire fortune : l'art de la politique est pour nous une véritable bénédiction !

Il but une gorgée de vin puis garda le silence, comme honteux d'avoir été si bavard, mais je le priai de me parler encore et, après avoir demandé la permission à dame Pirjo, il reprit :

— Un bourreau chevronné doit savoir, avant tout, gagner la confiance de ses clients. Son travail, dès qu'il s'agit de ces derniers, est tout à fait comparable à celui du prêtre ou du médecin. Tu as pu voir aujourd'hui avec quelle fermeté mes deux amis ont de leur plein gré monté les marches. Quand on doit traîner un client par force, ou qu'il crie et hurle devant la foule pour obtenir miséricorde ou clamer son innocence, la faute en incombe à l'exécuteur. Le grand art consiste à amener son client à affronter la mort en sage, rempli d'humilité chrétienne et convaincu que la vie n'est que vanité et qu'une mort rapide et indolore est le plus beau cadeau que le monde puisse lui offrir.

Un silence s'installa entre nous avant que je ne me risque à exprimer les sombres pensées qui s'étaient agitées dans ma

31

tête tandis que je contemplais les pieds des deux malheureux suppliciés dansant leur ultime danse sur la potence.

— Maître Laurentius, j'ai vu un homme mourir de vos mains expertes d'une manière si rapide et si calme que je commence à me demander si, en fin de compte, il existe quelque chose au-delà de la mort.

Il se signa avec dévotion avant de me répondre :

— Ce sont là paroles impies que je ne veux point entendre ! Qui suis-je donc, pauvre de moi, pour chercher des preuves de ce qui ne peut être prouvé ?

Mais sa voix manquait de conviction et quand je l'eus à nouveau supplié de me donner une réponse, il dit :

— Tu as deviné juste, Mikaël ! Moi qui suis un serviteur de la mort, j'ai agité bien souvent ces questions dans ma tête et j'en suis arrivé à tel point que je ne parle plus à mes clients ni de félicité ni de vie éternelle ! Je laisse tout ce fatras aux prêtres ! Lorsqu'un homme terrorisé à l'idée de la damnation me supplie, l'âme en peine, de lui dire ce que je sais de la mort, je l'invite à s'imaginer qu'après une nuit glacée d'hiver, une nuit où il aurait marché et marché dans les ténèbres, il arrive dans une maison chauffée et va enfin pouvoir se reposer sur une couche moelleuse; il va pouvoir dormir d'un profond sommeil sans craindre qu'un coup frappé à la porte ne vienne le réveiller, ni que nul ne le mande à nouveau dans les froides ténèbres de la nuit. Telle est ma réponse ! Et si c'est là un grand péché, qu'il me soit pardonné en récompense de la paix qu'il a apportée à tant d'hommes dont la foi était vacillante !

Je savais maître Laurentius dans l'erreur et n'ignorais point qu'il exprimait là, quoique de manière ingénue, une véritable hérésie, mais en dépit de tout, sa chimère m'apporta une particulière consolation; souvent ma mère se présentait à moi, et en mon cœur je souffrais pour elle... Alors mon âme puisa un grand réconfort à l'idée qu'en se jetant à l'eau, en se tuant, elle s'était libérée à jamais de la honte de sa vie humiliée, pour tomber dans un sommeil sans fin d'où nul ne pourrait la réveiller.

De pareilles réflexions marquaient bien la fin de mon innocence d'enfant, et annonçaient que le démon travaillait déjà à préparer les pièges qui me mèneraient à ma perte. Ma voix elle-même, qui avait commencé à muer, m'écartait à présent de ma place dans le chœur, et les changements qui s'opéraient en mon corps faisaient l'unique objet de mes préoccupations.

Une nuit de samedi, dame Pirjo m'examina avec attention après m'avoir lavé dans la maison des bains, et, de retour à la maison, s'adressa à moi avec gravité.

— Mikaël, me dit-elle, il vaut mieux désormais que tu te laves les cheveux et le dos toi-même, et il n'est plus convenable que tu partages ma couche, car cela pourrait t'induire en tentation. Tu vas donc avoir un lit pour toi seul et en outre, il te faudra dorénavant porter des vêtements d'homme, d'homme que tu ne tarderas pas à devenir.

Ces mots emplirent mon âme de tristesse, mais je savais qu'elle avait raison, comme je savais aussi pourquoi, durant les nuits de printemps, elle soupirait parfois si profondément en dormant.

Il m'était déjà arrivé de réfléchir sur les relations entre homme et femme et je ne conservais plus aucun doute à ce sujet; à l'école, mes grossiers compagnons n'avaient point l'habitude de mâcher leurs mots et le rouge de la honte me montait au front à les écouter vanter leurs exploits. Si je m'étais fait une haute idée de l'amour, je ne ressentis plus le moindre désir de le chercher quand je découvris à quel point de bestialité et de bassesse son côté physique se trouve réduit.

Et cependant mon esprit était plein de pensées troublantes ! Quand les nuits devenaient plus courtes et plus claires et que je cherchais en vain le sommeil sur ma couche, j'allais me promener aux alentours de la cité, respirant le parfum des groseilliers, l'oreille attentive au hululement du hibou et aux cris des canards dans les roseaux. Je désirais ardemment un ami véritable mais ne trouvais personne, parmi mes condisciples, à qui confier mes pensées intimes. C'est la raison pour laquelle le père Pierre devint mon confident; la confession dès lors prit une grande place dans ma vie, même si mes questions angoissées ne recevaient pas toujours une réponse.

Certes, le père Pierre n'était point sans défauts, mais il les tempérait avec une humilité toute chrétienne et possédait surtout une grande sagesse. Un jour, dame Pirjo m'appela, après avoir tenu une longue conversation avec lui.

— Tu m'as souvent demandé la permission de courir le pays pendant les vacances à l'instar des autres jeunes gens, me dit-elle. Mais en ces temps d'impiété, tu n'en retirerais que blessures dans ton corps et dans ton esprit. Comme il est temps, toutefois, que tu commences à participer aux frais de ton entretien, le père Pierre et moi-même avons décidé que tu irais, durant ces longues vacances, travailler chez un fabricant de canons allemand qui vient d'arriver dans cette ville. Il recherche un assistant sérieux et honnête qui sache lire, pour l'aider à moudre la poudre et à bouillir le salpêtre.

A ce point de son discours, elle fondit en larmes.

— Ce n'est point que je le souhaite, non, je préférerais toujours te protéger dans ma main comme un petit oiseau, mais le père Pierre pense qu'il n'est plus séant de continuer à vivre seul ainsi avec une femme sans mari, loin de la compagnie et de l'enseignement des hommes. Mais reste, je t'en prie, à l'écart de la fabrication de la poudre et fais bien attention ! Tu viendras à la maison chaque samedi et je te donnerai des provisions... Je t'assure que je ne t'aurais jamais permis d'étudier un métier aussi dangereux si ce maître, dont le nom m'écorche la langue, n'avait promis de bien te payer. Et puis, le père Pierre pense qu'il ne faut pas élever un garçon de ton âge dans du coton !

Maître Schwarzschwanz avait embarqué cette année en Allemagne dès que la navigation avait repris pour venir se mettre au service du gouverneur du château. Il avait signé un contrat rempli de clauses portant sur la fonte des canons, le perfectionnement de la fabrication de la poudre et l'installation de chaudières pour le traitement du salpêtre. Plus d'un à Åbo crut voir dans la venue de cet homme le présage d'une prochaine époque de troubles. Maître Schwarzschwanz, dont les yeux noirs brillaient au milieu d'un visage au teint basané, était un homme de petite taille avec de larges épaules. Il aboyait littéralement ses ordres, comme si ses coups de gueule devaient aider les garçons de la fabrique à le comprendre plus facilement. Quand il se fut assuré que je connaissais sa langue et savais écrire, il renvoya l'ivrogne qu'il avait jusqu'alors, faute de mieux, employé comme commis et m'ouvrit son cœur. Il couvrait d'injures le gouverneur et le bourgmestre et vouait toute cette nation stupide aux pires flammes de l'enfer pour l'avoir attiré par de fausses promesses. Il arrachait son bonnet, le jetait par terre et le foulait aux pieds pour donner plus de poids à ses vociférations. Je n'avais jamais vu un homme si terrible. Bouche bée, je le contemplais et, les yeux hors de la tête, tâchais avec application de fixer dans ma mémoire les extraordinaires juvements et malédictions dont le grand voyageur qu'il était possédait un répertoire inépuisable.

J'avais craint qu'il ne fût un maître d'une extrême dureté, mais lorsqu'il se rendit compte que j'étais un employé ponctuel et digne de confiance, il se montra plus bienveillant et me traita avec amabilité, sans jamais crier après moi, même si j'avais commis quelque erreur. Il vit que je faisais de mon mieux pour le satisfaire et alla même jusques à reconnaître que j'apprenais rapidement les rudiments de son art.

La vieille fabrique se trouvait à une certaine distance de la cité, au bord de la rivière dont l'eau nous était nécessaire à la fois pour humidifier la poudre et pour éteindre le feu en cas d'explosion. Maître Schwarzschwanz, fort d'une prudence acquise au cours de sa longue expérience, moulait séparément le soufre, le salpêtre et le charbon entre des disques de bois. Nous n'avions pas à préparer nous-mêmes le charbon, que nous pouvions acheter à d'habiles artisans; ils en fabriquaient de si bonne qualité que mon maître affirmait n'en avoir jamais eu de meilleur; il préférait le charbon de bouleau qui donne une telle puissance à la poudre qu'il suffit ensuite de mélanger une très faible quantité de salpêtre et de soufre, matières toutes deux fort onéreuses.

En ce temps-là, maître Schwarzschwanz cherchait à définir les proportions exactes des divers ingrédients et ne s'en tenait point aux évaluations habituelles pour utiliser le charbon. Pour mesurer, il se servait d'une baguette munie d'un fil à plomb mobile sous lequel il faisait brûler des mélanges de poudre de poids égal, observant la hauteur à laquelle il était rejeté par l'explosion. J'étais chargé de noter les différentes proportions et leurs résultats, jusques à ce qu'il pût déterminer les plus efficaces.

Après plusieurs jours d'essais, un vent propice se mit à souffler avec constance de l'ouest. Nous mélangeâmes alors les quantités requises de soufre, salpêtre et charbon dans un cylindre tournant que mon maître relia ensuite au moulin, avant de recommander à l'assistant de le faire tourner régulièrement. Se signant enfin avec dévotion, il me dit :

— Partons, Mikaël !

Tandis que nous nous promenions dans les prés fleuris sans jamais quitter des yeux la fabrique, il m'expliqua que la plupart des experts avaient un vent de prédilection pour faire le mélange de la poudre; les uns prétendaient que celui du nord donnait de la force, les autres préféraient le vent du sud, et il y en avait pour choisir celui du sud-est.

— Superstition à peine bonne à impressionner les novices en la matière ! Jamais des compagnons chevronnés ne s'y feront prendre ! Tant que le moulin tourne avec régularité, qu'il ne chauffe pas, que ses crapaudines sont abondamment graissées et qu'il n'y a nul risque d'étincelles, le vent peut bien souffler d'où il veut !

Quand le maître jugea d'après la hauteur du soleil que le temps nécessaire s'était écoulé, il hurla à l'assistant de fixer les ailes qui cessèrent à l'instant de tourner; nous allâmes alors inspecter le mélange. Le maître en prit une poignée, la sentit, la goûta, et se déclara satisfait. A l'aide de pelles en bois, les ouvriers étendirent la poudre sur des planches lisses pour l'humecter, la presser et la passer au crible. Maître Schwarzschwanz n'utilisait que de l'eau pour humidifier la poudre, bien que le château lui eût fait tenir à cette fin plusieurs gallons d'une coûteuse eau-de-vie.

— L'eau-de-vie a son utilité par temps humide, ou en hiver, ou encore quand on doit utiliser la poudre tout de suite parce qu'elle s'évapore nettement plus vite que l'eau, me confia-t-il. Mais ça, c'est un secret du métier. Pour chaque cent cinquante litrons de poudre, j'exige du château deux litrons d'eau-de-vie et le gouverneur, que le diable l'emporte, n'a pas à savoir l'usage que j'en fais !

Tout en parlant, il fabriquait avec la poudre des sortes de fines galettes et enseignait aux apprentis comment les passer au crible : il faut que les grains aient un certain calibre, les plus petits ne pouvant servir qu'aux armes de faible portée. Puis il ordonna de mettre la poudre à sécher sur des planches inclinées bien exposées au soleil et à l'abri du vent. Enfin, on la versa dans de petits barils dont on enfonçait le couvercle à coups de massue de bois. Il était rigoureusement interdit aux poudriers de porter sur eux le moindre objet de métal et ils devaient chausser des sandales de cuir souple ou d'écorce de bouleau.

La poudre à canon fut alors soumise aux vérifications coutumières, et les artilleurs grisonnants du château reconnurent sa qualité exceptionnelle : elle n'avait pas une once de poussière, sa granulation était parfaite. On procéda ensuite aux exercices pratiques en présence du gouverneur, et mon bon maître démontra qu'il suffisait de tirer trois coups d'un canon royal pour couler une chaloupe dans la rivière. En fait, il dut se contenter de tirer une cible à terre située à une distance équivalente, car les boulets de canon revenaient à un tel prix que l'on devait les récupérer pour les réutiliser après l'exercice. Un seul incident vint troubler ces manœuvres : au moment où nous nous servîmes de la bombarde, un boulet de pierre aussi gros qu'un tonneau alla frapper contre un rocher et éclata malgré son cerclage de fer.

— Seul un pays retardataire comme celui-ci utilise encore des boulets de pierre, proféra mon maître d'une voix pleine de mépris. Un boulet de canon digne de ce nom est lisse et parfaitement rond, ce que l'on ne peut obtenir que par la fonte, la fonte qui les rend moins onéreux et plus finis. Ce n'est qu'en les fondant qu'on obtient des boulets tous du même calibre et du même poids ! Mais, personnellement, je ne suis point versé en cet art qui reste l'apanage des artisans fondeurs, et il nous faudra donc continuer à forger nos projectiles.

Le gouverneur, qui habituellement écoutait sans broncher

les propos de l'Allemand, répliqua cette fois d'un ton indigné :

— La pierre a été assez bonne pour nos pères et les pères de nos pères ! Nous ne sommes pas un pays riche et sans doute Dieu a-t-il voulu remplacer le métal par la pierre et une main-d'œuvre bon marché !

Après le départ du gouverneur, maître Schwarzschwanz jeta son bonnet par terre, le foula aux pieds et blasphéma au point de tirer quelques sourires entendus des artilleurs les plus endurcis.

— Par la sangdieu ! finit-il par dire après s'être un peu calmé. Je ne suis pas d'accord avec le gouverneur qui veut que je lui fasse des canons de fer ! Mais pour fabriquer des canons de bronze, il me faudrait du cuivre et de l'étain et j'ai bien peur que ni lui ni le pays tout entier ne soient capables de m'en fournir ! Sache pourtant qu'une nation qui ne peut réunir ces matériaux, alors que ses clochers sont pleins de cloches et les armoires de ses bourgeois pleines de vaisselle, n'a plus qu'à disparaître !

Redevenu sérieux, il m'avoua, tandis que nous cheminions ensemble pour regagner notre logis, qu'il devait réellement faire face à une grande difficulté; pour lui, un canon de bronze valait dix canons de fer parce que, même fissuré, il continue à servir; le bronze est en effet un alliage résistant qui ne risque jamais de voler en mille éclats.

— Seuls les imbéciles ou les fous se contentent de canons de fer ! renchérit-t-il. Les artilleurs aguerris n'en veulent à aucun prix ! Mais je me trouve personnellement devant un grave dilemme : d'une part, je me suis engagé à fournir une artillerie à la forteresse, d'autre part, je ne sais fondre que le bronze, pas le fer ! De toute façon je me refuse à prendre la responsabilité des blessures et de la mort d'innocents obligés de servir des pièces de fer !

Je lui rappelai que l'on trouvait en Finlande de très habiles forgerons qu'il pourrait initier à l'art de fabriquer des canons. Il objecta, en se grattant l'oreille, que même s'il avait assisté à ladite fabrication, il lui serait difficile de l'expliquer à un autre. Il paraissait vraiment plongé dans une grande perplexité, mais, quand il eut bu une ou deux chopes de

38

bière, il reprit courage et se mit à penser à la possibilité de louer une forge et les services d'un maître forgeron qui enseignerait aux autres, au fur et à mesure qu'il apprendrait lui-même les nouvelles méthodes.

J'ai tenu à raconter en détail ces événements parce qu'ils ont été plus tard à l'origine d'un incident qui devait, dans une large mesure, influencer le cours de mon existence.

Tandis que maître Schwarzschwanz était tout à l'installation de la forge, mes vacances prirent fin et je me vis dans l'obligation de retourner à l'école. Mais j'avais pris l'habitude de l'indépendance, et même les subtilités de la dialectique me parurent dès lors avoir un goût de renfermé. Le magister Martinus me jugea suffisamment avancé pour me confier un poste d'assistant; ma tâche consistait à inculquer les rudiments de grammaire latine aux nouveaux élèves; ainsi le magister se comportait-il exactement comme un maître compagnon qui délègue à ses apprentis le travail rébarbatif et se réserve de le peaufiner au dernier moment. Il ne venait plus que le matin, à midi et le soir, et distribuait avec impartialité les châtiments à tous les élèves, du plus jeune au plus âgé. Je m'efforçais pour ma part de les consoler, leur disais avoir subi les mêmes épreuves, et leur expliquais que si le bain chaud de la science brûlait leur peau au sens propre du mot, il apportait aussi en récompense maintes connaissances et de bons emplois; j'ajoutais que la graisse d'ours était en tout cas, de tous les onguents, le consolateur le plus efficace.

Le magister Martinus me dissuada d'étudier le bréviaire puisque ma naissance ne me permettrait jamais d'entrer dans les ordres. Je remplis désormais avec amertume mes fonctions d'assistant bénévole, qui me rappelaient sans cesse que jamais je ne troquerais mes braies mal ajustées pour la toge de l'étudiant. Les fruits défendus sont toujours les plus doux et je ne pouvais concevoir plus grande joie que celle d'être admis dans l'ordre sacré de la prêtrise au sein de notre mère l'Église.

Un jour que, plongé dans une réflexion de ce genre, je déambulais dans la rue sans souci de ce qui m'entourait, je fus brusquement tiré de mes pensées par un terrible mugissement et des cris aigus de détresse qui me firent sursauter. Des gens qui fuyaient, en proie à la panique, me bousculèrent et je tombai par terre. J'eus à peine le temps de me relever quand je vis fondre sur moi, tel un éclair, un taureau furieux qui me saisit entre ses cornes et, d'un mouvement brusque de sa nuque puissante, me projeta en l'air à hauteur des toits. Retombé au sol, j'aperçus un morceau de mes culottes accroché au bout d'une corne de l'animal; la corde qui l'avait attaché pendait à son cou, la bande d'étoffe qui avait servi à l'aveugler était en pièces, il soufflait et beuglait en soulevant la poussière devant lui et grattait la terre en menaçant de m'encorner à la place même où j'étais tombé. Je crus ma dernière heure arrivée ! La terreur me paralysait à tel point que je ne sentais aucune douleur ni n'étais capable de bégayer la plus petite prière pour sauver mon âme. Ce fut alors qu'un robuste paysan se planta devant le taureau, le prit calmement par les cornes et le renversa à terre. Puis, tournant le dos à la bête qui lançait des ruades et des beuglements encore plus rageurs, il me demanda :

— Es-tu blessé ?

Alors seulement je pris conscience de mon mal. Tout mon corps fut saisi d'un tremblement, et une prière d'action de grâces pour avoir conservé la vie me monta aux lèvres. Pendant ce temps, d'autres personnes entouraient l'animal, lui liaient les pattes et rajustaient son bandeau sur les yeux; le valet qui le menait chez le boucher ne cessait de répéter que son taureau était la bête la plus tranquille et pacifique que l'on ait jamais vue et que je devais sûrement l'avoir excité; à ma grande joie, cet homme s'agita avec tant de violence qu'il se déboîta l'épaule, mettant ainsi brusquement fin à sa litanie de stupidités; en échange, il commença à se lamenter, disant que la cité d'Åbo était possédée du démon et que jamais, au grand jamais, il n'aurait dû amener son brave taureau dans pareil endroit.

Je regardai avec intérêt mon sauveteur qu'il me fallait à

présent remercier pour son intervention. Il avait une bonne tête de plus que moi et des yeux gris quelque peu somnolents, me sembla-t-il. Il portait des sandales et un havresac d'écorce de bouleau et, à en juger par sa vêture en loques, ne devait pas rouler sur l'or.

— Tu es assez fort pour renverser un taureau à mains nues et je dois te remercier pour m'avoir sauvé d'une mort certaine !

— Ce n'est rien ! répondit-il avec gêne.

Je sentis le sang couler le long de ma poitrine et une douleur aiguë me laboura les côtes. Un étourdissement m'obligea à prendre appui contre le mur.

— Où vas-tu ? lui demandai-je.

— Où le vent me pousse ! rétorqua-t-il comme s'il trouvait ma question indiscrète et superflue.

Sans me décourager pour autant, je le priai de m'accompagner chez dame Pirjo, car mes jambes pouvaient à peine me porter.

Au moment où j'étais à terre sous le mufle du taureau écumant, il n'y avait guère, j'aurais allègrement fait don à l'Église de tout ce que je possédais si quelqu'un venait à mon secours. A présent, je me félicitais de la violence du coup qui m'avait étourdi avant de me laisser le temps de prononcer le moindre vœu imprudent. Et tandis que d'un pas mal assuré, je me dirigeais vers la maison, aidé par ce jeune paysan, et suivi d'un petit groupe effrayé et rempli de compassion, je me proposais d'offrir à mon sauveur mon poignard au fourreau monté en argent et les thalers que j'avais économisés sur mes gages de l'été. Mais arrivé à la cabane de dame Pirjo, je me gourmandais déjà moi-même pour pareille extravagance et pensais que trois monnaies d'argent suffiraient amplement à récompenser un garçon qui n'avait eu que très rarement l'occasion de tenir dans sa main une vraie pièce, si tant est même qui l'eût jamais eue !

Dame Pirjo versa de douloureuses larmes en voyant l'état lamentable dans lequel je me trouvais et en apprenant ce qui était arrivé. Elle me dévêtit comme si j'étais redevenu un petit enfant et me frictionna avec ses onguents. Un examen approfondi lui révéla que j'avais deux côtes cassées; elle me banda alors la poitrine, si étroitement que je ne respirais qu'à grand-peine, et m'allongea elle-même dans sa propre couche. Pendant ce temps, le paysan, confortablement installé sur le seuil, mâchonnait un quignon de pain dur et un morceau de mouton salé qu'il avait tirés de son havresac. Les enfants, venus à notre suite, restaient serrés en groupe à le contempler, les doigts dans le nez et se frottant la jambe du bout du pied. Dame Pirjo les chassa avant d'inviter mon sauveteur à entrer.

— Quel est ton nom ? Le nom de ton père ? D'où viens-tu ? Que fais-tu ? Où vas-tu ? Qu'est-ce qui t'a incité à te porter au secours de Mikaël ? demanda-t-elle.

Le jeune homme avait, semblait-il, un esprit plutôt lent.

— Quoi ? dit-il en se grattant l'oreille.

Puis, ses idées devenant plus claires, il répondit qu'il s'appelait Antti Karlsson de la paroisse de Letala. Il était venu à la ville pour apprendre le métier de forgeron; à vrai dire, il avait eu la malchance de casser l'enclume du maître de son propre village et, dans sa colère, cet homme l'avait chassé de sa forge.

— Comment as-tu pu casser une enclume ? lui demandai-je avec étonnement.

— Le forgeron, m'expliqua-t-il, son honnête regard gris fixé sur moi, m'a mis la masse entre les mains en m'ordonnant de frapper. J'ai obéi. Alors il a dit : « Frappe plus fort ! » et j'ai frappé plus fort. Mais quand il a répété son : « Plus fort ! Plus fort ! » j'ai pris le plus grand marteau et j'ai cassé le bec de l'enclume.

Dame Pirjo l'observa un instant, l'air dubitatif, avant de dire :

— Ma cabane s'est affaissée par là, tu vois, et comme le sol est en pente, quand je lave par terre, l'eau va dans ce coin et pourrit les madriers. J'ai toujours eu l'intention de l'arranger. Pourrais-tu soulever la cabane de ce côté pendant que je mettrais dessous une ou deux pierres ?

— Volontiers ! dit Antti.

Ils sortirent ensemble et j'entendis, peu après, un sinistre craquement tandis que mon lit était secoué comme au milieu d'une mer en furie. Dame Pirjo hurla d'une voix angoissée :

— Tu vas démolir la maison, espèce de brute ! Ça suffit !
Ça suffit !

A leur retour, Antti avait une respiration normale. Dame
Pirjo s'assit, le menton appuyé sur sa main, et parut se
plonger dans la contemplation du garçon.

— Dis-moi, mon pauvre ami, es-tu bien de la tête ?
finit-elle par demander.

Après quelques instants de réflexion, Antti répondit :

— Je suis peut-être un peu lent mais ne fais jamais le mal
exprès. Je ne voulais point démolir ta cabane, mais je
n'arrive pas à maîtriser ma force, voilà mon drame ! C'est
même la raison pour laquelle j'ai quitté ma maison ainsi que
la forge !

Je le priai de nous parler de son foyer et de sa famille.

— Je viens d'une région pauvre et d'une famille de
pauvres. Mon père et ma mère n'ont rien,... rien si ce n'est
des enfants, un chaque année quand ce n'est pas deux à la
fois ! Il y avait dix-huit bouches à nourrir chez nous, et je ne
suis pas sûr que ma mère se souvenait du nom de tous parce
qu'elle a commencé à perdre la mémoire en même temps que
ses dents. Moi, je leur étais d'une grande utilité bien sûr, je
suis capable de tirer n'importe quelle charrette ! Mais quand
je m'y attelais de tout mon cœur, mon père avait ensuite tant
de travail pour réparer les dégâts que cela le mettait dans des
rages noires... Il disait qu'un cheval lui reviendrait moins
cher ! Et c'est vrai que je mangeais comme un cheval quand
j'en accomplissais les travaux et mon père ne pouvait le
permettre : il n'y a même pas un croûton de pain en trop
chez des pauvres, vous savez !

Il essuya une larme au coin de son œil avant de
poursuivre :

— Je me demande pourquoi c'est à moi que cela arrive...
pourquoi on m'a donné plus de force qu'il n'en est besoin
dans un petit village. Mon père et ma mère sont tous les deux
maigrichons, et quand je jouais avec mes frères à la lutte à la
jarretière, moi, j'arrivais à les soulever de terre tous les dix à
la fois, à condition que la barre ne cède point ! On raconte à
la maison que mon grand-père était si fort, qu'armé de sa
seule hache il ne craignait pas de saisir un ours à

43

bras-le-corps; l'un d'eux d'ailleurs l'embrassa jusqu'à l'étouffer ! Mon père pensait qu'il valait mieux pour moi me faire soldat, mais je n'en suis pas du tout sûr parce que j'ai une peur bleue des bagarres et des grossièretés. Quand je suis parti, ma mère m'a donné la moitié d'une miche de pain et m'a conseillé d'apprendre le métier de forgeron. J'essaye de faire ce qu'elle m'a dit, cependant comment y parvenir dans cette grande cité où je ne vais peut-être même pas gagner de quoi me nourrir ?

A ces mots, il éclata en sanglots désespérés, bien qu'il ne fût plus un enfant, et nous raconta, en bégayant à travers ses larmes, comment il avait quitté son foyer.

— J'avais tant de peine à abandonner ces lieux si familiers que je suis resté un long moment sur le seuil, les yeux tournés vers l'intérieur, avant de pouvoir me décider à prendre la route. En chemin, j'ai eu la malchance de tomber nez à nez avec un ours; l'animal s'est dressé sur ses pattes de derrière, prêt à l'attaque. Je n'étais guère rassuré mais je me suis souvenu de mon aïeul, et pensant que j'étais seul au monde, j'ai jugé que mieux valait pour moi mourir dans ces énormes bras puisque, de toute façon, je n'apportais que désagréments à ma propre famille. J'avais donc l'intention de lutter dans un corps à corps loyal avec l'ours; or il m'assena un tel coup sur le visage que je me suis retrouvé par terre, la tête bourdonnant comme si un nid de guêpes logeait à l'intérieur. J'en suis marqué à jamais, regardez ! Alors, moi qui suis d'un naturel tranquille, j'ai perdu mon calme, j'ai attrapé sa patte pleine de griffes et l'ai tordue jusqu'à ce qu'il grogne de douleur et s'enfuie sur le chemin. Je l'ai suivi, en grognant encore plus fort que lui dans ma colère; il a grimpé sur un arbre pour m'échapper, j'ai secoué le tronc, il est tombé et je lui ai enfoncé le crâne à coups de pierre. Ensuite je suis retourné au village, la peau de l'ours sur l'épaule, et j'ai commencé à travailler à la forge. Malheureusement, le maître n'a point tardé à me mettre à la porte et me voilà à présent ici !

A la fin de son récit, une fois qu'il eut séché ses larmes, dame Pirjo s'écria :

— Est-ce que par hasard tu nous raconterais des histoires, Antti Karlsson ?

Il la regarda, ses yeux ronds remplis d'étonnement.

— Pourquoi mentirais-je sur un sujet pareil ? D'autant que c'était un bel ours mâle et que j'ai gardé sa queue ! On dit que les sorciers en donnent un bon prix parce qu'elle leur sert, paraît-il, à faire toutes sortes de tours de magie noire !

Il sortit l'appendice de son havresac. Je n'en avais jamais vu auparavant et me sentais intéressé, mais dame Pirjo me devança et, le lui arrachant des doigts, lui dit :

— Je te paierai le prix que tu voudras comme n'importe qui ! C'est excellent pour fabriquer des philtres d'amour et on ne sait jamais quand on peut en avoir besoin !

— Je vous en fais cadeau, noble dame ! coupa Antti. En échange, vous me donnerez des conseils, j'en ai grand besoin, croyez-moi !

— Que la Vierge et ses saints me préservent de profiter de ta naïveté ! protesta dame Pirjo avec véhémence. Nous sommes tes débiteurs ! C'est saint Nicolas en personne qui a dû t'envoyer au secours de Mikaël au moment où il courait un danger, et cela signifie que vos vies doivent rester liées. Tu dormiras ici cette nuit et je te donnerai nourriture et vêtements jusques à ce que nous ayons examiné la meilleure manière de vous entraider, Mikaël et toi.

— Il n'y a rien à examiner ! m'exclamai-je. Maître Schwarzschwanz a engagé un forgeron qui cherche des aides; il n'est point nécessaire qu'ils soient très aguerris puisque le forgeron lui-même doit apprendre l'art de forger des canons sous la direction de mon maître.

Et ce fut ainsi que la destinée d'Antti Karlsson se trouva désormais liée à la mienne.

Cet incident eut lieu en l'an de grâce 1517 qui fut, lorsque à présent j'y songe, la dernière année de bonheur que connut ce monde, et la plus heureuse de ma vie. Pourtant, la graine empoisonnée qui allait apporter la ruine à l'humanité avait déjà été semée, et ce fut chez dame Pirjo une conversation entre maître Laurentius et le père Pierre qui constitua pour moi le premier signe avant-coureur de ce qui allait se passer.

Le père Pierre parlait ainsi :

— Les états de Suède ont déposé notre révérend archevêque Gustav Trolle de son siège. Jamais notre royaume n'avait été témoin d'une chose pareille et je tremble à l'idée de ce que le Saint-Père de Rome en dira.

— Point n'est besoin de se creuser la tête à ce sujet ! reprit maître Laurentius en se frottant les mains avec satisfaction. Il jettera l'interdit sur le royaume : plus de baptêmes, plus de sacrements, plus de mariages et les églises resteront fermées. On l'a déjà vu pour des offenses de moindre gravité.

Je me joignis alors à la conversation :

— Loin de moi la pensée de défendre un acte impie, mais j'ai entendu des personnes autorisées prétendre que Sa Grâce l'archevêque était un partisan déclaré de l'Union[1] et, par conséquent, un ennemi de la patrie. Nous avons conclu avec le csar une paix durable scellée d'un baiser sur la croix. Le Danemark ne constitue-t-il point, dès lors, l'unique danger qui nous menace ? Et nous savons tous que ce danger se trouve déjà à notre porte puisque nous fabriquons de la poudre et forgeons des canons, ce dont je puis témoigner personnellement, ayant travaillé d'arrache-pied, du chant du coq à l'heure des vêpres tout au long de l'été, pour parfaire les fortifications du pays... ce dont nul d'ailleurs ne m'a remercié !

— Récompenses et honneurs de ce monde ne sont que vanité, souligna le père Pierre d'un ton rempli de piété, et le jour du Jugement Dernier, chacun de nous se verra pesé et jugé selon ses propres mérites. Mais l'interdit ! Il causera en vérité de lourdes pertes aux humbles serviteurs de l'Église en les privant des légitimes droits qu'ils touchent en paiement des services rendus à leurs ouailles. Oui ! Nous risquons d'en sortir dangereusement appauvris !

— Pleurer et se lamenter ne servent de rien ! reprit maître Laurentius qui se frottait les mains d'un air encore plus satisfait. Quand se prépare l'orage, le sage doit rapidement

1. Union de Kalmar. Voir la note en fin de volume.

choisir une position, décider s'il sera du côté des Jyllandais ou des Suédois, des unionistes ou des anti-unionistes, pour ou contre l'archevêque, et agir en conséquence. Voilà ce que l'on appelle la politique, et c'est le plus grand de tous les arts : tôt ou tard, adhérer à un parti ou à un autre, conduit inévitablement à la même fin. Que chacun choisisse donc ce que bon lui semble ! Viendra inévitablement le moment où on lui mettra une épée sur la poitrine, une masse sur la tête ou une corde autour du cou ! Seul le bourreau ne prend pas parti, car les Jyllandais ont besoin de lui aussi bien que les Suédois et il est aussi nécessaire aux juges séculiers qu'aux juges de l'Église. Non, en vérité, il n'a nulle raison de craindre la venue des temps où ses services sont les plus recherchés !

Dame Pirjo repoussa la coupe d'argent et la chope en bois d'un geste brusque.

— Gardez vos plaisanteries pour vous, maître Laurentius ! intima-t-elle. Ne voyez-vous point que Mikaël est devenu blanc comme un linge et que même Antti, malgré son esprit lent, a les cheveux hérissés sur la tête ? Nous avons au moins la chance de vivre ici en paix, loin des intrigues et des querelles des nobles. Que Stockholm fasse ou défasse rois et régents à son gré, que nous importe ? Et qu'importe au peuple de payer ses impôts aux Jyllandais ou aux Suédois pourvu qu'on le laisse gagner sa vie en paix ! Oui, nous avons de la chance, nous, de vivre dans un pays pauvre ! Nous pouvons attendre notre tour sans bouger, attendre qu'un parti obtienne la victoire pour savoir alors de quel côté il faut se mettre. Je me félicite que Mikaël ait préféré la plume d'oie à l'épée, parce que celui qui prend l'épée périra par l'épée, comme il est dit dans les Écritures.

Maître Laurentius soutint avec obstination que le monde n'était plus le même et qu'un coup de plume désormais pouvait donner au bourreau plus de travail que le cliquetis des épées ou le grondement des arquebuses; mais j'étais trop jeune alors pour comprendre ce qu'il voulait dire.

Dame Pirjo posa sur la table un grand plat rempli d'une soupe épaisse de flocons d'avoine où fondait un petit morceau de beurre. Après avoir fait le signe de la croix, nous plongeâmes avec plaisir nos cuillères dans le plat. Non, vraiment, le monde n'allait pas si mal puisque les pauvres gens pouvaient encore déguster du beurre dans leur soupe de flocons d'avoine !

Mais d'étranges nouvelles nous parvinrent de Germanie avec les derniers bateaux arrivés à quai avant que la mer ne fût prise par les glaces. Une grande agitation, disait-on, régnait parmi les moines à cause d'un certain docteur Luther qui avait cloué à la porte d'une église de Wittenberg une liste comportant quatre-vingt-quinze points, où il condamnait entre autres le trafic d'indulgences, mettant ainsi en doute le pouvoir temporel du Saint-Père en qualité d'unique gardien des clés du paradis.

Ces rumeurs, cependant, ne me parurent bonnes qu'à mettre une fois de plus en évidence le caractère agité et aigri des Allemands, caractère que j'avais déjà pu observer chez maître Schwarzschwanz. Comment imaginer qu'un homme de bon sens pût discuter les articles de foi révélés par la sainte Église, ces articles qui rendaient la vie si simple en épargnant à l'humanité tant de pensées superflues !

DEUXIÈME LIVRE

TENTATION

Un tranquille après-midi de Jour de l'An, le magister Martinus renvoya ses élèves dans leurs foyers et m'invita à le suivre dans sa pièce de travail. Il prit place derrière son bureau et, après avoir pressé énergiquement son long nez toujours humide entre le pouce et l'index, dit sur le ton de la solennité, en fixant sur moi un œil scrutateur :

— Au nom du Père, du Fils et du Saint-Esprit, Mikaël mon fils, que comptes-tu faire dans la vie ?

A ces mots qui me touchèrent en plein cœur, je tombai à genoux devant lui.

— Père Martinus, répondis-je en sanglotant, mon espoir le plus cher a toujours été de me consacrer au service de la sainte Église, et l'amertume de l'armoise envahit mon âme lorsque je vois que maints de ceux qui ont reçu leurs premières leçons avec moi ont déjà la tonsure sacerdotale ! Certes, je suis plus jeune que ces compagnons, je le crois du moins, et suis prêt à travailler nuit et jour pour augmenter mes connaissances ! Mais l'on m'a dit qu'en vain je travaille et j'espère; j'ai déjà cherché à entrer au cloître pour vêtir l'habit noir après un an de noviciat et pouvoir servir l'Église le reste de mes jours; le père Pierre me l'a déconseillé; il dit que je ne puis aspirer à une autre position à l'intérieur du monastère que celle de frère lai, si tant est que je sois admis à

51

entrer, du fait que je ne possède en ce monde nul bien auquel renoncer.

— Mikaël ! prononça magister Martinus d'une voix sévère. Qui donc parle par ta bouche ? Dieu notre Seigneur ou le diable ?

Je restai interdit à cette question. Il me laissa réfléchir un moment en silence avant de reprendre :

— Tu es un garçon doué, mais la tendance que tu as à te plonger dans les plus profondes matières et à poser des questions qui déconcertent même les plus compétents, m'a souventes fois donné de l'inquiétude. Ce n'est point l'humilité chrétienne, me semble-t-il, qui œuvre en toi, mais bien plutôt l'orgueil le plus condamnable qui te pousse dans les discussions à essayer d'embarrasser ton professeur dans ses propres arguments afin de lui faire perdre la face, comme cela s'est produit à propos de l'histoire de Jonas et la baleine.

— Père Martinus, je ne suis pas aussi pervers que vous le supposez, et mon cœur est tendre comme la cire. Donnez-moi quelque espoir, et j'amenderai ma conduite, je marcherai pieds nus dans la neige et jeûnerai des semaines entières dans le seul but de me rendre digne de votre bénédiction.

Il poussa un large soupir, pourtant lorsqu'il parla de nouveau, sa voix avait le ton de la colère.

— Je ne doute point que tu sois prêt à faire n'importe quoi pour satisfaire ton ambition dépravée et surpasser tes condisciples ! Année après année, j'ai espéré un signe d'en haut qui m'indiquât ta place dans la vie, mais jamais aucun ne m'est apparu. Le temps passe, le péché de ton origine s'enfonce chaque jour davantage dans les ténèbres et bientôt nul ne se souviendra plus de ta mère. Ne vaudrait-il pas mieux que tu acceptes le chemin que le sort t'a tracé dans la vie et que tu apprennes à occuper honorablement une situation dans le monde ?

— Me chassez-vous, mon père ? clamai-je avec effroi.

L'école constituait l'unique point fixe de ma vie et, malgré mon déplaisir, je redoutais d'avoir à la quitter.

— Non ! Je ne te chasse pas, malheureux entêté ! Loin de moi cette idée ! J'ai toujours éprouvé à ton égard une sympathie que je ne m'explique guère... sans doute ta passion pour les livres et ton ardent enthousiasme me rappellent-ils ma propre jeunesse... Mais sais-tu que le chemin de la connaissance est semé d'épines ? Je dus vendre mon héritage afin de pouvoir étudier à l'université de Rostock; aucun sacrifice ne me paraissait assez grand tant ma soif d'apprendre était immense ! Tu vois que je peux te comprendre, Mikaël ! Mais regarde-moi à présent et vois où tout cela mène : je ne suis rien, rien qu'un vieil homme malade, qui bientôt va perdre la vue pour avoir trop étudié durant sa jeunesse. Et quand sonnera l'heure de ma mort, seule la plus humble des consolations, celle qui est offerte à toutes les âmes, qu'elles appartiennent à un clerc ou à un laïque, je veux parler de l'extrême-onction et de la rémission des péchés, seule cette consolation sera mon réconfort ! A cet égard, je ne vaux guère mieux que le plus misérable vacher en dépit de tout mon savoir ! Je te le dis pour ton bien, tu ne gagneras rien en cherchant si désespérément la connaissance. Il serait plus sage de te soumettre humblement à ton destin : consacre-toi à quelque utile tâche d'écrivain et cesse de soupirer après la lune !

— Eh bien ! répondis-je avec aigreur, les yeux noyés de larmes brûlantes, eh bien, je me ferai vacher puisque c'est tout ce que la connaissance de la vie vous a appris, père !

Alors la douceur entra dans le cœur de mon maître. Il me tapota la joue de sa main tremblante aux veines apparentes.

— Une occupation dans le monde, en dehors du monastère, te laissera la liberté de jouir des plaisirs de la vie. Tu pourras porter une plume à ton chapeau et aller chez les filles, puis, plus tard, t'installer dans les joies infinies que procurent une bonne épouse et des enfants obéissants.

Je rétorquai d'un ton maussade que ni le mariage ni une bande de gosses criards dans la cabane d'un misérable scribouilleur n'avaient de charme à mes yeux.

— Et du reste, ajoutai-je, tous les prêtres, et presque tous les évêques ont une maîtresse et des enfants et nul ne le considère comme un péché ! Ils ont tous les avantages du mariage et n'en supportent aucun des inconvénients ! Dans les ordres, seul le mariage secret est une faute impardonnable ! De toute façon, cette question n'a rien à voir avec mon désir d'entrer dans la prêtrise. Pour un jeune sans fortune comme moi, l'ordination constitue l'unique porte qui permette de poursuivre des études et peut-être d'obtenir un poste universitaire ou quelque bénéfice ecclésiastique.

J'avais à peine achevé de prononcer ces mots, que je fus pénétré d'un sentiment de confusion et de honte : je venais, en dévoilant étourdiment mes rêves les plus secrets, de donner au magister Martinus de solides arguments pour m'accuser d'ambition dépravée.

Mais mon maître et guide spirituel ne m'adressa plus un seul reproche.

— Ne vois-tu point, Mikaël, dit-il d'une voix pleine de tristesse, ne vois-tu point ton erreur à ne considérer l'Église et les ordres sacrés que comme des moyens de satisfaire ton désir de connaissance ? C'est à l'Église de choisir ses serviteurs, et tes propres paroles te condamnent comme un misérable chasseur de fortune et un hypocrite. Tu serais capable de te servir de l'ostensoir sacré en guise d'escabeau, s'il pouvait te permettre de te hausser d'un pouce ! Avec le temps tu comprendras, et alors la honte s'emparera de ton âme !

— Père Martinus, objectai-je, je ne possède rien en ce monde que ma tête et mes mains... et la sainte Église, qui a été mon unique et indestructible espérance. Pourquoi serais-je écarté lorsque beaucoup d'autres, plus stupides que moi, sont jugés dignes ? Pourquoi me repousse-t-on pour la seule raison que je n'ai ni biens ni famille ni protecteur à même de payer la dispense devant la cour de Rome pour le péché de ma mère ? Pourquoi ?

— Cherches-tu à présent à mettre en doute les enseignements de l'Église ? répliqua-t-il avec sévérité. Qui donc es-tu, toi, misérable ver de terre, qui es-tu pour te lever ainsi et discuter ses décisions ? Je t'avertis, Mikaël, tu n'es guère loin de l'hérésie !

A ces mots terribles, un tremblement s'empara de moi et je me sentis mortifié, bien que mon cœur brûlât encore du désir de provocation. Le magister Martinus n'avait en fait aucune intention de m'expulser de l'école. Il me promit même de me payer si je me chargeais d'enseigner la grammaire aux élèves les plus jeunes, et me recommanda chaleureusement à un bourgeois comme précepteur de ses deux enfants.

Avec la fonte des glaces, ce printemps-là, arrivèrent de sombres nouvelles. Le roi Christian II avait annoncé son intention de prendre la mer en direction de Stockholm. Il voulait réinstaller l'archevêque sur son siège, châtier l'insolence des seigneurs suédois et poser sur sa propre tête la couronne royale de Suède dont il était l'héritier légitime. Une partie de la garnison d'Åbo prit la mer en direction de Stockholm pour aller soutenir le régent Sten Sture, tandis que sur place s'organisait la défense du château — bien qu'il fût généralement admis qu'en cas de chute de la capitale, la résistance d'Åbo serait inutile et n'apporterait que désordres et destructions. On parlait déjà un peu moins de la cruauté des Jyllandais, et le peuple préférait attendre en silence la suite des événements. Personnellement, je soupirais après la guerre, qui convenait à mon humeur. Qu'avais-je à y perdre d'ailleurs ?

Le jour de la fête de la Saint-Jean, au début de l'été, je me rendis à l'église où je n'avais guère mis les pieds depuis fort longtemps, pour implorer la mère de Dieu de m'aider à trouver le chemin d'une vie meilleure. J'avais déjà atteint l'hôtel de ville, lorsque j'entendis la voix lamentable d'Antti qui sortait des caves en dessous; il se soutenait des deux mains aux barreaux de la grille, et je vis sa tête hirsute et sa large face si meurtrie et maculée de sang que j'eus de la peine à le reconnaître.

— Jésus, Marie ! m'exclamai-je avec horreur. Qu'as-tu fait ?

— J'aimerais bien le savoir ! pleurnicha-t-il. J'ai dû m'enivrer copieusement ! Mais qui aurait cru que l'eau-de-vie pût mettre un garçon paisible comme moi en cet état ? Si tu veux mon avis, je ne devais pas être seul... il y avait à coup sûr d'autres personnes qui se battaient, parce qu'un homme seul serait incapable de s'abîmer de la sorte... même en dégringolant toute une colline de pierres à la renverse !

— Je cours à l'église prier pour qu'ils ne te conduisent point au pilori ou qu'ils ne te jettent pas en pâture aux corbeaux pour meurtre, lui dis-je en guise de réconfort.

— Ce qui est fait est fait et pleurer ne me servira à rien ! répondit Antti d'un ton courroucé. Montre-toi chrétien, Mikaël, apporte-moi de l'eau et un morceau à manger ! Mon estomac crie famine et me donne bien plus de souci que ma peau !

Ne voyant nul garde alentour, je lui apportai un seau d'eau, mais il ne parvint point à l'attraper à travers la grille ; il souffrait cependant d'une soif si ardente qu'il banda ses muscles jusqu'à tordre les barreaux suffisamment pour faire passer le récipient.

— Antti ! criai-je, effrayé en voyant craquer le scellement, Antti, il ne faut pas détériorer les propriétés publiques, sinon on te punira encore plus sévèrement ! Si tu veux t'échapper, c'est le moment, tu dois pouvoir te faufiler par l'ouverture que tu viens de faire.

— Je n'ai guère l'intention de m'échapper, rétorqua Antti d'un ton altier. Je supporterai ces insultes et ce juste châtiment avec humilité comme il sied à un chrétien, afin de reconquérir le respect de moi-même à la face de Dieu et à celle des hommes !

J'avais mis quelques pièces dans ma bourse pour brûler un cierge à saint Jean-Baptiste, cet homme courageux qui préféra périr décapité plutôt que succomber à la luxurieuse Hérodiade. Je courus aux *Trois Couronnes* où j'achetai une grande terrine pleine de navets et de harengs et une miche de pain. Mais je ne pus m'attarder plus longtemps auprès de mon ami car les bourgeois se pressaient déjà sur le chemin de l'église pour assister à la grand-messe.

— Courage ! lui dis-je. J'essaierai de me faufiler jusqu'ici cette nuit pour t'apporter plus de nourriture.

— Courage, dis-tu ? Ce n'est guère facile avec les grenouilles qui me sautent par tout le corps et les rats qui me passent sous le nez chaque fois que j'essaie de fermer l'œil ! Enfin ! Peut-être un bon repas m'aidera-t-il à voir le monde sous un jour plus brillant !

Je le quittai enfin et me rendis en hâte à la cathédrale. Mais, hélas, Satan prépare ses pièges plus sournoisement que l'on ne croit ! Lorsque je sortis de la messe, le cœur empli de contrition, je fus abordé sous le porche par un jeune homme, dont les joues marquées de taches noires semblaient avoir autrefois été criblées de poudre à canon. Nonchalamment appuyé sur son épée, il m'adressa la parole en langue germanique et me dit avoir recueilli de bonnes informations à mon sujet; il était étranger et logeait avec sa sœur dans une auberge jouxtant la taverne des *Trois Couronnes*; il avait besoin de l'aide d'un jeune homme intelligent et m'invitait à lui rendre visite le soir même. Je n'aurais pas à le regretter, ajouta-t-il. Il y avait de la fausseté dans ses manières pleines d'onction, mais son sourire était attirant; il portait des chausses très ajustées avec un pourpoint de velours garni de boutons d'argent. J'eus le sentiment que je ne risquais rien en répondant à son invitation.

Lorsque dame Pirjo apprit dans quelle triste situation se trouvait notre ami Antti, elle se mit en devoir de lui préparer un paquet de viande que je lui portai à la tombée de la nuit. Dans la cour de l'hôtel de ville, je rencontrai le gardien, un vieux soldat à la jambe de bois, qui m'avait appris à manier l'épée.

— Tu peux entrer, me dit-il avec amitié, tu n'es pas le premier à lui rendre visite.

Je descendis dans la cellule qu'une chandelle de suif éclairait à présent joyeusement. La tenancière des *Trois Couronnes*, la tête d'Antti reposant sur son sein, le cajolait en lui parlant tendrement.

— Mikaël, dit-elle d'un ton sérieux lorsqu'elle me vit apparaître, on aurait bien du mal, tu sais, à trouver un garçon aussi juste et noble que ton ami Antti ! Cette nuit, alors que j'étais rentrée me coucher après les feux de la Saint-Jean, un épouvantable vacarme m'a tirée de mon sommeil à l'aube. Une bande d'apprentis pris de boisson a enfoncé ma porte et envahi ma maison; ils ont jeté mon pauvre époux dans une huche vide et empilé des pierres sur le couvercle; puis ils m'ont obligée à leur servir à manger et à boire cervoise et eau-de-vie.

57

« A ce moment-là, ce brave garçon est arrivé par hasard. A peine se fût-il rendu compte de la situation critique dans laquelle je me débattais que, tel Samson sous les murailles de Jéricho, il se précipita armé de ses seuls poings contre ces garnements tombés sur lui à coups de gourdins, piques et bûches de bois, et réussit à les jeter dehors. Pauvre garçon qui tenait à peine sur ses jambes après ses fatigues de la nuit de la Saint-Jean ! Lorsque enfin la garde s'est présentée, les soldats se mirent à me reprocher avec insolence d'avoir servi en dehors des heures réglementaires; et tu aurais vu ce jeune homme, se méprenant sur leurs intentions, les jeter dehors à leur tour pour qu'on reste enfin tranquilles dans la maison ! Puis il s'écroula, ivre de fatigue, à même le plancher. Hélas ! Les gardes revinrent et, ne trouvant personne d'autre à embarquer, ils l'entraînèrent vers la prison en le rouant de coups de pied et de poing !

« Mais si Dieu le veut, cette mauvaise action leur sera justement retournée ! C'est du moins ce que pense mon pauvre vieux mari que j'avais oublié dans sa huche jusques à ce matin !

Puis, tout en caressant la joue de mon ami, elle ajouta :

— Tu es en de bonnes mains, mon garçon ! Aussi sûr que j'ai une licence et paie les taxes pour tenir une taverne, je te sortirai d'ici ! Reprends tes forces et bois un peu de cette cervoise, c'est la meilleure de chez moi !

Constatant qu'Antti ne manquait de rien, qu'on le soignait bien et que donc ma présence n'était point nécessaire, je m'en fus boire une pinte de bière aux *Trois Couronnes* où le tavernier me confirma point par point le récit de son épouse.

La boisson me revigora et je me sentis alors le courage d'entrer dans l'auberge afin de m'enquérir de l'étranger qui y était descendu en compagnie de sa sœur. Il avait, à l'évidence, une solide réputation de générosité car l'on me conduisit sans délai dans ses appartements. Dès l'entrée, une agréable odeur de cire à cacheter vint frapper mes narines; une chandelle éclairait la table sur laquelle l'étranger était en train d'écrire; les objets de son écritoire, d'excellente qualité, tenaient tous dans un petit étui de cuivre accroché à sa ceinture. Il me reconnut, se leva en m'adressant quelques mots de bienvenue et me prit la main. Cet accueil ne laissa point de me flatter, car ce jeune homme avait cet air avisé et distingué du vrai gentilhomme pour lequel beaux appartements, vin à sa table chaque jour, vêtements luxueux et bon service font l'ordinaire.

Fils d'un marchand de Cologne fait chevalier par l'empereur, il me dit s'appeler Didrik Slaghammer. Il avait voyagé, durant sa jeunesse et visité nombre de pays étrangers, mais se consacrait à présent au négoce à Danzig et à Lübeck. Ayant entendu parler des lieux saints de Finlande, fameux tout autour de la Baltique, il avait été attiré par Åbo. Certes, à parler franc, il avait mené dans ses jeunes années une vie un peu débridée, mais avec la trentaine il était devenu plus sage et trouvait maintenant un plaisir véritable à accomplir des actes de piété tels des pèlerinages dans des lieux saints, à condition toutefois qu'ils ne soient point inaccessibles. Il me donna à entendre qu'il avait besoin de moi comme truchement et mentor pour ces pèlerinages.

Je lui parlai avec complaisance du Chemin de saint Henrick, du soleil de Nadendal, de la Sainte-Croix d'Anianpelto, de l'église de Reso qui fut construite par des géants, et de maints autres lieux sacrés. L'inconnu paraissait avoir l'esprit ailleurs tandis que je discourais, il étouffa même un bâillement, qui laissa un instant découvertes ses dents aiguës d'animal de proie, et se mit à jouer négligemment avec une dague posée sur le couvercle de son coffre de voyage.

— Beaucoup ont essayé de m'effrayer avec des contes à propos de ce pays primitif, de ses bêtes sauvages et de ses voleurs, observa-t-il. C'est la raison pour laquelle je me suis muni d'une paire de ces pistolets d'arçon que l'on vient à peine d'inventer; ils m'ont déjà tiré plusieurs fois d'embarras !

Il me montra alors deux armes à canon court dans un double étui qui peut se suspendre à la selle du cheval, de façon à laisser reposer à portée de la main les lourdes culasses de plomb. Cependant son intérêt pour pareilles questions me semblait difficilement compatible avec la piété qu'il affichait.

Sans transition, il me demanda si j'avais entendu dire que le roi Christian s'armât contre les Suédois et quelle était en général l'opinion des Finlandais à ce sujet. Je lui répondis que de telle rumeurs portaient grand tort au commerce; les marchands d'Åbo ne se risquaient plus guère à envoyer leurs navires en haute mer de peur des bâtiments de guerre danois. Les bateaux de commerce devaient donc mettre le cap sur Lübeck, le long de côtes dangereuses sur lesquelles souvent le vent les poussait et les faisait échouer; ils étaient alors la proie des pirates qui infestaient les eaux depuis Osel jusqu'à la côte d'Estonie. De plus, si nos marchands recherchaient la protection des convois de Lübeck, les citoyens de cette ville en revanche n'étaient guère chauds pour la leur accorder : le Conseil d'Åbo, en effet, ne réservait plus la moitié de ses sièges aux membres germaniques comme les années précédentes, mais les destinaient dans leur totalité aux natifs de Finlande. Je lui vantai également la poudre et les canons que nous fabriquions, et ajoutai que les Jyllandais trouveraient une chaleureuse réception s'ils s'aventuraient près de la forteresse d'Åbo.

Messire Didrik jouait distraitement avec son pistolet, poussant la gâchette, faisant partir de vives étincelles de la pierre à feu. Il déclara avec un sourire que, personnellement, la guerre ne lui faisait pas peur mais qu'ayant une sœur dont il devait se préoccuper, il aimerait, afin de la délivrer de toute inquiétude, connaître le nombre des pièces d'artillerie dont le château disposait et leur calibre, le nombre d'hommes qui composaient la garnison, leur solde, leur commandement et leur origine; il lui plairait de savoir également le nom des citoyens les plus éminents et quel était leur poids réel dans les affaires de l'État.

Il paraissait en proie à l'anxiété et le fait même qu'il portât une arme dans cette auberge pacifique en était à mes yeux la meilleure preuve. Aussi, pour le rassurer, lui contai-je tout ce que je connaissais au sujet de la garnison, en lui rappelant cependant que j'étais un homme d'études et non un soldat. Je lui conseillai vivement de consulter mon ami et ancien maître, le fabricant de canons; j'étais même prêt à aller le chercher sur-le-champ si ce généreux étranger n'avait calmé mon impatience. Il dit qu'il ne voulait point déranger un maître si respectable le jour de la Saint-Jean, un maître qui, d'un autre côté, était plutôt porté à la colère après s'être heurté à la plus noire ingratitude; il avait en effet entendu parler de maître Schwarzschwanz et savait déjà que j'en avais été le secrétaire. De toute façon, il était entièrement satisfait de ce que moi, qu'il trouvait si intelligent, je pouvais porter à sa connaissance.

— Combien compte-t-on de bombardes dans le château ? demanda-t-il. Combien de canons royaux, couleuvrines, faucons et fauconneaux, combien de pierriers et d'arquebuses ?

Je m'efforçais de me souvenir, et il notait rapidement les chiffres que je lui donnais et griffonnait en regard de mystérieux caractères. Mais cette attitude ne me parut guère conforme à celle d'un marchand ou d'un pieux pèlerin, et je commençai à hésiter dans mes réponses. Lorsqu'il m'interrogea ensuite sur l'équipement des soldats et sur les bateaux qui quittaient le port d'Åbo, je ne lui répondis plus qu'avec réticence : sa curiosité n'avait apparemment nulle limite !

Il s'avisa soudain de ma réserve, rassembla ses papiers et les rangea dans son coffre.

— Je vois que mon excessive curiosité vous intrigue, Mikaël, dit-il en souriant, mais je suis né avec une soif inextinguible de connaissances, quelles qu'elles soient, et j'ai ainsi pris la coutume de recueillir des informations où que j'aille. On ne sait jamais quand le besoin s'en peut faire sentir ! Mais je ne vous ai déjà que trop importuné ! Mangeons, buvons, amusons-nous, vous êtes mon hôte ce soir !

Il me conduisit dans le salon contigu où était dressée une table chargée de mets exquis et resplendissant de la douce lumière de chandelles de cire. Pourtant la table ne retint guère mon attention ! La femme la plus belle et la plus richement parée qu'il m'eût été donné de voir en ma vie, s'avançait vers moi, la tête fièrement dressée; ses jupes bruissaient doucement au rythme de ses pas et messire

Didrik s'inclina avec courtoisie pour lui baiser la main.

— Agnès, chère sœur, dit-il, permets-moi de te présenter Mikaël l'étudiant ! C'est un jeune homme plein de compétence car, outre ses connaissances en matière de religion, il est également fort versé en l'art de fabriquer de la poudre et fut autrefois l'assistant d'un fondeur de canons. Il a eu l'extrême amabilité de me promettre son aide pour parfaire notre savoir, tant en ce qui concerne les affaires de ce monde qu'en celles qui touchent le bien de notre âme.

La dame alors me tendit sa main en m'adressant un sourire chaleureux. Je n'avais à ce jour jamais baisé la main d'une femme, et la honte m'empêcha de lever les yeux vers son ravissant visage plein de noblesse. Je m'inclinai maladroitement et posai mes lèvres sur ses doigts : ils étaient chauds, et blancs, et délicatement parfumés.

— Trêve de cérémonie entre nous ! dit-elle avec le même sourire que son frère. Nous sommes jeunes tous les trois et je suis lasse de rester confinée dans ma chambre et privée d'une joyeuse compagnie ! Je ne suis point un loup prêt à vous dévorer, messire ! Vous pouvez sans crainte lever votre beau visage et me regarder en face !

Je me sentis encore plus submergé de confusion lorsqu'elle s'adressa à moi en me donnant du messire comme à un gentilhomme et qu'elle fit une flatteuse allusion à mon physique. Cependant je levai mon regard sur ses yeux noisette qui pétillaient de malice, mais elle m'adressa alors un sourire si impudique que tout mon sang me monta au visage. Dans ma naïveté, je ne m'avisai guère sur le moment que ses lèvres étaient peintes, ses sourcils épilés et ses joues couvertes de poudre blanche. Elle était à mes yeux, à la lueur douce et claire des chandelles, la plus merveilleuse, la plus belle de toutes les femmes.

Nous prîmes place tous les trois autour de la table. Le délicieux repas se composait de langue de veau et d'une oie rôtie aromatisée au safran et au poivre, et nous bûmes un vin doux d'Espagne dans les coupes les plus élégantes que l'aubergiste avait pu fournir. Je n'avais pas la moindre idée de ce qu'un tel banquet pût coûter, mais très vite tous mes scrupules s'envolèrent et je mangeai sans plus penser; je mangeai en m'efforçant de couper correctement la viande en petits morceaux au lieu d'attraper l'os à pleines mains à la façon ordinaire et de le ronger, la bouche dégouttante de graisse. Le vin corsé me monta rapidement à la tête, j'oubliai tous mes sujets de déplaisir et fus pénétré du sentiment de me trouver en paradis en compagnie d'anges bienveillants. Alors que nous mangions, le flûtiste borgne des *Trois Couronnes* jouait des airs tendres dans la pièce voisine; bientôt, cependant, messire Didrik lui envoya de la cervoise avec l'ordre de se retirer : cette piteuse musique était sans doute insupportable à ses oreilles. Il nous proposa en échange de chanter, et nous entonnâmes quelques pieux refrains d'étudiants traitant de la vanité des plaisirs de ce monde.

Peu après, la dame, trouvant qu'il faisait trop chaud dans la pièce, ôta son écharpe de gaze et dénuda ses épaules. Elle portait un corselet de velours vert, brodé de perles, de fins fils d'or et de cœurs vermeils qui attiraient irrésistiblement les regards vers sa poitrine. Je n'avais jamais vu vêtement plus décolleté ! A vrai dire, le spectateur ne pouvait plus rien ignorer de la forme de la dame lorsqu'elle faisait un geste un peu brusque même si, de temps en temps, elle relevait le devant de son corsage.

Messire Didrik, suivant la direction de mon regard, dit avec son sourire :

— Ma sœur a reçu le nom d'Agnès en l'honneur de la sainte et j'aimerais vraiment, lorsque nous nous trouvons en bonne compagnie, qu'elle soit honorée du même miracle que sa patronne. Vous voyez qu'elle suit les modes de la Cour avec fidélité, mais que cela ne vous trouble point, Mikaël ! En nos temps de plaisir, nulle femme au monde ne doit cacher ses plus beaux attraits; et l'on doit même encourager les dames les plus réservées à révéler tout ce qui vaut la peine de l'être.

Le visage en feu, je demandai quel miracle avait rendu célèbre sainte Agnès; son culte en Finlande ayant été éclipsé par celui de saint Henrick, je l'ignorais. Messire Didrik me conta alors qu'un juge romain l'avait envoyée toute nue dans un lupanar, parce que, étant chrétienne, elle avait refusé la main de son fils. Mais le Tout-Puissant, dans sa miséricorde, avait permis que la chevelure de cette sainte femme devînt longue, longue au point de former un manteau dans lequel elle réussit à se dissimuler, sauvant ainsi sa chasteté des mains et des regards impudiques.

— Comme vous pouvez le constater, ma sœur a teint ses cheveux en blond vénitien, poursuivit-il. Ne serait-ce point une véritable splendeur que de la voir enveloppée dans un manteau aussi somptueux ? Quoique... une question me remplisse de perplexité, et seul un clerc savant et sage pourrait m'aider à la résoudre. Si le miracle se répétait — ce qui me semble improbable étant donné que ma sœur n'est point particulièrement réservée —, ses cheveux seraient-ils blonds sur toute leur longueur ou bien la partie la plus proche de la tête conserverait-elle sa couleur naturelle, de sorte que le sombre manteau n'aurait qu'une large bordure dorée ?

Je reconnus que mon maigre savoir ne me permettait guère de trancher sur un point aussi épineux qui, choisi comme thème de dialectique par un étudiant plus chevronné, pourrait lui valoir son titre de docteur dans une université de renom. Je me risquai à affirmer, cependant, que le monde se verrait privé d'une grande délectation si dame Agnès se trouvait honorée de pareil miracle.

Elle sourit en remerciement de ce compliment.

— Dans les cours princières, dit messire Didrik, savez-vous que les dames du plus haut rang jettent des regards d'envie aux courtisanes, et permettent de nos jours aux peintres les plus célèbres de les portraiturer dans le plus simple appareil ? Elles veulent ainsi montrer à la face du monde qu'elles n'ont sur le corps nulle imperfection dont elles puissent avoir honte ! Et connaissez-vous rien en la vie de plus délicieux qu'une fontaine aux eaux bénéfiques dans laquelle hommes et femmes, à peine un bout d'étoffe noué autour des reins, peuvent passer le jour ensemble à jouer au trictrac, s'ils le désirent, ou à se régaler de mets délicats servis sur des tables flottantes ?

Je lui fis remarquer que cette coutume de prendre des bains ensemble, hommes et femmes, dans la rivière, existait en Finlande mais qu'elle était réservée aux gens du commun et se pratiquait pour l'hygiène et non pour le plaisir. Messire Didrik me demanda alors si je prenais moi-même souvent des bains en compagnie de jeunes filles, ce que je niai farouchement.

Il s'aperçut de mon embarras et, après avoir échangé un regard avec sa sœur, abandonna cette conversation. La table avait été débarrassée et il jouait négligemment avec sa coupe de vin.

— Mikaël, dit-il, que pensez-vous de la déposition et de l'emprisonnement de l'archevêque de Suède par les états ?

Interdit par la brutalité de cette question, je lui fis une réponse prudente.

— Qui suis-je donc pour juger de si importantes matières ? On soupçonne l'archevêque d'être impliqué dans des intrigues contre l'État et la plupart des évêques ont contribué à sa déposition. Aurais-je, moi, plus de sagesse que ces révérends ?

— Parce que selon vous, reprit messire Didrik avec chaleur, selon vous, l'État serait le jeune Sten Sture ? N'est-ce point plutôt l'arrogance de sa famille qui l'a conduit à considérer le royaume comme son bien propre en dépit de l'Union de Kalmar qui stipule que le roi Christian du Danemark en est le seul souverain légitime ?

Je fis remarquer que les Jyllandais, ou Danois comme il lui plaisait de les nommer, n'avaient rien apporté d'autre dans le royaume de Suède que destruction et effusion de sang, qu'on ne pouvait imaginer ennemis plus cruels et plus déloyaux.

— D'ailleurs, ici à Åbo, il suffit pour qu'un enfant se tienne tranquille de lui dire : « Les Jyllandais vont t'emporter ! »

Surpris par mon intervention, messire Didrik reprit sur un ton courroucé :

— Je vous croyais un garçon raisonnable, Mikaël, mais je vois que vous vous contentez de répéter ce que disent les autres sans chercher à penser par vous-même !

Et il se mit en devoir de me démontrer que le roi Christian était un monarque résolu, compétent et plein de miséricorde. Il me dit que Sa Majesté ne haïssait rien tant que l'oppression exercée par les nobles et qu'il prenait toujours le parti du peuple contre eux. Il avait l'intention de détruire la domination de Lübeck sur la Baltique et de faire de Copenhague un grand centre de commerce; ainsi les bateaux pourraient naviguer sans encombre par toutes les mers au grand bénéfice de ses sujets; et nous ne tarderions guère à voir son royaume devenu riche et tout-puissant.

— Ce n'est plus qu'une question de temps, insista-t-il, et l'orgueil des seigneurs suédois devra s'incliner ! La guerre est à nos portes et quelque jour, le roi Christian lancera ses navires contre la Suède. Un homme sage sait lire les présages et doit, par son attitude dans le présent, assurer sa place à venir dans la faveur du roi. Il est le monarque le plus puissant du Nord et j'ai la conviction que plus tard l'Histoire lui décernera le titre de Christian le Grand.

Son discours fit une profonde impression sur moi; jamais à ce jour on ne m'avait parlé du roi Christian en des termes si personnels; damoiselle Agnès me donna également maints exemples de la bonté royale à l'égard des pauvres gens, et me conta qu'il écoutait plus volontiers les conseils de la femme d'un vieux paysan de Hollande que ceux des nobles de sa cour.

Je me lançai alors dans le récit de mon expérience personnelle au sujet de la cruauté des Jyllandais, cruauté dont je gardais encore le souvenir marqué sur ma tête ! Et j'ajoutai que des Jyllandais peu miséricordieux avaient assassiné mes grands-parents.

— Mais qui a poussé les Danois à piller les côtes finlandaises ? répondit messire Didrik, retournant la question. Qui, sinon ces Suédois pleins d'arrogance en se rebellant contre leur légitime roi ? Cette attitude de rébellion toujours au préjudice du peuple qui suit aveuglément ses seigneurs de génération en génération !

Puis, levant sa coupe, il dit avec un air de défi :

— Cessons de nous quereller, Mikaël ! J'en connais plus à votre sujet que vous ne pensez, et mon cœur souffre à l'idée du traitement méprisant dont vous êtes victime. Dites-moi, y a-t-il un seul noble finlandais ou suédois qui

vous ait octroyé sa faveur ou pris sous sa protection ?
L'Église vous a rejeté et vous a refusé l'entrée dans les
ordres ! Que pourrait-on attendre d'ailleurs de prélats qui
arrachent la mitre de la tête de leur propre archevêque pour
gagner les bonnes grâces de seigneurs impies ? Le bon roi
Christian encourage l'étude et offre les mêmes chances à tous
les hommes doués de talents, quels que soient leur rang ou
leur origine. Il agit en fils fidèle de l'Église. Plus grand sera
son pouvoir, plus importante son influence à la cour
papale... si bien que même un homme dépourvu de fortune
pourra, sur une seule parole de lui, atteindre les situations
ecclésiastiques les plus élevées... Je crains fort, en effet, qu'il
n'y ait, avant peu, nombre de sièges vides dans le chœur des
cathédrales de Finlande, et ces sièges devront être occupés
par des hommes fidèles au roi et à l'Église.

Il venait de prononcer des paroles si dangereuses que je
jetai un regard derrière moi afin de m'assurer que nul autre
que moi n'avait pu les entendre.

— Messire ! Madame ! m'écriai-je, la voix tremblante.
Voulez-vous m'entraîner à trahir ? Je ne suis ni soldat ni
conspirateur, seulement un écolier pacifique qui ne s'y
connaît pas plus en politique qu'un cochon en étamage !

— Loin de moi pareille pensée ! protesta messire Didrik
en se redressant.

Puis il leva de nouveau sa coupe, et reprit sur le ton de la
persuasion :

— Mais est-ce trahison de préparer en son propre pays le
chemin au souverain légitime ? Peut-on appeler conspiration
la défense de l'Église contre des blasphémateurs et des
imposteurs qui, pour satisfaire leur égoïste ambition, ont
oublié le devoir de leur mission sacrée et par là même se sont
montrés indignes de compter parmi ses serviteurs ? Non,
Mikaël ! Tout ce que je souhaite, c'est qu'un homme sincère
et honnête comme vous lève avec moi son verre au roi
Christian et à ses projets ainsi qu'à son propre intérêt,
présent et à venir !

Que pouvais-je faire sinon obéir ? Je vidai donc ma coupe
et ce vin capiteux courait tel du feu en mes veines, tandis que
damoiselle Agnès, avec un rire troublant, nouait ses bras

autour de mon cou et me donnait un baiser sur chaque joue.

— Soyons francs, voulez-vous ? dit son frère gravement. Étant homme d'honneur, je n'ai nulle honte à reconnaître que j'appartiens corps et âme au parti du roi Christian et que je suis venu en ce pays pour défendre ses intérêts. Vous pouvez à cet aveu mesurer la confiance que j'ai placée en vous. Entre nous, je puis vous assurer qu'ici même à Åbo, il y a plus de partisans inavoués du roi que vous ne sauriez imaginer. Néanmoins, si par hasard vous éprouviez la tentation, en échange de quelque riche récompense, de trahir ma confiance, je me permets de vous rappeler que vous nous avez déjà communiqué nombre d'importants secrets militaires et qu'il me sera facile de prouver que vous avez bu avec moi à la santé du souverain.

— Je ne vous trahirai point ! dis-je, la mine renfrognée. Mais laissez-moi me retirer, car il est déjà tard. J'ai bu plus que de raison et ma tête est pleine à craquer de tout ce à quoi il me faut réfléchir.

Ils ne tentèrent guère de me retenir après que nous fûmes convenus de notre prochaine rencontre... mais j'eus bien du mal à quitter leur compagnie, à m'éloigner de la claire lumière des chandelles et de l'opulence partout étalée. J'avais l'impression que de solides liens m'attachaient à ces deux êtres et je ne savais mie que j'avais été pris dans les mailles du filet de Satan. Mes hôtes avaient su gagner ma confiance et je croyais à leur honneur.

Point n'est besoin de conter par le menu par quelles ruses et promesses messire Didrik et damoiselle Agnès — surtout damoiselle Agnès ! — firent de moi leur fidèle et obéissant allié. Qu'il me suffise de dire que, durant plusieurs mois, je les servis en qualité de secrétaire et facilitai leurs dangereuses intrigues. Mais je dois ajouter pour ma défense que j'étais moins préoccupé de mon avenir, que messire Didrik me présentait toujours sous de si brillants auspices, que de la paix et du bien de la communauté pour lesquels j'avais l'absolue conviction d'œuvrer. Ma conscience éprouva également ment un soulagement dans le fait que messire Didrik se trouva promptement comme chez lui à Åbo et gagna à sa cause les bonnes grâces des bourgeois les plus riches. On l'invitait aux noces et aux enterrements et il fut même l'hôte de la confrérie des Trois Frères, le plus grand honneur qui se puisse concéder dans notre cité. Ainsi, comme mon maître puisait à d'autres sources que moi ce qu'il désirait savoir, sincèrement je ne pensais point mal agir.

Il donna de généreuses aumônes à l'hôpital de Saint-Örjan et au monastère Saint-Olav, et son amabilité lui attira tous les suffrages. De plus, il savait se montrer suffisamment familier pour bavarder avec des hommes d'armes, des marins et des apprentis; il ne tarda guère à chanter ouvertement les louanges du roi Christian et de ses multiples et nobles vertus. Et si quelqu'un s'en jugeait offensé, il disait en le regardant franchement dans les yeux :

— Je respecte les opinions de tout le monde et professe que chacun a le droit d'avoir ses propres pensées. Je réclame le même droit pour moi, d'autant plus que je suis étranger. J'ajouterai que ma position en marge de vos disputes nationales me place à même d'avoir un point de vue plus large que ceux qui y sont directement intéressés.

Et tous de reconnaître qu'il parlait avec la prudence et la sagesse qui convenaient à un gentilhomme si accompli, même si les moins avertis prétendaient qu'il ne devait guère connaître les Jyllandais qui sont tous traîtres et perfides !

Messire Didrik, dans le but de dissimuler ses intentions, entreprit de visiter toutes les chapelles des environs de la cité, et j'appréciai fort ces voyages. Un jour, nous chevauchâmes jusqu'à Nadendal où damoiselle Agnès voulait acheter des dentelles fabriquées dans le couvent, qui, disait-on, rivalisaient de finesse avec celles des Flandres. Inutile de dire à quel point j'étais aveuglé et charmé par la grâce et la beauté de cette femme; mais l'humilité de ma position, dont j'étais conscient, et ma trop grande jeunesse sans aucune expérience ne me permettaient point d'imaginer que je pusse viser si haut.

A notre retour de Nadendal, alors que j'étais sur le point de la quitter à la porte de l'auberge, elle plongea ses yeux au fond des miens et dit dans un profond soupir :

— Je suis si lasse de cette ennuyeuse cité et des rustres qui l'habitent ! Entrez, Mikaël, venez boire une coupe de vin avec moi. Mon frère me laissera encore seule tout le jour et je ne sais que faire pour passer le temps !

Elle me conduisit dans sa chambre, dont l'air était si imprégné de parfums qu'après les remugles de l'auberge, j'eus l'impression de pénétrer dans un jardin de roses.

Après que nous eûmes vidé nos coupes, damoiselle Agnès se mit à parler d'une voix pleine de passion :

— Je prie Dieu que toute cela finisse d'une manière ou d'une autre ! Cette éternelle attente m'étouffe ! Cette vie inquiète et vagabonde fait désormais partie de moi; je ne peux plus supporter de rester longtemps à la même place ! D'ailleurs je sais que je ne suis d'aucune utilité dans ce pays; à quoi bon mon adresse quand les hommes d'ici, même les plus sages, se laissent prendre de leur plein gré dans les pièges de mon frère ! Mais je viens d'apprendre que la flotte royale a quitté le port de Stockholm. Nous aurons bientôt des nouvelles de la bataille; ce sera le signal pour commencer l'action ici, à moins que le roi ne réussisse à éviter l'effusion de sang par des négociations.

— Madame ! dis-je, quelle est ma part dans tout cela ? Je me réveille chaque matin avec une douleur au fond de la poitrine parce que j'ignore si je fais le bien ou le mal. Je ne puis endurer plus longtemps ces angoisses, ni ces regards chargés de soupçons que je rencontre où que j'aille et qui me blessent comme de vives accusations ! Si le sang devait couler dans cette cité où j'ai vu le jour, chaque goutte retomberait sur ma conscience et je ne connaîtrais plus jamais un seul moment de paix !

Elle rit d'un rire joyeux, toucha mon cou et dit :

— Tu as un cou fin et mince comme il sied à un jeune clerc, ce serait si facile de le trancher ! Mais n'oublie pas, Mikaël, on ne peut faire d'omelette sans casser des œufs ! Les affaires de l'État ressemblent à la confection d'une omelette et si l'on veut obtenir quelque chose, il faut bien battre les œufs !

— Idée absurde et folle ! répliquai-je. Un être humain n'est pas un œuf qui se puisse rompre impunément !

— Vraiment ? susurra-t-elle de sa voix douce en prenant ma main entre les siennes. Comme vous êtes, vous les

Finlandais, une race lente et peu entreprenante ! Je me demande s'il existe quelque chose au monde capable de vous enflammer ! Toi-même,, Mikaël, tu es plus chaste que le chaste Joseph ! Et j'en suis réduite à penser que je suis devenue vieille et laide dans cette maudite cité parce que n'importe qui d'autre, seul à seul avec moi et une bouteille de vin à sa portée, aurait certainement trouvé d'autres sujets de conversation que ces omelettes ! Ne comprends-tu pas que je m'ennuie à mourir ?

— Voulez-vous dire.... ? bégayai-je, n'en croyant mes oreilles. Voulez-vous dire que je devrais abuser de votre innocence et trahir votre frère qui m'a confié votre honneur ? Que je devrais pécher contre vous et vous induire à la tentation... tentation qui pourrait être plus forte que nous deux ?

Elle éclata d'un rire si sonore que je me vis moi-même obligé à esquisser un sourire, en dépit de mon désarroi.

— Tu es vraiment un jeune homme plein de vertus, Mikaël ! reprit-elle en ébouriffant mes cheveux. Un phénomène quasi incroyable dans notre monde de pécheurs ! Mais je porte peut-être une ceinture de Venise pour protéger ma chasteté... n'as-tu pas une toute petite envie de t'en assurer ?

Tout tremblant des pieds à la tête, je me jetai à genoux devant elle :

— Ô dame ! Vous êtes la plus belle et la plus désirable de toutes les femmes que j'aie rencontrées, et vos merveilleuses vertus ont dès longtemps conquis mon cœur ! Mais je vous en supplie ! Éloignez-moi de votre vue sur-le-champ et ne me faites point tomber dans la tentation... parce que jamais je ne serai digne de vous, jamais je ne pourrai vous offrir la position à laquelle votre naissance, votre éducation et votre beauté vous donnent droit !

Elle rit avec encore plus de gaieté avant d'ajouter :

— Un petit jeu entre bons amis est un amusement innocent qui n'oblige à rien ! Crois-moi, l'art d'aimer est un art délicieux qui demande de la sensibilité et beaucoup de pratique, à l'instar de toutes les activités utiles et de quelque valeur. C'est le huitième des arts libéraux et, mon cher Mikaël, tu seras mon élève !

Sa voix était la voix de la persuasion et elle parlait avec une telle ingénuité que je crois que même un homme plus avisé que moi aurait succombé, d'autant qu'elle semblait être exceptionnellement experte en la matière. Elle avait, en professeur, l'art de se faire comprendre et se montrait parfaitement maîtresse de ses matériaux. Son propre corps était le cahier d'écriture et elle n'hésitait point à se saisir elle-même du crayon si je manifestais quelque indécision. Mais nous avions à peine franchi le stade élémentaire que brusquement les cloches de l'église se mirent à sonner le tocsin et qu'un bruit confus nous parvint en provenance du port.

Damoiselle Agnès relâcha aussitôt son étreinte, me repoussa loin d'elle et se mit calmement à rajuster sa toilette tandis que, tout tremblant et déconfit, je restais debout, au milieu de la chambre.

— Il est arrivé quelque chose ! dit-elle d'une voix froide et tranquille.

A ce moment-là, on cogna violemment contre la porte et comme damoiselle Agnès tardait à tirer les verrous, messire Didrik frappa le battant à coups redoublés de la poignée de son épée en lançant un torrent d'imprécations.

— Par la sangdieu ! s'écria-t-il en nous voyant après avoir fait irruption dans la pièce. Ensemble tous les deux ! Femelle dévergondée, je devrais te traîner par les cheveux jusques au pilori ! Mais laissons cela pour le moment ! Nous devons penser et agir rapidement. Une légère embarcation vient d'apporter les nouvelles de la défaite du roi Christian à Brannkyrka, qui se trouve je ne sais où ! Ses troupes désertent en masse pour passer dans les rangs des Suédois tandis qu'il essaye de rembarquer tous ceux qu'il peut. Difficile, bien sûr, de faire la part de l'exagération dans ce fatras, mais on chante un *Te Deum* dans la cathédrale et, sur la place du marché, la populace commence à montrer les dents. On m'a jeté du fumier quand je me frayais un passage à travers la foule pour venir ici. Tout notre travail est perdu ! On n'entend plus à présent que des chansons et des cris de « Victoire ! », « Vive Sten Sture ! » et « A mort les Jyllandais ! »

— Messire Didrik, dis-je alors, ce qui est arrivé ne peut s'annuler et nul doute que ce ne soit la volonté de Dieu. Mais tant au château qu'en la cité, nombreux sont ceux qui ont bu à vos frais à la santé du roi Christian ! Rassemblons-les et tentons un assaut pour notre bonne et juste cause !

— Dieu n'a rien à voir là-dedans ! grogna-t-il. C'est le nombre de troupes, les armes et l'adresse des chefs qui déterminent l'issue d'une bataille ! Si nous voulons nous en sortir sains et saufs, il ne nous reste pas d'autre solution que la fuite ! A vrai dire, Agnès et moi ne courons nul risque mortel car nous sommes étrangers, mais pour vous, c'est différent !

Il s'assit et vida la coupe de sa sœur puis, la bouche appuyée au pommeau de son épée, fixa ses yeux sur moi avec un air de profonde réflexion.

— Oui, tout à fait différent ! insista-t-il. Vous connaissez les noms de tous ceux qui ont bu à la santé du roi. La bonne renommée et la réputation de trop de monde se trouvent entre vos mains, Mikaël... Je vais donc être obligé de me séparer de vous !

— Mais... messire Didrik ! criai-je, plein d'amère indignation. Me croyez-vous capable de trahir ces secrets pour sauver ma vie ? S'il en est ainsi, vous vous trompez complètement et commettez une grave injustice à mon endroit !

— Un homme n'est qu'un homme, répondit-il sentencieusement. On ne peut en ce monde faire confiance à personne si ce n'est à soi-même et encore.... avec modération ! Ma chère sœur, poursuivit-il, s'adressant à damoiselle Agnès pour l'heure occupée à ranger ses affaires dans son coffre de voyage, ma chère sœur, aie la bonté de passer dans la chambre à côté ou, pour le moins, de détourner le regard. Je me vois dans l'obligation de tuer ce jeune homme dans l'intérêt de notre propre sécurité.

Elle parut surprise, mais vint à moi, me tapota les joues avec tendresse et me donna un baiser sur le front.

Deux grosses larmes brillaient dans ses yeux.

— J'ai de la peine à me séparer de toi dans ces conditions,

Mikaël, dit-elle, mais tu dois bien comprendre la sagesse des propos de mon frère.

J'étais si ahuri de cette subite tournure des événements, que j'en suis toujours à me demander s'ils parlaient alors vraiment sérieusement.

— Messire ! bégayai-je. Avez-vous l'intention de m'assassiner ainsi de sang-froid ? Si vous ne craignez point le Jugement Dernier ni les feux de l'enfer, pensez au moins aux tribunaux civils et ecclésiastiques qui ne manqueront pas de vous condamner !

Il réfléchit un instant mais sa charmante sœur s'empressa de prendre la parole :

— Il me serait facile de remettre du désordre dans mes vêtements, ou même de les déchirer... en fait, je suis fatiguée de cette robe ! Tout le monde m'entendrait frapper à la porte et pousser des cris et chacun comprendrait aussitôt que, pour défendre mon honneur, tu as été obligé de tuer ce jeune homme lorsque, sous l'empire du vin, il tentait de m'outrager !

Cette odieuse trahison me parut à tel point incroyable que c'est à peine si je parvins à murmurer « Jésus, Marie ! » et que je restai là, à les regarder, comme si je les voyais pour la première fois.

Le visage de messire Didrik, marqué par les brûlures de la poudre, me parut alors celui d'un homme débauché et malfaisant; quant à Agnès, elle n'était plus aussi jeune ni aussi séduisante que lorsque je l'avais contemplée sous l'emprise de Satan : elle avait les cheveux teints, le noir de ses yeux et le carmin de sa bouche faisaient comme de grandes taches sur sa face. Leur monde m'apparut alors pour la première fois dans toute sa nudité et je vieillis, à ce moment, de plusieurs années.

Mais s'ils imaginaient avoir fait avec moi un marché de dupe, je pouvais au moins leur rendre la monnaie de leur pièce ! Les écailles qui m'aveuglaient étaient désormais tombées de mes yeux !

Je versai d'une main encore tremblante le reste du vin dans ma coupe, puis dis d'une voix ferme :

— Damoiselle ! Damoiseau ! Vous me permettrez de

boire une dernière fois aux méfaits, mauvaisetés et autres trahisons que vous m'avez si bien enseignés ! Pour vous prouver que j'ai été un bon élève, je dois reconnaître que je ne me suis point confié en vous sans quelques réserves. Pas plus que je n'ai une opinion très élevée de la virginité et de l'honneur de damoiselle Agnès, et c'est seulement la vive sympathie que j'éprouve à son égard qui m'empêche de la traiter de vulgaire catin !

Agnès pâlit et ses yeux noisette se mirent à lancer des étincelles.

— Assez de tergiversations, Didrik ! cria-t-elle. Fais taire cette bouche sans vergogne ! Jamais la vue du sang versé ne m'a fait peur, tu le sais, et mon amour pour toi en sera décuplé !

Mais messire Didrik me regardait fixement avec attention tout en passant distraitement le doigt sur le fil de son poignard.

— Laisse parler le garçon ! interrompit-il. Je l'ai rarement entendu tenir propos aussi sensés et, malgré sa jeunesse, il commence à monter dans mon estime. Continuez, Mikaël ! Vous devez bien cacher quelque chose dans votre manche pour oser nous parler sur ce ton !

— Puisque je m'y vois forcé, messire, je vous dirai tout avec franchise. Afin d'avoir l'esprit tranquille et parce que je soupçonnais quelque peu vos intentions, j'ai confié à la garde du bon père Pierre de Saint-Olav, un document écrit dans lequel je relate d'une manière détaillée toutes vos activités et dresse une liste de tous ceux qui ont bu à la santé du roi Christian. Le secret de la confession empêche le père d'ouvrir cette lettre, mais s'il m'arrivait quelque malheur, il est autorisé à demander à l'évêque la permission de prendre connaissance de cette déclaration écrite de ma main. Je l'ai faite sans penser à mal, pour sauver ma peau dans le cas où nos plans échoueraient, mais je m'avise à présent que ce manuscrit me servira bien plus que je n'avais pensé !

— Est-ce vrai ? demanda-t-il.

Je plantai mon regard droit dans le sien sans sourciller. Parce qu'il jugeait de moi d'après son propre caractère, il se sentait plutôt porté à me croire.

Avec un soupir, il remit alors son arme au fourreau.

— J'espère que vous oublierez ma petite farce, dit-il d'une voix pleine d'aigreur, et que vous voudrez bien me pardonner d'avoir mis votre loyauté à si rude épreuve. Je comprends à présent la raison qui vous poussait à vous montrer si diligent à prendre des notes !... et quand bien même vous mentiriez, je ne veux point courir le risque que vous ayez dit la vérité !

— Ce maudit garçon nous a trahis ! s'exclama damoiselle Agnès, des sanglots de rage dans la voix. Et dire qu'à l'instant, il essayait de me séduire ! Jamais je n'aurais imaginé pareille duplicité de ta part, Mikaël ! Je te croyais innocent et bon, et j'aurais aimé conduire dans les jardins du paradis un cœur si pur et si jeune ! Mais je m'avise trop tard que nous avions réchauffé un serpent dans notre sein !

— Couvre ta poitrine et tiens ta langue, catin ! rugit messire Didrik. Nous avons une dette de reconnaissance à l'égard de Mikaël, et le moins que nous puissions faire pour lui est de le mettre à sauf à bord d'un navire et de le sortir de ce pays... en attendant le beau jour de triomphe où il pourra y revenir avec honneur ! Restons amis, Mikaël, et renouons notre alliance qui, en fin de compte, ne peut vous être que profitable ! Pour l'instant, contentez-vous de ces pièces d'or, mes fonds sont en baisse ! Je vais essayer de vous conduire en lieu sûr où vous attendrez sur le continent le temps nécessaire avant d'entrer dans quelque université. Je vous promets de faire tout ce qui sera en mon pouvoir pour que le roi Christian vous accorde une bourse d'études... car vous êtes susceptible de le servir utilement et toujours au bénéfice de votre propre pays.

C'était là plus que je n'en espérais, moi qui ne demandais qu'à sauver ma vie ! Avant de répondre, je regardai en direction de l'épée et la vis qui reposait tranquillement dans son fourreau.

— Noble seigneur, ma gratitude vous sera éternellement acquise si vous m'aidez pour de vrai à réaliser mes plus ardents désirs. Oublions ces... vétilles et secouons de nos pieds la poussière de la cité tant qu'il en est encore temps.

— Il y a dans le port un bateau de Lübeck, annonça-t-il,

et il lèvera l'ancre demain si le temps le permet. J'ai déjà pris un passage pour ma sœur et pour moi, mais quoi de plus naturel que notre fidèle secrétaire nous accompagne ? Rendez-vous donc au port au lever du soleil et nous nous retrouverons à bord, si Dieu le veut.

Le ton avec lequel il dit ces derniers mots me parut si plein de piété, que j'en conçus quelques soupçons et enchaînai incontinent :

— Vous m'avez, avec une grande bonté d'âme, proposé de l'or. J'ose vous prier de me le donner sans délai car je me trouverais fort embarrassé si par quelque difficulté imprévue, vous ne pouviez me rejoindre.

Mais j'avais commis une injustice à l'encontre de cet homme, car une fois qu'il avait pris une décision il savait s'y tenir. Il y allait en outre autant de son intérêt que du mien que je ne fisse point piteuse mine en me présentant à bord. Il me remit sans protester cinq ducats du pape, trois guldens du Rhin et une poignée de thalers d'argent, si bien que je me trouvais en un moment plus riche que je ne l'avais jamais été en toute ma vie.

Plein d'enthousiasme, je quittai l'auberge par la porte de derrière et regagnai sans encombre la cabane de dame Pirjo. J'expliquai à ma mère d'adoption que le seigneur Didrik devait quitter Åbo sans délai pour raison d'affaires et qu'il m'avait proposé de m'amener avec lui à bord; que cela me permettrait de suivre des cours dans une université et que je ne savais point encore si je choisirais celle de Rostock, de Prague ou de Paris; je l'assurai que je tenais là la grande chance de ma vie et la priai de préparer mes bagages pour le voyage. Elle ne souleva aucune objection à l'annonce de mes projets et j'eus même le sentiment qu'elle en éprouvait quelque soulagement, ce qui ne laissa point de me surprendre car je ne pensais guère qu'elle fût informée des intrigues de mon maître.

Comme jamais je n'aurais pu quitter ma terre natale la conscience pleine de noirceur, je tenais avant tout à me confesser au père Pierre. Pour éviter la foule excitée par la victoire, je louai une barque et descendis la rivière en ramant jusqu'au monastère. La prière de l'office de none avait déjà pris fin et je rencontrai le père Pierre à la porte; il se préparait à se joindre à la liesse populaire, mais lorsque je lui fis part de mon désir solennel, il m'accompagna sur la colline pour m'écouter en confession.

Il fit maints signes de croix tandis que je parlais et, quand j'eus terminé, prononça ces mots :

— J'avais cru que messire Didrik était un bon garçon, hélas ! c'est un véritable voyou ! Grâce à la providence, tout a tourné au mieux et l'on dirait que tes espoirs sont en passe de se réaliser. Certes, le chemin qui s'ouvre devant toi est rude et semé d'obstacles plus dangereux que tu n'as l'air de le penser : nombreux sont partis au loin à la recherche de la connaissance qui ne sont jamais revenus ! En vérité, tu as agi sans discernement. Tu devrais comprendre que c'est une erreur et une offense envers Dieu d'essayer ainsi de changer radicalement les choses quand c'est dans leur nature même d'aller avec lenteur; nous ignorons tout de ces idées nouvelles qui nous peuvent mener au mal comme au bien... Je ne vois point cependant que tu aies péché contre l'Église et j'ai donc pouvoir de te donner l'absolution... Toutefois, pour que ton âme soit en paix, je te condamne à dire une prière dans tous les lieux saints que tu rencontreras sur ton chemin.

Un sentiment sincère d'absolue contrition envahit mon cœur et je baisai le bord graisseux de son habit, quand tout à coup il me revint en mémoire la leçon que m'avait donnée damoiselle Agnès et que, dans ma hâte, j'avais oublié de mentionner. Et c'était précisément mon péché le plus noir !

Je décrivis de mon mieux au père Pierre tout ce qui s'était passé et il me posa maintes questions afin de jeter le plus de lumière possible sur cet événement.

— Tu as été victime de la séduction, dit-il à la fin en soupirant, et il était difficile d'attendre d'un jeune homme si peu averti que toi qu'il sût résister à si puissante tentation ! Peut-être ne l'aurais-je pu moi-même !... Laissons cela néanmoins et parlons à présent de ce que nous devons faire. Il faut que tu ailles sans tarder voir magister Martinus et que tu lui demandes une lettre de recommandation ainsi qu'une note sur ta scolarité. Après vêpres, je me rendrai chez dame

Pirjo pour que nous réfléchissions et priions ensemble avant que tu ne franchisses le pas qui décidera du chemin de ta vie tout entière.

Son absolution et le conseil qu'il me donna mirent la paix en mon âme, même si je ressentais quelque appréhension à l'idée de me présenter devant magister Martinus. Mais il me reçut lui aussi avec le sourire, les joues un peu rougies par les libations. Il se montra surpris et heureux à la fois des nouvelles et les jugea suffisamment importantes pour les communiquer à l'évêque en personne. Je pense qu'il n'osait apposer son nom sur une lettre de recommandation sans l'autorisation du prélat, et comme précisément il devait se rendre à l'évêché pour participer à un banquet en l'honneur de la victoire de Sten Sture, il m'invita à l'accompagner pour présenter ma pétition.

Nous passâmes devant la cathédrale et l'hôpital Saint-Örjan où les deux lépreux de la ville nous demandèrent la charité. L'un n'avait plus de nez et le visage de l'autre était recouvert d'une toison argentée. Et je me sentis tout mélancolique à l'idée que plus jamais je ne verrais leurs figures familières.

Les odeurs les plus appétissantes frappèrent nos narines à l'approche de la demeure de l'évêque. Je restai sur le seuil, la toque à la main, tandis que magister Martinus entrait pour s'occuper de mon affaire. Il revint quelques instants plus tard et m'introduisit auprès de l'auguste révérend. L'évêque Arvid Kurk était lui aussi de bonne humeur et ne tarda guère à évoquer ses souvenirs du temps où, jeune étudiant, il vagabondait en chantant sur les routes d'Europe, bien qu'il appartînt à une famille influente et jouît déjà à l'époque des rentes d'un bénéfice. Seul le choix de mon université parut lui donner quelque souci. Magister Martinus proposa celle de Rostock qui, pour être la plus proche, me permettrait de revenir plus facilement si je me heurtais à de trop insurmontables obstacles.

Mais le prélat lui intima l'ordre de se taire et dit :

— En des temps troublés comme les nôtres, je ne puis conseiller aucune des universités allemandes où les fausses doctrines de Wittenberg gagnent chaque jour du terrain; les jeunes esprits n'en peuvent retirer que troubles et préjudices. Non, Mikaël ! Si tu en as les moyens, tu dois aller à l'université de Paris, mon université ! Celle où moi et tant d'autres qui, par la grâce de Dieu, ont occupé ce siège épiscopal d'Åbo, avons acquis notre savoir !

Nul doute que le sévère prélat ne se fût à nouveau lancé avec délices dans ses souvenirs, si magister Martinus n'eût osé l'interrompre, le priant de rédiger sans plus attendre une lettre de recommandation en ma faveur. Mon bon père craignait, je crois bien, que ses doigts ne fussent plus capables de tenir une plume après le banquet... L'évêque, sans plus de commentaires, se prononça donc pour l'université de Paris et dicta en son propre nom la lettre qui soumettait mon cas à ses doctes professeurs.

— Mikaël, dit-il pour finir, lorsque tu auras trouvé un bon tuteur et qu'il t'aura admis au nombre de ses élèves, tu jouiras de tous les droits et privilèges de l'université. Mais souviens-toi que moult de ceux qui ont emprunté ce chemin n'en sont jamais revenus et que moult qui en revinrent, avaient l'âme et le corps déchirés pour avoir consacré plus de temps aux sept péchés capitaux qu'aux sept arts libéraux ! Mais si tu te conduis comme il se doit, si tu reçois en temps voulu le titre de bachelier, je penserai sérieusement à ce que je peux faire pour toi. Que ton premier examen soit donc la pierre de touche de ta valeur !

L'angoisse cependant étouffait mon cœur à l'idée de ce que ce bon évêque et mon tuteur Martinus diraient lorsqu'ils apprendraient mes activités pour la cause jyllandaise, ce qui ne saurait tarder, je n'en pouvais douter. Ému aux larmes par cette terrible inquiétude, je le remerciai d'une humble voix pleine d'ardeur contenue, et mon cher maître Martinus se mit lui aussi à pleurer.

Le révérend Arvid, lui-même gagné par l'émotion, dit en guise de conclusion :

— Je t'autorise, mon pauvre garçon, à te servir de mon nom quand des obstacles surgiront sur ta route, ou bien si la maladie venait à te terrasser, car je puis dire, sans me vanter, que je fus le plus valeureux des étudiants de Finlande à l'université de Paris. Je suis bien sûr que la mention de mon nom te vaudra toujours un repas ou une coupe de vin à « la fête de Saint-Jean » ou à « la toge du Maître » même s'ils ne m'ont point revu depuis près de trente ans ! Mais, pour te donner une preuve plus tangible de mon intérêt, permets-moi d'ajouter cette petite somme à ton pécule...

Tout en parlant, il fouillait dans une bourse bien garnie pendue à sa ceinture, et me tendit trois guldens de Lübeck, dont un d'ailleurs ne faisait point le poids légal. Dans le même élan, magister Martinus me fit cadeau de trois monnaies d'argent. Les derniers vestiges de mon orgueil furent alors submergés par les remords les plus amers et il ne resta plus dans mon cœur que de bonnes résolutions.

Un grave silence régnait dans la cabane de dame Pirjo. La table débordait de victuailles, assez, je pense, pour régaler la ville entière ! Ma mère d'adoption avait rempli un grand sac de toutes sortes de provisions de bouche et rangé mes vêtements, avec une pile de linge sur laquelle trônait mon vieux livre en loques *Ars Moriendi*, dans un coffre tout cabossé dont venait de me faire présent maître Laurentius. Ce dernier était assis, les coudes sur les genoux, dans un coin de la pièce. Je le remerciai de son présent tout en frémissant dans mon for intérieur à la pensée de ce qu'il avait bien pu transporter dans ce coffre au cours de ses pérégrinations... Dans un autre coin, je vis Antti, le menton appuyé sur la paume de sa main; je crus qu'il était triste à cause de mon départ mais découvris plus tard qu'il avait d'autres sujets de préoccupation.

Le père Pierre arriva après vêpres. Il avait emprunté le sceau du père prieur et écrit au nom du monastère une recommandation à l'intention de toutes les communautés de frères afin qu'elles m'offrent le gîte et le couvert d'un soir durant mon voyage sur le chemin de Paris.

— J'ai signé de mon nom pour que l'on ne croie point que cette lettre est un faux; j'imagine que nul ne se souviendra du nom du prieur d'une communauté petite et reculée comme la nôtre ! Quoi qu'il en soit, ce document t'économisera bien des dépenses et tu peux le présenter à n'importe quelle maison de religieux sans te soucier de l'ordre auquel elle appartient; Dieu ne regarde point si ses brebis sont noires, grises ou brunes, ni si toi-même n'es qu'un séculier !

Je n'ai plus grand-chose à raconter sur cette triste soirée. Nous avons tous versé des larmes et dame Pirjo m'a doucement caressé la tête. Elle avait mis un paquet de médicaments dans mon coffre : une jolie boîte peinte en rouge et vert, qui contenait ses meilleurs remèdes contre fièvre, paludisme, toux et saignements, sans oublier la graisse d'ours, de lièvre, ni la thériaque de grand prix. A propos d'une petite corne remplie à ras bord d'un liquide à l'odeur pénétrante, elle me glissa à l'oreille :

— Je ne sais si j'ai bien ou mal agi mais les hommes sont les hommes, et j'ai mis dans cette corne le philtre le plus puissant que je connaisse : quelques gouttes dans du vin ou de l'hydromel suffisent à émouvoir la femme la plus vertueuse du monde.

Après force conseils et mises en garde elle me donna cinq grandes pièces d'argent, qu'elle me recommanda vivement de changer pour des monnaies d'or dans une des banques sérieuses de Lübeck en faisant bien attention de ne point accepter de pièce rognée, dont les changeurs ont la spécialité.

Je n'éprouve nulle honte à avouer que toute cette bonté qui m'entourait, moi si indigne, me rendait comme une chiffe molle.

L'office nocturne nous trouva encore en prières et l'heure des laudes surprit le père Pierre et maître Laurentius sommeillant tous deux sur la couche de dame Pirjo. Antti, quant à lui, avait disparu. Et lorsque parut la première lueur de cette pâle aurore automnale, nous étions déjà en route : le père Pierre et maître Laurentius titubaient sous le poids du coffre qu'ils transportaient tous deux le long de la rive, dame Pirjo s'était chargée de mon paquet et moi du grand sac à provisions. Le ciel commençait à se teinter de pourpre vers l'Orient quand ils m'aidèrent, avec maintes bénédictions, à me hisser sur la chaloupe du navire; puis, du haut du pont, je réussis encore à distinguer leurs silhouettes qui agitaient les mains en signe d'adieu.

Et je contemplai également la haute tour de la cathédrale toute droite dressée au milieu des maisons basses, des potagers de choux aux reflets bleutés et des longues files de piquets des champs de houblon dégringolant la colline.

Le grand bateau descendit en glissant le cours de la rivière et, lorsque nous eûmes dépassé les sombres murailles de la forteresse, je murmurai une prière et fis en mon cœur mes adieux à ma vie écoulée.

Puis, relevant la tête, je fis face à mon nouveau destin, face à l'inconnu.

TROISIÈME LIVRE

LA DOCTE UNIVERSITÉ

Mes compagnons de voyage avaient réservé sur le pont à la poupe du bateau une cabine, tandis que je devais me débrouiller par mes propres moyens. Messire Didrik me conseilla de faire amitié avec l'officier en second, un homme originaire de Lübeck, qui me permit de m'installer dans une petite dépense derrière la cuisine; j'évitais de la sorte de dormir sur le gaillard d'avant en compagnie des marins, s'ils avaient pu me faire une place parmi eux. A vrai dire, peu m'importait de dormir ici ou là ! A peine étions-nous entrés dans les eaux de l'archipel et roulions-nous sur les profondes vagues de jade, que le vent frais de la mer emporta dans un souffle la totalité de mes inquiétudes et je fus alors pénétré d'un sentiment de joie et de courage qui envahit mon cœur.

Grande fut ma surprise cependant à repérer soudain mon ami Antti Karlsson lui-même, qui quittait furtivement un des innombrables recoins du navire tout en jetant des regards hébétés autour de lui et en grattant sa tignasse emmêlée.

— Jésus, Marie ! m'écriai-je. Que fais-tu ici ? T'es-tu caché à bord pour cuver ton vin ? Vite ! Saute et nage jusques à la côte tant que nous n'avons pas encore quitté les îles !

— Je suis officiellement à bord, ne t'inquiète pas, et engagé comme assistant du contremaître pour payer mon passage ! répondit-il. Oui, j'ai remercié mon patron du peu qu'il m'a enseigné de son honorable office et lui ai donné ma parole de le récompenser de ses efforts. J'ai également recommandé à la protection de Dieu mes compagnons d'apprentissage qui en ont un sérieux besoin, et leur ai défendu de dire du mal de moi pendant mon absence ! Sans doute aurais-je dû les inviter à boire pour fêter mon départ, mais il était trop tard et la cervoise de dame Pirjo m'était montée à la tête. Le temps est venu pour moi de courir le monde et de parfaire mes connaissances dans mon métier, le plus important de tous ! C'est pourquoi je pars avec toi, je quitte sans regrets superflus ma terre natale, qui m'a offert plus de famine que de pain et plus d'insultes que de places choisies au coin du feu !

— Antti, tu es fou ! Retourne sans tarder ! Tu peux encore obtenir le pardon si tu le demandes avec l'humilité nécessaire !

— Je ne veux point recevoir une balle dans la poitrine ! répliqua-t-il, l'air résolu. Mes affaires ont mal tourné et le diable a ensorcelé le tenancier des *Trois Couronnes*. Il a maintenant soif de mon sang et reste aux aguets derrière son bar, un pistolet chargé dans la main, tout prêt à tirer sur moi !

— Mais pour quelle raison ? demandai-je avec étonnement. Je vous croyais les meilleurs amis du monde ! La maîtresse de maison te caressait les joues chaque fois qu'elle te voyait et te réservait toujours les restes de ses clients !

— Mikaël, dit Antti, ses honnêtes yeux gris posés gravement sur les miens, si tu tiens à la vie, ne permets jamais à une femme de te caresser les joues car rien de bon n'en peut venir ! J'ai commencé en toute innocence à être ami avec l'hôtesse des *Trois Couronnes*, ou plutôt c'est elle qui a recherché mon amitié à partir du moment où je l'ai sauvée des voleurs. Et je n'y ai vu aucun mal jusqu'à ce que, telle la femme de Putiphar, elle m'invitât à partager sa couche pendant que son époux était occupé ailleurs.

— Antti ! L'adultère est un horrible péché ! Je n'aurais jamais imaginé pareille faiblesse de ta part !

— Comment pouvais-je le deviner ? rétorqua-t-il d'un air

offensé. Je suis un garçon obéissant qui fait ce qu'on lui demande ! Malheureusement, le patron m'a surpris quand j'étais en train d'obéir aux ordres de sa femme et je n'ai point eu d'autre ressource que de le fourrer dans la huche d'où je l'avais sorti en une autre occasion, mais il menait si grand tapage là-dedans que j'ai dû placer une barrique de viande salée par-dessus le couvercle ! Cela l'a rendu encore plus enragé et dès qu'il a pu se dégager, il est allé se faire prêter un fusil par le Conseil « pour empêcher les étrangers de labourer et ensemencer sa terre » selon sa propre expression. Si bien que j'ai été obligé de m'enfuir ! Son épouse, des larmes plein les yeux, m'a donné une bourse bien remplie pour que je ne crève pas de faim durant la traversée. A terre, un homme peut toujours gagner sa vie !

Je ne lui adressai plus aucun reproche, « ce qui est fait est fait », et le plus sage était de penser à l'avenir. Mais je ne laissais point de m'émerveiller en constatant comment nos deux vies s'attachaient l'une à l'autre. Le même jour, peut-être à la même heure, Antti avait frôlé la mort tout comme moi lorsque je me trouvais à la pointe de l'épée de messire Didrik. Tout tendait à nous persuader qu'il entrait dans les desseins du Créateur de nous faire naviguer de conserve, et une poignée de main scella notre entente. Mais aucun de nous deux n'eût pu dire combien de temps ni avec quelle force ce pacte nous unirait...

Sur ce voyage, qui dura trois semaines, je dirai seulement que nous essuyâmes deux tempêtes, qualifiées par les marins de « grains sans importance », et que, si nous croisâmes d'autres navires, nous ne rencontrâmes point de pirates, si nombreux disait-on, entre Gotland et Ösel. Nous jetâmes donc l'ancre à la date prévue dans le port de Lübeck.

Messire Didrik, à nouveau bien disposé à mon égard, tenta de me persuader de l'accompagner à Copenhague, réitérant ses belles promesses d'honneurs, richesses et autres faveurs royales. Mais j'avais déjà été échaudé et la vie précaire d'un aventurier manquait de charme à mes yeux, d'autant qu'à présent s'ouvraient à ceux de mon esprit les portes de la connaissance. Je lui rendis grâce cependant, et lui fis mes adieux. Il promit de se souvenir de moi quand les temps seraient plus propices.

Inquiet pour mes bagages, je demandai à un groupe de marchands la permission de me joindre à eux, et, en échange de quelque argent, ils acceptèrent de charger mon coffre et mon sac à provisions sur leurs charrettes. Je m'avisai un ou deux jours plus tard que, transportant des marchandises de valeur, ils auraient tout aussi bien accepté de prendre mes biens gratuitement car ils souhaitaient, par souci de sécurité, voyager avec le plus grand nombre d'hommes possible. Mais il était trop tard pour rattraper ma maladresse !

Nous laissâmes bientôt Hambourg derrière nous, poursuivant notre chemin à travers les champs dorés et les nombreuses rivières de cette région. Chaque jour le soleil d'automne nous souriait plus chaudement et je n'en finissais point d'admirer la fertilité du sol, la richesse et le nombre des cités allemandes. Il ne se passait guère d'étape sans que nous eussions l'occasion de voir sur notre route quelque gibet dressé sur son monticule, comme pour nous avertir de la proximité d'une cité populeuse et respectueuse des lois.

Le mauvais temps nous contraignit à demeurer plusieurs jours à Cologne, grande ville au bord du Rhin, le fleuve au cours majestueux. Je bénis cette halte qui me permit à la fois de me reposer et de gagner cent jours d'indulgence en priant dans la cathédrale. J'avais déjà, en compagnie d'Antti, visité maintes églises et cathédrales, mais la vue de ce magnifique édifice nous coupa le souffle. On avait vraiment le sentiment d'être un ver de terre, quand on levait les yeux vers les vertigineuses hauteurs des flèches couronnées de nuages au-dessus de nous. Je suis sûr qu'Åbo dans sa totalité eût contenu sous ces voûtes ! Rarement, pour ne point dire jamais, j'avais ressenti la majesté de Dieu d'aussi près que dans cette grandiose cathédrale et je ne m'étonnai guère que malades, aveugles ou infirmes aient recouvré la santé après avoir élevé leur prière en ces lieux. On avait du mal à croire que des hommes l'avaient pu construire !

A Cologne, je confiai mon coffre à un marchand qui se

rendait à Paris par une route plus longue que celle que nous allions emprunter et, comme l'automne tirait déjà à sa fin, Antti et moi nous nous remîmes en marche tout seuls, à la grâce de Dieu ! Nous arrivâmes en Bourgogne, puis en France, et bientôt commencèrent les difficultés de langage. Heureusement, partout, dans les villes et villages, nous croisions des clercs ou des frères, pleins de la crainte de Dieu, auxquels je m'adressais en latin, et qui nous indiquaient volontiers notre chemin. La nécessité nous fut un bon maître : j'ai toujours eu une certaine oreille pour les langues et, bien qu'au début le français m'ait paru quelque peu déroutant, je m'aperçus très vite qu'il était issu du latin.

Nous traversions de somptueuses forêts de hêtres et dans ces jours délicieux d'automne le soleil brillait parfois à travers une brume qui s'étendait telle un voile de rêve sur tout le paysage. A la Toussaint, nous arrivâmes enfin sur la colline de Montmartre avec à nos pieds les toits de la cité de Paris que la Seine enserrait dans ses bras d'eau verte. Nous tombâmes à genoux pour rendre grâce à Dieu de nous avoir conduits sains et saufs au terme de notre si long voyage. Puis, de toute la vitesse de nos jambes, nous dévalâmes la colline. Je comprenais alors les sentiments que Moïse devait éprouver quand, du sommet de la montagne, il aperçut la Terre promise !

Mais nous nous étions trop empressés de rendre grâce, car notre destin fut bien près de ressembler à celui de Moïse qui n'entra jamais dans Canaan ! Une bande de mendiants et de voleurs, embusqués derrière les marronniers du bord du chemin, surgirent de leur cachette et se jetèrent sur nous à coups de gourdins, de pierres et de couteaux. Nul doute qu'ils nous eussent assassinés sans sourciller, dépouillés de tout puis cachés dans le bois une fois dévêtus, là où personne ne nous eût pu trouver, si Antti, avec sa gigantesque force, ne les eût forcés à fuir après leur avoir administré quelques coups de son bâton. Ils disparurent prestement, en braillant et hurlant, sans doute persuadés de s'être attaqués au diable en personne ! Mais moi, je restai étendu sur le chemin, sans pouvoir me relever, blessé à la tête par une pierre. Antti, pour la seconde fois, venait de me sauver la vie.

J'étais assommé à tel point que, si je ne souffrais de nulle part en particulier, je n'entendais plus que carillons de cloches et chants angéliques, ce qui prouve sans conteste combien j'étais près des portes du paradis. Je repris la marche en titubant, appuyé sur mon ami qui dut même me porter dans ses bras robustes une partie du chemin.

Les hommes de la garde nous arrêtèrent aux portes de la ville et refusèrent de nous laisser entrer en voyant ma blessure et ma tête ensanglantée. Je ne pouvais être, pour leurs esprits bornés, qu'un bandit de grand chemin. Je leur racontai mon histoire à plusieurs reprises, essayai en vain de les apitoyer, mais ils auraient fini par nous enfermer si un vieux moine déchaussé n'était venu à notre aide; en effet, quand cet homme eut pris connaissance de mes documents, il répondit devant la garde de ma bonne foi et de ma conduite. Puis, avec la plus grande amabilité, il nous fit traverser l'île et gagner l'autre rive du fleuve où se trouve le quartier des universités, et nous indiqua sur le bord de la Seine une auberge modeste où passer la nuit.

La souillon qui tenait l'auberge semblait avoir l'habitude des têtes cassées. Elle apporta, avant même que nous en fissions la demande, eau chaude et chiffons et, sur ma prière, chercha dans les coins toiles d'araignées et moisissures pour les appliquer sur la plaie. Je me sentis nettement mieux après avoir bu une coupe de vin; mes idées se remirent en place, même si le chant des anges dans mes oreilles ne cessa qu'au bout de quelques jours.

Cette brave femme, à force de nourrir et soigner des étudiants, savait tout ce qu'il convenait que je fasse pour entrer à l'université et me fut d'un grand secours. Je devais avant toute chose choisir un « tuteur » pour, en temps utile, et après avoir assisté aux controverses dialectiques débattues dans son école, obtenir le premier titre académique. Seul l'étudiant parrainé par un tuteur jouissait des privilèges universitaires. Tous ceux qui étaient nés au-delà des frontières de la France avaient pour patrie l'Allemagne ou Germanie, et je devais donc choisir un maître anglais ou germain à défaut d'un danois ou suédois. Les tuteurs, pour leur part, avaient déjà obtenu le titre de magister; selon les statuts, ils devaient durant deux années enseigner gratuitement à la faculté des Arts tout en poursuivant leurs propres études dans l'une ou l'autre des trois facultés supérieures. Toutefois, jamais de sa vie, la tenancière n'avait entendu parler de sauvages païens tels que Suédois ou Danois !

— D'ailleurs, ajouta-t-elle, la mine sombre, plus les étudiants sont éloignés de chez eux, plus ils boivent et se conduisent mal ! Si tu viens vraiment d'aussi loin que tu le prétends, cela ne m'étonne guère que l'on t'ait cassé la tête avant d'arriver. Un pauvre mortel doit supporter les épreuves que Dieu lui envoie…. Et les étudiants, Dieu seul le sait, n'en sont pas exempts, loin de là ! Ces garçons aux cheveux blonds qui nous arrivent de contrées lointaines sont froids au-dehors mais chauds à l'intérieur comme tous les habitants des pays froids, et voilà pourquoi ils ont besoin de boire plus que ceux à la peau brune.

Exemple de philosophie naturelle que même une créature à l'esprit simple pouvait apprendre au quartier Latin !

— Ma brave femme, dis-je, un peu vexé, seules de nobles ambitions, unies à l'amour de la connaissance, m'ont incité à venir suivre les cours de cette reine des universités ! Aussi ne boirai-je que de l'eau et ne mangerai-je que du pain dur jusqu'à ce que j'aie atteint le seuil des plus hauts titres de mon *alma mater*. Pour ne rien vous cacher, je n'ai point de fortune mais suis courtois et de bonne compagnie, quoi que vous en pensiez !

A ces mots, la maritorne poussa un profond soupir et se désintéressa totalement de mon cas; certes, elle nous servit quelque chose à manger et nous procura un peu de paille pour dormir, mais ne nous prêta, dès lors, pas plus d'attention qu'à deux rats dans un coin.

J'avais dans l'idée de me mettre en quête d'un tuteur dès le lendemain matin, car les vacances étaient terminées et les cours commencés depuis fort longtemps, mais Antti m'en dissuada.

— Frère Mikaël, dit-il, le Seigneur a créé le temps, et non pas la précipitation ! Enfin… si j'ai bien compris ce que prêchaient les dominicains. Il ne serait guère convenable d'aller te présenter devant ton docte tuteur avec un œil au beurre noir et la tête bandée : il pourrait se faire une fausse idée de ton caractère !

Je m'étais muni d'une poignée de deniers dans la maison d'un changeur, près du pont, mais ne tardai point à me rendre compte que la vie dans cette cité agitée revenait bien plus cher que dans mon pauvre pays natal; si je continuais à vivre à l'auberge, un denier par jour ne suffirait pas à payer un seul misérable repas et un tas de paille avec les autres locataires de la chambre. Je partis à la recherche d'un collège suédois ou danois, mais personne ne fut capable de m'en indiquer un. Seul un vénérable mendiant à la barbe grise se souvint d'avoir entendu parler d'une telle institution qui avait existé une centaine d'années auparavant. On n'avait guère vu d'étudiants danois depuis fort longtemps car, me dit-il, il leur était interdit de suivre des cours hors de leurs frontières depuis la création de l'université de Copenhague. Ce vieillard, tout à fait respectable et avisé, fut la seule personne à me donner des conseils sensés durant ces premiers jours. Il parlait un latin correct et me confia qu'il exerçait son métier depuis plus de cinquante ans près du pont de la cathédrale.

Un étudiant ivrogne condescendit à m'adresser la parole quand, malgré la modestie de mes moyens, je lui offris une coupe de vin; à vrai dire, il se borna à m'enseigner un poème en français qui, par le jeu de rimes astucieuses, citait un grand nombre de rues de Paris. Ma connaissance encore fort succincte de la langue ne me permit guère de comprendre ce poème que pourtant, pour lui plaire, j'appris par cœur. Il m'en coûta une nuit et deux deniers et demi ! Ce ne fut que bien plus tard que je découvris avec indignation le contenu de cette œuvre : en quarante-huit vers, il n'y était question que des rues mal famées ! Cette sorte d'aventure constitue, pour ainsi dire, le tribut que tout étudiant novice se doit d'acquitter en arrivant dans le quartier !

A force de déambuler dans les rues, j'acquis une notion approximative du quartier Latin, de ses bâtiments universitaires et de ses nombreuses églises et monastères. Il y avait une population d'environ six mille étudiants, soit le double de celle d'Åbo. Divers pays et plusieurs pieuses fondations possédaient au moins une trentaine de collèges, qui ne pouvaient cependant accueillir qu'une faible partie d'étudiants. Les cours avaient commencé la veille de la Saint-Denis, nous approchions de Noël, il était donc inutile de chercher à me faire admettre dans aucun d'entre eux.

Lorsque l'excitation de mon arrivée se fut un peu calmée, je commençai à me sentir véritablement mal à l'aise de n'en être encore qu'aux prémices de mes études. Par chance, ma blessure à la tête fut guérie en peu de jours si bien que je pus ôter la bande et soigner mon apparence. Le brave marchand de Cologne arriva sur ces entrefaites avec mon coffre de voyage. Après m'être paré de mes plus beaux vêtements, je sollicitai hardiment une entrevue avec le trésorier de la nation allemande, afin d'obtenir quelques conseils éclairés pour mener à bien mes études. Le jeune maître commença par m'adresser de sévères remontrances pour avoir déjà perdu la moitié de l'année; toutefois, après avoir lu la lettre de recommandation de l'évêque Arvid, il reconnut que mon voyage avait été long et périlleux. La lettre, et mon aspect soigné, avaient dû l'amener à supposer que j'étais un jeune homme fortuné car il me demanda incontinent si j'avais l'intention de payer mon tuteur. Certes, me dit-il, tout l'enseignement était en principe gratuit, mais les professeurs, qui n'étaient point rétribués par la faculté des Arts, consacreraient à l'évidence plus d'attention à des élèves qui leur auraient fait quelques présents.

Comme il venait lui-même du pays de Hollande, il pouvait sans attendre m'indiquer un tuteur hollandais, un certain magister Pieter Monk, qui n'avait pour l'heure qu'un nombre réduit de disciples et pourrait par conséquent me faire progresser exceptionnellement vite en vue des examens. Puis il me donna l'adresse du magister, qui vivait rue de la Harpe, en même temps que sa bénédiction.

Heureusement que j'avais reçu des instructions précises, car à peine l'avais-je quitté que deux hommes, arborant la toque de magister sur la tête et suivis d'une foule d'étudiants, se précipitèrent sur moi dans l'antichambre, et se mirent à vanter à haute voix leurs mérites respectifs et ceux de leurs professeurs. Lorsque je leur dis que je cherchais Pieter

Monk, ils se récrièrent contre lui d'une seule voix, l'accusant des pires défauts (c'était un ivrogne, un glouton et même un hérétique !), si bien que j'en vins à être ébranlé dans mon désir de le rencontrer. Mais en fin de compte, la parole du trésorier allemand me parut plus digne de confiance que celle de ces racoleurs pleins de suffisance.

La rue de la Harpe, près du fleuve, se situait non loin de l'auberge où je logeais encore et où je m'empressai de me rendre pour changer de vêtements. Je remis mon modeste costume de voyage, gardant seulement mes belles bottes, car je ne voulais point que le professeur se fît une fausse idée de mes ressources. Il vivait dans une maison étroite à plusieurs étages; le propriétaire, graveur de cachets de son état, me fit monter jusques au dernier et m'indiqua une pièce exiguë et froide où je trouvai enfin le docte maître en train d'écrire sur une table bancale. C'était un homme jeune, pâle, et à l'air famélique; il portait, plus pour se réchauffer, je pense, que par souci de sa dignité, sa toque et la totalité de sa garde-robe. Il posa sur moi ses yeux fatigués et me considéra avec attention. Pénétré de respect, je lui exposai avec franchise le but de ma visite, en mettant l'accent sur ma soif de connaissances et mes faibles ressources, et lui promis, s'il consentait à me prendre comme élève, de le servir avec constance et obéissance.

— Nous vivons des temps difficiles, Mikaël, répondit-il, et la reine des Sciences s'est convertie en une marâtre perverse qui donne souvent à ses enfants des pierres en guise de pain ! J'ai seulement vingt-cinq ans mais j'en ai déjà mâché jusques à m'en user les dents ! Pour être franc avec toi, je dois dire que n'ai reçu ma licence d'enseignement, ou *licentia docendi*, que l'an passé. « Hier, bachelier, aujourd'hui magister, demain docteur ! » nous enseigne le proverbe, pourtant chacun de ces jours est long comme des années et sans cesse rempli d'angoisses, de luttes et de batailles spirituelles. On gèle en hiver tandis qu'en été l'on respire l'infecte puanteur qui envahit les rues. Mauvaise nourriture et œufs pourris sont l'apanage de l'étude, et l'élève assidu reçoit pour seule récompense de son assiduité des dents gâtées et un estomac délabré pour le reste de ses jours... Mais je vois bien à ton regard brillant que tu brûles du désir de t'instruire et que ni peine, ni nuits sans sommeil, ni jours d'angoisse ne te feront reculer. Je t'ai donc donné là les seuls avertissements que je te donnerai jamais. De mon côté, je ferai de mon mieux pour t'aider dans tes études, dans la mesure de mes moyens.

Puis il me soumit à un interrogatoire portant sur des questions précises. Au bout d'une heure, j'avais le sentiment d'être retourné comme un gant et qu'il savait de mon instruction plus que moi-même.

— Mikaël, mon fils, dit-il en hochant la tête, tu apprends rapidement et tu possèdes une solide connaissance de la logique aristotélicienne. Toutefois, ton vocabulaire est dépassé et ton savoir plus adapté à un homme d'Église qu'à un universitaire. On voit que tu n'as jamais eu l'occasion de lire des œuvres modernes ni de commentaires. Mais si tu assistes régulièrement à mes cours du matin et viens écouter chaque semaine les disputes dialectiques, peut-être pourrons-nous avancer suffisamment cette année pour que tu sois à même de choisir la thèse que tu auras à soutenir dans les discussions avec mes autres élèves. Je suis convaincu qu'après une année de travail acharné tu pourras te risquer à te présenter devant les examinateurs pour obtenir le titre de bachelier. C'est tout ce que je peux te promettre, bien que mon propre avancement dépende du tien puisque, tu le sais, l'on juge un maître à ses élèves.

Il m'invita à me présenter dès le lendemain matin après la messe à l'église de Saint-Julien-le-Pauvre.

— Mikaël, ajouta-t-il d'une voix hésitante, normalement, un élève doit faire à son maître un cadeau selon ses moyens financiers. Loin de moi l'intention de te dépouiller mais, à vrai dire, je ne pourrai manger aujourd'hui tant que l'imprimeur ne m'aura point payé ces épreuves que je corrige en ce moment, et ta visite m'a interrompu dans mon travail.

Il me montra le manuscrit et les feuilles encore humides de l'encre d'imprimerie. Il s'agissait d'un pamphlet écrit par un érudit hongrois; ce dernier peignait le terrifiant tableau des dangers qui menaçaient la Chrétienté depuis que le cruel et sanguinaire Sélim, sultan de Turquie, avait l'an passé conquis l'Égypte et placé sous sa coupe toutes les routes commerciales en direction de l'Inde. Sélim, dominant l'Orient, se trouvait à présent en mesure de rassembler ses forces pour détruire la Chrétienté. Le maître Monk se mit à me raconter d'un air gêné le contenu du manuscrit, sans doute pour me laisser le temps de réfléchir à la somme que je pensais pouvoir lui offrir.

Je ne prêtais guère attention à ses explications, car rude était la bataille qui se livrait à l'intérieur de moi-même; mais je finis par lui donner une de mes rares pièces d'or, un gulden du Rhin de poids légal.

— Maître Pieter, mon cher tuteur, lui dis-je avec loyauté, prenez cette monnaie tant qu'il me reste quelque argent. C'est certainement l'usage le plus sage que j'en puisse faire. Si Dieu le veut, elle me rapportera un bon intérêt ! A mon tour à présent de vous adresser une prière : vous qui avez souffert de la pauvreté, pourriez-vous m'indiquer où manger et me loger à moindres frais et me prêter de temps en temps l'un de vos livres ? Je souffre plus en vérité de ma soif de lecture que de la faim de mon corps ! Je vous promets d'y veiller comme à la prunelle de mes yeux !

Le maître devint écarlate et refusa à plusieurs reprises mon gulden avant de l'accepter. J'étais, pour ma part, de plus en plus convaincu d'avoir trouvé en lui le meilleur et le plus honnête de tous les tuteurs parmi les rapaces académiques qui se jettent sur les étudiants comme sur des proies. Il me promit de me prêter ses livres chaque fois que je le désirerais, et me proposa même de venir les lire dans sa chambre si je ne trouvais point d'autre endroit tranquille. Il me sembla comprendre qu'à la différence des professeurs plus âgés, il ne possédait point de local spécial pour donner ses cours et que plusieurs de ses élèves vivaient dans la même maison : le graveur de cachets louait en effet des chambres aux étudiants et le maître aimait à les avoir rassemblés ainsi près de lui.

— Dans sa jeunesse, l'homme se contente de peu et est prêt à renoncer à tout ! Mais il y a une limite à ce renoncement, une limite qu'il ne faut pas dépasser sous peine de nuire à sa santé. Nombreux sont les savants qui doivent payer les privations et les difficultés du temps de leur jeunesse par une vie de souffrances permanentes et une mort prématurée. L'hiver approche, Mikaël, tu dois donc manger au moins une fois par jour un plat de soupe chaude. J'espère que deux ou trois de mes élèves accepteront de partager leur chambre avec toi, cela diminuera le loyer d'une part et augmentera la chaleur d'autre part ! En temps d'hiver, mieux vaut toujours, tu verras, dormir à plusieurs dans une chambre. Tu dois également toujours surveiller ta santé, mais si tu te trouves à toute extrémité et que ton argent s'envole avant le temps prévu, nous dénicherons toujours un moyen de te venir en aide. Je prends sur moi, désormais, la responsabilité de ton bien-être.

Alors commença l'une des périodes les plus heureuses de ma vie. J'étais encore jeune avec un cœur encore pur et j'avais déjà reçu un sérieux avertissement contre la tentation du monde. Le royaume sans limites du savoir s'ouvrait devant moi et je pouvais, en qualité d'étudiant libre, franchir maintes portes que bien peu auraient seulement pu entrouvrir. J'étais ivre à l'idée que l'esprit de l'homme ne connaissait nul obstacle et que rien n'était supérieur au savoir. Je partageais même pauvreté, jeunesse et enthousiasme avec mes compagnons, et le soir, au cours de nos interminables discussions, quand notre intelligence s'ouvrait, que s'aiguisait notre raisonnement, nous étions tous pénétrés du sentiment que notre esprit volait bien au-delà des frontières étroites de nos foyers respectifs pour entrer dans la grande confrérie d'une langue et d'une culture communes et internationales.

Il se peut que j'aie souffert du froid et de la faim au cours de cet hiver-là, mais je n'en garde nul souvenir, seul celui du plaisir de l'étude est resté inscrit en ma mémoire. Peut-être m'est-il arrivé d'avaler des morceaux durs comme pierre parmi les vérités dispensées par l'enseignement, heureusement j'avais l'estomac solide de la jeunesse et ignorais le sens du mot « doute ».

On eût dit une volée de moineaux désemparés lorsque,

tous assemblés sur le parvis, avec bien souvent dans le ventre à peine une gorgée de vin et un croûton de pain dans le meilleur des cas, nous attendions notre professeur pour partir en quête d'une chambre disponible. Certes, les tuteurs les plus anciens et les plus célèbres de la faculté des Arts comptaient des centaines d'auditeurs alors que nous n'étions qu'une vingtaine, mais c'est nous qui en fin de compte y gagnâmes, car notre cher maître hollandais devint peu à peu notre ami.

Nous étions originaires des différents pays d'une Europe turbulente et déchirée; tels des papillons par la lumière, nous avions été attirés par l'école la plus illustre de tous les temps. La noble Théologie, magnifique résultat de longs siècles d'évolution, y régnait en souveraine sur les autres sciences : nul problème, qu'il fût divin ou humain, ne restait hors de sa portée, et elle offrait des réponses approfondies, fondées sur le précédent ou la tradition, à toute question soulevée par l'esprit humain, dans les limites de l'approbation de l'Église. Seul un maître accompli, déjà parfait en philosophie profane, pouvait prétendre à l'étude de la divinité, et il nous restait encore à attendre cinq ou six longues années. Comme je le dirai plus tard, je n'ai point atteint ces hauteurs mais je me rends compte que, jamais auparavant, la pensée de l'homme n'avait élaboré (et peut-être ne saura-t-elle plus jamais le faire) une structure intellectuelle aussi complexe et admirable que la théologie de mon temps, à son apogée avant la grande dissolution.

La jeunesse est avide et dévore sans discrimination toute connaissance qui se présente à elle. Ainsi profitai-je sans limite de la permission que le professeur Monk m'avait accordée de consulter sa bibliothèque. Il me prêta deux ouvrages de son compatriote Erasmus de Rotterdam, lectures stimulantes, me dit-il, à faire en dehors de mes études. Le premier avait pour titre *Moriae Encomium* ou « Éloge de la folie », et le second *Colloquies,* ou « Colloques »; ce dernier ne semblait être qu'un livre inoffensif à l'usage des latinistes. Je dévorai en quelques soirées ces deux ouvrages écrits dans un pur style latin et sentis ma tête près d'éclater devant le tourbillon de pensées qu'ils suscitèrent en moi; je restai à lire à la lueur de ma lampe à huile de colza jusques à une heure avancée de la nuit.

Jamais en vérité une lecture ne m'avait troublé à ce point ! L'ironie grinçante qui se dégageait de l'exposé de l'auteur fit en mon esprit l'effet d'un poison et éveilla des doutes en mon cœur. Parce qu'en faisant l'éloge de la folie, le docte humaniste contestait toute proposition établie et démontrait d'une manière convaincante que la sagesse et le savoir des hommes ne sont rien que fantômes, de froids et terrifiants fantômes ! La folie seule, à dose convenable, donnait substance et saveur aux actions et aux luttes menées par l'humanité; seul un fou pouvait, d'après lui, trouver le bonheur dans ses désirs ou ses faits et gestes, ce qu'il établissait à l'évidence avec une pénétrante acuité. C'est lui qui m'apprit à discerner, dans ma propre vie ainsi que dans les circonstances les plus solennelles, les grimaces de dame Folie.

Mais les « Colloques », tout frais sortis de l'imprimerie, étaient encore bien pires ! Au cours de conversations imaginaires, l'auteur n'hésitait point à mettre en doute l'efficacité des sacrements sous le prétexte qu'ils ne changeaient en rien la vie ni ne lui apportaient d'amélioration. Il allait jusques à affirmer que l'âme trouvait une nourriture plus substantielle et plus de réconfort dans la lecture de quelques lignes du païen Cicéron que dans les doctrines de tous les scolastiques réunis ! Parce que, prétendait-il, une pensée claire peut s'énoncer clairement.

A la fin de ces lectures, j'étais plus que jamais pénétré du sentiment de mon intelligence car elles éveillèrent en moi des réflexions que je n'avais point eu l'audace de me faire par moi-même. Mon esprit était rempli d'une admiration éperdue en même temps que de doutes déconcertants. Je rendais hommage à Erasmus en qualité de grand professeur et pêcheur d'âmes, mais ne fus rassuré que lorsque maître Monk me révéla que l'écrivain était un clerc, un fils obéissant de l'Église, et que le Saint-Père lui-même avait lu ses œuvres avec plaisir.

Nous avions pris l'habitude d'aller tous les dimanches après la messe prendre notre meilleur repas de la semaine en compagnie de notre professeur dans une petite taverne de notre rue. Il nous arrivait souvent également d'aborder des sujets profanes que nous poursuivions jusqu'à une heure tardive. Il me souvient d'un jour, au début du printemps, quand les rayons du soleil commençaient à réchauffer l'atmosphère. Je vois encore devant moi le visage mince, l'air absorbé sous sa toque noire, de mon professeur; il y avait aussi un jeune Basque à l'expression têtue, un noble du pays d'Angleterre, aux traits pâles et veules, qui, parce qu'il payait plus que nous, était le favori, et enfin le fils d'un tisserand de Hollande, un garçon au visage couvert de taches de rousseur.

L'Anglais avait commandé du vin pour tout le monde et notre maître dit, en levant sa coupe :

— Que repose en paix l'âme du défunt empereur ! Je lève à présent ma coupe à la félicité et à la prospérité du jeune roi Charles ! Je forme le vœu que lui, qui a posé déjà sur son front les couronnes d'Espagne et de Bourgogne, ceigne maintenant celle de l'Empire et devienne le souverain chrétien le plus puissant de tous les temps, capable de conjurer le péril turc et d'arracher l'hérésie !

— La courtoisie m'impose le devoir de lever ma coupe avec vous ! observa le jeune Anglais. Mais je vous rappelle que le roi de mon pays, Henri VIII, brigue lui aussi la couronne impériale ! J'ajouterai que le respect que nous devons à cette merveilleuse cité de France et à son souvenir nous invite à ne point oublier qu'il désire pour son propre front cette même couronne !

— Personnellement je n'ai point à me louer du roi Charles ! reprit le jeune Basque, la mine renfrognée. Dans mon pays, la sainte Inquisition a rendu la vie intolérable à tout étudiant libre désireux d'apprendre les médecines arabe et juive. Cette coupe sera ma coupe d'adieu : je n'ai plus d'argent et m'en retourne en Espagne; j'ai l'intention de m'enrôler comme chirurgien dans l'armée pour servir par-delà l'océan; j'ai entendu dire qu'un homme appelé Cortez recrute des compagnons courageux pour partir avec lui à la conquête du Nouveau Monde; il promet à tous ses soldats autant d'or qu'ils seront capables d'en porter !

— Mais nul n'a encore rapporté de richesses du Nouveau Monde ! intervint à son tour le fils du bourgeois de Hollande. Et Columbus lui-même est revenu pauvre et chargé de chaînes ! Néanmoins, puisque tu préfères écouter des contes de bonnes femmes plutôt qu'un sage conseil, je te souhaite tout de même un bon voyage !

— Alors, ferons-nous ce vœu ou pas ? demanda notre amphitryon. J'ai payé le vin et trouve que les discours superflus assèchent la gorge !

Nous levâmes donc notre coupe et fîmes tous le vœu pieux que le nouvel empereur élu apporte le bonheur à la Chrétienté, mais sans citer de nom. Cette discrétion n'eut point l'heur de plaire à un étudiant vagabond assis près de nous; cet homme à la trogne d'ivrogne nous avait écoutés sans en avoir l'air, tout en griffonnant un poème de ses doigts tachés d'encre.

Il se leva et vint jusqu'à notre table.

— Ai-je bien entendu ? dit-il. Ainsi voilà des étrangers auxquels on permet par pure bienveillance de profiter des avantages dispensés par notre ville et notre université, qui hésitent à lever leur coupe au noble roi François ! Et qui, plus que lui, s'est donc montré digne de porter la couronne de l'Empire ? N'a-t-il point droit à plus de respect de la part de gens qui jouissent des privilèges qu'il s'est gracieusement plu à leur accorder ? Bien qu'à en juger par vos propos, vos talents ne doivent guère valoir grand-chose !

— Étant un homme pacifique, répondit le professeur Monk, je considère au-dessous de ma dignité de religieux et d'universitaire de corriger un vagabond qui semble avoir noyé dans le fond de sa coupe le peu de raison qu'il ait jamais eu en partage ! Mais si l'un d'entre vous, mes chers élèves, désire lui donner une correction, avec bien entendu la mesure et la courtoisie requises, je me garderai de m'y opposer et lui assurerai même la protection de mon autorité.

Nous échangeâmes un regard hésitant.

— Tout est de ma faute ! dit enfin l'Anglais d'une voix pleine de gravité. C'est moi qui ai insisté pour que vous prononciez un vœu. Il n'y a aucun doute qu'à nous tous nous n'aurions point de mal à jeter dehors ce malotru et à le châtier de son insolence. Mais la question comporte maintes implications à caractère politique ! Ce grossier gratte-papier qui fait ici le bravache, affecte de défendre l'honneur de son souverain, ce qui pourrait nous entraîner dans une situation périlleuse. Nous sommes toujours prêts à manifester la plus totale déférence à l'égard d'un monarque sous la protection duquel nous avons la grâce de vivre et il me semble donc que le plus simple serait d'exprimer un nouveau souhait : je lève ma coupe au noble et valeureux roi François ! A son bonheur et à sa prospérité ! Et nous allons inviter ce gentilhomme à lever sa coupe avec nous, si toutefois il nous présente des excuses dans les termes appropriés pour réparer ses insultes.

A peine notre compagnon avait-il achevé de parler que le visage grotesque et bouffi de l'étranger devint tout sourire. Il leva ses mains maculées d'encre en s'écriant :

— Maître respecté ! Doctes étudiants ! Je vois que j'ai commis une grave erreur et je regrette, du fond du cœur, les paroles qui m'ont échappé sous l'empire de la colère. Seul le respect dû à mon souverain me guidait alors et non point le désir de chercher querelle !

Il prit place à notre table sans même demander la permission et en dépit des regards dégoûtés que nous lui jetions à cause de sa mauvaise odeur. Pour vaincre notre répugnance, il se lança dans le récit de ses nombreux voyages en pays étrangers et se vanta des protecteurs distingués qu'une mauvaise fortune persistante lui avait toujours fait perdre; jamais il n'avait pu trouver la paix et se sentait condamné à rester ici-bas une pierre qui roule.

— Mais, ajouta-t-il, à présent mes malheurs m'affectent moins que jadis, car le monde à son tour va être submergé de catastrophes ! Si vous voulez le savoir, il ne nous reste plus que cinq années à vivre. Je suis parfaitement informé sur ce point, puisque j'arrive à l'instant de la ville de Strasbourg !

Il s'interrompit brusquement, regarda sa coupe vide d'un air sombre et se mit à remuer la bouche comme s'il avait la langue soudainement collée à son palais. Sur un geste du maître, l'Anglais remplit la coupe de l'étranger : il avait réussi à captiver notre curiosité.

— Je ne vais point vous casser les oreilles avec l'histoire de mes revers. Nul ne peut échapper au destin inscrit dans les étoiles et il y a déjà de longues années qu'à l'heure de la misère, je considère la potence comme ma seule promise sur cette terre, celle qui un jour recevra mon pauvre corps dans ses bras ouverts. Toutefois il convient que je vous dise d'abord, afin d'obtenir votre crédit pour ce qui va suivre, que mon nom est Julien d'Avril; je suis né au mois d'avril et ma vie a toujours été aussi incertaine et capricieuse que ce mois.

« J'ai donc eu à Strasbourg l'occasion de lire certaine prophétie imprimée, qui se fonde sur la conjonction de planètes devant avoir lieu au mois de février de l'an de grâce 1524. Selon cette prophétie, le monde se trouve sous la menace d'un deuxième Déluge. J'ai approfondi la question et découvert que maints savants ont déjà suggéré une interprétation; qu'il me suffise de citer parmi eux l'astrologue de la Cour de Vienne, un observateur d'étoiles de Heidelberg dont je ne me souviens plus guère du nom païen, et Thriremus lui-même qui, dans ses écrits, fait allusion à cette conjonction planétaire. En un mot, il apparaît que les planètes vont se rencontrer dans le signe du Poisson et je prépare actuellement mes propres points de vue sur cet événement avec l'intention de les publier.

— J'ai, en effet, entendu parler de cette conjonction remarquable, souligna maître Monk en hochant la tête, et il est indéniable qu'elle annonce des cataclysmes, mais je ne puis accepter l'idée qu'ils prendront la forme d'un déluge; ce serait en complète contradiction avec la promesse catégorique de la Bible, promesse que l'arc-en-ciel nous rappelle sans cesse !

Julien d'Avril approuva avant de poursuivre.

— Certains soutiennent qu'il est plus aisé d'interpréter cette conjonction de planètes en faisant appel à des images; ils disent que l'état du monde sera semblable à celui d'eaux en ébullition; ils croient qu'alors tomberont princes et empereurs, que les plus misérables se lèveront contre les puissants dans tous les pays et videront les viviers des monastères et des seigneurs. Mais si nous lisons correctement les signes, nous pouvons découvrir une explication plus simple, et je m'étonne que personne encore n'en ait eu l'idée.

Sans y être invité, il tendit la main vers le pichet de vin et d'autorité remplit sa coupe.

— Le Grand Turc, l'inhumain et terrible Sélim, a porté la guerre en Syrie, en Perse et en Égypte, maintenant ainsi tout l'Orient sous sa bannière ! Sa grande ambition est d'obéir aux commandements de son prophète Mahomet et d'écraser les chrétiens que les Turcs appellent incroyants, alors qu'eux-mêmes sont les séides d'un faux prophète ! Les Vénitiens attirent sans relâche notre attention sur l'incommensurable cruauté des Turcs, mais ce trait de caractère me semble dû en grande partie au fait que leur prophète leur interdit de boire du vin ! Ainsi le peuple d'Islam assoiffé de sang doit se contenter de boire de l'eau ! Voilà pourquoi il me semble à l'évidence que leur signe dominant est le signe du Poisson !

— C'est en vérité la *vox sapientis*, la voix de la sagesse ! approuva avec passion le magister Monk que le pamphlet du Hongrois avait mis au fait de ces questions.

— N'est-ce pas ? ponctua Julien d'Avril, exalté à la fois par le vin et la conscience de son propre savoir. En février de l'an de grâce 1524, toutes les planètes réunies porteront leur énergie sur le Poisson, ce qui signifie que le monde tombera sous la domination turque ! Idée exécrable, certes, mais nous ne pouvons nier qu'elle soit écrite clairement dans les étoiles ! Nous agirons donc en hommes avisés si nous prenons les mesures qui s'imposent. Personnellement, je compte me rendre auprès des vignerons de France pour les exhorter à emmagasiner et cacher autant de barriques de vin qu'il leur sera possible afin d'éviter que les chrétiens ne meurent de soif durant les premières années du joug mahométan. Puis on devrait aussi inciter les Turcs à consommer du vin dans des proportions raisonnables, ce qui aurait certainement pour résultat de diminuer leur puissance.

Le jeune Anglais arracha le pichet des mains de l'étranger et versa les dernières gouttes de vin dans sa propre coupe. Il déclara alors, le visage atteint d'un léger tremblement :

— L'Angleterre étant un île, elle n'a par conséquent rien à craindre de ce qui peut arriver sous le signe du Poisson ! N'ayez, messires, aucune crainte ! Elle saura résister à tout assaut mené contre ses côtes quand bien même l'empereur et l'Europe entière devraient tomber !

— Que Dieu me protège d'avoir offensé en quoi que ce soit notre généreux amphitryon qui nous régale d'un vin aux vertus si rafraîchissantes ! Je reconnais volontiers que les Turcs se perdraient dans le brouillard si jamais ils tentaient d'envahir votre capitale !

Le vin de notre excellent ami m'était également monté à la tête et il me paraissait alors bien inutile, en un monde condamné à d'aussi épouvantables épreuves, de vouloir conquérir la connaissance ou quoi que ce fût du domaine des hommes.

— Messire, intervint le jeune Basque, je vous suis reconnaissant pour ces prophéties qui ne font que me raffermir dans mon intention de regagner mon pays dès que possible et de partir servir dans le Nouveau Monde. J'ai le sentiment qu'ici, dans le Vieux, nous sommes tous embarqués sur une arche pourrie et vermoulue qui va couler d'un moment à l'autre. Que puis-je attendre d'un monde où les princes ont perdu l'honneur et les femmes la vertu, et où la sainte Église, tombée dans l'idolâtrie, s'abaisse par ses arguties au rang des saltimbanques !

Maître Monk mit sa main sur la bouche du Basque et lui intima l'ordre de se taire sous peine de lui déplaire gravement. Quand le garçon se fut calmé, il nous regarda dans les yeux l'un après l'autre et dit sur un ton sévère :

— Tous les vrais chrétiens souffrent sans doute dans le fond de leur cœur de l'état actuel de la sainte Église, mais nous ne devons point convertir le mal en pis par des critiques ouvertes. Espérons humblement que la purification nécessaire viendra d'en haut lorsque le moment arrivera ! Faisons pénitence et amendons-nous en notre propre cœur, nous en avons tous grand besoin ! Seules les actions que nous accomplissons au cours de notre vie apporteront la joie et une paix éternelle en notre âme.

— Amen ! Ainsi soit-il ! répondit Julien d'Avril d'une

voix respectueuse. Je voudrais ajouter que, lorsque le poids de nos péchés pèse trop lourd sur nous ou que nos voisins nous veulent imposer leur volonté, un pèlerinage en terre lointaine demeure toujours le bienvenu. Je me permets de vous suggérer cet efficace expédient auquel j'ai personnellement dû recourir à maintes reprises.

Ce fut ainsi que j'eus la chance d'entrer en relation avec Julien d'Avril. Chance douteuse, peut-être, mais je dois reconnaître que cet homme aux histoires intarissables fut aussi mon maître.

Le printemps revint à Paris et les chandelles en fleur des marronniers scintillaient toutes blanches le long des rives d'eaux vertes de la Seine. L'université avec son enseignement représentait toujours pour moi la plus grande des merveilles, et la misère qui me menaçait sans relâche était mon seul souci.

L'année s'acheva à la fin du mois de juin, pour la fête des saints martyrs Pierre et Paul. Notre cher professeur retourna chez lui, en Hollande, et le vent dispersa mes compagnons. Pour moi, point n'était question de partir, parce que d'une part pour me rendre dans mon pays, la route était trop longue et périlleuse, et que d'autre part je redoutais fort d'être recherché là-bas comme partisan du roi Christian et de l'Union. Et ma bourse déjà plate se vida tout à fait au cours de cet été-là.

Je n'avais guère eu l'occasion de voir Antti, qui travaillait dans une fonderie de cloches et de canons, située en aval sur les rives de la Seine. Il venait bien de temps en temps me rendre visite à l'occasion des fêtes, mais j'étais si absorbé par mes études que c'était à peine si je prenais le temps de lui demander s'il mangeait à sa faim. Il se présenta chez moi un dimanche, alors que j'étais resté étendu sur ma paillasse, trop faible pour me lever et aller assister à la messe. L'été, par la fenêtre ouverte, m'apportait des effluves puants de charogne et je n'aurais pas donné cher de ma vie ce jour-là ! Je n'avais pris depuis plusieurs jours pour toute nourriture qu'un peu de pain et d'eau, et pour les obtenir j'avais dû vendre mon meilleur pourpoint; tout plutôt que me séparer de mes livres !

Antti pénétra dans la pièce, renifla puis dit à sa manière brusque :

— Que se passe-t-il ? As-tu bu plus que de raison la nuit dernière ? Pourquoi restes-tu couché, le visage verdâtre, dans cette abominable puanteur ? Regarde ! Tu as devant toi un honnête artisan, frais comme une rose et levé au chant du coq pour venir te voir ! Voilà ce que l'on gagne si l'on évite de toucher aux boissons fortes et si l'on choisit de manger plus gros morceau au lieu de boire une coupe de vin même léger !

— Antti, mon frère ! balbutiai-je avant d'éclater en sanglots. Tu arrives à temps pour entendre mes dernières volontés ! Ce n'est point l'ivresse mais la faim et l'abus de l'étude qui m'ont mis dans cet état et je vois que, pour mes péchés, il me faudra mourir dans une ville étrangère, entouré d'inconnus ! Fais-moi enterrer comme un bon chrétien et Dieu et ses saints te le rendront !

Il me jeta alors un regard plein d'inquiétude et me palpa le cou et les poignets de sa main rude.

— On dirait un oiseau déplumé ! Je me demande si tes côtes ne t'ont pas déjà troué la peau ! Sommes-nous donc chez les sauvages et n'y a-t-il aucun chrétien dans cette belle cité pour te prendre en pitié et te donner à manger ?

— A quoi bon ? répliquai-je d'une voix misérable. Les frères m'ont nourri tant et tant de fois grâce à la lettre du père Pierre que je n'ai plus le courage de frapper à leur porte ! Quant au tenancier de *La Tête de l'Ange*, il m'a fait crédit si longtemps que je n'ose même plus y remettre les pieds ! Et pour mendier dans les rues, je suis encore trop bien vêtu ! Alors, pourquoi prolonger mes malheurs ? Je préfère rester ici et attendre ma dernière heure avec humilité.

— Belle folie que de jeter sa hache dans le lac quand elle est encore affilée ! Mais tu es plus intelligent que moi, Mikaël, sinon j'aurais aimé t'inviter à un repas modeste à *La Tête de l'Ange* justement, car je crois que ma bourse aurait pu nous le permettre...

Je me levai et m'habillai en un clin d'œil.

— Antti, mon frère, je ne vois pas pourquoi refuser ton invitation ! Ne suis-je point ton unique ami dans cette cité étrangère et le seul à parler ta langue ? Dépêchons-nous de nous rendre à *La Tête de l'Ange*, j'ai vraiment grand besoin d'un généreux bol de soupe !

Le tavernier me salua avec cordialité malgré mes dettes; sans doute craignait-il qu'un accueil plus froid ne lui fît perdre définitivement son argent ! Julien d'Avril était dans la salle; il avait en effet l'habitude de fréquenter cette taverne lorsque la garde ne le tenait point en prison pour conduite scandaleuse ou rixe dans les rues.

Il salua mon compagnon avec courtoisie, puis me dit :

— Ton camarade me paraît être un garçon solide et sympathique. Il ne me refusera pas une coupe de vin quand il saura que je suis un savant et un astronome et que l'on a imprimé un livre de moi ! Dis-lui que je suis loin d'être un homme ordinaire et que je me contenterai de la lie du vin, celle que le patron recueille du fond des barils pour la vendre quelques liards.

Le tavernier nous apporta à chacun une terrine d'une bonne soupe épaisse avec un morceau de pain et, comme c'était dimanche, Antti commanda du vin. J'étais si affaibli que la soupe me tourna la tête !

— Docte frère, dis-je à Julien d'Avril, dis-moi ce que je dois faire ? La misère est à mes basques et seule ma timidité naturelle m'a interdit jusques ici de révéler mon dénuement.

— Ane stupide ! répondit Julien d'Avril d'une voix indignée. Pourquoi ne me l'as-tu point dit plus tôt ? Nous aurions pu nous rendre ensemble à Francfort et nous remplir les poches avec l'élection impériale ! Mon expérience unie à ton air candide aurait fait merveille ! Tant pis, Charles Quint a été élu sans nous ! Mais il faut que tu comprennes, Mikaël, si nous devons travailler ensemble, que des hommes de notre classe ne peuvent devenir riches en suivant le sentier étroit et épineux de la vertu ! Tu dois choisir une route plus large si tu veux gagner en un été ce dont tu as besoin pour subsister durant tout le prochain hiver dans cette misérable ville !

Antti renchérit en disant qu'il avait lui-même remarqué

que le travail honnête ne rapportait guère, même si l'on en retirait à l'occasion de salutaires leçons.

— S'il était seulement question de survivre, poursuivit Julien, je suis certain de pouvoir persuader un honorable citoyen de te nourrir en échange de cours de lecture à ses enfants; mais ce n'est en aucun cas une solution qui rapporte des bénéfices durables. Il y a bien, naturellement, la dent de l'évêque, un remède efficace contre le mal de dents que j'ai moi-même expérimenté, et bien d'autres médicaments païens, rapportés de ton pays natal, mais si tu deviens guérisseur, tu auras bientôt des ennuis avec la faculté de Médecine, fort jalouse de ses prérogatives. Voyons encore... si je vous donnais l'adresse de maisons où l'on peut trouver des cuillères en argent, ton compagnon musclé se chargerait de forcer les serrures pendant que toi qui es si maigre, tu pourrais te glisser par les ouvertures les plus étroites... Malheureusement, je crains fort que ta piété ne t'empêche de t'emparer du bien d'autrui ! A parler franc, j'ai moi-même au cours de l'été mis au point plusieurs projets honnêtes que tu pourrais m'aider à mener à bien... Je commence à être un peu trop connu dans cette ville et il ne serait point mauvais pour ma santé que je change de lieu de résidence... Nous approchons de l'époque des vendanges et j'ai grande envie de voir les riants vignobles du royaume de France ! Sans compter que les vignerons, tout comme les paysans d'ailleurs, se montrent toujours d'excellente humeur en cette saison; la compagnie de ton robuste ami ne laisserait point de nous être d'un grand secours pour le cas où nous rencontrerions quelques difficultés !

Je lui demandai aussitôt quels étaient ses projets « honnêtes ».

— Lorsque j'écrivis mon ouvrage, expliqua-t-il, je remarquai avec quel respect les petites gens considéraient la chose écrite et à quel point ils y croyaient ! Si bien que j'ai commencé à redouter réellement le péril turc que j'avais décrit dans mon œuvre. Je pris donc la résolution de voyager vers l'Orient et de consacrer ma vie à la conversion des mahométans. Je me propose d'accoutumer les Turcs à la consommation du vin, dans le but d'amollir leur nature

111

sauvage avant que ne sonne l'heure fatale. Mais pour réussir dans une entreprise toute baignée de piété, j'ai besoin que tous les chrétiens s'unissent et m'apportent leur aide.

— Très docte frère, interrompis-je, pareilles sornettes n'arriveront jamais à convaincre le paysan le plus borné et encore moins à lui faire dénouer les cordons de sa bourse !

— Tu es jeune, Mikaël ! répliqua-t-il d'un air entendu. Tu ne peux imaginer comme les gens sont toujours prêts à croire les plus énormes mensonges, car c'est l'impudence même du mensonge qui les attrape !

Plus il nous découvrait ses plans, plus je restais confondu ! Il séduisit mon frère à l'esprit lent avec des histoires d'abondance automnale qui devait régner alors sur les campagnes ! Le jour suivant, il m'apporta un document (je n'ai jamais su comment il se l'était procuré), pourvu d'un nombre impressionnant de sceaux ecclésiastiques et qui, en substance, incitait tous les chrétiens véritables à l'aider dans sa pieuse et louable entreprise, considérée comme le plus grand service rendu à tout le monde chrétien. Il s'affubla ensuite d'un vêtement de pèlerin, avec une corde en guise de ceinture, et reçut de l'imprimeur une pile d'exemplaires de son livre, obtenus très certainement à crédit et dont la vente m'incomberait. Enfin il revêtit Antti d'un costume bizarre qu'il affirma être celui d'un guerrier turc.

Nous quittâmes donc Paris. Après deux jours de voyage, Julien d'Avril s'arrêta sur le parvis d'une pauvre église de village et se mit à appeler les habitants à grands cris. Le curé, un homme au cœur simple, vint à lui, bénit son zèle et acheta une copie de la prophétie; l'aubergiste en acheta également une pour en faire lecture à haute voix à ses clients. Julien prononça une harangue devant la petite assemblée; il présenta Antti comme un janissaire turc qu'il avait converti au christianisme; puis il invita notre ami à dire quelques mots dans sa langue maternelle et déclara que c'était du turc ! Ensuite, Antti exécuta des tours de force devant les spectateurs effrayés qui se signaient, tandis que Julien leur demandait avec fougue ce qu'ils avaient l'intention de faire contre un essaim de pareilles créatures quand elles s'abattraient sur l'Europe comme un nuage de sauterelles ! Si tous et chacun contribuaient un tant soit peu à la noble cause, alors ce péril pourrait être écarté de sur leurs têtes !

Mais ces villageois étaient de pauvres gens qui ne pouvaient guère donner grand-chose, à part nourriture et boisson dont ils furent prodigues. Le soir, le curé nous conduisit au château et nous présenta au seigneur et à ses dames; nous reçûmes là une monnaie d'or; le châtelain nous raconta qu'il avait vu dans une hostellerie à Venise des Turcs habillés exactement comme Antti et que leur façon de parler ressemblait tout à fait à la sienne, affirmation qui plongea Julien dans un grand étonnement.

Je ne veux plus me souvenir de ce voyage au sud de la France, qui dura en tout deux longs mois. L'exercice, la bonne chère et la vie à l'air libre me rendirent bientôt la santé mais je souffrais sans répit de la crainte d'être découvert; Julien d'Avril, fort de ses succès continuels, devenait de plus en plus impudent au point de croire lui-même à son projet d'aller vers l'Orient, et il fallait le voir pleurer à chaudes larmes lorsqu'il racontait d'une voix absolument déchirante les souffrances qui l'attendaient s'il venait à tomber aux mains des Turcs !

Dans les grandes villes, il s'empressait de rendre visite aux plus hauts dignitaires de l'Église; il lui arriva même un jour d'offrir à un vieil évêque une bourse pleine de terre qu'il lui assura avoir ramassée lui-même en Terre sainte ! Lorsqu'il ne recevait point d'argent, il se contentait d'accepter des dons en nature, et c'est ainsi que nous possédions à la fin deux chevaux pour transporter les vêtements et les victuailles de toutes sortes que nous avions recueillis. Lui, qui tous les soirs tombait ivre mort et était incapable de marcher le jour suivant, se déplaçait sur un âne; comme nous ne restions jamais plus d'un jour dans un même lieu, il nous avait fait promettre de le mettre en selle tous les matins et s'il ne pouvait s'y maintenir tout seul, de l'y attacher !

A l'approche de la fête de saint Denis, nous reprîmes le chemin de Paris et, à mon grand soulagement, nous cessâmes de mendier les derniers jours de notre voyage. Nous marchions d'un pas pressé, Julien d'Avril ayant fait un cauchemar dans lequel il voyait un avertissement. Arrivés à une journée seulement de la ville, nous fîmes halte dans une auberge comme de bons voyageurs respectueux des lois. Pour une fois, Julien d'Avril se montra sobre.

— Mikaël, mon frère, et toi Antti, brave garçon ! dit-il sur un ton à la fois grave et soucieux, demain nous partagerons ce que nous avons gagné et partirons chacun de notre côté ! J'aimerais aujourd'hui vous remercier de votre amitié et de la fidélité que vous m'avez témoignée durant tout le voyage ! A présent, nous pouvons aller dormir le cœur en fête et nous reposer des fatigues de la journée. Demain, nous verrons enfin les tours familières de Notre-Dame !

Antti et moi qui avions tout le jour marché derrière nos chevaux de charge dormîmes d'un sommeil profond. A notre réveil, Julien d'Avril avait disparu, après avoir toutefois payé la note et laissé une lettre à notre intention. L'aubergiste nous la remit le matin et la voici :

Mikaël, mon cher fils !

Les douloureux remords qui n'ont cessé de me tourmenter cette nuit m'obligent à reprendre la route sans tarder; je n'ai point le courage de vous réveiller, ni toi ni ton camarade, vous qui dormez du profond sommeil de la jeunesse sous la protection des saints du Paradis ! Je laisse un des chevaux; c'est en effet trop difficile d'en mener deux quand on est monté sur un âne. J'espère que tu ne me garderas point rancune d'emporter l'argent et que tu te consoleras en pensant que tu as appris grâce à moi une leçon inestimable : l'argent gagné facilement se perd aussi facilement ! Au cas où mon éditeur viendrait t'importuner pour le paiement de mes livres, dis-lui pour le calmer que je me propose de revenir le plus vite possible payer mes dettes; s'il te croit, tant mieux pour toi ! Tu seras toujours présent dans mes prières. Continue avec la même innocence d'esprit, c'est le vœu que forme pour toi,

Julien d'Avril.

114

Le cœur brisé, je lus tout haut cette lettre à Antti. Après avoir réfléchi à son contenu, nous nous assîmes face à face en nous regardant. Antti parla le premier :

— Ce cochon d'ivrogne nous a trahis ! Ne devait-on pas partager l'argent ?

— Ainsi en étions-nous convenus ! Mais il ne faut point oublier que nous le collections pour son voyage. Nous n'avons plus qu'à espérer maintenant qu'il va réellement se consacrer à convertir les Turcs. Il faut que je t'avoue que, de temps en temps, il m'est arrivé de garder pour moi une petite monnaie d'argent… ma conscience en a souffert d'ailleurs de bien inutiles remords !

— Je crois bien que mon patron saint André en personne m'a poussé à glisser parfois ma main dans la bourse de Julien d'Avril lorsque je le portais dans sa couche; il lui arrivait souvent d'être ivre au point de ne plus savoir ce qu'il y avait dans son gousset !

Bref, une fois rassemblées nos économies, notre fortune commune s'élevait à dix pièces d'or et un tas de pièces d'argent. Nous tirâmes un bon prix du cheval et les provisions de bouche nous durèrent un mois. Puis, nous fîmes deux parts égales de l'or et de l'argent et quand j'eus épuisé la mienne, je demandai chaque semaine un prêt à Antti.

De retour à Paris, je menai une vie frugale, entièrement consacrée à l'étude, et gagnai ainsi l'estime de mon professeur. Il m'autorisa après Noël à me présenter devant les six examinateurs du jury. Je répondis correctement aux quatre questions de rigueur et le jury, satisfait, me donna un diplôme au sceau de la faculté certifiant que j'avais obtenu le titre de bachelier.

Ainsi je venais de franchir le premier obstacle sur la route des études supérieures; mais à vrai dire cela ne signifiait pas grand-chose car mon nom n'était encore inscrit sur aucun des ouvrages de l'université. Il me fallait étudier cinq ou six années de plus avant d'obtenir l'autorisation d'enseigner —

ou *licentia docendi* — avec le titre de *magister artium*; seulement alors pourrais-je commencer à suivre des cours dans une des trois facultés supérieures. Et dans le cas où je briguerais le doctorat en théologie, j'avais encore au moins quinze autres années devant moi. Mais je n'y pensais guère ! Mon esprit était tout à ce premier succès que je considérais dans ma joie comme la juste récompense de tous mes travaux et scrupules de conscience.

Quelques jours plus tard, une lettre du père Pierre me porta un coup douloureux. Écrite l'automne précédent, elle m'avertissait que, en ces temps troublés, il serait prudent pour moi de rester éloigné de Finlande et que le bon évêque Arvid était fort courroucé à mon encontre. Le roi Christian préparait une nouvelle campagne et avait levé des troupes pour attaquer la Suède tandis qu'à Åbo, l'on pourchassait sans répit tous ceux qui étaient soupçonnés de sympathie pour l'Union.

Tous mes espoirs s'envolaient ! J'avais en effet caressé l'idée de retourner au pays après mon examen, de me jeter humblement aux pieds de l'évêque et de lui demander pardon pour mes folies de jeunesse auxquelles j'avais été poussé par messire Didrik ! A présent, tout était inutile ! Je n'avais plus un sou et seuls les prêts hebdomadaires que me consentait Antti me permettaient de survivre. De plus je devais six deniers à la maison de la nation allemande et risquais de perdre mes privilèges d'étudiant.

Je ne pouvais même pas dans mon désespoir aller m'agenouiller devant l'autel de la Très Sainte Vierge de la cathédrale de Notre-Dame pour purifier mon cœur ! Le prieur, en effet, après m'avoir remis la lettre du père Pierre, m'avait jeté un regard soupçonneux avant de dire :

— Mikaël de Finlande ? N'es-tu point sujet suédois ?

— Oui, en effet ! répondis-je respectueusement. (Puis j'ajoutai :) mais je pourrais tout aussi bien être un moineau perdu dans la neige si l'on en juge par l'aide que je reçois de ce pays ! Je n'ai point de protecteur influent et mon seul ami est le père Pierre qui m'écrit.

— Même si tu ne reçois ni aide ni secours de ton pays, tu dois au moins en partager les malheurs ! On m'a dit qu'un interdit pèse sur ces arrogants Suédois, et que le Saint-Père a autorisé le bon roi du Danemark à le rendre effectif. J'ai donc le devoir de t'informer qu'étant sujet suédois, tu es inclus dans l'interdit. Tu ne peux plus pénétrer dans une église ni recevoir les saints sacrements. Ta seule présence ici est déjà une profanation et il faudrait la reconsacrer à grands frais. Cependant, je pense que tu pourrais acheter une dispense, je te conseille même de le faire le plus tôt possible car il est terrible pour un chrétien de ne pouvoir approcher les sacrements !

— Jésus, Marie ! m'écriai-je horrifié et atterré. Je n'ai pas d'argent ! Je suis même si dépourvu que j'avais l'intention de vous demander un plat de soupe, je n'ai rien mangé de tout le jour !

Il souffrait pour moi et, après une longue réflexion, dit :

— Mikaël de Finlande, je n'ai point ouï dire de mal de toi, rien de plus en tout cas que des autres étudiants, bien que j'aie entendu répéter que tu étudies le grec, ce qui a un parfum désagréable d'hérésie... Je ne veux point être dur avec toi, mais il faut que tu partes sur-le-champ, sans jamais revenir pour ne point souiller le monastère. Je ne vois pour toi d'autre solution que de prier humblement pour la victoire du roi du Danemark, le juste Christian, sur les ennemis de l'Église, si toutefois Dieu prête l'oreille aux prières de ceux qui sont frappés d'interdit...

Nous étions à la fin de l'hiver, et le froid implacable uni à la faim toujours vigilante augmentait ma misère et mon désespoir. Mais j'avais changé depuis l'hiver passé, et ne me sentais plus enclin à me soumettre avec humilité à ma destinée. Il m'arrivait même parfois de regretter Julien d'Avril, malgré sa fourberie, parce que l'humour de ce joyeux gibier de potence avait souvent agi comme une brise fraîche quand je m'apitoyais un peu trop sur moi-même. Des pensées de révolte et des doutes effarants commençaient à se former en mon cœur, pareils à ces mauvaises herbes qui ont tôt fait de tout envahir et ne sauraient trouver terrain plus propice que la faim, le froid et la solitude.

Je négligeais mes cours et trop souvent cherchais la consolation en compagnie de joyeux buveurs. Si j'avais jusques alors été entièrement absorbé par ma passion de l'étude, je regardais à présent avec une acuité pleine de lucidité la splendeur prodigue de la cité et sa noire misère. Le chemin de la connaissance était long et ses obstacles en vérité insurmontables pour un pauvre qui n'y pouvait gagner que des yeux brûlés de larmes amères et un dos voûté avant l'âge. Un riche, en revanche, pouvait sans peine s'acheter un évêché avec ses bénéfices et le pape, lui, nommer son fils préféré à un poste de cardinal !

Le printemps revint avec le dégel et ses chemins embourbés. Un matin, au milieu de la semaine, poussé par la faim et sans doute un reste d'ivresse, je me mis en quête de mon ami Antti pour solliciter son aide. Son maître avait consenti à le reprendre à la fonderie après l'escapade de l'été, parce qu'il était habile en son métier et qu'il avait pris soin de soudoyer ses compagnons pour qu'ils prissent sa défense.

Je fis péniblement le trajet jusqu'à Saint-Cloud et le patron m'invita chez lui à déjeuner. Pendant que les autres se reposaient après le repas, Antti me fit un bout de conduite sur le chemin du retour; mais, sans nous en rendre compte, nous arrivâmes à Paris et il décida de ne point retourner à l'atelier ce jour-là. Le soleil avait à présent percé les nuages et brillait sur les champs verdissants et les noirs citronniers qui se couvraient d'une légère brume blanchâtre. La glace, sans doute, n'avait point encore fondu sur les rivages de notre lointaine Baltique mais nous ressentions tous deux cruellement le mal du pays.

Nous arrivâmes à la ville presque à la nuit tombée et vîmes dans une rue une voiture dont la roue s'était détachée; le cocher, un homme à l'air stupide, s'efforçait en vain de la remettre. Près du véhicule, une dame élégamment vêtue, le visage dissimulé sous un voile et un manteau de fourrure jeté sur les épaules, semblait en proie à une vive inquiétude.

— Pour l'amour de Dieu, dit-elle en s'adressant à nous,

pour l'amour de Dieu, mes amis, aidez-moi à trouver une autre voiture pour poursuivre ma route !

Je lui fis remarquer qu'elle aurait plus vite fait de partir à pied que d'attendre une voiture à cette heure de la nuit. Mais elle rétorqua que son cocher devait rester ici, qu'elle n'avait point d'autre compagnon et qu'il n'était guère prudent pour une honnête femme de se promener seule par les rues de Paris la nuit... ni le jour, d'ailleurs.

Je lui donnai raison sur ce point et dis :

— Je ne suis qu'un pauvre bachelier en arts et mon frère que voici est artisan fondeur, mais si vous nous faites confiance, nous vous ramènerons saine et sauve chez vous. Et si vous craignez de souiller vos vêtements et vos chaussures, nous vous porterons dans les pires endroits.

Hésitante, elle se livra de dessous son voile à un examen minutieux de nos personnes, puis pressée de rentrer, finit par surmonter ses craintes.

— Mon mari doit être mort d'inquiétude, dit-elle. Je viens de chez ma pauvre vieille nourrice qui est malade et je pensais être de retour à la maison à l'heure de vêpres !

Le domestique nous donna une torche et nous nous mîmes en route, moi portant la lumière et Antti la femme jusqu'à ce que nous ayons atteint des rues plus praticables et mieux éclairées. Nous venions de dépasser le monastère de Saint-Bernard lorsque, avec un soupir de soulagement, la dame s'arrêta devant une maison de pierre d'apparence cossue et cogna le marteau contre la porte aux montants de fer.

Essuyant la sueur qui coulait de son front, Antti se tourna vers moi.

— Grâce à Dieu, nous voilà rendus ! soupira-t-il. Satan n'a cessé de me torturer tout au long du trajet ! Je n'ai résisté à la tentation qu'en récitant sans relâche des Ave Maria !

— Est-elle donc si belle ? demandai-je alors que j'avais fort bien remarqué la beauté et la jeunesse de notre compagne.

— Quoi ? Mais non ! Il ne s'agit pas de cela ! Quand je la portais, j'entendais tinter et cliqueter à mes oreilles tous ses bijoux ! Elle a sur elle au moins cent ducats de pierres précieuses et d'or ! Je ne comprends guère d'ailleurs pour quelle raison une dame élégante éprouve le besoin de se parer de ses velours et bijoux pour aller rendre visite à sa vieille nourrice ! Enfin ! Chaque pays a ses coutumes et ce n'est point à moi d'en juger ! La tentation, en tout cas, était bien cruelle; Satan me montrait comment on aurait pu en un instant éteindre la torche, lui arracher ses pierres et la jeter dans le fleuve. La chose pouvait se faire en un clin d'œil et nous rapporter à toi et à moi de quoi vivre décemment durant des années !

Je commençai à regarder la gente dame d'un autre œil mais, à cet instant précis, la porte s'ouvrit dans un bruyant grincement de serrures et de verrous tirés et la dame, fidèle en cela à l'habitude des gens de sa classe, se mit aussitôt à lancer des reproches au portier pour avoir tardé.

Puis, elle nous invita à entrer.

— Mon époux tiendra, j'en suis sûre, à vous remercier de votre aimable assistance !

Mais l'époux, un petit vieux irascible à la barbe négligée et aux paupières rouges et enflées, ne nous parut guère déborder de reconnaissance.

— Où étais-tu ? gronda-t-il en brandissant sa canne devant sa femme. Pourquoi amènes-tu des voleurs et des bandits chez moi ? Regarde l'état dans lequel tu arrives ! Oh ! C'est pour le châtiment de mes vieux jours sans doute que Dieu m'a envoyé une croix telle que toi !

— Noble seigneur ! intervint Antti. Une croix pareille me semble légère et bien agréable à porter ! Nombreux sont ceux qui en ont une pire comme la pauvreté, la faim et la soif par exemple, qui nous tourmentent mon frère et moi ! Pour que cette jolie personne regagne sans encombre sa demeure, nous nous sommes en vérité fort éloignés de notre route mais si tel est votre désir, nous vous soulagerons avec plaisir de votre croix et retournerons la déposer où nous l'avons trouvée.

Le vieillard frappa le sol de sa canne tout en jetant des regards sournois, tantôt sur son épouse éplorée, tantôt sur nous. Il finit par plonger la main dans sa bourse et en sortit une monnaie d'argent qu'il donna à Antti en guise de dédommagement. Alors la dame, redoublant de sanglots, lui demanda si son honneur ne valait pas à ses yeux plus que cette somme ridicule ! L'incident ne prit fin que lorsque le vieux nous invita, bien à contrecœur, à partager son dîner qui attendait depuis trop longtemps déjà.

Durant le repas, la dame décrivit son aventure avec force détails et parla longuement de sa vieille nourrice malade, nous prenant à témoin de la véracité de ses dires. Elle retrouva bientôt son sourire et sa gaieté, ce qui la rendit à mes yeux plus charmante encore et je ne tardai guère à en être tout à fait épris. Son mari s'adoucit également, un sourire édenté apparut derrière sa barbe, et il alla même jusques à nous traiter de braves garçons. Il nous offrit une liqueur douce comme en fabriquent les moines et nous interrogea sur nos vies respectives. Il semblait particulièrement séduit par la force physique d'Antti.

— Dans une époque comme la nôtre qui ne respecte rien, on a du mal à trouver des jeunes honnêtes et vertueux ! J'ai besoin d'un garçon robuste et de confiance pour d'une part garder ma maison des voleurs qui la guettent, et d'autre part m'accompagner dans mes grands voyages et me défendre des bandits qui menacent de me voler mes biens dans toutes les auberges où je dois faire halte.

Antti répondit sur un ton modeste que le maître d'artillerie du roi venait de lui offrir trois ducats d'or par mois pour entrer au service de Sa Majesté. Le vieux se signa avec horreur et lui affirma qu'il aurait ici non seulement bon gîte, bonne table, vêtements neufs et sécurité, mais encore la paix de l'âme puisqu'il se trouvait au milieu de bienfaisantes reliques dont lui, Hiéronymus Arce, faisait le négoce.

— Les saints eux-mêmes, bénis soient-ils, doivent nous avoir envoyés au secours de votre gracieuse épouse ! concéda Antti. Mais mon camarade Mikaël et moi-même sommes inséparables et s'il peut, lui aussi, avoir accès à votre excellente table et profiter de vos beaux vêtements, je serais heureux de garder votre maison quand il le faudra. Encore que je ne puisse préciser le temps de notre présence en votre maison, car je dois terminer mon apprentissage.

C'était une plaisanterie, mais à ma grande stupéfaction,

maître Hiéronymus acquiesça avec enthousiasme et ils scellèrent leur accord d'une vigoureuse poignée de main.

— Si ce jeune étudiant doit prendre ses repas chez nous, ajouta la belle dame Geneviève, j'espère qu'il me rendra de fréquentes visites et acceptera de me faire la lecture de légendes édifiantes sur la vie des saints. Du reste, s'il estime que ma pauvre intelligence de femme en est capable, il me plairait également d'apprendre à lire.

Ainsi Antti, vêtu d'un beau justaucorps bleu à boutons d'argent, devint le portier de la maison de maître Arce tandis que, grâce à lui, je pouvais chaque jour prendre place à la table des domestiques. Dame Geneviève m'appelait souvent à l'intérieur pour lui lire l'un ou l'autre des nombreux ouvrages en français de la bibliothèque du vieil homme. Maître Hiéronymus rôdait dans la maison en pantoufles de feutre et veillait à ce que la porte de la chambre de son épouse restât toujours entrebâillée lorsque je me trouvais auprès d'elle; il collait de temps en temps son œil à l'interstice, mais à constater que je ne faisais point de mal, il se rassura bientôt.

Il entretenait une correspondance considérable avec d'autres pays pour son trafic de reliques, et me confia la charge d'écrire ses lettres. En récompense, il me permit une fois de l'accompagner dans sa chambre forte située dans la cave. A peine la porte, avec tous ses verrous et ses barres de fer, fut-elle ouverte, qu'une pénétrante odeur d'encens me frappa les narines. Je fus terriblement ébloui par l'énorme quantité de trésors amassés là et dont le plus précieux était un fragment de la vraie Croix. Dans un coffret doré au couvercle de verre, on pouvait voir quelques grains de poussière jaunâtre : les restes de deux gouttes de lait de la Sainte Vierge.

Il me montra également un objet tout à fait remarquable, puisqu'il s'agissait du morceau d'une planche provenant du bateau sur lequel se trouvaient les Apôtres lorsque Notre-Seigneur marcha sur les eaux. Maître Hiéronymus était précisément en pourparlers au sujet de cette relique avec un riche armateur qui désirait savoir dans quelle mesure elle était susceptible de protéger les navires dans les tempêtes.

J'ai vu également dans cette chambre un bout de la corde avec laquelle se pendit Judas et deux jolies plumes du coq qui chanta pour saint Pierre.

Mais à vrai dire, si j'aidais maître Hiéronymus et demeurais chez lui, c'était pour des raisons tout à fait personnelles. Depuis le premier moment où mes yeux s'étaient posés sur dame Geneviève, j'avais été pris sous le charme, et habiter sous le même toit qu'elle me faisait vivre dans un brasier ardent. Ses yeux sombres, sa bouche langoureuse et la délicate rondeur de ses épaules me tenaient ensorcelé et je ne pouvais plus penser à autre chose. J'en vins à lui lire toutes sortes de contes frivoles rien moins qu'édifiants, et tandis que je lisais, elle poussait de profonds soupirs, le menton appuyé sur sa main et le regard perdu dans le vide devant elle.

Une semaine après notre rencontre, elle mit à profit l'absence de son époux pour me parler ainsi :

— Mikaël mon ami, puis-je me fier à vous ?

Je lui jurai qu'elle pouvait compter sur moi en tout et pour tout, que je la respectais, l'admirais de tout mon cœur et qu'elle occupait dans mes pensées la place de sainte Geneviève elle-même.

— Nul doute que vous changerez d'opinion lorsque vous saurez mon secret ! reprit-elle avec un soupir. Dites-moi ? N'est-il point injuste à vos yeux qu'une femme jeune et belle comme moi soit enchaînée par le mariage à un vieil homme repoussant et disgracieux comme maître Hiéronymus ?

Je lui concédai qu'après m'être posé cette même question, j'en avais conclu que ses parents ou sa famille l'avaient dû forcer à accepter cette union contre nature.

Ma réponse parut la froisser et elle rétorqua avec quelque indignation :

— Nul ne m'a forcée ! C'est moi qui ai tout fait pour l'amener au mariage ! Il est immensément riche et suffisamment généreux pour m'offrir des bijoux de valeur et de beaux vêtements ! L'on m'avait bien fait accroire que des vieillards de son âge et de complexion maladive ne résistaient guère plus de trois ans aux efforts d'une jeune femme ardente, attentive à satisfaire leurs moindres désirs. Je puis vous assurer que je n'ai point épargné ma peine et, à ma grande consternation, je le vois chaque jour plus frais et plus dispos ! Il se porte mieux que lorsque nous nous sommes mariés et pourtant je l'ai maintenu éveillé durant des nuits entières ! Je ne puis attribuer ce regain de vitalité qu'à quelque relique qui doit en secret lui donner cette force. Mais à présent, son seul contact me fait horreur ! Cependant, tout cela n'a guère d'importance car depuis quelques mois je me trouve sous le coup d'un malheur que je n'avais pas prévu en épousant maître Hiéronymus, un malheur qui me tourmente nuit et jour ! C'est comme si une infinité de fourmis me couraient sans cesse sur tout le corps !

— Mon Dieu ! m'exclamai-je, en proie à la plus sincère inquiétude. J'ai ouï dire que la vérole française, ou espagnole comme préfèrent l'appeler les Français, présente de semblables symptômes !

Elle m'ordonna d'un ton sec de tenir ma langue et de cesser de dire des sottises.

— Je suis amoureuse, Mikaël ! expliqua-t-elle, ses yeux plongés au fond des miens. Je suis l'esclave d'une passion pour un noble chevalier de la cour du roi. Je ne l'aurais jamais rencontré s'il n'était point venu ici dans le but d'emprunter quelque argent à mon époux... Il a en effet des affaires d'argent fort embrouillées, à l'instar de tous les galants chevaliers... Lorsque nous nous sommes rencontrés dans la rue, je ne venais point de chez ma nourrice ! Au mépris de mon honneur, j'avais rendu visite à mon bien-aimé.

Mon cœur se brisa dans ma poitrine et les larmes me montèrent aux yeux à l'idée de dame Geneviève dans les bras de ce chevalier, alors que maître Hiéronymus ne m'avait jamais inspiré le moindre sentiment de jalousie.

— Ignorez-vous, madame, que vous vous rendez coupable d'un grand péché ? Vous menez votre âme à sa perte en trompant votre époux !

Elle rétorqua qu'elle-même était meilleur juge en la matière et que son salut était une question entre elle et son confesseur.

— Cela n'a rien à voir avec le bonheur de mon âme ! Vous

ne pouvez imaginer celui que j'aime ! Il m'a transportée au septième ciel dans ses bras et dès que je le vois, tout mon corps fond comme cire au soleil ! Hélas ! il ne m'aime point !

Elle éclata alors en sanglots et, appuyant sa tête sur mes genoux, mouilla mes chausses de ses larmes.

— Comment se peut-il qu'il ne vous aime point ? dis-je, ému jusques au fond du cœur. Qui donc pourrait rester indifférent après vous avoir contemplée une seule fois ?

— Il ne m'a séduite que pour l'argent ! Il me croyait capable de convaincre mon époux de lui en prêter davantage. Mais je n'y ai réussi qu'une seule fois... Et à présent, il me méprise et me refuse ses faveurs. Lors de notre dernière entrevue, il n'a point consenti à me prendre dans ses bras, il m'a abreuvée d'insultes et interdit de me représenter jamais chez lui. Je ne le blâme point, un chevalier comme lui a un très réel besoin d'argent; mais pour qui manque de garanties, tirer de l'or d'un bloc de granit serait tâche plus aisée qu'en tirer de mon époux ! N'a-t-il point repoussé la parole de mon bien-aimé qui lui engageait son honneur de chevalier, en affirmant qu'il ne prêterait jamais un centime contre si piètre garantie !

— Mais que puis-je faire, moi ? demandai-je intrigué.

Dame Geneviève s'agrippa à mon bras tandis qu'elle m'adressait sa prière.

— Je voudrais que vous lui écriviez une lettre pour moi et que vous la lui remettiez. Il faut lui dire que j'ai réussi, au prix de mille menteries, à extorquer à mon époux cinquante ducats d'or et que je le prie humblement de m'accorder un autre rendez-vous.... que je veux lui remettre cet argent bien que j'aie honte qu'il ne s'agisse que d'une si maigre somme... que s'il veut bien m'indiquer le lieu et l'heure, je me rendrai auprès de lui, dussé-je traverser les flammes de l'enfer !

Sa détresse me touchait : je la comprenais puisque j'étais amoureux, moi aussi !

— Madame ! articulai-je en tremblant de tous mes membre, quelle récompense recevrai-je si je l'oblige à vous aimer ?

Elle rit.

125

— Vous parlez de l'impossible, Mikaël ! Mais... en vérité, si vous réussissiez, vous resteriez tout au long de ma vie présent dans mes prières, soir et matin, et il n'est rien qui dépende de moi que je ne vous octroie !

— Madame, il s'agit de sorcellerie et peut-être vais-je tomber au pouvoir du diable pour cette aide. Je possède un philtre que ma mère adoptive m'a assuré être irrésistible. Versez-le dans la coupe de votre chevalier la prochaine fois que vous le rencontrerez.

Son visage se couvrit d'une grande pâleur et ses yeux assombris se mirent à étinceler. Puis elle noua ses bras autour de mon cou et me baisa sur la bouche.

— Mikaël ! Si vous dites vrai, vous aurez tout ce que vous me demanderez !

Je baisai tout tremblant son visage et ses bras nus.

— J'ai honte de vous révéler ce que je désire, mais depuis la première fois que je vous ai vue, je n'ai plus un seul moment de repos; la nuit, je vois vos yeux en rêve tels deux ténébreuses violettes. Je soupire pour vous du plus profond de mon cœur bien que ce soit un grave péché, plus grave même peut-être que susciter l'amour par l'art de la magie.

Elle se dégagea de mon étreinte, l'air déçu, et s'adressa à moi sur le ton du reproche :

— Je me suis bien trompée en ce qui vous concerne, Mikaël, et que vous osiez parler de la sorte à une femme honnête dépasse mon entendement ! Votre conduite m'amène à penser que vous avez conçu un désir coupable à mon égard, ce qu'en vérité je n'aurais jamais soupçonné !

Je vis à quel point elle éprouvait de mépris pour moi, mais sa résistance ne fit que m'enflammer davantage et me la rendre plus désirable encore : elle était en vérité si belle à me regarder ainsi, les joues brûlantes de colère et les mains croisées dessus ses épaules en un geste de protection !

— Dame Geneviève, dis-je d'une voix pleine de respect, n'oubliez point que je puis ensorceler le cœur de votre amant de telle manière qu'il ne pourra plus vivre sans vous et qu'il obéira à vos désirs les plus ardents. Et souvenez-vous que votre source d'amour ne se tarira guère pour avoir permis d'y boire à un malheureux assoiffé... nul n'a besoin de l'apprendre !

La tentation était grande. Elle essaya de me faire changer d'avis en me parlant d'une voix douce tout en se tordant les mains de désespoir. Elle me caressa les joues, plongea son regard dans le mien, mais l'idée de mettre en péril le salut de mon âme en utilisant la magie noire pour l'aider ne me quitta pas un seul instant. Je restai donc ferme pour exiger ma récompense qui, à en juger par ce que je voyais, ne lui coûtait guère.

— Je vous donnerai l'élixir d'amour. Ni vous ni moi ne pouvons présager exactement son effet mais j'ai confiance en ma chère mère d'adoption qui jamais ne m'a menti. S'il est réellement ce qu'elle m'a dit, votre bonheur atteindra de tels sommets que vous ne lésinerez plus à m'en octroyer une petite part... Lorsque vous vous trouverez en présence de votre bien-aimé, demandez-lui quelque chose à boire; puis, après avoir versé quelques gouttes de la potion sans qu'il s'en aperçoive, invitez-le à partager la coupe avec vous.

Elle savait très bien ce qu'elle avait à faire, me répondit-elle en coupant court à mes explications. Et cette interruption, qui indiquait clairement qu'elle acceptait mes conditions, me combla d'aise. J'écrivis alors la lettre sous sa dictée, puis elle me donna des instructions précises pour trouver le domicile du chevalier et après qu'elle m'eut enseigné la manière de m'adresser à lui, je la quittai.

A mon arrivée chez lui, son amant était occupé dans son jardin à dresser un jeune faucon aux paupières cousues; l'oiseau, désemparé, reposait sur le poing ganté du fauconnier et n'osait visiblement étendre ses ailes pour voler. Mais j'avoue que ce spectacle m'étonna moins que la vue du noble chevalier lui-même : plus petit que moi et d'aspect chétif, il avait des jambes moulées dans des bas de soie rouge, toutes maigres et arquées; des taches noirâtres, de naissance je pense, défiguraient ses traits arrogants et une barbe au poil rare couvrait ses joues.

Après avoir lu la lettre, il renvoya son domestique et, avec un regard méchant, me demanda si j'en connaissais la teneur.

Je lui répondis que oui puisque c'était moi qui l'avais écrite.

Rouge de colère, il expédia rageusement au loin son gant et le faucon en disant :

— Cinquante ducats ! Une goutte de salive sur un poêle chauffé à blanc ! Votre maîtresse à dû perdre le jugement pour me déranger avec de pareilles broutilles ! Dites-lui qu'elle m'envoie quelque argent immédiatement et qu'elle disparaisse ensuite dans le plus profond de l'enfer, car je ne veux plus jamais la revoir ! Après toute la confiance que j'avais placée en elle, elle m'a tellement déçu que sa seule présence me soulèverait le cœur !

Je lui fis observer que ses paroles étaient par trop dures et dépourvues de miséricorde pour les oreilles d'une femme, et lui suggérai qu'il n'avait rien à perdre à consacrer quelques minutes de son temps pour recevoir cinquante ducats des mains de la dame; elle tenait à lui communiquer de vive voix une chose importante. Quand il se rendit compte qu'il devait en passer par sa volonté pour obtenir l'argent, il se mit à proférer les pires jurons, blasphémant contre la Sainte-Trinité et allant même jusqu'à mettre en doute la virginité de Marie ! Finalement, il me jeta la lettre au visage et m'intima l'ordre de saluer ma maîtresse, qu'il traita de catin et de Jézabel, et de lui dire de venir avec l'argent la nuit prochaine.

— Mais qu'elle ne se fasse pas d'illusions ! Nulle gentillesse de ma part pour cinquante ducats ! ajouta-t-il. Si c'était cinq cents, ou mille... Essayez en tout cas de la convaincre de m'en apporter au moins cent !

Il fit mine de fouiller à la recherche de quelque gratification dans la bourse pendue à sa ceinture mais, la trouvant vide, il se contenta de m'assurer de sa protection et me congédia. Par mesure de sécurité, je ramassai la lettre par terre pour éviter qu'elle ne tombât dans des mains malintentionnées et m'en retournai chez le marchand d'antiquités. Quand je fis part de mon succès à dame Geneviève, elle me serra dans ses bras et me donna un baiser sur les deux joues tandis que je m'étonnais in petto de la conduite des femmes et de leurs caprices décidément bizarres.

Ce soir-là, maître Hiéronymus revint d'un de ses voyages, accompagné d'un garde du corps armé. Il était d'une humeur particulièrement joyeuse, me gratifia d'une pièce d'or et offrit une bourse de ducats à son épouse afin qu'elle allât s'acheter quelque babiole chez l'orfèvre du Pont-Neuf. Il venait de recouvrer une créance de neuf mille ducats d'un client qui avait fait un héritage inespéré d'un parent éloigné de Normandie ! Son débiteur, tout à la joie de cette manne subite, avait soldé la totalité de ses dettes. Maître Arce, tout à sa joie également, en oublia sa prudence coutumière et je trouvais cette nuit-là un je ne sais quoi de répugnant à voir cet homme jubilant assis sur son tabouret, attentif à peser ses monnaies d'or, à les empiler et à rogner de leurs tranches de minuscules lamelles.

Quand, le jour suivant, sa femme lui demanda la permission de se rendre auprès de sa vieille nourrice, il ne fit aucune objection; bien au contraire il l'encouragea même à y passer la nuit pour éviter de s'exposer aux dangers d'un retour après le coucher du soleil.

Dame Geneviève se baigna à plusieurs reprises, frotta son corps d'onguents parfumés, mit ses vêtements les plus somptueux et se para de ses plus précieux bijoux.

Je m'étonnai que pareils préparatifs n'éveillassent point la jalousie de maître Hiéronymus ! Mais ce dernier, admirant l'allure de son épouse, fit ce commentaire dépourvu de malice :

— Elle est jeune encore et n'a guère l'occasion de porter ses beaux habits ! Moi, les visites ne m'intéressent point et peu de gens me plaisent assez pour passer la soirée en leur compagnie ! Un homme de mon âge est fatigué du commerce de la société et tous les autres se ressemblent à ses yeux ! Mais rien de plus naturel que mon épouse prenne plaisir à s'exhiber au-dehors de temps en temps. Et tant que votre frère Antti se trouvera près d'elle pour la protéger des importuns, je n'éprouverai nulle crainte à son sujet !

J'eus tout au long de l'après-midi des lettres à écrire sous la dictée de mon maître : il était d'une part préoccupé par la façon d'investir dans quelque relique de valeur la fortune qu'il venait de récupérer et, d'autre part, il avait entamé des négociations avec un autre fervent collectionneur d'objets sacrés, le duc de Saxonie. De sorte que je fus très occupé.

Antti revint au moment où je prenais mon repas dans la cuisine.

— Dans ce pays, être nourrice me paraît un métier bien payé ! remarqua-t-il. Cela me donnerait presque l'envie d'être une femme ! Tu imagines la nourrice incomparable que j'aurais été ! Celle de notre maîtresse, en tout cas, vit dans une maison entourée de murs et elle est si grande dame que je n'ai même pas pu l'apercevoir; je n'ai rencontré que ses domestiques : ils arborent tous des habits aux brillantes couleurs, avec des manches à crevés, et se pavanent à sa porte comme de petits coqs ! Ma maîtresse m'a donné une pièce d'or pour que je ne le dise à personne et que je raconte une autre histoire si l'on m'interroge. Mais avec toi, ce n'est pas pareil et tout cela m'a semblé si étrange qu'il fallait bien que je t'en parle !

Il alla comme convenu chercher dame Geneviève le jour suivant. Je la vis arriver, elle était pâle et paraissait à bout de force. Ses beaux yeux avaient un regard vague et distrait avec de grands cernes tout autour. Elle se déplaçait comme dans un rêve. Sans mot dire, elle se dirigea directement vers sa chambre, se jeta sur sa couche et sombra dans un profond sommeil.

Cette attitude inquiéta vivement notre maître qui eut peur qu'elle ne fût tombée malade.

— Je crois tout simplement, le rassura Antti, que la dame a besoin de sommeil. Elle est accoutumée à un bon lit et à ses aises. Elle me disait précisément n'avoir pu fermer l'œil de la nuit à cause des insectes qui n'ont cessé de la piquer.

Ce qui était la pure vérité car lorsque maître Hiéronymus nous laissa pénétrer dans la chambre pour veiller sur le sommeil de son épouse, nous pûmes voir son cou et ses épaules couverts de taches rouges; elle, tranquille, dormait comme un ange, un coussin pressé contre sa poitrine.

Maître Hiéronymus, tout attendri, la dissimula à nos regards curieux.

— Peut-être que cela lui servira de leçon ! Elle ne couchera plus chez sa nourrice la prochaine fois !

Tout au long de la journée qui suivit, j'attendis avec impatience l'occasion de lui parler, mais elle m'évitait et je dus patienter jusques à ce que son époux se fût enfin retiré, pour la voir seul à seul.

— Au nom de tous les saints, je vous en supplie, madame, dites-moi ce qui vous est arrivé ! J'ai été malade d'angoisse et n'ai point dormi de la nuit de crainte de vous avoir causé quelque tort !

— Mon noble bien-aimé, me répondit-elle complaisamment, m'a reçue dans sa chambre mais, au début, ne m'a même pas invitée à m'asseoir, et ce n'est qu'après que je lui eus remis cent cinquante ducats qu'il s'est radouci et a envoyé son domestique chercher la coupe de vin que j'avais demandée. Par chance, une bagarre éclata alors dans le jardin entre ses chiens et quand mon chevalier sortit pour leur donner le fouet, je pus à loisir mélanger l'élixir dans le vin ainsi que vous me l'aviez conseillé. A ma requête, et bien que de mauvaise grâce, il but ensuite dans la coupe; à peine avait-il avalé les dernières gouttes, qu'il commença à se plaindre de la fatigue et d'un sommeil envahissant; il se mit à bâiller, ouvrit la fenêtre en quête d'un peu d'air frais et me dit qu'il sentait son corps en feu. Je tentai de le distraire en attendant que la drogue fît son effet et lui racontai que mon époux était revenu à la maison avec neuf mille ducats; j'eus à peine le temps de terminer ma phrase qu'il me prit dans ses bras et m'étreignit avec passion, me disant que tout son corps brûlait d'une si terrible ardeur qu'il fallait qu'il se mette nu et se jette dans le puits pour calmer ce feu. Moi-même, je ne me sentais guère en un meilleur état, mais la pudeur féminine m'empêche d'en dire plus long sur ce sujet.

« Je puis vous assurer, en tout cas, qu'il se jeta dans le puits tant de fois que j'en perdis le compte et m'évanouis, car il ne me laissa en paix de toute la nuit. J'imagine que jamais femme n'eut amoureux plus enflammé ! Lorsque je pris congé, il me renouvela sa passion et me supplia de lui dire que je l'aimais... En vérité, je dois réfléchir à tout cela et j'ai mal à la tête ! Je suis si lasse ! Je vous en prie, Mikaël, laissez-moi à présent !

Je me risquai alors à lui rappeler sa dette envers moi.

— Oui, oui, vous l'aurez votre récompense ! Mais vous pourriez choisir un moment plus propice pour la réclamer ! Je me sens tout endolorie et la seule idée du contact avec un homme me donne la nausée ! Laissez-moi ! Vous serez récompensé, n'en doutez point, et pour votre aide et pour avoir su attendre !

Sur ce, elle me repoussa des deux mains et me força à la résignation.

Le jour suivant, maître Hiéronymus m'amena avec lui à Chartres où il projetait de se rendre depuis longtemps déjà. Il essaya de persuader son épouse de l'accompagner car, comme ils n'avaient point d'enfant, il aurait voulu qu'elle allât s'agenouiller devant l'image miraculeuse de la Vierge; mais dame Geneviève, encore faible, le pria de lui épargner les fatigues du voyage.

Oh ! comme les désirs de la chair peuvent aveugler les yeux d'un homme ! Il ne me reste aucun souvenir de la merveilleuse cathédrale de Chartres, sinon de ses grandes tours entièrement différentes l'une de l'autre et par là même remarquables et imposantes. La fumée de chandelles innombrables avait rendu la magnifique sculpture de la Madone aussi noire qu'un Maure. Je fus incapable de prier devant elle avec la ferveur convenable : mes pensées allaient toutes vers la beauté de ma maîtresse et son absence exacerbait mon désir.

Nous fûmes de retour à Paris au crépuscule du troisième jour, affamés et morts de soif après une rapide chevauchée. Devant la porte de la maison, un Antti à l'air abattu nous attendait et vint à notre rencontre dès qu'il nous vit.

— Ô bon maître ! s'écria-t-il. Un grand malheur est arrivé dans votre demeure et je dois être un mauvais serviteur, moi qui n'ai su veiller sur vos biens les plus précieux ! Durant votre absence, la robe de velours la plus coûteuse de dame Geneviève a disparu !

Le marchand de reliques devina à son expression que bien plus avait dû se produire et il s'avança pour pénétrer à l'intérieur de la maison. Mais Antti le fit reculer et ajouta :

— Ce n'est pas tout ! Dame Geneviève a disparu avec sa robe !

Telle fut la délicate formule que choisit mon ami pour annoncer les toutes dernières nouvelles à son maître ! Il raconta ensuite que la dame avait emporté tous ses vêtements, tous ses bijoux, ainsi que le service d'argent de la salle à manger.

— Et c'est moi qui ai transporté le coffre d'or de la cave jusqu'à la voiture qui est venue la chercher, dit-il de son air placide. Deux hommes n'auraient point suffi à le déplacer tellement il était lourd, mais ma bonne maîtresse a fait confiance en ma force et j'avais à cœur de la servir de mon mieux ainsi que vous me l'aviez ordonné.

Maître Hiéronymus, muet de saisissement, ne pouvait articuler un seul mot.

— D'ailleurs, poursuivit Antti, la porte de la cave était fermée; vous aviez, je pense, oublié de laisser la clé à votre épouse. Il a donc fallu que j'emprunte une masse et je suis arrivé, en donnant de grands coups, à casser serrures et verrous. Vous m'aviez bien recommandé de toujours obéir à votre épouse comme à vous-même, n'est-ce pas ?

Ce ne fut qu'à ce moment que je me rendis compte de l'ampleur de la catastrophe. Les yeux pleins de larmes, je criai :

— Ô mon cher maître! Votre femme infidèle, la traîtresse! nous a trompés ! Elle s'est montrée indigne de notre confiance ! Que Dieu, dans sa bonté, lui envoie du haut du ciel un coup de foudre pour écraser sa tête perfide et que les chiens dévorent son corps impudique !

Maître Hiéronymus, qui se répandait également en larmes amères protesta :

— Non ! Non pas cela ! Dieu m'a envoyé un juste châtiment pour mon aveuglement !

Alors il arracha les poils de sa barbe, jeta son bonnet par terre, puis leva son bâton et en frappa Antti qui supporta cette correction bien méritée en toute humilité. Lorsque le vieux, fatigué, laissa tomber sa canne, il dit enfin sur un ton de profonde affliction :

— De rien ne servent les coups et les larmes ! Qu'ai-je à te reprocher, pauvre garçon sans malice ? Tout est de ma faute à moi, moi qui dans ma folie t'ai donné l'ordre d'obéir à ma femme !

Il entra, le pas mal assuré, et j'éprouvai quelque peine à le voir s'éloigner ainsi, le dos voûté, mais j'étais encore plus triste pour mon propre compte car dame Geneviève avait failli à sa promesse et je savais que je ne la reverrais jamais.

Comme je déchargeais le trop-plein de ma rage sur Antti, il me dit d'une voix calme :

— Dame Geneviève est une femme belle et pleine de caprices ! Il est difficile de s'opposer à ses volontés pour un domestique, et tu dois le savoir mieux que moi car c'est ce qu'elle m'a raconté à ton sujet qui m'a ôté tous mes scrupules ! Elle m'a dit que tu l'aidais dans ses projets, poussé par le grand amour qu'elle t'inspirait et elle a même prétendu que c'est à toi qu'elle devait son bonheur ! Elle était prête du reste à te rembourser dès que tu en exprimerais le désir et comme je me montrais encore un peu hésitant, elle m'a donné un léger acompte... et je dois reconnaître que c'est une femme très libérale qui paie ses dettes avec intérêts !

— Antti ! hurlai-je, me refusant à en croire mes oreilles. As-tu eu l'outrecuidance de lever les yeux sur dame Geneviève et d'entretenir en ton cœur un désir coupable ?

— Moi ? Jamais une idée pareille ne me serait venue à l'esprit ! reprit-il de sa voix sérieuse. Mais quand j'ai vu comme tu avais bien commencé, j'ai pensé que ce n'était que justice d'exiger au moins une partie de tes créances ! Ainsi tu n'as pas tout perdu !

La pensée d'Antti dans ses bras me remplit d'une rage si aveugle que je me mis à le frapper de mes deux poings tout en lui débitant les pires insultes qui me venaient à l'esprit. Il me laissa déverser ma fureur puis me demanda, sur un ton enjôleur, de lui révéler le secret de la potion magique de dame Pirjo.

134

Il m'écouta en silence, et, me regardant de ses yeux pleins de bonté, me dit :

— Mais pourquoi ne lui as-tu point versé secrètement la drogue à elle, si tu la désirais si éperdument ? Tu l'aurais obtenue et les neuf mille monnaies d'or par-dessus le marché !

Enfin je vis clair dans cette affaire sans parvenir à comprendre pourquoi j'avais été si naïf jusqu'alors. Mais, me refusant de l'admettre devant mon ami, je déclarai :

— J'ai résisté à la tentation pour le salut de mon âme immortelle ! Si je m'étais livré à des actes de sorcellerie pour la conquérir, je serais tombé dans les rets de Satan.

— Les raisins sont trop verts ! commenta Antti. Pour ma part, il ne me déplairait guère de rencontrer nombre de ces rets-là sur mon chemin, bien que j'avoue qu'il doit être difficile de s'en délivrer une fois bien attrapé !

Ni l'un ni l'autre n'osâmes aller voir le maître. Nous l'entendions sangloter, soupirer et prier dans sa chambre et nous le laissâmes seul avec son désespoir.

Deux jours plus tard, il nous manda près de lui.

— J'espère que vous saurez garder le silence sur tous ces événements. Je suis un homme âgé et ma grande erreur a été d'attendre amour et compréhension d'une femme trop jeune. Je vais essayer d'oublier le passé ! Vous comprendrez que je ne veuille plus jamais vous voir ! Votre seule présence me rappellerait à chaque instant mon épouse ! N'allez point croire que la colère me guide ou que je vous garde rancune. Bien au contraire ! Je vous pardonne de tout cœur toutes les offenses dont vous avez pu vous rendre coupable envers moi et vous donnerai à chacun cinq pièces d'or pour acheter votre silence.

Des larmes brillaient sous ses paupières rougies tandis qu'il nous parlait; après nous avoir compté les ducats, il passa sa main tremblante dans sa barbe et nous donna congé.

Cet homme avait manifesté plus de sagesse et de grandeur dans sa douleur qu'en ses jours de faux bonheur et je quittai sa maison tel un chien, pénétré d'un profond sentiment de culpabilité. Je trouvai cependant quelque consolation à penser que tôt ou tard, et sans mon concours, il aurait connu la même disgrâce qui avait eu l'effet d'un médicament sur son âme, lui apportant humilité et sagesse.

Nous cheminâmes sans mot dire le long des rives du fleuve et fîmes un arrêt sur le pont pour contempler la façade éblouissante de blancheur de Notre-Dame.

— Mikaël, mon frère, prends cet argent ! dit alors Antti. Il me brûle horriblement les mains et je ne crois point qu'il me portera chance !

Ses paroles me rendirent songeur, mais je m'empressai tout de même de prendre ses pièces avant qu'il ne changeât d'avis. Je le remerciai chaleureusement et l'invitai à un bon repas à *La Tête de l'Ange* où nous avions résolu de nous revoir pour débattre de ce que nous allions faire.

Nous n'eûmes guère besoin de débattre ! Le sort avait déjà décidé : en arrivant dans la rue de la Harpe, nous vîmes messire Didrik, sautant par-dessus les monceaux d'ordures, venir à notre rencontre ! Il portait un élégant costume aux couleurs danoises, son épée au côté et un chapeau à plumes.

Il me salua comme si nous nous étions vus la veille.

— Dans quel affreux trou vivez-vous ? Et que faites-vous durant la journée ? Je suis venu deux fois déjà vous chercher ! Mais dites-moi vite où nous pourrions boire un pichet de vin tranquilles. J'ai quelque chose à vous dire.

— Messire Didrik ! m'exclamai-je en faisant un signe de croix. Est-ce le diable qui vous envoie ici ?

— Le diable ou le roi du Danemark, qu'importe ? répliqua-t-il. J'ai obtenu votre adresse par l'intermédiaire de la nation allemande. Le vent et le mauvais temps m'ont contraint à débarquer à Rouen avec une cargaison de Français couverts de blessures et d'engelures. Le roi, vous le savez, a un bataillon de mercenaires français et je dois faire une nouvelle levée de soldats pour remplacer ceux-ci. Quant à vous, vous avez grand intérêt à vous hâter si vous voulez profiter de la chance ! L'arrogant Sten Sture est tombé et la Suède tout entière ne saurait tarder à tomber elle aussi au pouvoir du roi.

Ces nouvelles m'enchantèrent ! Je l'amenai à *La Tête de l'Ange* où nous célébrâmes nos retrouvailles en compagnie d'Antti. Je me doutais, certes, qu'il ne se fût jamais donné la peine de me rechercher s'il n'eût espéré en tirer quelque avantage, mais nous avions des intérêts communs et plus il me parlait, plus j'avais la conviction que mon heure avait enfin sonné et que j'allais recevoir la récompense de tous les services rendus au roi Christian. Il suffisait à présent d'arriver au moment du partage du butin !

— La résistance de l'ennemi fond comme neige au soleil ! dit-il. Les forteresses capitulent avant de tirer un seul coup de feu ! Le pape soutient le roi qui est le beau-frère de l'empereur et Fugger, le banquier, finance sa campagne en échange des mines de cuivre de Suède. Grâce à lui, le roi a pu recruter des mercenaires écossais; ils sont d'une telle sauvagerie qu'ils ont commencé à se tirer dessus alors qu'ils se trouvaient encore à Copenhague ! L'un d'eux, mortellement blessé d'un coup de poignard, a tenté de s'échapper en rampant sous le cheval de Sa Majesté ! Je l'ai vu de mes propres yeux !

« Lorsque j'ai quitté la Suède, il était déjà question d'une trêve. Vous agiriez donc sagement en reléguant vos livres dans un coin pour embarquer sans tarder avec moi, d'abord pour Copenhague puis pour la Suède.

Après un voyage mouvementé, nous arrivâmes à Copenhague au début du printemps, juste pour apprendre que le roi Christian venait de partir dans l'intention de prendre la tête des opérations au siège de Stockholm et de réunir les états prévenus de son arrivée pour le début du mois de juin. Nous ne fîmes donc que nous ravitailler et prendre quelque chargement supplémentaire avant de continuer notre course vers les côtes de Suède.

Durant tout le voyage, hormis les moments où je souffrais du mal de mer, messire Didrik ne cessa de chanter les louanges du roi et de nous prédire un avenir doré. Si parfois j'exprimais quelques doutes au sujet de l'Union, les nouvelles des récentes victoires les dissipaient aussitôt et lorsque à la mi-mai nous jetâmes l'ancre à Stockholm, j'étais pénétré du sentiment qu'un jour nouveau se levait pour la grandeur des peuples du Nord. Du reste, le vieux docteur Hemming Gadh en personne, opposant depuis toujours et ennemi juré du Danemark, avait vu les signes de ces temps futurs et rendu hommage au souverain danois; il consacrait désormais toute son énergie à gagner le royaume de Suède à la cause du roi Christian et éviter d'inutiles massacres.

Je revis avec plaisir les tendres bourgeons des bouleaux argentés et contemplai pour la première fois les tours de Stockholm dressées au-dessus des eaux. Aux beaux jours nous prîmes la mer vers le nord, et quand j'aperçus les forêts de mâts de la flotte royale et les innombrables tentes blanches autour du camp des assiégés, mon cœur se gonfla d'espoir dans ma poitrine.

Mais je parlerai du roi Christian et du siège de Stockholm dans un autre livre.

QUATRIÈME LIVRE

LA MOISSON

Sous un soleil printanier et vu d'une certaine distance, un camp militaire ne manquera point de présenter quelque charme aux yeux d'un jeune témoin. Mais si l'on y passe sa vie jour après jour, on découvrira qu'il n'existe pas repaire plus pernicieux de misère, débauche, excès et indiscipline. L'âcre odeur des excréments, le fracas des armes, les blasphèmes, les rixes, et les vociférations des soldats pris de boisson vous saisissaient déjà à la gorge à des centaines de mètres de distance et, pour ce qui est de ce camp, atteignaient la mer. Je suis convaincu qu'au cours des trois mois que dura le siège, les forces du roi eurent plus à souffrir de leurs propres hommes que des assiégés.

Messire Didrik affirmait que la cité capitulerait dès que les états auraient obéi à l'appel du roi, opinion partagée par les mercenaires qui considéraient leur campagne terminée. Ils ne souhaitaient plus guère engager de sérieuses hostilités et se contentaient généralement de tirer un ou deux coups de feu par jour à seule fin de rappeler aux assiégés qu'ils étaient encore en guerre.

Personnellement je dépendais totalement de messire Didrik et ne le quittais d'un pouce sauf lorsque, courroucé, il me chassait en m'appelant le « taon » ! Il se trouvait que le roi était bien trop occupé à des affaires de la plus haute importance pour le recevoir et qu'il ne put rien obtenir. J'importunais dès lors tout le monde mais je manquais terriblement d'argent; je devais en effet payer, selon les tarifs imposés pour les articles de guerre, les rations de nourriture et le coin de paille qui me tenait lieu de lit dans le camp. Il me fallait donc tenir coûte que coûte jusques au moment où l'on aurait besoin de mes talents.

Antti, qui était un habile artisan, ne manquait de rien; il avait dès notre arrivée pris du service auprès d'un maître armurier de Germanie, et je pensais sérieusement à suivre son exemple quand, un jour que je l'accompagnais à l'endroit où les canons étaient placés, une balle siffla à mes oreilles et frappa le sol si près de moi que j'en eus le visage tout souillé de terre. Elle avait écrasé la lourde charpente placée en écran devant le canon et, si l'orifice de celui-ci n'eût été fermé pendant que les servants le chargeaient, j'eusse à coup sûr perdu la vie. Cette aventure me servit de leçon définitive : je n'étais décidément point né pour être soldat et mieux valait pour moi chercher une autre manière de gagner ma vie ! Je laissai donc Antti à ses canons et m'empressai de regagner l'extrême sud du camp où je partageais un logement avec un cantinier danois.

Chemin faisant, je me trouvai nez à nez avec un mercenaire allemand qui marchait en titubant, l'air complètement hébété, une oreille coupée dans une main tandis qu'il essayait de l'autre d'arrêter le flot de sang qui jaillissait de la blessure. Il était tellement ivre que c'est à peine si ses jambes le pouvaient soutenir, et la moitié de sa tunique semblait poisseuse de sang coagulé.

A la vue de ma toge, il me prit pour un chirurgien et me hoqueta au visage :

— Au nom de tous les saints, noble docteur, collez mon oreille ! Sinon quand je retournerai au village, ils vont tous se moquer de moi et me chercher des noises !

Je l'aidai à marcher jusques à une grange qui faisait office d'hôpital, sans qu'il lâchât une seule seconde son oreille de peur de l'égarer.

Un homme d'environ trente-cinq ans, assis sur le seuil, gribouillait de la pointe de son épée des signes cabalistiques sur un morceau de bois. Il laissa échapper un juron à notre approche et appuya sur nous un regard pénétrant et étrangement brillant. C'était un personnage vigoureux bien que de petite taille; il avait de grandes poches sous les yeux et, malgré son âge, commençait à perdre ses cheveux, ce qui lui conférait une allure d'homme de science.

— Docte, noble et très illustre docteur, dit l'Allemand en élevant humblement ses mains crasseuses où reposait l'oreille, ayez la bonté de me coudre l'oreille et de me soigner ! Seul votre art diabolique parviendra à me guérir du malheur qui m'accable !

— La perfection de la connaissance appartient à Dieu, l'imperfection au diable ! commenta le médecin. Toi, cochon d'ivrogne, jette cette oreille dans le seau avec les autres membres amputés ! Je peux panser ta plaie mais rien de plus !

Malgré les gémissements lamentables du soldat, le docteur lui arracha son bien et l'expédia dans le récipient. Puis, après m'avoir invité à soutenir la tête de l'homme, il lava la blessure, l'enduisit d'un onguent et, d'une main experte, fit un bandage avec des chiffons de lin propres. Ensuite il réclama ses honoraires au mercenaire et lui ordonna de revenir se faire panser à nouveau quelques jours plus tard.

Tout son être, tant dans ses paroles que dans sa manière d'agir, paraissait empreint d'une détermination si peu commune et si magistrale que je ne pus me résoudre à le quitter. Je restais, comme ensorcelé, à regarder ses yeux durs et brillants.

— Que se passe-t-il ? me demanda-t-il.

— Docte maître, je suis un pauvre étudiant qui attend des ordres du roi, mais pendant cette attente je me trouve dans le besoin. S'il vous plaît, prenez-moi comme disciple et enseignez-moi votre art ! Je connais les simples depuis ma plus tendre enfance et vous pourrai être utile !

Il rit avec mépris.

— Que peut faire pour moi un jeune coq de ton acabit ! Ignores-tu à qui tu parles ? Je suis le grand docteur Theophrastus Bombastus Paracelsus Von Hohenheim ! J'ai étudié dans les universités d'Italie et de France, qui ne m'ont rien appris d'ailleurs. J'ai voyagé en Espagne, à Grenade, Lisbonne, en Angleterre, en Hollande et dans bien d'autres pays ! Ma science est la Nature, mon livre le grand livre de la Nature et ma lumière la lumière de la Nature ! Pour cette raison, les hommes me craignent, m'accusent de me livrer à la pratique de la magie noire et m'appellent sorcier et démon.

La puissance de son verbe me remplit d'un sentiment mêlé de peur et de vénération. Il était imbu d'une foi en lui-même ardente et absolue, qui me souleva comme une feuille morte dans la bourrasque.

Il demeura un moment sans mot dire puis reprit :

— A bien réfléchir, j'ai besoin d'un assistant qui parle l'idiome de ce pays pour m'aider à converser avec des chirurgiens-barbiers, des sages-femmes, des bohémiens et des bourreaux; on ne manque jamais de trouver quelque enseignement même dans les coins les plus obscurs ! Chaque pays présente ses maladies spécifiques avec leurs remèdes appropriés et nous devons les étudier.

Il m'invita à pénétrer dans la grange, ouvrit sa boîte de médicaments et me montra maintes herbes dont je reconnus quelques-unes; il m'interrogea alors sur leurs propriétés en comparant mes réponses avec ses notes.

C'est ainsi que je devins pour un temps assez court le disciple du docteur Paracelse. J'appris à connaître ses méthodes de travail que d'ailleurs je ne trouvais guère à l'abri de tout reproche : il recherchait la compagnie des gens du commun et buvait souvent au point de s'écrouler tout habillé sur sa couche ! Il aurait pu sans difficulté fréquenter le monde des savants ou celui des seigneurs car sa réputation de médecin ne cessait de croître, mais il préférait frayer avec le vulgaire. Il ne se reconnaissait nul maître, c'était lui seul qui, à l'instar d'une divinité, était maître et guérisseur de l'humanité.

Il fut pour moi un professeur épuisant. Quand il était en proie à quelque inquiétude, il se levait à la mi-nuit pour chercher des simples, si la position des planètes était favorable, ou pour bavarder avec les spectres au bord des tombes.

Au temps d'été, il s'extasiait de la clarté de la nuit, quand les troncs argentés des bouleaux scintillent dans les ténèbres et que les oiseaux chantent tout au long des vingt-quatre heures du jour. Il ne craignait ni les vers ni la puanteur des tombeaux, et pouvait demeurer pendant les heures les plus sombres à invoquer les âmes des défunts jusqu'à me faire frissonner de peur.

Il prétendait alors que je devais m'instruire en ces matières. Il me disait :

— L'homme possède un corps terrestre et un corps astral qui disparaissaient en même temps. Mais, tandis que le corps physique redevient poussière, le corps astral monte vers les étoiles. Un homme aux yeux perçants peut observer dans les moindres phases de leur dissolution ces formes astrales qui flottent au-dessus des tombes; et d'autant plus facilement sur les fosses de ceux qui sont morts dans des batailles ou, en tout cas, subitement. La lumière du jour les estompe, mais elles sont visibles la nuit. Ces nuits lumineuses du Nord sont tout à fait propices à leur observation !

J'ajoutais foi à tout ce qu'il disait car, lorsque je regardais pendant assez longtemps vers les ombres au-dessus des tombeaux, je distinguais dans la brume de flottantes formes humaines. Mais je n'arrivais point à comprendre l'utilité de ces examens et déplorais mes longues nuits sans sommeil.

Les députés des trois ordres du royaume de Suède réunis en assemblée avaient entre temps ratifié le traité de paix. Ils acceptaient Christian comme souverain de la Suède et recevaient en échange la promesse de son pardon pour tous ceux qui se soumettraient. Mais toutes les conditions de réussite n'étaient cependant point réunies. Les états, d'une part, avaient statué en l'absence des représentants de la Finlande qui n'avaient pas répondu à l'appel du roi du Danemark; d'autre part, la ville de Stockholm ainsi que le palais maintenaient leur résistance. Christina, la veuve de Sten Sture, se refusait à reconnaître les états et a fortiori leur décision. Stockholm était largement approvisionné en nourriture et en armes, et les mercenaires ne manifestaient pas la moindre velléité de se lancer à l'assaut de ces murailles d'où l'on tirait dès qu'ils faisaient mine de s'approcher un peu trop.

Les soldats, d'ailleurs, étaient enchantés de rester inactifs durant les chaleurs estivales tout en recevant leur solde. Mais chaque jour coûtait au roi des sommes incalculables et il se vit bientôt dans l'obligation de regagner le Danemark pour chercher des vivres et emprunter l'argent nécessaire à la paye de son armée.

Le docteur Paracelse, de son côté, se préparait à partir pour les mines de Suède où il comptait étudier les maladies spécifiques des mineurs; je l'aurais sans nul doute accompagné si messire Didrik ne me fût venu quérir pour m'envoyer auprès du docteur Hemming Gadh.

— Oh ! La chose insensée que l'obstination d'une femme puisse retarder cette heureuse solution ! s'écria-t-il en jurant. Les nobles et les bourgeois de cette ville se conduisent comme des enfants à danser ainsi au son du chalumeau de Christina au lieu de répondre à la trompe royale ! Quand je songe que tout déjà pourrait être terminé !

— Il est vrai que le roi a promis son pardon à tous ceux qui se soumettront, dis-je, mais je tremble pourtant quand j'entends les capitaines danois se plaindre de ne point trouver assez de riches veuves à courtiser ou quand ils jurent que les paysans suédois devront apprendre à labourer leur champ d'un seul pied et d'une seule main ! Certes, leurs propos ne sont-ils sans doute que des plaisanteries un peu rudes ! D'autant que Sa Majesté a déjà fait distribuer le sel et promis de dédommager tous ceux qui auront subi des pertes dans cette guerre.

— L'Union existe depuis cent ans ! reprit sèchement messire Didrik, mais l'on n'a vu que révoltes et massacres durant tout ce temps ! Et toujours par la faute des nobles de Suède, trop fiers pour s'incliner devant l'autorité de leur souverain ! Ils n'ont cessé de lui manquer de parole tout au long du siècle ! Le Danemark sort appauvri d'une guerre qui ne lui a déjà que trop coûté ! Nous les Danois, nous qui avons donné notre vie, notre sang et nos biens pour le roi, nous pouvons exiger une indemnité pleine et entière, oui !

Et nous exigeons de surcroît d'être assurés qu'une fois la guerre terminée, les Suédois ne pourront plus jamais sortir de l'Union. Quand la paix sera conclue et que le roi sera maître des villes et des châteaux, nous ne tolérerons plus aucune incartade ! Naturellement, point n'est besoin de mentionner cela au docteur Hemming ! C'est un vieillard, un peu faible d'esprit !

Mon cœur se fit lourd dans ma poitrine en l'entendant parler ainsi. Comme il le disait, le docteur Hemming était un vieil homme, un vieil homme paralysé qui avait troqué les éperons et le chapeau à plumes du temps de sa jeunesse pour une longue robe qui lui donnait l'apparence d'un prêtre. Il m'accueillit aimablement quand je me présentai chez lui.

— Messire Didrik m'a parlé de vous ! me dit-il. Il m'a confié que vous êtes un homme pacifique et que vous avez durement souffert dans votre propre pays pour la cause de l'Union. Mais nous devons à présent tirer un trait sur le passé et songer seulement au bien de notre patrie. Toute ma vie, j'ai lutté contre l'Union jusques à ce que mes yeux s'ouvrent enfin et que je m'avise qu'il est inutile de résister à l'irrésistible. Invincible, en vérité, est l'armée du roi Christian et je crois fermement en sa bonne foi et en la pureté de ses intentions.

— Et moi de même ! Messire Didrik me l'a clairement expliqué ! Cependant je ne vois guère en quoi je puis servir ?

— Je viens d'écrire une longue lettre à l'évêque Arvid pour le prier de se soumettre tant qu'il en est encore temps. C'est vous qui porterez mon message. Puisque vous êtes né à Åbo, vous parlerez au conseil de la ville et au peuple et leur direz que toute résistance est inutile et dangereuse !

— Vénérable père ! protestai-je aussitôt, ma langue n'est guère habile et je suis trop jeune et trop incompétent pour me charger d'une mission de cette envergure ! Du reste, Son Excellence l'évêque Arvid m'a promis un collier de chanvre goudronné autour du cou si jamais je remets les pieds à Åbo !

— La modestie sied à la jeunesse, mais celui qui désire conquérir le monde ne doit point en abuser ! Ce que m'a dit messire Didrik à votre sujet me suffit et le message que vous porterez vous servira de sauf-conduit. Si vous remplissez convenablement cette mission, la faveur du roi vous sera acquise, j'en réponds, et moi-même, je parlerai de vous au légat du pape afin que vous puissiez obtenir une dispense pour votre naissance illégitime. Un coup de plume de sa main, son sceau imprimé dans la cire, et vous voilà prêt à entrer dans les ordres ! Je ne doute point qu'en Finlande, l'évêque Arvid ne vous confère un bon bénéfice en récompense.

— Père Hemming, je vous serai éternellement reconnaissant si votre bonté m'en juge digne et si vous parlez pour moi au légat ! Mais je ne comprends guère en quoi cette affaire touche mon voyage à Åbo, où l'on ne manquera point de me traiter comme un bandit et un traître et où je serai incapable de regarder en face mes amis d'autrefois !

Le docteur Hemming se leva avec violence, le rouge au front et la même flamme que jadis brûlant dans son regard.

— Toutes mes actions passées et le sang que j'ai versé ne prouvent-ils point assez que je suis le meilleur des patriotes ? Si, à mon âge, je puis supporter que l'on me traite de fou, vos jeune épaules n'y résisteraient-elles pas ? Alors ? Vous décidez-vous à agir ou bien dois-je croire que vous n'êtes qu'un partisan hésitant de notre cause ? S'il en est ainsi, sachez que ni la sainte Église ni le roi n'ont besoin de vos services ! Il n'y a point de place pour les tièdes dans la guerre, ni dans la politique : en ces matières, un homme doit jouer tout ce qu'il possède !

Ces paroles (à vrai dire, les plus sensées qui soient tombées de sa bouche) me déterminèrent à prendre sa lettre et les monnaies d'or qu'il me donna pour les frais de voyage.

L'aventure se révéla beaucoup moins dangereuse que je ne l'avais imaginé. On me déposa sur la côte près de Nadendal où l'on m'avait arrangé un rendez-vous, et je reçus là un cheval pour me rendre à Åbo. En tous lieux, le peuple écoutait avidement les promesses du roi Christian et tous disaient que mieux valait une paix boiteuse qu'une guerre jolie ! Seuls les seigneurs qui craignaient de perdre leurs biens et leurs privilèges persistaient à désirer la guerre.

L'évêque Arvid ne se trouvait point à Åbo dont les gardes m'interdirent l'entrée. Je poursuivis donc mon voyage sans attendre jusques à Kustö dont le prélat était allé inspecter les défenses et où j'arrivai le soir même. Malgré l'obscurité, les hommes travaillaient encore aux fortifications et continuaient de construire, scier et marteler à la lumière de torches et de feux de bois. L'évêque, qui avait troqué sa longue robe pour une cuirasse scintillante, allait et venait au milieu des charpentiers et des forgerons, les exhortant à se hâter. Je lui adressai un salut respectueux et lui annonçai sans préambule que j'arrivais directement de Stockholm avec une lettre du docteur Hemming Gadh.

Le prélat prit le papier que je lui tendais et leva sa torche pour me regarder. Il me reconnut aussitôt et cria au prévôt :

— Saisissez-vous de cet homme et pendez-le ! Que sa mort serve d'avertissement à tous les traîtres ! C'est Mikaël, Mikaël le fils de catin, Mikaël le traître de la ville d'Åbo !

Je crus ma dernière heure arrivée et tombai à genoux en suppliant :

— Père Arvid, daignez lire la lettre du bon docteur Hemming ! Elle me sert de sauf-conduit et je suis son messager personnel ! Si vous me pendez, la vengeance du roi sera terrible ! Mais si vous me traitez bien, je pourrai vous être d'un grand secours !

Mais l'évêque ne voulut rien entendre. On m'arracha ma monture et on me confisqua mon épée; puis on me traîna au bout d'une corde au fond d'un cachot de la forteresse; là, croupissant sur de la paille pourrie, au milieu des rats, des crapauds et des immondices de toutes sortes, j'eus tout le loisir de méditer sur la puissance royale de Christian et la sagesse du docteur Hemming, et je puis assurer qu'à l'aube, je n'eusse pas donné un sou ni de l'une ni de l'autre ! Un peu plus tard, la trappe s'ouvrit, les gardes tirèrent sur la corde et me firent remonter pour avoir un entretien avec l'évêque. J'arrivai d'en bas imprégné de mille souillures si bien que le bon prélat, à peine m'eut-il senti, me fit préparer un bain et prêter d'autres vêtements en attendant que les miens fussent nettoyés. La vapeur du bain me rendit courage et lorsqu'on m'eut servi un plat de soupe et un gobelet en bois plein de bière forte, la confiance totalement revenue, je conclus que je n'avais rien à perdre mais tout à gagner.

Je me retrouvai en présence de l'évêque, retenant à deux mains les braies trop larges que l'on m'avait prêtées, et lui lançai aussitôt de vifs reproches pour l'indigne traitement qu'il avait osé réserver à un envoyé du roi ! J'allai même jusqu'à le menacer d'en informer Sa Majesté.

Mon franc-parler ne parut point troubler le bon évêque. Il était assis, tenant devant ses yeux la lettre toute chiffonnée du docteur Hemming; il la défroissa, la lut une nouvelle fois et dit :

— Mikaël, mon enfant, mon cœur est lourd et plein d'inquiétude ! Oublie, s'il te plaît, le traitement un peu rude que mon mauvais caractère t'a fait subir et regarde-le plutôt comme une espèce de pénitence pour l'appui que tu apportes au roi ! Quand un homme comme le docteur Hemming se fait le chacal de sa cause, l'on peut bien pardonner à un jeune homme faible et inconstant comme toi d'agir de même ! A présent dis-moi tout ce que tu sais sur les forces militaires et navales de Christian, sur la situation en Suède et sur la défense de Stockholm.

Je lui contai ce que je savais, comme me l'avait recommandé le docteur Hemming, tandis qu'il marchait de long en large à grandes enjambées.

— Je dois te croire puisque Hemming, qui ne saurait mentir à un vieil ami, me dit la même chose ! Mais comment peut-il faire confiance aux Danois ? Nous savons de reste qu'ils sont gens à renier leur parole et à rompre les traités ! Combien de fois déjà les avons-nous vus violer les lois et les traditions de Suède dès qu'ils s'emparent du pouvoir !

« Je me rends compte pourtant que je lutte pour une cause perdue ! Mais j'ai toujours été l'allié de madame Christina et ne puis me soumettre tant qu'elle-même résistera. Elle saura obtenir du roi, en échange de ma loyauté, un complet pardon pour les chevaliers de Finlande et ma propre personne.

« Il faut que tu retournes sans tarder à Stockholm porter

avec l'accord du docteur Hemming cette lettre à madame Christina. Parle en ma faveur à mon vieil ami et par son intermédiaire au bon roi Christian. Décris-leur fidèlement les préparatifs que tu as vus faire ici et assure-les que je vendrai ma vie le plus chèrement possible si le roi me refuse sa grâce.

Il m'octroya ensuite un sauf-conduit et, à ma requête, m'envoya attendre à Åbo la réponse qu'il ne voulait rédiger qu'après avoir consulté les autres chefs. On me rendit mon cheval et comme je me plaignais de ma bourse plate, le prélat m'offrit deux guldens de Lübeck et un vêtement neuf pour remplacer le mien qui avait rétréci au lavage. Je le quittai donc pour gagner la cité avec une escorte d'hommes en armes, tel un élégant gentilhomme, et me sentais rempli d'orgueil lorsque les gens s'arrêtaient pour me regarder passer dans la rue.

Mais l'humilité revint bientôt en mon cœur quand, du pied de la grande tour de la cathédrale, je pus voir les corneilles battre des ailes en poussant leurs cris rauques comme des âmes en peine. Je descendis de cheval, confiai les rênes à un écuyer et pénétrai dans l'église pour dire une prière. Car l'évêque Arvid, défiant l'interdit papal, maintenait son temple ouvert et y célébrait la messe comme si de rien n'était.

En me retrouvant à l'air libre, je fus aussitôt frappé par la pauvreté et la modestie de la ville de mon enfance comparée aux grandes cités du monde. Mais je ne trouvai point là matière à me moquer, bien au contraire ! L'attachement aveugle et insensé de ses habitants à une cause perdue m'aurait plutôt donné d'amers sujets de peine ! Mon escorte amena mon cheval aux écuries de l'évêché, tandis que je me dirigeais à pied vers la petite cabane de dame Pirjo. Comme elle était basse ! Comme le toit couvert d'herbes me parut penché et comme la mousse avait envahi le vieux poirier ! Des larmes brûlantes aveuglaient mes yeux lorsque je parvins à l'entrée et je me donnai un coup de tête contre le linteau noirci de la porte. Dame Pirjo, à l'intérieur, était occupée à quelque tâche. Ses cheveux étaient blancs et son dos commençait à se voûter. Son visage me parut encore plus allongé et osseux qu'autrefois quand elle posa son regard pénétrant sur moi.

— Ma chère mère adoptive ! Ma bienfaitrice ! Dame Pirjo ! dis-je la voix tremblante. C'est Mikaël qui est revenu à la maison !

— Essuie tes pieds, mouche ton nez et assieds-toi ! As-tu mangé ? Veux-tu que je coupe un morceau de saucisson de porc ou préfères-tu une bonne soupe d'avoine ? Tu as l'air d'aller bien malgré ta maigreur et je constate que ta tête n'est pas cassée. Donc je suppose que je ne dois point te gronder trop sévèrement !

Elle se mit sur la pointe des pieds pour me toucher les joues et les épaules, et sa main était aussi rude que du bois. Puis soudain, elle éclata en sanglots et les mots se bousculaient à travers ses larmes.

— Notre bon évêque a juré de te faire pendre !... Sten Sture, notre régent bien-aimé, est mort de ses blessures sur la glace en dehors de Stockholm l'hiver dernier !... Le sel coûte plus cher qu'il n'a jamais été depuis trente ans !... Pauvre madame Christina, si jeune et déjà veuve !... Nous vivons l'époque la plus horrible que j'aie jamais connue !... On dit que c'est la fin du monde, un nouveau déluge... je peux te cacher dans la cave et t'engraisser comme un cochon dans sa porcherie, personne ne te trouvera pour étrangler ton pauvre cou maigrelet !

— Dame Pirjo ! dis-je, blessé dans ma fierté. Je ne suis point un cochon mais un *baccalaureus artium* de la docte université de Paris, et le roi Christian ainsi que le docteur Hemming m'honorent de leur faveur ! De plus, apprenez que j'arrive tout droit de chez le bon évêque et que c'est lui qui m'a offert ce pourpoint neuf avec deux monnaies d'or ! Allons, dame Pirjo, cessez donc de verser des larmes sur moi !

— Qu'as-tu dit que tu étais ? demanda-t-elle.

— Un *baccalaureus artium* !

— Oh ! tu as beau avoir réponse à tout ce que je dis, moi je vois que tu es maigre comme un clou et que tu sursautes au moindre bruit ! Je suis bien sûre que tu mangeais mieux et dormais plus tranquille du temps où je te cousais des chemises garnies de dentelles comme il convenait à un garçon de ton rang !

Mais si j'étais parvenu sain et sauf à la maison, je n'avais point encore le droit de prendre du repos; il me fallait auparavant mener à son terme la mission que m'avait confiée le docteur Hemming et, à cet effet, j'avais l'intention de rencontrer tout d'abord le père Pierre. J'espérais qu'il serait à même de me donner les informations les plus complètes sur l'état de la ville; je préférais éviter d'interroger des citoyens bornés avec lesquels je courais le risque de recevoir un mauvais coup malgré le sauf-conduit de l'évêque. J'envoyai donc un message au monastère Saint-Olav, auquel le père répondit en toute hâte. Je le vis arriver, la soutane retroussée, ses jambes velues s'agitant comme des baguettes de tambour, suant, soufflant et mort de soif. Comme dame Pirjo n'avait point de bière, nous la laissâmes préparer le repas et nous dirigeâmes vers *Les Trois couronnes.* L'hôtesse me parut plus grasse et plus mélancolique qu'autrefois; il est vrai que son cher époux avait trébuché dans l'escalier de la cave et s'était cassé le cou. Elle versa quelques larmes en me voyant, me tapota la joue et nous servit sa meilleure bière de Lübeck. Tandis que je contais au père Pierre l'évolution du siège de Stockholm, une foule de curieux se joignit à nous pour écouter, regarder, commenter. Je n'eus vraiment aucun souci pour régler la note, tous m'invitaient à boire et boire encore pour en entendre davantage. Le secrétaire du Conseil ne tarda guère à se présenter et, s'adressant à moi avec révérence, me fit part du désir du bourgmestre de me recevoir.

Je restai plusieurs jours à Åbo en attendant la lettre de l'évêché. Les bons repas et les libations incessantes stimulèrent mon ardeur et je me sentais rempli de fierté à voir les gens, hormis quelques mécontents, manifester un grand respect à mon égard, écouter mes discours avec attention et faire des efforts pour changer le cours de leurs convictions. On leur avait en effet tant de fois parlé de la cruauté et de la traîtrise des Jyllandais, que la haine coulait dans leurs veines et qu'ils se sentaient fort ébranlés que l'on vînt à présent leur demander de penser du bien de ces mêmes Jyllandais ! Dans

153

leur trouble, ils se bornaient à trouver quelque espoir dans la seule personne du roi Christian, dont la renommée mettait une touche de clarté sur les sombres Danois et un voile d'oubli sur les pillages et les incendies perpétrés par son armée. Que pouvait-on attendre de mercenaires sans foi ni loi ?

On but en abondance à la paix et au roi Christian ces quelques jours dans Åbo ! Et comme j'étais toujours un peu gris, ma santé s'en trouva gâtée !

A la fin du mois de juillet, de retour au camp, je remis la lettre de l'évêque Arvid au docteur Hemming Gadh qui se rendit en personne auprès de madame Christina, sans sauf-conduit ni garantie de sécurité pour sa vie. C'est dire à quel point déjà il avait mené les négociations en vue de la reddition ! La lettre des dignitaires finnois ne tarda guère à être suivie d'effet. Peu de temps après, l'on signa et scella un document garantissant à madame Christina et à tous ses alliés nobles et ecclésiastiques le plein pardon de leur résistance et de leurs actions passées.

Le jour où le roi, à cheval, fit son entrée dans la ville, les cloches des églises se mirent à sonner à toute volée et les citoyens, en habit de fête, se pressèrent en foule pour l'accueillir dans les rues de Stockholm. Quelle allégresse, en vérité, de voir la joie sans mélange de ceux qui affluaient à sa rencontre ! Aux portes de la ville, les membres du Conseil lui remirent les clés sur un coussin de velours. Les plus jolies femmes de la cité jetaient des fleurs sur son passage au son des flûtes et des trompettes.

Toutefois, mon cœur était accablé du sentiment d'avoir été floué. Le docteur Hemming n'ayant point jugé bon de m'inviter à me joindre à son parti, je dus assister à toutes ces réjouissances perdu au milieu de la populace, où le plus misérable des mercenaires paraissait un seigneur et un conquérant à côté de moi !

Mais on se ressouvint de ma personne quelques jours plus tard, lorsque le roi envoya ses navires de guerre en Finlande

154

prendre possession des châteaux et désigna le docteur Hemming pour y conduire les négociations. Ils me firent donc chercher et je compris alors qu'ils avaient besoin de moi. Fort de cette constatation, j'exigeai un prix en récompense des services rendus à Sa Majesté. Le docteur se confondit en excuses : il n'était, disait-il, qu'un vieillard distrait et fatigué, n'ayant en tête que le bien de sa patrie. Il avait oublié de parler de moi au légat du pape, mais le ferait à la première occasion. En attendant, il me présenta à un orgueilleux capitaine qui commandait le bâtiment chargé du transport de la cavalerie. Ce seigneur allemand du nom de Thomas Wolf, les mains sur les hanches et reniflant bruyamment avec son nez camus, devait assumer le poste de gouverneur de la forteresse d'Åbo. Sur la recommandation du docteur Hemming et en raison de ma connaissance de la langue du pays, il m'engagea comme secrétaire, m'assurant nourriture, vêtements et un salaire de trois marks par mois. J'eus au cours de la traversée l'occasion de m'apercevoir que mon nouveau maître était un homme inculte qui savait à peine écrire son nom; mais il devait être un officier qui connaissait son affaire à en juger par les horribles blasphèmes qu'il proférait à la moindre provocation !

Nous naviguions en direction d'Åbo et des colonnes de fumée noire s'élevaient des phares pour signaler notre avance d'île en île. Les canons de la forteresse nous souhaitèrent la bienvenue quand le navire jeta l'ancre dans la rivière. L'évêque Arvid et le Conseil de la cité reçurent leur grâce par écrit, et le capitaine Wolf prit possession du château avec les honneurs militaires au son des fifres et des tambours. Il répartit aussitôt ses propres hommes à l'intérieur de la forteresse, puis procéda à un inventaire minutieux des provisions. Après quoi il s'inquiéta de trouver un bourreau compétent et je lui recommandai chaleureusement maître Laurentius. L'ayant mandé quérir, il mit sur-le-champ ses talents à l'épreuve en lui ordonnant de pendre deux hommes d'armes, coupables d'avoir provoqué une rixe aux *Trois couronnes*, violenté de respectables citoyens et frappé une damoiselle. Cette exécution procura la plus vive satisfaction aux gens de la ville, qui se félicitèrent de la sévérité et de la justice de leur nouveau gouverneur.

A présent que les premiers froids de l'automne couvraient les champs de gelée blanche, le docteur Hemming se lamentait d'avoir à exposer ses vieux os aux fatigues des voyages; mais comment y échapper quand les divers gouverneurs des forteresses de Finlande ne mettaient nul empressement, contrairement à ses prévisions, à se déplacer pour le rencontrer et négocier les termes de la paix. Force lui fut donc de se rendre, toujours avec une escorte de cavaliers, à Tavastehus puis à Viborg pour convaincre Tönne Eriksson.

Je l'accompagnai à Tavastehus que gouvernait Åke Jöransson, et il lui fallut discuter fort longtemps avant de dissiper les doutes de ce seigneur récalcitrant. Je retournai ensuite à Åbo, auprès du gouverneur Thomas, pour porter un message faisant le point sur les négociations en cours. Plus tard, Tönne Eriksson manda un avis, suivant lequel il rendrait son château de Viborg dès que le docteur Hemming lui aurait remis sa grâce de la part du roi. Le noble Thomas m'envoya alors rapporter à Stockholm ces bonnes nouvelles.

On préparait le couronnement du roi Christian qui devait être oint en grande pompe souverain de Suède, et je me réjouissais d'être présent à la cérémonie. Nul, cependant, parmi les seigneurs finnois n'accepta l'invitation de s'y rendre et l'évêque Arvid, malade et malencontreusement retenu au lit, ne put non plus y assister à la grande fureur du gouverneur d'Åbo.

Arrivé à Stokholm le jour de la Toussaint, j'eus le privilège de voir les états en grand apparat accueillir leur roi à Brunkeberg Hill éclatant de bannières. Au cours de la cérémonie, les trois ordres renoncèrent à leur droit immémorial d'élire leur souverain, et proclamèrent leur pays à jamais domaine du roi Christian et de ses héritiers. Cet événement avait en vérité un caractère des plus graves.

L'expérience m'ayant donné quelque sagesse, je profitai du crédit que ma position à Åbo me conférait pour me pourvoir en vêtements élégants. Désormais j'arborai panache à mon chapeau, épée au côté, poignets de dentelle et chaussures rouges à boucles d'argent; puis, comme tout homme d'un certain rang se devait de posséder au moins un serviteur, je me mis en quête d'Antti et lui fis porter également des habits convenables. De cette façon, je fus reçu en tous lieux en qualité de secrétaire du gouverneur d'Åbo que je représentai aux cérémonies du couronnement.

Lorsque Sa Majesté fut solennellement ointe et couronnée en l'église de Saint-Nicolas de Stockholm, je me frayai hardiment un passage en jouant des coudes parmi mes égaux, et me plaçai de façon à voir la cérémonie. L'archevêque Trolle, rétabli dans ses fonctions, s'acquitta à la perfection de tout le service comme s'il n'eût fait autre chose en sa vie qu'oindre des rois d'huile sainte et les investir des insignes du pouvoir. J'eus le loisir de contempler Christian à mon aise durant le déroulement du rituel, et j'en sortis convaincu de servir un grand seigneur. Il avait un visage allongé, des sourcils noirs bien arqués et son regard abrité par des paupières fatiguées, était à la fois brillant et mélancolique. Tandis que nu jusques à la ceinture il attendait l'onction assis sur le trône, j'observais l'impression de puissance qui se dégageait de son corps, le gonflement des muscles de ses avant-bras et la sombre toison qui couvrait sa poitrine. Plus tard, le front ceint de la couronne de Suède, il arma chevaliers de nombreux nobles danois et allemands. Quant aux seigneurs de Suède, ulcérés que le monarque n'en eût point jugé un seul d'entre eux digne de porter à l'église les joyaux de la Couronne ou d'entrer dans l'ordre de la Chevalerie, ils lui lançaient des regards lourds de ressentiment. A la fin, l'ambassadeur de l'empereur suspendit au cou de Sa Majesté le collier de l'ordre de la Toison d'or.

Ainsi donc j'assistai à la naissance d'un Nord uni sous la bannière d'un unique souverain, événement historique d'une importance considérable !

Je restai le quatrième jour enfermé au logis la tête entourée de linges humides, le fracas des sabots de la cavalerie sur le pavé résonnant encore douloureusement dans mon crâne. Je me sentais mal, incapable d'avaler quoi que ce fût sinon de sucer un hareng saur et boire de l'eau de la jarre pour soulager mon abominable soif. Antti fit irruption dans ma chambre, le pourpoint déchiré; il se tenait la tête à deux mains et jurait par tous les saints qu'on ne le reprendrait plus à goûter des alcools forts.

— Je préfère en tout cas, poursuivit-il, être à ma place qu'à celle des seigneurs. D'étranges rumeurs circulent dehors. Le roi va donner une réception en l'honneur de madame Christina et de moult bons gentilshommes. Une réception un peu bizarre, dit-on, car des hommes en armes garderont toutes les issues et l'archevêque en personne doit y prêcher pour inviter au repentir ceux qui l'ont offensé...

Je répliquai que toutes les vieilles offenses étaient oubliées et pardonnées, priai Antti de se taire et de me laisser dormir. Mais le soir même, tout ce qu'il avait dit se trouva confirmé. Madame Christina, accompagnée d'un nombre important de hauts dignitaires de l'Église et de seigneurs, fut arrêtée à l'intérieur du palais. Derrière un mur abattu dans sa demeure, on avait découvert un document dans lequel le conseil privé et les représentants des trois ordres condamnaient unanimement l'archevêque, décrétaient l'annulation de sa nomination et se déclaraient prêts à défier ensemble l'interdit que le pape ne manquerait point de lancer pour châtier leur action.

Madame Christina, fondant sa défense sur le document lui-même, déclara qu'il était clair que l'on ne pouvait imputer à personne la responsabilité de la déchéance de l'archevêque et que non seulement son défunt époux, mais la nation tout entière devait être condamnés. Pour ma part, je ne comprenais guère pourquoi l'on devait condamner quiconque pour des actes que Sa Majesté avait promis de pardonner et d'oublier !

Messire Didrik qui vint me rendre visite le lendemain avant l'aube, m'éclaira toute l'affaire.

— Mikaël, habillez-vous promptement ! me dit-il sur un ton pressé. Le roi s'est vu, bien à regret, dans l'obligation de réunir un tribunal ecclésiastique d'Inquisition pour décider d'un cas d'hérésie, et l'on a besoin d'un secrétaire. Leurs Seigneuries rencontrent moult difficultés à trouver un homme à la fois compétent et disponible en ce moment. Vous-même êtes instruit, irréprochable, impartial, vous savez le latin et vous êtes finnois! Saisissez la chance par les cheveux ! Courez au palais !

Il me sortit du lit alors que j'étais encore dans les brumes du sommeil, et avant que j'eusse rien compris de ce qui arrivait, je fus dans le palais, devant le vieux maître Slaghök aux yeux louchons qui m'expliqua ce que l'on attendait de moi. Ainsi, d'une manière inopinée, me trouvai-je en présence des plus éminents seigneurs de l'Église; je comptai dans cette auguste assemblée trois évêques, huis chanoines, un prieur dominicain et l'archevêque en personne. Ils étaient tous, la mine triste, réunis à huis clos. Son Excellence me demanda mon rang au sein de l'Église et sembla atterrée d'apprendre que je ne faisais point partie du clergé. Il estima devoir remédier à cet état de choses et m'ordonna, sans plus attendre, d'une rapide imposition de mains.

Je ne savais plus où j'en étais ! Comment croire que cet acte si simple me conférait désormais le pouvoir de transformer par les paroles de la consécration le pain et le vin en corps et sang du Christ ? Mais lorsque je me risquai à faire une allusion à mes doutes à l'archevêque déjà revêtu de ses habits pontificaux, il me rétorqua sur un ton sans réplique qu'il en savait plus que moi en cette matière. Je jugeai prudent de tenir ma langue.

La réunion ne paraissait guère agréer aux prélats qui auraient préféré sans doute dormir tout leur soûl après les récentes festivités. La plupart d'entre eux semblaient éprouver quelques difficultés à rassembler leurs esprits pour débattre d'un sujet si ardu. Dès le début, l'archevêque prit la direction des opérations. Il se mit en devoir d'exposer l'acte d'accusation contre les nobles suédois, acte qu'il avait rédigé le jour antérieur, ainsi que l'acte secret dont madame Christina, avec une légèreté toute féminine, avait révélé la cachette pour défendre l'honneur de Sten Sture, feu son époux. Ce document, observa l'archevêque d'une voix chagrine, aggravait encore la dégradation dont il avait été victime, car il mettait en lumière le fait qu'un nombre écrasant de seigneurs de rang élevé, parmi lesquels le bourgmestre et le Conseil de Stockholm, étaient impliqués dans cette horrible et hérétique conspiration contre la sainte

Église ! Parce qu'il ne s'agissait plus à présent de se venger des injures dont il avait été l'objet ! Lorsque le roi Christian avait prêté serment, il avait juré de défendre les droits de l'Église et s'était donc chargé du lourd devoir de découvrir jusques où l'hérésie s'était propagée dans son domaine. C'est pour cette raison qu'il avait institué ce tribunal, pour mener l'investigation et faire part des conclusions.

Pour Son Excellence, il s'agissait en premier lieu de déterminer si l'on pouvait considérer l'un des signataires comme innocent de l'accusation. L'assemblée unanime déclara que l'évêque Hans Bras de Linköping, qui avait signé sous la menace, devait sur-le-champ être blanchi de toute complicité.

Une discussion générale au sujet du texte de l'acte d'accusation s'ensuivit, mais nulle protestation ne s'éleva contre les découvertes elles-mêmes. Les conspirateurs, en se plaçant de leur propre chef contre l'Église et contre l'autorité du Saint-Père, étaient tombés dans l'hérésie.

L'évêque Jens, homme bon au cœur simple, l'expliqua avec clarté et conclut :

— La tâche qui nous incombe est une lourde tâche ! Mais nous trouverons du réconfort en songeant qu'il ne nous appartient pas de dicter une sentence. Ainsi n'avons-nous point à nous sentir responsables des mesures que le roi sera peut-être appelé à prendre. Certes, il faut poursuivre l'hérésie sans faiblesse, mais le grand nombre des accusés, leur rang et le serment que Sa Majesté a prononcé d'oublier les offenses passées, nous sont une garantie suffisante de sa clémence !

— Nous n'avons point à nous préoccuper du châtiment ! reprit le bon archevêque d'un ton sec. Contentons-nous d'accomplir la tâche qui nous est impartie ! La clémence à laquelle vous faites ici allusion est tout à fait hors de question puisque le roi n'a point pouvoir de pardonner les offenses commises contre l'Église.

« Mais assez gaspillé de temps en discours superflus ! Il nous faut à présent rédiger notre rapport et le signer sans plus tarder ! Laissons Sa Majesté décider du chemin à prendre : nous ne sommes point ses conseillers !

Ils me dictèrent donc leurs conclusions que je grossoyai de ma plus belle écriture. Les conspirateurs, à l'exception de l'évêque Hans Bras, étaient tous nommément et individuellement accusés d'hérésie notoire par le tribunal qui, en conséquence, les remettait au bras séculier.

Un frisson d'horreur me parcourut l'échine à ces mots terribles. Selon la tradition canonique, cette conclusion acquérait une formidable portée et je croyais déjà sentir l'odeur des bûchers.

Les membres de la Cour, avec l'archevêque à leur tête, vinrent signer leur déclaration dans un silence lugubre. J'allumai les chandelles posées sur la table afin qu'ils puissent, la cire une fois fondue, apposer leur sceau. Ensuite, Son Excellence les convia en souriant à partager une collation qu'ils avaient tous si bien méritée. Il daigna même me donner une légère tape sur l'épaule pour m'inviter à me joindre à la compagnie : je devais être si affamé après avoir accompli une tâche fatigante et pleine d'importance ! Le ton affable dont il usait à mon égard m'encouragea à lui demander une fois encore s'il m'avait réellement ordonné prêtre; il me répondit que je pouvais dès maintenant porter la tonsure en toute tranquillité et réclamer mon certificat au chapitre de la cathédrale. Lorsque je me hasardai à lui rappeler que je n'avais point encore atteint l'âge canonique et que ma naissance n'était pas légitime, il me dit, avec un sourire pincé, que de telles questions n'importaient guère au regard du grand service que je venais ce jour-là de rendre à la sainte Église.

Tous morts de froid et de faim, nous nous retrouvâmes donc confortablement installés autour d'une grande table, dans une pièce chauffée par un bon feu de bois crépitant dans la cheminée. On nous servit une soupe chaude, du boudin et maints plats cuisinés, restes des trois jours de galas. Mais, en dépit de la bière forte, la conversation languissait et nous mangions dans un silence sinistre et pesant. Dehors, quelques flocons de neige tombaient du ciel gris de novembre et mon cœur était loin d'être heureux, bien que mes espoirs les plus chers eussent été exaucés de manière si inattendue.

Tout, d'ailleurs, était arrivé si soudainement que je n'avais point encore saisi la signification de ce que j'avais fait, pas plus, j'en suis sûr, que les prélats n'avaient envisagé dans leur totalité les graves conséquences de leur décision avant que leur esprit ne se dégelât grâce à l'action conjuguée de la chaleur et de la boisson. Parce que la mort seule pouvait, selon les lois de l'Église, châtier l'hérésie opiniâtre; le souverain, malgré la meilleure volonté du monde et en dépit de toutes ses promesses, n'avait nulle possibilité de les éluder.

Un son de trompes lointaines parvint jusques à nous au cours du repas sans attirer particulièrement notre attention. A la fin, tout le monde se leva et l'évêque Jens prononça une courte action de grâces pour remercier des bonnes choses que nous venions de manger. Mais à peine finissait-il qu'un domestique, en proie à une grande agitation, entra brusquement dans la pièce en criant que l'on amenait les évêques Matthias et Vicentius hors du palais pour les exécuter sur la Grand-Place.

Ce cri nous laissa tous interdits. L'archevêque nous rassura alors en disant :

— Ce garçon délire !

Le bon seigneur Jens ajouta, quand il se fut un peu remis de sa frayeur :

— Que Dieu nous préserve de la pensée que Sa Majesté pourrait lever un seul doigt contre ces deux hommes !

Puis il conclut avec un bon rire :

— Nul n'a tant fait que Matthias Strängnäs depuis la capitulation ! Nous savons tous que sans son aide, Sa Majesté eût eu bien du mal à triompher !

Mais les seigneurs de l'Église paraissaient au comble de l'inquiétude, ils arpentaient la pièce nerveusement et se penchaient pour voir à travers les vitres; enfin le bon évêque Jens m'ordonna d'aller m'enquérir de ce qui se passait. Je me faufilai rapidement jusques à la cour, où une troupe de mercenaires allemands m'intima l'ordre de retourner à l'intérieur. Le roi venait de faire proclamer une interdiction à quiconque de sortir du palais ou de sa maison dans la cité.

A ce moment précis, une porte s'ouvrit et les évêques

Matthias et Vicentius sortirent dans la cour entre des gardes. L'angoisse et le manque de sommeil avaient pâli les deux hommes mais lorsque le prévôt s'approcha pour leur emboîter le pas, Vicentius esquissa un sourire et lui demanda en plaisantant ce que signifiait tout cela.

— Rien de bon, Votre Grâce ! Et je prie Monseigneur de me pardonner, mais l'ordre a été donné de couper la tête de Sa Seigneurie !

Je ne pense point qu'ils ajoutèrent foi à ces paroles, j'imagine plutôt que comme moi-même qui connaissais l'humour allemand, ils crurent à une facétie d'un goût macabre. On les entraîna cependant en dehors du palais et les soldats me bousculèrent pour me faire rentrer. Je regagnai donc le salon où je rapportai ce que j'avais vu et entendu, ajoutant que ce n'était sans doute qu'une grossière plaisanterie. Plusieurs de mes auditeurs blêmirent toutefois en entendant ces nouvelles. Le bon Jens, la main sur la poitrine, se plaignit de ne pouvoir respirer, tandis que deux ou trois autres furent soudain pris de malaise organique et le prieur des dominicains, qui connaissait parfaitement les êtres du palais, dut les conduire vers les commodités. A leur retour, alors que nous étions à nouveau tous réunis dans le salon, un des serviteurs de l'évêque Matthias entra en courant et, le nez en sang, le gilet déchiré, nous annonça en versant des larmes amères que l'on avait élevé un échafaud entouré de potences sur la Grand-Place. Les deux évêques, dit-il, se trouvaient en ce moment même à genoux devant le billot, suivis d'une foule d'autres captifs en route aussi vers la mort.

A ces mots, plusieurs des personnes présentes dans la pièce enfouirent leur visage dans leurs mains en poussant un cri d'horreur.

— Hâtons-nous vers le roi ! dit l'évêque Jens, allons le supplier de ne point se rendre coupable de pareille atrocité !

Ils se précipitèrent tous, sauf l'archevêque, hors de la pièce et je les suivis, muet de stupeur. Mais maître Slaghök vint à notre rencontre les bras étendus et nous interdit, en jurant abondamment en allemand, de déranger Sa Majesté, déjà profondément troublée par les mesures que le tribunal ecclésiastique l'avait contrainte de prendre.

Force fut donc aux prélats de regagner le salon où ils implorèrent à voix haute la miséricorde divine. Nul n'osait regarder l'autre dans les yeux, et moi-même ne me trouvais guère plus à l'aise qu'aucun d'eux. Tantôt je brûlais de fièvre et tantôt je me sentais plus froid que glace. Maintenant je comprenais pourquoi il avait été si difficile de dénicher un clerc instruit pour rédiger le rapport du tribunal ! Cependant, je n'arrivais point à croire au pire et pensais que le roi désirait seulement effrayer les nobles; il en tuerait peut-être quelques-uns mais délivrerait les autres. Je voulais voir tout de mes propres yeux et dans ce but me mis en quête de maître Slaghök. Il me donna un grand coup sur l'épaule et, avec un rire sonore, me dit que je n'avais rien à craindre, que seuls les misérables recevraient un châtiment bien mérité. Sur ma demande, il intima l'ordre à un hallebardier de m'accompagner jusques à la Grand-Place afin de m'éviter les mauvaises rencontres. Là-bas, je pourrais assister à l'exécution des sentences.

Épouvanté, je marchais sur les talons du soldat dans des ruelles désertes et parvins à la place, où se tenait une foule innombrable de gens du peuple, paralysés d'horreur. Autour de l'échafaud, au milieu d'une forêt de lances, je vis les nobles de la Suède. Le nombre des condamnés augmentait sans cesse, maints gentilshommes qui s'étaient éloignés de Stockholm revenaient aujourd'hui chez eux, mais à peine arrivaient-ils aux portes de la cité qu'on les arrachait de leur monture pour les traîner jusques à la place. On voyait aussi de simples citoyens, pris alors qu'ils accomplissaient leurs honorables tâches, les uns près de leur bac de saumurage, les autres penchés sur leur livre de comptes; nombre d'entre eux portaient encore leur tablier de cuir et avaient les manches de leur chemise retroussées. Sur le balcon de l'hôtel de ville se tenaient quelques conseillers de Sa Majesté. Ils s'adressaient de temps en temps à la foule, criant de ne point s'alarmer, que le châtiment ne punirait que les criminels, conspirateurs et hérétiques. Alors des Suédois parmi les condamnés, répliquaient à leur tour et hurlaient que tout ceci n'était que tromperie et mensonge.

— Bon et honorable peuple de Suède ! Regarde ! Vois les torts et les injustices dont ils se rendent coupables envers nous ! Voilà le sort qui attend tous ceux qui croient aux paroles des despotes ! Voilà comment sont traités ceux qui permettent qu'on les trahisse ignominieusement ! A bas les tyrans ! Nous prierons de là-haut afin que vous ayez la force nécessaire ! Et notre sang criera vengeance au ciel depuis les rigoles de Stockholm !

Le prévôt, impatienté par le tumulte continuel, ordonna aux tambours de couvrir les voix de leurs roulements redoublés. Ainsi les captifs furent-il privés du droit de parler au peuple du haut de l'échafaud. On leur refusa également les saints sacrements, et ils durent sans assistance prier et recommander seuls leur âmes à la miséricorde du Tout-Puissant.

Jamais l'on n'eût pensé qu'ils fussent hérétiques : maints d'entre eux priaient à genoux avec dévotion, le fort consolait le faible et le vieillard donnait du courage au jeune homme. Mais par-dessus les voix et les redoublements des tambours, les coups de hache résonnaient sur l'échafaud et la plate-forme devenait de plus en plus glissante à cause du sang qui coulait maintenant en ruisseaux jusqu'à la place. On remplit des tonneaux avec les têtes des victimes, tandis que les corps étaient empilés en deux tas de chaque côté de l'estrade. Les gens du peuple, auxquels leur rang ne donnait point droit à la hache, étaient pendus aux potences disposées tout autour.

Je découvris avec effroi en comptant les exécutions, que le bourreau avait tué bien plus de monde que le tribunal ecclésiastique n'en avait désigné ! La vapeur du sang chaud flottait en la froide atmosphère de novembre et bientôt régna une telle confusion que des personnes, venues par hasard sur la Grand-Place, étaient décapitées sans autre forme de procès, soit par erreur, soit intentionnellement. Et cette épouvantable orgie paralysait les gens de telle manière que nul n'opposait de résistance. Les victimes se laissaient conduire en haut de l'échafaud comme moutons à l'abattoir et j'imagine que tous ceux qui restaient là à regarder se sentaient aussi criminels qu'eux. Qu'avaient donc fait de plus que les autres ceux qui mouraient ? Les hommes arrachés de la foule pour être mis à mort ne manifestaient aucune surprise; ils se contentaient de fouiller hâtivement dans leur bourse à la recherche de quelque monnaie à offrir au bourreau en échange d'une exécution rapide et adroite. Fasciné et frappé d'épouvante par le carnage, je fus moi-même à peine capable de balbutier mon nom quand deux soldats de la prévôté échangèrent ces mots à propos de ma personne :

— Regarde ce garçon avec ses doigts tachés d'encre ! Qui est-il ? Il a une tête d'étudiant ! Il doit sûrement appartenir au parti des Suédois, regarde ses dentelles autour des poignets ! Sa place se trouve derrière les lances !

Ils se frayèrent un passage à travers les rangs serrés des mercenaires pour s'emparer de moi et nul doute que je serais allé grossir le troupeau des condamnés à la corde ou à la hache si le docteur Paracelse ne s'était trouvé non loin de là. Dès qu'il me vit dans cette situation désespérée, il se précipita vers nous, assena un coup du plat de son épée sur la main d'un des soldats, me tira à lui et leur donna mon nom. En vérité, un ange tombé du ciel n'aurait pas eu meilleur effet sur les Allemands, qui tous le craignaient et le croyaient sorcier : ils me relâchèrent aussitôt. Il y avait évidemment longtemps que le hallebardier commis à ma protection m'avait abandonné pour aller se joindre aux autres mercenaires sans foi ni loi qui volaient anneaux, bourses et boucles sur les corps sans tête et ruisselants de sang. Je m'appuyai sur le bras du docteur et vomis toutes les excellentes choses que j'avais mangées; je les vomis sans regret car elles m'auraient certainement empoisonné si je les avais gardées dans l'estomac.

Ce n'est point pour me vanter d'un sauvetage miraculeux que j'ai relaté cet épisode par le menu, mais pour rendre compte du chaos et de la confusion qui régnaient alors sur la Grand-Place. Le soir tombait et, avec le froid plus mordant du crépuscule, la fumée autour du billot se faisait plus dense. Des flocons de neige me frôlaient les joues. Mon cœur se serra à la vue du grand balcon de l'hôtel de ville et des portes de nombreuses maisons qui arboraient encore les branches de genièvre dont on les avait décorées pour célébrer le couronnement. En vérité, le roi Christian, après avoir organisé trois jours de festivités en l'honneur de ses hôtes, leur offrait à présent le remède qui les guérirait des maux de tête qu'ils en avaient retirés, ainsi que de tous les autres maux de la terre.

Lorsque, après avoir un peu récupéré je fis mine de quitter la place, le docteur Paracelse me retint par le bras car il désirait attendre la fin de cette fête sanglante pour parler avec le bourreau.

— Je ne suis qu'un médecin, pas un prophète ! dit-il. Mais de même que ces yeux-ci, aiguisés par la lumière de la Nature, sont capables de discerner l'infinie richesse des minéraux cachés dans les entrailles de la terre — j'ai vécu, tu le sais, chez les mineurs dont j'ai étudié les maladies —, de même je peux voir qu'à chaque coup de hache du bourreau, le roi Christian réduit lui-même en miettes sa brillante couronne. J'ai remarqué au cours de mes voyages des hommes cachés dans les bois, des hommes qui n'ont pas cru à ses promesses de pardon... Si se lève parmi eux un seigneur capable de les diriger, ils le feront roi. Et il n'aura point de rival à craindre : le roi Christian dans sa folie les a tous ôtés de son chemin !

Je rétorquai qu'il n'était plus question d'un autre monarque ! On avait couronné et oint Christian, les états avaient juré et scellé que la Suède lui appartenait à jamais, à lui et à sa descendance !

— Les gens ont beau faire la grimace ! dis-je. Ils ont cuit eux-mêmes leur ragoût ! A eux maintenant de l'avaler !

A travers la croissante obscurité de la nuit, le docteur Paracelse me jeta un regard aigu de ses terribles yeux de voyant et murmura :

— Il me plairait de savoir dans quelle sorte de ragoût tu as toi-même trempé, Mikaël Karvajalka ! Mais souviens-toi : qui donne un doigt au diable perd son corps en entier !

Sa remarque m'imposa le silence et je fis le signe de la croix à plusieurs reprises. La foule à présent commençait à se

167

disperser et les tambours s'étaient tus. Le bourreau, exténué et gluant de sang de la tête aux pieds, descendit les marches de l'échafaud; il fut même obligé d'ôter ses bottes pour les vider. Et tous, jusques aux mercenaires, s'écartaient de lui avec dégoût.

Mais le docteur Paracelse s'approcha de lui avec moi.

— Vendez-moi votre épée, maître Jürgen, que j'emporte un beau souvenir de la Suède ! Il ne se peut trouver en toute la Chrétienté arme plus chargée de puissance et je promets de lui rendre les honneurs qu'elle mérite !

. Maître Jürgen regarda son arme, une épée que l'on tenait à deux mains, avec la garde en forme de croix surmontée d'une grande boule.

— Pour être franc avec vous, répondit-il, je suis un homme qui vis dans la crainte de Dieu et en y réfléchissant, j'ai peur à présent de ma propre épée; je la sens pleine de tous les esprits et de toutes les forces qu'elle a délivrés aujourd'hui. Je la vois émoussée, aussi, et je crois que si je la portais à la meule, elle me couperait les doigts. Prenez-la donc, maître Paracelse, et portez-la en mémoire de moi ! Je ne veux point d'argent, vous me donnerez seulement une épée semblable bien affilée... mais nous en reparlerons plus tard ! Mes vêtements commencent à geler sur moi; si je ne cours immédiatement me baigner et me changer, j'ai peur ici d'attraper la mort !

Ainsi le docteur Paracelse entra-t-il en possession de l'épée du bourreau, épée chargée de si haute vertu qu'il la conserva jusques à la fin de ses jours. Il prétendait que la lame en était magique et lorsque sa longueur exagérée le faisait trébucher, il n'avait cure de ceux qui se moquaient de lui. Ce secret, je le sais, en intrigue plus d'un; c'est la raison pour laquelle j'ai voulu raconter cet incident.

Mais je me sentais réellement mal; quand enfin je rejoignis ma couche, je ne cessai de vomir en tremblant d'horreur. Bien peu du reste fermèrent les yeux cette nuit-là dans la cité de Stockholm, et l'on entendait des sanglots s'élever de toutes parts. Les mercenaires faisaient irruption dans les demeures des suppliciés, obligeaient les femmes à leur remettre les clés, vidaient les coffres et les armoires et

168

partaient en laissant veuves et orphelins dépouillés de tout. Je ne pense point que le roi fût à l'origine de ces désordres comme on le prétendit à l'époque.

Le lendemain, les corps décapités restèrent sur la Grand-Place, à la grande terreur du peuple. Le souverain ordonna de porter du bois dans les faubourgs du sud et de l'empiler de manière à former un gigantesque bûcher. Le samedi, on y mena les cadavres entassés dans des charrettes; le corps de Sten Sture fut exhumé afin d'être brûlé avec celui des autres hérétiques. Le roi voulait ainsi démontrer que la seule hérésie contre l'Église avait dicté le châtiment et non point quelque vengeance personnelle. Ses partisans s'attachèrent de tout leur pouvoir à diffuser cette opinion parmi le peuple et l'on ne tarda guère à entendre des bourgeois marmonner par-devers eux qu'après tout ils ne devaient rien à ces nobles plein d'arrogance, qui toujours les avaient opprimés en empiétant sur leurs droits. Et la perspective de nombreuses charges publiques, vacantes à présent, ne fut point non plus une mince consolation pour les bons habitants de cette belle cité !

De mon côté je reprenais courage, mais ne pouvais cependant me résoudre à aller offrir mes services au chapitre de la cathédrale; l'idée de les revoir me répugnait et je n'osais encore porter les habits sacerdotaux ni la tonsure. Un dimanche soir, on me conduisit dans un salon du palais en présence de maître Slaghök. Promu évêque, il essayait la mitre du défunt Vicentius dont il avait réservé à son usage personnel la garde-robe pour économiser les frais de nouveaux vêtements. Mon arrivée l'interrompit dans son occupation impie et il posa la mitre.

— Ah ! Mikaël ! s'exclama-t-il. Es-tu un partisan véritable de Sa Majesté ou un bon à rien ? Réponds-moi pour que je sache à quoi m'en tenir !

Je répondis qu'ayant choisi de voyager sur le traîneau du roi, force m'était d'y demeurer attaché, aussi vertigineuse que m'en parût l'allure.

Ma réplique lui plut et il dit :

— Sa Majesté désire te voir pour te confier une mission de la plus haute importance. Ne te préoccupe point de la voie que tu as choisi ! Tant que tu accompliras fidèlement ton devoir tu peux compter sur la faveur royale.

Il me conduisit par un petit escalier creusé dans l'épaisseur du mur et nous montâmes jusques à une pièce secrète où se trouvait le roi en personne. Les sourcils froncés, Sa Majesté paraissait encore ressentir les effets des jours de festivités.

— Tu es finnois, n'est-ce pas ? dit-il. Et c'est toi le clerc du tribunal ecclésiastique qui m'a imposé le pénible devoir de faire tomber les têtes des plus nobles familles de Suède. Hélas ! Peu de rois se sont vus forcés à prendre si cruelle décision ! Cependant je suis pénétré du sentiment que tous les hommes de bon sens ont compris ma détresse et me prêteront leur appui.

Je répondis que, pour ma part, je l'avait parfaitement compris, et lui offris les services d'un fidèle sujet.

— Cependant, ajoutai-je, entré dans les ordres par la grâce de Son Éminence, l'archevêque, il est de mon devoir, en tant que fils de l'Église, de faire remarquer que nos évêques Matthias et Vicentius étaient de saints hommes. Les membres du tribunal eux-mêmes les avaient disculpés; ce fut donc un grand péché et une offense faite à notre sainte mère l'Église de les exécuter et de brûler leurs corps sans même leur avoir permis de recevoir les derniers sacrements ni de se défendre au cours d'un procès.

Les grands yeux du roi me lancèrent un regard plein d'hostilité.

— Je ne demande point de réponses à des questions que je n'ai pas posées et tu feras bien de t'en souvenir ! s'écria-t-il. Ces nobles prélats que tu te plais à appeler saints, complotaient contre ma vie ! Tu pourras le raconter en Finlande si l'on t'interroge à ce sujet ! Mais sois discret, n'oublie pas que c'est un secret ! Je ne voudrais point que mes fidèles serviteurs s'alarment en apprenant qu'une telle menace a pesé sur ma vie !

Quelle ne fut pas ma surprise en entendant ces nouvelles ! Je compris dès lors que les deux évêques, après avoir à ce point oublié les devoirs de leur vocation sacrée, avaient mérité leur destin. Certes, je n'avais pour preuve de leur trahison que les paroles de Sa Majesté et les grimaces de maître Slaghök, mais comment imaginer que le roi aurait soutenu mon regard avec tant de calme si sa bouche au même moment eût proféré un mensonge délibéré ?

Il observa attentivement l'expression peinte sur mon visage avant d'ajouter :

— Ce n'est point léger fardeau qu'une couronne royale, et nombre de soucis la viennent alourdir chaque jour ! Mais c'est à Dieu et à Dieu seulement que je dois rendre compte de mes actes !

« En qualité de clerc du tribunal, tu dois savoir qu'Electus Hemming Gadh avait apposé son nom et son sceau sur le document des hérétiques. J'en ai tout d'abord été profondément affecté et me refusais à croire qu'un homme au zèle si ardent en faveur de ma cause pût être mauvais ! Mais il est à l'évidence un archi-hérétique ! J'ai mes raisons de penser que son zèle précisément n'était rien d'autre que l'expression d'un amour hérétique de l'intrigue. Je me vois donc obligé pour le prévenir de le doter d'un bénéfice céleste avant que la nouvelle des regrettables incidents de Stockholm ne parvienne à ses oreilles.

« Pars sans tarder pour la Finlande avec cet ordre qui porte mon sceau, recherche cet homme et fais-le décapiter dès que tu l'auras trouvé ! De par mon autorité, tu recevras toutes les aides dont tu pourrais avoir besoin dans l'accomplissement de ta mission, et maître Slaghök va te remettre dix marcs d'argent pour couvrir tes dépenses.

— Votre Majesté plaisante ! m'écriai-je saisi d'horreur. Le docteur Gadh est un serviteur de l'Église et un chaleureux partisan de l'Union ! Jamais Votre Majesté n'eût conquis les châteaux de Finlande s'il n'eût point convaincu les seigneurs et usé de tout son crédit auprès d'eux !

— Tu es un serviteur de l'Église, reprit le roi avec impatience, et en tant que tel, tu te dois d'arracher l'hérésie où que tu la trouves ! Point n'est besoin de me rappeler les services de cet homme. Dieu seul sait que je les estime assez pour lui permettre de conserver la vie et tous ses privilèges, même malgré ce qui s'est passé ! Mais aussi facilement et rapidement qu'il a su amener les Finnois à se rendre, il pourrait bien les lever à présent contre moi ! En dépit donc de la douleur qui m'accable, je dois accomplir mon devoir et le condamner à mort ! La pensée que le docteur a déjà eu plus que sa part des joies d'ici-bas sera mon unique consolation !

Plus amples objections auraient sans aucune utilité mis ma propre tête en péril; le roi, je pense, n'eût guère rencontré de difficultés à trouver un autre messager pour sa sinistre commission. J'acceptai donc le décret de mort et l'ordre marqué de son sceau de requérir et recevoir assistance si nécessaire. Le roi me donna congé après m'avoir laissé baiser sa main. Maître Slaghök m'accompagna chez le trésorier où il me fit compter dix marcs d'argent pur. J'avais ainsi une belle bourse bien garnie, plus qu'à vrai dire je n'avais jamais tenu dans mes mains, ce qui contribua à soulager l'angoisse qui troublait mon cœur.

Lorsque je me retrouvai à l'air libre, j'avais sur moi une impression de malheur comme si je venais de sortir d'un cachot ou d'une tombe. Je passai avec inquiétude ma main sur mon cou, mon cou si fragile et délicat. De retour chez moi, je préparai mon bagage à la hâte en compagnie d'Antti, également du voyage. Je me rendis ensuite auprès du docteur Paracelse pour lui faire mes adieux et le trouvai lui-même sur le point d'aller en Pologne. Enfin, peu de temps après, Antti et moi nous embarquions pour Åbo.

La traversée fut terrible, nous eûmes un temps pire que tous ceux que j'avais connus et nous étions plus morts que vifs lorsque après une longue semaine nous jetâmes l'ancre dans la rivière. Des rumeurs au sujet d'un « bain de sang » à Stockholm nous avaient devancés et couraient telle une traînée de poudre à travers le pays, en dépit des efforts du gouverneur Thomas qui niait la nouvelle et voulait la faire passer pour mensonge et pure calomnie.

Le docteur Hemming séjournait alors à Raseborg où il

était l'hôte de Nils Eskilsson-Banér, gouverneur de la forteresse. En raison de l'agitation, je partis sans délai, bien que je ne fusse point encore tout à fait remis de la traversée. Antti demeura à Åbo, le capitaine Thomas me donna une escorte de deux hommes d'armes et j'atteignis Raseborg après deux jours de dure chevauchée.

Mon cœur se fit lourd comme plomb dans ma poitrine à la vue des sombres murailles de la forteresse et un sentiment de malaise s'empara de moi. Malgré mes appels, le pont-levis resta levé et la porte close jusqu'à ce que le gouverneur en personne apparût en haut des remparts pour s'enquérir du nouvel arrivant. Il me salua et m'expliqua qu'eu égard aux épouvantables rumeurs qui circulaient sur Stockholm, il devait maintenir les portes fermées pour éviter les troubles éventuels. Puis il intima l'ordre au portier d'ouvrir immédiatement.

Le pont-levis s'abaissa en grinçant et la grand-porte roula sur ses gonds. En passant sous la voûte d'entrée où l'écho faisait résonner mes pas, je murmurai un Ave Maria, un Pater et un Credo pour me donner du courage. Aussitôt parvenu dans la cour, j'enjoignis de fermer la porte, et appelai le capitaine des mercenaires allemands auquel je montrai l'ordre muni du sceau royal. Je le priai de me donner toute l'assistance nécessaire conformément au commandement du souverain. Il hocha la tête et cria aussitôt à ses tambours de sonner l'alarme. Le gouverneur Nils, attiré par le bruit, se précipita tête nue dans la cour. Il demandait au nom du diable ce qui se passait et s'il n'était plus le maître de ces lieux. Mais il se calma à la vue du sceau royal et du décret. Il prit le document et le garda entre ses doigts, l'air indécis. Enfin il me dégagea le passage pour me permettre d'accéder à l'intérieur bien que ma venue parût loin de le réjouir.

Un immense feu flambait dans l'âtre de la grande salle où se tenait le docteur Hemming. Il se dirigea à ma rencontre en boitillant, sa tête chenue agitée de tremblements. Lorsqu'il me reconnut, il tendit ses mains vers moi en un geste de bénédiction, ce qui adoucit l'attitude du gouverneur à mon égard. Ils me firent servir une bière mais j'eus à peine le temps de tremper mes lèvres dans la coupe que tous deux m'assaillaient de questions. « Qu'était-il arrivé à Stockholm ? Était-il vrai que tel ou tel avait été décapité avec traîtrise ? Que fallait-il croire de tous ces bruits effroyables ? »

Je réfléchis en silence, plein d'hésitation, puis, ne voyant nulle issue, je me levai et dis :

— Tout est vrai et même davantage mais nous n'avons guère le temps d'en discuter maintenant ! Cher docteur Hemming, vous auriez intérêt à détacher vos pensées des préoccupations de ce monde et à recommander votre âme à Dieu. Sa Majesté le roi Christian vous a octroyé un beau bénéfice, un beau bénéfice dans le ciel. Ce soir même vous entrerez dans la gloire du Paradis ! C'est à moi que l'on a confié la tâche de vous conduire sur ce chemin et j'ai le cœur bien gros de devoir m'en acquitter. Vous avez été toujours bon pour moi et m'avez traité mieux que bien des pères ne traitent leur propre fils !

Quoique je me fusse exprimé dans les termes les plus courtois et de la façon la plus aimable, le docteur Electus Hemming s'écria, en proie à une grande agitation :

— C'est une infamie ! Impossible ! Je me refuse à croire une aussi noire trahison ! J'ai sur moi la lettre de sauf-conduit de Sa Majesté et j'en appelle à lui devant vous !

Je lui tendis alors le décret écrit de la main du roi et requis le gouverneur d'en prendre également connaissance.

— L'affaire se présente bien comme je vous l'ai dit. L'exécution du docteur Hemming doit avoir lieu immédiatement et à cette fin le gouverneur est tenu de me prêter assistance. J'autoriserai cependant avec plaisir le docteur à recevoir les sacrements avant le fatal événement qui affecte tous ses amis; et comme je n'ai reçu nul ordre explicite de brûler le corps, je veillerai à ce qu'on l'enterre décemment.

« Je vous prie à présent d'agir tous deux au plus vite, afin de ne point rendre mon douloureux devoir encore plus amer.

Le gouverneur se mit à jurer qu'il préférait pendre lui-même au bout d'une corde plutôt qu'obéir à un ordre aussi inique. Il dégaina son épée et me l'eût passée au travers du corps si le docteur Hemming ne l'en eût empêché. Sa folie et cette conduite insensée me laissèrent confondu. Il appela à grands cris ses domestiques et leur ordonna de prendre les armes pour défendre le château. Mais personne ne répondit à son appel. Le capitaine des mercenaires, le bon Gissel, avait en effet déjà envoyé ses hommes à leur poste : cinq arquebusiers disposés dans la cour et sur les marches de l'escalier, l'arme préparée sur les chevalets de pointage et la mèche allumée, tous prêts à tirer sur quiconque opposerait une résistance.

Lorsque le capitaine entendit les hurlements de rage du gouverneur, il entra dans la grande salle et lui enjoignit de rengainer son épée et de se conformer aux ordres de Sa Majesté. Mais Nils Eskilsson s'entêta dans sa folie et jura qu'il entraînerait à la révolte tous les honnêtes hommes pour vendre leur peau le plus chèrement possible plutôt que d'obéir à un roi d'une telle traîtrise.

— Quel plaisir quand je pense au prix que ce maudit tyran devra payer sa perfidie !

Le bon capitaine se vit dans l'obligation d'ordonner à deux hommes d'armes de se saisir de lui et ce ne fut qu'alors, acculé dans un coin, qu'il défit la boucle de son ceinturon et lâcha son épée.

Le docteur Hemming, blanc comme neige, lui dit d'une voix calme :

— Il est inutile de se débattre quand on est ainsi dans la boue jusqu'au cou. Vous auriez dû m'écouter lorsque je vous ai conseillé de renvoyer la garnison et de prendre vous-même le commandement de la forteresse en attendant que les rumeurs se confirment ou se démentent. C'est nous qui à présent déciderions de notre avenir ! Mais nous voilà pieds et poings liés et traités comme du bétail. Soyez prudent ! Soumettez-vous et priez ces hommes de vous pardonner et d'oublier les paroles qui vous ont échappé sous l'empire de la colère ! Quant à moi, ma tête blanche sent déjà sur elle le froid de la mort.

Puis il se tourna vers moi et le capitaine Gissel, et continua sur un ton respectueux :

— Prenez donc ma vieille tête si tel est votre bon plaisir !

Elle est lasse du mal et de la trahison qui triomphent aujourd'hui dans le monde ! Mais épargnez cet homme ! Il est jeune encore et de noble lignage ! Il ne serait point juste de le punir pour quelques paroles imprudentes.

Le capitaine fit mettre Nils aux arrêts dans sa chambre et sous bonne garde. Un frère dominicain qui se trouvait par hasard au château entendit le docteur en confession, lui donna l'absolution et lui administra les derniers sacrements. Il n'y avait point de bourreau à Viborg, mais un soldat allemand se porta volontaire pour se charger de l'exécution au tarif habituel de trois marks d'argent. On roula une grosse bille de bouleau jusqu'en haut d'un tertre, près du château, autour duquel s'attroupèrent quelques curieux, valets, servantes et menu peuple venu du proche marché. Le bon docteur était réputé dans tout le pays et nombreux furent ceux qui versèrent des larmes amères sur son sort.

Il arriva seul, sans aide, près du tronc, et après avoir vidé la coupe que lui présentait le bourreau, il s'adressa à l'assistance en ces termes :

— Ne pleurez point sur moi, bonnes gens ! Je reçois le juste châtiment de mon erreur ! J'ai cru aux belles promesses d'un roi plutôt qu'à ce que me disaient mon cœur et mon expérience des serments de princes ! Je n'ai rien à dire pour ma défense si ce n'est que j'ai cru apporter la paix au lieu d'une épée, une alliance d'amitié au lieu de massacres incessants ! Les événements m'ont donné tort et il ne peut désormais y avoir de réconciliation avec un ennemi qui, sans relâche, reprend sa parole !

« Pleurez plutôt sur notre pauvre pays, car aussi longtemps que cette créature occupera le trône, nul homme, qu'il soit grand ou petit, riche ou pauvre, n'aura la tête sauve. Je n'en veux pour témoignage que le spectacle de ma tête chenue qui va rouler dans la sciure, bien que j'appartienne à Dieu et sois sous la protection de l'Église !

Il s'arrêta pour reprendre haleine et quand il se redressa de toute sa hauteur, je vis en lui le meneur d'hommes qu'il avait été du temps de sa jeunesse. Il leva le visage vers le ciel maussade de décembre et sa voix gronda avec la puissance du tonnerre.

— Écoute-moi, ô Dieu du ciel ! Que le cri de mon sang sur la terre parvienne jusques à ton trône rayonnant ! Depuis ce lieu où je pose les pieds, je maudis Christian, le roi sanguinaire, pour tout le mal qu'il a fait ! Je le maudis de tout le pouvoir dont la sainte Église m'a investi sur cette terre, et je clame devant ta Face, ô Dieu de miséricorde : puisse-t-il souffrir ici-bas le châtiment de son iniquité ! Puisse-t-il perdre ses terres et la couronne qu'il a déshonorée ! Qu'il périsse comme un pauvre, dans la misère ! Qu'il meure poursuivi par tous et renié par Toi ! Puissent tous ces maux tomber sur lui pour ses péchés ! Ô Dieu Très Saint, écoute mes cris !

Tant de dignité et de puissance se dégageaient de cet anathème, que même les soldats se signèrent et que tous les spectateurs levèrent les yeux, comme s'ils s'attendaient à voir les cieux s'ouvrir. Moi aussi, je regardai vers le haut dans l'espoir d'un signe, mais je ne vis que le gris du ciel hivernal.

Dans le silence, le docteur Hemming tendit sa bourse au bourreau puis, humblement, s'agenouilla dans la fange en rassemblant les pans de sa robe sous ses pieds. Il posa ensuite la tête sur le billot et ferma les yeux. L'Allemand leva son épée à deux mains et l'abattit d'un coup si adroit que la tête décapitée roula sur le sol. Tête et corps furent enveloppés dans un linceul et transportés dans la chapelle où le bon dominicain dit la messe des morts.

Le capitaine Gissel, qui se considérait désormais comme le gouverneur du château, me pria de parler en sa faveur au capitaine Thomas afin d'être confirmé dans sa nouvelle fonction.

On nous servit un plantureux repas, que nous avions bien mérité tous les deux, et nous échangeâmes quelques réflexions attendries sur le docteur Hemming et ses qualités, regrettant qu'un homme si rempli de bonté et si savant eût récolté si triste fin. Mais les coups que l'ex-gouverneur frappait contre sa porte nous importunèrent tant que mon hôte, après avoir vidé un pichet de son meilleur vin, dit d'une voix empreinte de chagrin :

— Qu'allons-nous faire de ce fou furieux ? Le libérer serait nous fourrer dans un guêpier qui pourrait bien déplaire au seigneur Thomas. Si nous le gardons captif, nous n'aurons pas une seule minute de tranquillité ! Je n'ai guère qu'une poignée de mercenaires cupides qu'il n'aurait aucun mal à soudoyer ! Alors, que faire de lui ?

— A vrai dire, je n'en ai point la moindre idée ! répondis-je avec sincérité. Je reconnais volontiers que ma venue vous a placé dans une délicate situation, mais je ne veux en aucune façon m'entremettre dans des questions relevant de votre autorité !

Il poussa un soupir.

— Docte seigneur, vous possédez l'autorité du roi ! Je dois vous prêter toute l'assistance que vous requerrez. Certes, l'étendue des pouvoirs qui vous sont conférés n'est point définie avec exactitude mais bien des affaires sont à l'évidence laissées à votre propre discrétion. Par exemple, si vous m'enjoigniez de couper la tête de maître Nils, force me serait d'exécuter votre ordre ! Je m'en occuperais immédiatement et avec moult plaisir, je dois l'avouer, car ce serait une excellente solution à ce très difficile problème.

— Honorable seigneur ! protestai-je vivement. Dieu me préserve de donner un ordre aussi cruel ! D'ailleurs je n'en ai nullement les pouvoirs.

— Cependant vous avez entendu ce digne gentilhomme jurer qu'il vous ouvrirait le ventre la prochaine fois qu'il vous verrait, parce que, d'après lui, vous êtes un traître et le chacal du tyran ! Souvenez-vous qu'il a attiré le malheur sur sa tête en n'écoutant point les conseils du docteur Hemming ! Ne commettez donc pas la même erreur en refusant de m'entendre alors que vous pouvez agir par autorité royale. Si, plus tard, l'on m'interrogeait sur cette affaire, je vous défendrais et dirais que nous avons pris cette décision après mûre réflexion et uniquement dans l'intérêt de Sa Majesté; que la chute de cette seule tête nous a épargné d'en couper des centaines d'autres !

Bien que j'admisse la justesse de ses arguments pleins de bon sens, il me paraissait horrible de prendre la responsabilité d'un acte que le roi seul avait le droit d'ordonner.

Qu'il me soit permis de ne point m'étendre davantage sur cette lugubre conversation. Le capitaine Gissel y mit un point final quand il commanda aux tambours de sortir malgré l'heure tardive. Il envoya des soldats dans la chambre du prisonnier pour lui mettre les fers, ce qu'ils ne réussirent d'ailleurs qu'après une lutte farouche. On alluma deux torches dans la cour et le même Allemand fit son travail si rapidement que le condamné eut à peine le temps de se rendre compte de ce qui lui arrivait. J'ai le regret de dire que Maître Nils mourut sans se repentir de ses péchés et le cœur endurci, et que jusques à la fin il vomit des imprécations contre moi, le capitaine Gissel et le roi.

Fatigué par le voyage et le vin que je venais de boire, je me retirai alors dans la chambre préparée à mon intention et dormis à poings fermés jusques à une heure avancée du lendemain matin. Je n'avais nulle envie de demeurer plus longtemps dans cette sinistre forteresse et me préparai à retourner à Åbo malgré la raideur dont je souffrais encore, due à la chevauchée de la veille.

Je partis à faible allure dans la boue à moitié gelée des chemins et sentis mon cœur devenir plus léger à mesure que je m'éloignais de ces remparts de lugubre mémoire. Au cours de mes haltes, j'eus l'occasion de bavarder avec d'honnêtes fermiers. Ils se plaignaient tous du gouverneur Thomas qui les forçait à fournir le ravitaillement de l'armée. Et, bien qu'apparemment l'exécution des nobles suédois ne les préoccupât guère, ils soupiraient profondément dans leurs champs ou au milieu de leurs troupeaux en murmurant :

— Tout va mal ! Très mal !

Åbo m'apparut aussi morne et désert que Stockholm lorsque je l'avais quitté. On voyait les habitants, les yeux rougis, passer furtivement le long des murs et sursauter au moindre bruit. Peu désireux de m'arrêter pour me renseigner, je chevauchai directement vers la forteresse. Le noble Thomas me réserva un accueil chaleureux et après avoir écouté mon compte rendu, loua mon calme, ma présence d'esprit et se répandit en amabilités sur la personne du capitaine Gissel.

— Je me suis moi-même efforcé de donner une large interprétation aux ordres royaux en évitant les demi-mesures, souligna-t-il. Il faut arracher les mauvaises herbes avant qu'elles ne poussent trop dru et n'étouffent les bonnes semences. Je crois pouvoir affirmer que le pays est à présent tout à fait calme et que rien ne pourra plus troubler ni le roi ni ses fidèles serviteurs.

Il rejeta l'air par ses narines poilues puis, raide comme un piquet, me dicta un rapport destiné au roi, relatant les grands services que le noble Thomas venait de rendre à Sa Majesté.

Après avoir achevé d'écrire, je lui dis sur un ton respectueux :

— Le bon archevêque Gustav m'a conféré l'ordination. Il ne convient donc plus que j'occupe un poste de simple secrétaire, et j'espère que monseigneur Arvid m'attribuera un bénéfice. Je serai ainsi en mesure de poursuivre mes études selon la volonté divine.

— Vous pouvez retourner chez vous si bon vous semble ! s'écria Thomas avec un rire sonore. Vous serez mes yeux et mes oreilles dans la cité ! Mais n'oubliez pas qu'il faut mener le troupeau dans les bons pâturages ! Vous ne tarderez point à découvrir où se trouve votre intérêt.

Je le quittai donc dans l'intention de me rendre à l'évêché, mais, pris de faiblesse sur le chemin, je m'arrêtai pour boire un pot de bière aux *Trois Couronnes*.

Dès que je pénétrai dans la taverne accueillante, le brouhaha des conversations cessa et l'un après l'autre les clients, laissant leur écot sur la table, se levèrent et sortirent. En quelques minutes, la salle se vida, à la grande indignation de l'hôtesse.

— Je ne sais pas ce qui leur arrive ! dit-elle en me saluant. Nombre d'entre eux sont furieux parce que le gouverneur a fait planter des potences sur la place du marché. C'est la première fois à Åbo. Jamais personne ici ne s'est jamais dérangé pour voir des pendus sur la colline aux gibets ! Mais à moi, peu me chaut ! Ton ami est revenu et habite avec moi. Comme il a beaucoup appris au cours de ses voyages lointains, il est question qu'il devienne maître artilleur au château; il sera désormais un élégant seigneur !

« Écoute, Mikaël ! Il vaudrait peut-être mieux que tu passes par la porte de derrière. Reste dans la cuisine avec

Antti, pour ne pas faire fuir mes habitués. Je t'assure, les gens sont devenus bizarres ces temps derniers !

Son discours, bien que ridicule, me choqua cependant; mais que pouvait-on attendre d'une vulgaire tavernière ! Je répliquai d'une voix calme que je préférais me rendre à l'auberge plutôt que de m'abaisser à boire dans des lieux indignes de moi !

Et j'allai de ce pas à côté, où le propriétaire ne parut guère se réjouir de me voir entrer. Il se mit aussitôt à se plaindre de la dureté des temps et de ses mauvaises affaires. Le serveur m'apporta une bière éventée dont il trouva moyen de faire tomber la moitié sur mes chausses et j'eus toutes les peines du monde à me nettoyer pour être présentable devant monseigneur.

— Docte seigneur, dit l'aubergiste en m'essuyant les genoux avec son tablier, ne prenez point en mal les paroles d'un vieil homme ! Sachez que nombreux sont ceux qui ont menacé de vous rosser et de vous jeter dans la rivière, et pour éviter les luttes, il me paraît préférable que vous ne vous présentiez point trop souvent ici. Personne ne trouverait à redire si je servais le gouverneur Thomas en personne; lui, c'est un étranger vendu corps et âme au roi. Mais vous, Mikaël ! Vous êtes né dans notre bonne ville, vous avez grandi parmi nous et votre nom est un nom finnois, même si Dieu seul sait d'où venait votre père ! Voyez-vous, tout le monde ici se demande pourquoi vous adulez servilement le roi et montrez tant de zèle à porter ses messages au détriment de vos compatriotes.

Sur le moment, ces propos me laissèrent sans voix et ce ne fut qu'une fois la maison derrière moi que je pus marmonner quelques paroles vengeresses. Rouge de ressentiment, je passai rapidement devant la cathédrale et l'hôpital Saint-Örjan, et secouai le marteau de la porte du palais épiscopal si violemment que le bruit se répercuta dans la cour tout entière. Un domestique, blanc comme neige, s'empressa de m'ouvrir et le prélat me reçut aussitôt. Ses mains tremblaient lorsqu'on m'introduisit dans la bibliothèque.

— Qui donc te crois-tu ? reprocha-t-il. Pourquoi cette

violence ? Nous vivons des temps si terribles que même un évêque ne se sent point assuré de sa vie !

— Votre Excellence ! protestai-je. Tout homme d'honneur, tout partisan de l'Union jouit d'une entière sécurité sous la protection de notre bon souverain ! Seuls ceux qui ont quelque chose à cacher voient des fantômes en plein jour !

— Tu as raison et naturellement je n'ai rien à cacher, s'empressa-t-il de renchérir. Assieds-toi, mon fils, et dis-moi ce que je puis faire pour toi.

Il me pria de lui conter tout ce que je savais et fut profondément affecté en apprenant le triste sort du docteur Hemming à Raseborg.

— Dieu soit loué, j'étais resté fort courroucé et n'entretenais aucune relation avec lui ! observa-t-il. Ce n'est point mon affaire de commenter les décisions de Sa Majesté, mais j'estime qu'en l'occurrence elle a correctement agi. Le docteur Hemming était une girouette qui tournait avec le vent et je rends grâce à mon Créateur de m'avoir gardé des pièges de ses intrigues !

Je lui relatai ensuite dans quelles circonstances Son Éminence l'archevêque, assisté de trois évêques et huit chanoines, m'avait conféré l'ordination. Et j'insistai sur le fait que mon esprit serait en paix si l'évêque Arvid lui-même consentait à confirmer ce sacrement au cours de la cérémonie d'usage dans la cathédrale d'Åbo.

— C'est une question de théologie fort complexe, répondit-il d'une voix hésitante, et je dois en référer à mon chapitre pour en discuter.

Sur le ton de l'impatience, je lui demandai s'il se considérait plus avisé en ces matières que l'archevêque.

— Montre-moi seulement un document écrit émanant de Sa Grâce ou au moins du chapitre et l'affaire est réglée ! Je n'ai pour l'instant que ta parole et bien que je sois absolument convaincu de ton honnêteté, ton seul témoignage, sans l'appui d'une preuve écrite, ne suffit guère à résoudre un point épineux de théologie qui donnerait à réfléchir même à des docteurs de l'université !

Je mis une certaine vivacité à insister et allai même jusques

182

à le menacer de la défaveur de l'archevêque, mais il se montra inflexible. Il était prêt à m'aider, m'assurait-il, dès que j'aurais obtenu d'Uppsala un papier écrit. Il ne me restait donc qu'à mander un message à monseigneur Slaghök, le priant humblement d'user de son influence en ma faveur.

Ma lettre partit avant Noël et la mer fut prise dans les glaces à peine passée la nuit de la Nativité. J'eus donc tout le temps de méditer sur ma situation en attendant la réponse !

Je me refusai à regagner la forteresse pour reprendre mon service auprès du gouverneur dont la compagnie m'était devenue odieuse et me vis donc obligé de me réinstaller dans mon premier et unique foyer, la cabane de dame Pirjo. Elle qui connaissait la pureté de mes intentions, m'offrit son aide et sa protection. Le père Pierre lui non plus ne m'abandonna point et il me consolait de mon malheur au cours des fréquentes visites qu'il me faisait, en me contant des histoires édifiantes sur la nature éphémère des plaisirs d'ici-bas. Parfois, maître Laurentius, toujours fidèle à sa vieille habitude, venait à la cabane et tout en buvant son vin chaud dans la coupe d'argent cabossée, discourait sur les spectres et l'immortalité.

Hélas ! Ces excellents hommes constituaient ma seule compagnie ! Mes anciennes connaissances me fuyaient, trouvant d'innombrables prétextes pour s'éloigner rapidement lorsque je les rencontrais par hasard dans la rue et qu'une élémentaire courtoisie les obligeait à me saluer.

Comment s'étonner dès lors que la plus profonde mélancolie se fût emparée de mon âme durant cet interminable hiver ! Je perdis le goût de la société de mes semblables et trouvai plus de plaisir dans la solitude. Nul doute que si je me fusse conduit comme un importun sans vergogne, j'eusse réussi à persuader le Conseil de me confier quelque charge, mais je me refusai à me livrer à un vil chantage pour obtenir quoi que ce fût ! J'étais encore profondément blessé par l'attitude du peuple à mon égard et son incapacité à reconnaître mes bonnes intentions. Je me disais qu'ils finiraient bien par recourir à moi quand viendraient les mauvais jours et qu'ils me supplieraient alors de les aider et de leur accorder ma faveur. Cette pensée, je l'avoue, m'apportait quelque réconfort. Mais ma meilleure consolation, c'est dans les livres que je la trouvais, les livres que l'évêque, trop heureux de me satisfaire à si bon compte, me permettait d'emprunter dans les rayons de sa bibliothèque. Dans le but de me préparer à la mission sacrée que je gardais toujours présente en mon esprit, je me plongeai en toute humilité dans les œuvres des Pères de l'Église, y compris la *Summa* de saint Thomas d'Aquin, ouvrage sur lequel bien plus savants que moi se sont cassé la tête.

Puis les jours commencèrent à allonger et revint la fonte des neiges. Au printemps, les pisteurs de ski et les chasseurs de phoques du golfe de Bothnie apportèrent des nouvelles alarmantes des côtes suédoises. Ils disaient qu'un valeureux jeune homme, nommé Gustav Eriksson, dont le noble père avait été décapité comme hérétique à Stockholm avec les autres seigneurs, avait brandi l'étendard de la révolte à Dalarna et rassemblé autour de lui un nombre considérable de paysans qui avaient refusé de rendre leurs armes aux gouverneurs, se plaignaient d'impôts trop lourds et avaient déjà mis à mort plusieurs officiers royaux ainsi que d'innocents collecteurs d'impôts. Ils disaient qu'en Suède, nul Danois ne se risquait plus à voyager sans escorte armée d'un château à l'autre.

Ils disaient aussi que dans le sud de la Finlande, plus précisément dans les régions de Wanda et de Raseborg encore enneigées, de rapides pisteurs s'étaient mis à harceler les officiers royaux; ils attaquaient avec des flèches les hommes à cheval lourdement armés, sachant bien que la cavalerie de Sa Majesté ne pourrait les poursuivre dans leurs cachettes au fond des bois; ils avaient également volé des chariots qui transportaient l'argent des impôts et l'on racontait qu'une fois ils avaient enfermé un juge avec tous ses assesseurs dans le palais de justice, barré portes et fenêtres puis mis le feu, en ne laissant âme qui vive. Nul ne savait d'où venaient ces rapides coureurs ni où ils allaient et si quelqu'un s'en doutait, il ne se risquait point à le révéler de peur d'avoir la gorge tranchée ou que sa cabane ne partît quelque sombre nuit en fumée. Les choses en étaient rendues au point que tous les citoyens pacifiques et respectueux de la loi vivaient dans l'angoisse et l'épouvante, aussi terrorisés par les rapides skieurs des bois que par la cavalerie du gouverneur Thomas dont chaque homme portait un rouleau de corde accroché à sa selle.

Les coureurs s'aventurèrent jusqu'à Åbo même. Un matin, on trouva cloué sur la porte de la cathédrale un avis disant que l'on verrait bientôt la fin de la tyrannie et de l'oppression danoise et que quiconque aiderait les Danois en paroles ou en actions le ferait au péril de sa vie. En proie à une grande frayeur, les membres du clergé de la cathédrale n'osèrent point arracher la feuille séditieuse et, non seulement la laissèrent clouée jusqu'à l'heure de la grand-messe, mais encore en firent la lecture à haute voix pour la foule de curieux qui se pressaient sur le parvis, attirés par le document. Le gouverneur, qui ne fut informé de l'événement qu'à l'heure de midi, envoya immédiatement des cavaliers qui traversèrent la ville au grand galop pour détruire ce misérable papier. Plus tard, quelques malheureux apprentis abandonnèrent leur maître et disparurent, suivis de plusieurs jeunes gens, fils de familles bourgeoises, qui partirent sans tenir compte ni des larmes ni des conseils de leurs parents.

Ce printemps-là, chacun avait au fond du cœur quelque crainte secrète et la braise couvait sous la cendre morte dans le regard de tous. Personnellement je pensais que l'avenir nous réservait tristesse et désolation.

Il me fallut attendre jusques à l'été avant de recevoir une réponse de l'évêque Slaghök. Il m'avait écrit à la hâte et regrettait de ne pouvoir m'aider. L'archevêque Gustav était un fou avec lequel nul homme tant soit peu sensé ne voulait plus traiter. Rien d'étonnant à ce que les seigneurs suédois l'aient jadis destitué de ses fonctions sacrées ! L'auguste prélat, qui s'était à présent allié avec l'évêque Jens contre lui-même, ne tenait aucun compte de ses avertissements et se laissait seulement guider par son ambition dévorante de garder le haut du pavé en Suède. Un rival, cependant, avait commencé à se manifester. Le jeune parvenu Gustav avait en effet perverti le peuple dans une telle mesure que monseigneur Slaghök avait dû troquer sa croix pour une épée et marcher contre lui à la tête d'une armée. Hélas, la campagne s'était terminée par la défaite, non du susnommé Gustav, mais du prélat échappé de justesse aux lances et aux flèches des paysans.

Inutile, ajoutait-il, de raconter en Finlande ces événements; il les mentionnait seulement afin que je voie qu'il avait bien d'autres soucis en tête que ma soutane ! Du reste, si je ne pouvais m'en occuper moi-même, je n'avais qu'à m'en prendre à ma propre stupidité et il n'entrait point dans ses intentions de m'aider à atteindre des positions élevées si je n'avais point le talent de m'y hisser moi-même.

« Mais, écrivait-il en conclusion, à moins que tu ne sois encore plus niais que je n'imagine, tu dois avoir déjà tiré les marrons du feu devant lequel je t'avais placé l'hiver dernier et je ne doute point que tu n'aies à présent quelques ressources. En conséquence, je me contenterai de t'envoyer ma bénédiction et mes vœux sincères de réussite pour toutes tes entreprises. »

Les écailles tombèrent enfin de mes yeux tandis que je lisais ces lignes. Je sentis en moi le même vide que lorsque Julien d'Avril m'avait abandonné pour aller convertir les Turcs, me laissant seul avec sa lettre d'adieu dans cette petite auberge des environs de Paris. Je ne comprenais même pas ce que l'évêque voulait dire en parlant de « marrons » et je l'aurais forcé avec plaisir à « tirer » tous ceux que l'on m'avait donnés cet hiver à Åbo ! Qu'y avais-je gagné sinon moqueries et malveillance tant de la part des clercs que de celle des laïques ?

J'étais plongé dans ces mornes réflexions lorsque Antti pénétra dans la pièce. Sans me saluer, il ôta son bonnet, s'assit dans un coin et, le menton appuyé sur ses mains, poussa un soupir à fendre l'âme. Je soupirai à mon tour pour lui montrer que j'avais moi-même des soucis. Mais après être restés un moment silencieux à nous regarder dans le blanc des yeux, je lui demandai, un tantinet courroucé, pourquoi il était venu me tourmenter de la sorte.

— Ô Mikaël, ne sois pas dur avec moi ! répondit-il. J'ai une corde nouée autour du cou et ne sais plus que faire pour m'en débarrasser. Toi qui es plus intelligent que moi et qui fais des études, je t'en prie, tu dois m'aider à m'en sortir ! Comme tu le sais, tout au long de cet hiver la veuve des *Trois Couronnes* a pris bien soin de ma personne, et certes, je n'ai point à m'en plaindre. Mais voilà qu'à présent elle me met le couteau sous la gorge, oui, elle veut que je l'épouse !

Tout étonné de cette nouvelle, je lui souhaitai bonne chance.

— En vérité tu es le petit favori de la Fortune, Antti ! Tu sais que la taverne des *Trois Couronnes* est la mieux achalandée de tout Åbo ! On dit que la veuve ramasse son or à la pelle ! C'est une femme fort habile dans son négoce et de plus agréable et pleine de vie !

— Si c'était seulement une question de victuailles, je n'aurais rien à dire ! reprit Antti. Mais le mariage, c'est autre chose, je m'en suis toujours méfié ! Elle a le double de mon âge et j'ai l'impression qu'elle me mène à l'autel sous la menace de ses pistolets... Du reste, le printemps me rend toujours nerveux ! J'ai beau tous les matins et tous les soirs me répéter que c'est bien agréable de me trouver en compagnie de vieux amis qui parlent un langage chrétien, je ne puis demeurer ici plus longtemps !

Ce sombre discours me donna matière à profonde réflexion.

— Décidément, les étoiles ont enchaîné nos vies l'une à l'autre, repris-je après un silence. Car tandis que tu es en proie à l'inquiétude et au chagrin, j'ai le sentiment de mon côté d'être assis sur une fourmilière ! Je commence à me poser de sérieuses questions sur les raisons qui poussent le roi Christian à agir et je sais en tout cas qu'il paye très mal les services rendus. Tu vois, moi aussi je serais prêt à prendre congé et à partir au loin si je ne connaissais le danger de voyager sans argent. Mais hélas ! je ne vois guère comment remplir ma bourse !

— Un client étranger est venu aux *Trois Couronnes* hier soir, dit Antti après m'avoir lancé un regard dubitatif, et lorsqu'il a su que j'étais bon artilleur, il m'a vaguement parlé d'un emploi très séduisant; je crois que c'est un des gars de Nils Grabbacka et il s'agirait d'un travail dans la piraterie où un homme intelligent devient vite riche.

— Antti ! Antti ! l'avertis-je. Tu touches là un sujet impie et d'ailleurs, tu n'as pas le pied marin ! Sais-tu que le gouverneur Thomas a juré de pendre Nils au grand mât de son navire, *Le Prince de Finlande* ? Du reste, Grabbacka est un homme sanguinaire qui a brûlé des maisons pleines de monde; il a même pillé des églises !

— Mais, répliqua Antti d'un air songeur, il ne prend à son service que des hommes jeunes et célibataires, ce qui parle en sa faveur. Le gars des *Trois Couronnes* ne tarit pas d'éloges sur la ruse de son chef : il paraît que Nils déclare qu'il vole les Danois au nom de Dieu, de son pays et de tout le bon peuple ! Et il répond aux menaces du capitaine Thomas en disant qu'aussi sûr qu'existent une justice et la crainte de Dieu sur cette terre, aussi sûr Thomas se balancera avant lui au bout d'une corde ! On trouve des clercs et des fils de bourgeois au milieu de ses hommes et comme les autres officiers de haut rang, il voudrait sur son navire un chapelain pour écrire en latin et administrer les derniers sacrements aux captifs allemands et danois avant de les pendre. Ce qui prouve qu'il est un bon chrétien et non un barbare !

— Loin de moi une idée pareille ! Je ne le suivrai jamais ! m'écriai-je. Entrer à son service serait devenir le chapelain du diable lui-même ! D'ailleurs, il me pendrait dès qu'il me verrait parce qu'il était un des compagnons de beuverie de Nils Eskilsson et qu'il a juré de venger sa mort à Raseborg !

Antti se leva pour s'assurer que nul n'écoutait derrière la porte. Puis, le regard plein de fermeté, il me dit avec sérieux :

— Tu n'auras pas à le rencontrer ! Les hommes qui donnent des informations à Grabbacka ne le voient jamais.

« Il doit connaître les vaisseaux qui sortent d'Åbo, la nature de leur chargement et leur armement; il veut des détails sur les déplacements des collecteurs d'impôts, c'est-à-dire savoir quand ils quittent la cité et quand ils y retournent; et maints autres renseignements qui peuvent être utiles à un homme dans sa position. Mon compagnon m'a indiqué une profonde fissure dans le mur de la cathédrale qui fait face à l'hôpital Saint-Örjan. Si un audacieux allait de temps en temps glisser une lettre dans cette fente, il trouverait peut-être à la même place sa récompense... Mais moi, comme je ne sais point écrire, je vais aller dans les bois ramasser des châtaignes pour échapper aux liens du mariage !

— Que Dieu et ses saints te protègent ! C'est une odieuse trahison que tu me proposes là ! Je sens la corde serrer mon cou rien que d'y penser !

— Si tu ne veux pas venir dans les bois avec moi, tu seras plus en sûreté au château; retourne donc au service du capitaine Thomas sinon tu risques de te retrouver un de ces jours avec un poignard dans le dos. On dit que la mort de son ami a profondément affecté Nils Grabbacka... Et du reste, même en vivant au château, tu auras des affaires à traiter à la cathédrale et à l'évêché; tu pourras toujours, en passant, regarder la fissure dans le mur ! Ne crains rien ! Ceux dont je reçois les ordres ne sauront jamais qui est l'auteur des lettres !

Sans tenir compte de mes conseils, il quitta la ville la nuit même, au grand désespoir de la veuve des *Trois Couronnes*; à peine un jour plus tard, je fus attaqué en revenant de vêpres et me résolus donc à regagner le château où j'expliquai au gouverneur que je ne me sentais point en sécurité dans la cité. Il me reçut avec plaisir car il était déjà fatigué de son nouveau secrétaire, un naïf clerc suédois qui ne cachait point son hostilité aux Danois. Thomas, qui avait grande confiance en moi, m'exposa tous ses projets.

Le temps s'étirait sans fin au château et je ne me plaisais guère en la compagnie du secrétaire Måns pas plus qu'en celle d'ailleurs du chapelain, qui préférait boire de la bière et jouer aux dés avec les mercenaires plutôt qu'entamer des conversations sur des sujets touchant la religion. Alors, pour tuer le temps, je dressai une liste détaillée de tous les bâtiments en partance, avec leur cargaison et le nombre des canons à bord, leurs équipages et le nom de leur capitaine. J'ajoutai une note sur les renforts que le gouverneur se proposait d'envoyer à Raseborg menacé par les pirates. En allant emprunter la *Summa* de saint Thomas d'Aquin à la bibliothèque de l'évêché, je glissai le papier dans la fissure en face du mur blanc de l'hôpital.

Que ce fût ou non grâce à mon intervention, de nombreux navires chargés de vivres pour Stockholm furent attaqués et coulés près des îles Åland; les provinces suédoises ne pouvant plus assurer le ravitaillement de la capitale, c'était en effet le gouverneur Thomas qui devait, au prix de grandes difficultés, arracher l'indispensable aux paroisses déjà pressurées des alentours d'Åbo.

Quelques jours plus tard, sur le chemin du palais épiscopal où j'allais pour prendre les Commentaires, je m'arrêtai pour reprendre haleine contre le mur de l'église et passai ma main dans la lézarde. Au fond du trou, je trouvai un paquet pesant et doux au toucher que je glissai prestement dans ma bourse. Vivement rentré dans la cabane de dame Pirjo pour compter mon bien, je me vis en possession de petites et grandes pièces d'argent, des monnaies de Stockholm et d'Åbo, quelques guldens de Lübeck et un ducat limé. C'était une véritable fortune avec laquelle je pouvais entreprendre un voyage de plusieurs mois : j'eus, une fois de plus, le sentiment d'être un homme riche. Pour plus de sécurité, j'enterrai la bourse sous une pierre plate au pied du poirier.

Mon humeur avait changé tout comme quand le soleil perce enfin la couche de nuages et brille au milieu d'un ciel bleu après de longs jours de pluie monotone. Désormais, pour moi la vie n'était qu'un jeu où seuls gagnent à la longue ceux qui utilisent sans remords des dés pipés. Il suffisait de ne point se faire prendre ! Le roi Christian et Son Excellence Slaghök avaient pris ma loyauté pour de la bêtise et n'avaient point hésité à me mettre dans une situation qui ne m'avait valu que tristesse et dépit; j'estimais donc ne leur rien devoir ! Pas plus que je ne devais quoi que ce fût au capitaine Thomas qui était un homme plein de cruauté. Un mouton parmi les loups, voilà ce que j'avais été jusques alors, et ils m'avaient écorché vif avec leurs fausses promesses ! Mais dorénavant, je porterai moi aussi une dépouille de loup sous ma laine tondue !

Je me promenai dans la ville cet été-là et ne rencontrai jamais nulle difficulté à glisser ma main dans la fissure. D'étranges oiseaux prenaient leur vol d'Åbo en direction de tous les lieux secrets de l'archipel et d'ailleurs, pour revenir en temps voulu déposer des œufs d'or et d'argent dans le mur.

Entretemps, les navires en provenance de Stockholm nous portaient de bien alarmantes nouvelles. On disait que la tourbe paysanne, à la suite du jeune Gustav, s'approchait de la capitale pour l'encercler tandis que des fugitifs, nobles et manants, serfs et affranchis, s'échappaient en foule des châteaux et des forteresses du roi pour aller servir sous la bannière de Gustav. Élu régent par les Suédois, il avait, grâce à de l'argent de Lübeck, engagé des mercenaires allemands pour constituer le fer de lance de son armée. Le gouverneur Thomas ne pouvait que s'étonner de l'audace accrue des pirates des côtes de Finlande si bien au fait de ses projets; les bâtiments danois devaient désormais former des convois pour gagner Stockholm, ce qui ne laissait point de les retarder considérablement.

J'avais eu l'intention de quitter la ville dès l'automne pour partir à l'étranger et laisser les combattants régler leurs différends entre eux. Qu'y pouvais-je en effet, moi, un pauvre étudiant armé de sa seule plume d'oie ? Mais je reculai mon départ pour Paris, quand des rumeurs coururent selon lesquelles le roi de France s'armait contre l'empereur. A quoi bon tomber de Charybde en Scylla ?

Et c'est la raison pour laquelle je me trouvais toujours dans la forteresse d'Åbo lorsque les forces de Gustav débarquèrent pour faire leur jonction avec celles de Nils Grabbacka.

CINQUIÈME LIVRE

BARBARA

Inutile, je pense, de conter le siège d'Åbo au cours duquel aucun des partis en présence ne se couvrit de gloire : les assiégeants, dépourvus d'artillerie, passèrent la plus grande partie de leur temps à flâner et à boire de la bière, tandis que les prisonniers malgré eux du château somnolaient dans la salle d'armes en buvant et se cherchant querelle. Hôtes pleins d'exigences, ils répugnaient en outre à prendre part à des actions guerrières et la seule chose qu'ils savaient faire était de se lancer au galop hors des remparts pour, au premier coup de feu tiré sur eux par les ennemis à l'abri de leurs parapets de bois, tourner brusquement bride, les piétons haletants accrochés à la queue de leur cheval.

Le bon évêque Arvid jeta enfin le masque ! Il mit en effet à la disposition des partisans de Gustav, dénués de tout, ses propres soldats, ses couleuvrines, ses chevaux, ses munitions, et il leur ouvrit ses magasins de ravitaillement; ces hommes se prélassaient bien au chaud dans les cabanes où ils se goinfraient de toute la nourriture que les malheureux citadins avaient réussi à soutirer au gouverneur Thomas. Et si le jour de leur arrivée, les habitants d'Åbo les avaient accueillis, les larmes aux yeux, si partout ils avaient chanté des psaumes de louanges au ciel et si les cloches des églises avaient alors sonné à toute volée, la Noël n'était point encore passée qu'ils commençaient à se demander s'il ne valait pas mieux nourrir les quelques loups de la forteresse plutôt que les innombrables rats toujours inassouvis de maître Gustav !

De notre côté, nous n'avions aucun mal à nous tenir informés de la puissance, de l'équipement et du moral des forces assiégeantes, car le seul objectif de nos sorties consistait toujours en la capture de quelque malheureux ennemi. Tout prisonnier comblait d'une joie égale Thomas Wolf qui, après l'avoir brûlé et battu pour en obtenir les renseignements qu'il pouvait donner, le faisait pendre sur les remparts sans souci ni de son rang ni de sa condition.

La fête de la Nativité ne donna guère lieu à des réjouissances à l'intérieur du château et Thomas ne trouva en face de lui que visages renfrognés et regards fuyants. Il était pourtant un chef de première valeur, en dépit de sa rudesse et de ses méthodes expéditives. Avant que les glaces n'eussent bloqué les côtes, il avait mandé tous les bateaux, de guerre ou autres, à la flotte de la marine royale placée sous le commandement de l'amiral Séverin Norby, évitant ainsi que l'ennemi ne s'en emparât, puis il s'était engagé à résister dans la forteresse jusques au printemps. Dès le mois de janvier, il reçut l'assurance d'un prompt renfort en récompense de son courage; le roi Christian, fort courroucé contre les rebelles, ordonnait dans son message de pendre tous les Suédois ou Finnois qui se trouveraient au château, comme il l'avait ordonné à tous les officiers en poste dans le royaume de Suède.

Cet ordre enchanta le capitaine Thomas qui, bénissant le souverain, dit que depuis longtemps déjà il ne pouvait supporter ces faces de carême et que son seul souci serait de manquer de potences; de fait, il se montra très impatient d'être au lendemain pour permettre au charpentier de terminer son travail. Il se mit aussitôt en devoir de pendre, pour obéir aux ordres, tous les Suédois et tous les Finnois parmi lesquels on vit même deux petits enfants de noble naissance que ses hommes arrachèrent des bras de leur mère. Måns, son secrétaire, ne fut point épargné, le fier Thomas craignant quelque trahison de sa part.

J'éprouvai un léger pincement au cœur à voir Måns pendu

et commençai à m'inquiéter de mon propre sort que je craignais devoir être le même : n'étais-je point, moi aussi, Finnois d'origine à l'instar de tous ceux qui se balançaient côte à côte sur les remparts ? A les contempler ainsi, je fus saisi d'une telle angoisse que je montai chez le gouverneur et lui demandai tout de go quand mon tour allait venir.

Pris de court, il réfléchit quelques instants, puis se signa avec dévotion.

— Loin de moi cette pensée impie ! Je ne puis pendre un homme ordonné par Son Excellence l'archevêque en personne ! Je suis croyant et respecte les sacrements.

L'hiver fut clément et le printemps précoce. La mer largua ses entraves de glace et un spectacle de terreur vint soudain secouer les assiégeants de leur torpeur : les navires de Norby, le fringant amiral, arrivaient, poussés par un vent favorable, à l'embouchure de la rivière. La confusion la plus totale se mit dès lors à régner dans toute la cité; les hommes de Gustav montrèrent tant d'empressement à déguerpir que je trouvai un plat de soupe à moitié plein sur la table du palais épiscopal ! A vrai dire, je ne trouvai guère plus car Nils Arvidsson, qui avait emmagasiné ses barils de poudre dans un édifice de pierre sur la rive nord, le fit exploser avant de se retirer. L'incendie qui s'ensuivit détruisit une grande partie de la ville et si les constructions telles que la cathédrale, le monastère, l'évêché ou l'hôpital échappèrent aux flammes, le choc de l'explosion en souffla les vitres plombées des fenêtres. Le bon évêque et les bourgeois avaient certes réussi à mettre leurs biens à l'abri avant cet événement et le feu ne dévora guère que des maisons vides.

Tandis que l'incendie faisait rage, je fus un des premiers à sortir de la forteresse pour me précipiter chez dame Pirjo afin, le cas échéant, de la protéger des pillards. La cabane était encore debout mais les fenêtres cassées et la porte enfoncée; tout le mobilier utilisable avait été volé et le reste saccagé. Antti, couché pâle et pitoyable sur un vieux tas de paille, semblait même trop faible pour soulever la tête; près de lui, assise par terre, l'hôtesse des *Trois Couronnes*, les jupes autour d'elle, pleurait toutes les larmes de son corps.

— Dieu soit loué ! te voilà enfin Mikaël ! dit-elle. Ma taverne est en flammes et j'ai réussi non sans mal à traîner ton frère jusques ici en t'attendant. Tu es son unique espoir.

J'entendis alors les soldats frapper de grands coups dans la rue et, dans l'affolement du moment, ne trouvai d'autre solution que de jeter le contenu de mon encrier à la face d'Antti; puis quand les hommes firent irruption dans la pièce immédiatement après ce geste, j'arrêtai leur élan en criant :

— Cet homme atteint de la vérole va mourir ! Comme vous pouvez le voir, il ne reste rien ici à voler qui vaille la peine !

Ils s'empressèrent de faire marche arrière tout en se signant à plusieurs reprises. Il faut avouer qu'Antti avait un aspect tout à fait repoussant avec ses taches noires et sa mine terrifiante.

Après leur départ, je me tournai vers lui pour lui demander :

— Que t'est-t-il arrivé ? Où est ma chère dame Pirjo ? Et pourquoi donc es-tu resté ? Ils vont te pendre, espèce de fou ! Tes amis auraient pu t'aider, ou tu aurais pu chercher asile près d'un autel !

— Tu es mon seul ami en ce monde misérable, mon vieux Mikaël, avec cette bonne vieille qui se cramponne à moi. Je suis brouillé avec mes compagnons et c'est eux qui m'ont mis dans cet état !

— Quel querelleur tu fais de ne point vivre en paix avec tes frères d'armes ! lui reprochai-je. Je suis sûr que tu avais bu ! La boisson sera ta perte si par miracle tu échappes à la potence !

Malgré sa faiblesse, Antti répliqua sur le ton de l'indignation :

— Si j'avais bu, je me serais mieux battu ! Je suis plus doux que l'agneau quand je suis à jeûn et ils m'ont à moitié tué lorsque je défendais ta pauvre mère adoptive... elle est morte !

L'hôtesse des *Trois Couronnes* se moucha et me confirma la triste nouvelle, puis, me voyant ému au point de ne pouvoir prononcer un mot, elle s'empressa de me retracer toute l'histoire.

Quelques jours auparavant, les bourgeois de la ville s'étaient mis en tête d'accuser dame Pirjo de sorcellerie; avec l'aide de soldats furieux, ils l'avaient précipitée du haut du pont dans la rivière mais, grâce à ses jupes volumineuses, elle avait flotté et échoué sur la rive à l'instar d'une véritable sorcière. Alors ils l'avaient lapidée à mort, puis ils avaient fourré son corps dans un vieux tonneau afin que le courant l'emportât jusques à la mer, le plus loin possible de la bonne ville d'Åbo sur laquelle elle avait sans nul doute attiré la malédiction.

— Ils l'ont insultée pour avoir mis au monde un fruit du diable tel que toi, Mikaël, et pour t'avoir donné asile, poursuivit-elle d'un air satisfait. Comme ils n'avaient pu t'attraper, ils se sont vengés sur elle ! Mais lorsque Antti a appris ce qui se passait, il a foncé sur ses agresseurs comme un taureau fou et avant que la foule n'ait eu le temps de le maîtriser, il avait écrasé le crâne de l'un, renversé un autre et blessé un grand nombre. Ils lui auraient certainement coupé le cou si je ne les en avais détournés en leur offrant de la bière et des pièces d'argent.

— Ne prends pas cette histoire trop à cœur, Mikaël ! intervint Antti. Dame Pirjo te fait dire de ne point pleurer sur elle, que tu n'es en rien responsable de son sort. Elle a dit aussi qu'elle t'avait toujours aimé comme son propre fils. Elle ne semblait pas du tout triste de mourir; jusques à son dernier souffle, elle s'est montrée solide et pleine de fermeté; elle criait que ceux qui lui lançaient des pierres rôtiraient bientôt dans les flammes de l'enfer. L'évêque, resté debout sur le pont à regarder, n'a pas fait le moindre geste pour la sauver; elle lui a hurlé qu'il ne vivrait plus assez longtemps pour voir encore fleurir les groseilliers !

Mes genoux se dérobèrent sous moi à la fin de cet affreux récit et je m'écroulai sans force sur le sol. Je ne pouvais que remuer la tête en tous sens, submergé de haine contre la cité d'Åbo et tous ses habitants; eux-mêmes avaient attiré la catastrophe sur leur tête en lapidant une vieille femme sans défense qui ne leur avait jamais fait le moindre mal ! Je ne trouvais une consolation qu'en pensant que dame Pirjo s'était montrée prophétique dans sa rage puisque si peu de jours après sa mort, l'explosion avait détruit la moitié de la ville. Et je voulais croire que l'évêque Arvid, malgré sa fuite, n'échapperait point à la malédiction.

Mais le vent soufflait à présent dans notre direction et il n'y avait plus de temps à perdre. Lorsque j'ouvris la porte, des colonnes de fumée et des tourbillons d'étincelles envahissaient la rue pendant qu'une multitude de rats fuyaient des maisons en flammes. Décidément le Dieu Tout-Puissant était avec Antti ! Un soldat danois grièvement brûlé émergea en effet de la fumée et, arrachant en hurlant le heaume surchauffé de sa tête, le jeta loin de lui. Il s'était sans doute perdu au milieu des masures dans sa quête de butin et je n'eus aucun mal à l'assommer. Je récupérai son heaume et sa cuirasse dont je revêtis aussitôt Antti avant d'attacher autour de sa taille le ceinturon et l'épée du soldat. Ensuite, avec l'aide de la veuve, je le traînai à grand-peine jusqu'à la rive où nous le couchâmes dans une barque. Je ramai à toute vitesse vers le monastère, et le père Pierre lui trouva une cachette dans la cave parmi les tonneaux et les bouteilles vides. Nous tombâmes dans les bras l'un de l'autre, mêlant nos larmes et nos lamentations sur le sort de dame Pirjo. Il m'apprit que l'évêque devait embarquer dans la baie de Raume sur un bateau chargé de tous ses biens, et gagner la Suède dans l'intention de se mettre sous la protection de Gustav.

Résolu à tirer le meilleur parti de ce renseignement, je me hâtai de regagner la ville pour solliciter une entrevue avec l'amiral Norby. Je trouvai cet homme à l'aspect avenant assis sur une pierre tombale près de la porte de la cathédrale, tandis que ses hommes d'armes essayaient d'attirer sur le parvis les Finnois réfugiés à l'intérieur. Quand il apprit de ma bouche les plans de l'évêque, il déclara avec satisfaction qu'il ne manquerait point de rendre impossible la vie de ce digne prélat. Cependant, ainsi que l'on put le voir plus tard, le pouvoir de la malédiction de dame Pirjo souleva une tempête épouvantable qui fit couler corps et biens le vaisseau de l'évêque.

La mort de ma mère adoptive m'avait plongé dans un abîme de tristesse et seul le désir de sauver Antti me préserva de cette indifférence qu'entraîne avec lui le désespoir.

L'amiral Norby se montra fort aimable; il me dicta une lettre pour madame Christina, gardée captive au Danemark en compagnie d'autres dames de la noblesse. Il me confia que l'orgueilleuse beauté de cette veuve, en qui coulait le plus noble sang de la Suède, l'avait séduit et qu'il désirait tout mettre en œuvre pour l'aider à surmonter son chagrin et lui redonner le goût des plaisirs de ce monde. Il parut satisfait de ma missive et, après l'avoir prise, m'examina avec bienveillance.

— Pourquoi cet air de chien battu, jeune homme ? interrogea-t-il. Embarquez-vous et vous serez guéri de vos peines !

Sa sollicitude me toucha jusques au fond du cœur.

— Tout au long de cet hiver, dis-je les larmes aux yeux, je n'ai reniflé que l'odeur de charogne des potences ! Les croassements des corbeaux ont été ma seule musique et l'on vient de lapider à mort comme sorcière ma chère mère adoptive. Je ne désire plus à présent que partir en pèlerinage vers la Terre sainte pour implorer le pardon de mes péchés. Ensuite je me ferai moine, ou bien ermite !

— A chacun ses goûts, observa l'amiral.

Il poursuivit en déclarant que j'étais bien jeune et n'avais guère la mine d'un saint. Il ajouta plus tard un commentaire empreint de sympathie après que je lui eus conté l'histoire de dame Pirjo.

Le voyant si favorablement disposé à mon égard, je lui dis sur un ton plein de déférence :

— J'ai un frère d'adoption, un garçon habile, honnête et quelque peu stupide. Il servait comme artilleur aux ordres de Nils Arvidsson, mais a été blessé en défendant ma pauvre mère. Il n'a nul recours depuis que ses propres compagnons se sont retournés contre lui et lorsque vous quitterez Åbo, le gouverneur Thomas le pendra à coup sûr. Sauvez-lui la vie en le prenant à votre service, messire, je vous en prie !

— J'aurai peut-être quelque emploi pour ce garçon, répondit-il après un instant de réflexion. Les Lübeckois se préparent en secret à la bataille. Certains de leurs navires de guerre ont déjà pris la mer mais je n'obtiens plus nulle information de là-bas; ou mes espions sont incompétents, ou ivrognes, ou tous déjà pendus ! Si vous consentez à m'aider, je vous prendrai à mon service, ainsi que votre frère puisqu'il s'y entend en artillerie; j'imagine que vous, en revanche, êtes aussi ignorant sur ces questions de soldats et de canons qu'un enfant à la mamelle.

— Comment me rendrai-je à Lübeck ? demandai-je. Et pourrai-je, dès que j'aurai accompli ma mission là-bas, reprendre mon bâton de pèlerin en direction de la Terre sainte ?

Il rit.

— Voilà un homme comme je les aime, Mikaël ! Un homme qui sait se décider ! Je vous garantis qu'en ce qui me concerne vous serez libre comme l'air aussitôt que j'aurai reçu des informations du style « la truie a mis bas une portée de dix-huit petits » (ce qui voudra dire que la flotte de Lübeck, comptant dix-huit voiles, a pris la mer). Sans renseignement utile de ce genre, il ne me reste plus qu'à croiser les bras.

Il m'expliqua qu'il me faudrait chercher dans les tavernes du port un homme avec un bec de lièvre et trois doigts à la main droite, auquel je pourrais confier sans risque des détails sur le marché du cochon. Au cas où on l'aurait déjà pendu, je devrais soudoyer quelque pêcheur pour gagner Visby en Gotland où je vendrais mes bêtes. Les pêcheurs et les gens du bas peuple de Lübeck et de ses environs étaient hostiles au Conseil de la ville et je n'aurais, par conséquent, point de difficulté à trouver un messager de bonne volonté.

Une fois les conditions de mon engagement bien établies, Norby nous permit de monter tous les deux à bord de son navire amiral quand il prit la mer pour aller détruire la flotte de Lübeck où qu'elle se trouvât.

Avant de m'embarquer, je retournai à l'endroit où s'était élevée la cabane de dame Pirjo afin de déterrer mon argent enfoui au pied du poirier carbonisé; je descendis ensuite dans la cave pour prendre quelques herbes médicamenteuses. J'avais dans l'idée de me présenter à Lübeck en qualité de médecin; il me paraissait en effet plus prudent d'arriver ouvertement dans la cité, la tête et le verbe hauts, plutôt que de m'y glisser furtivement à la manière d'un louche individu.

Je pris congé du gouverneur Thomas sans regret. Après plusieurs jours de traversée dans les eaux de Lübeck, notre aimable amiral nous débarqua sur un point de la côte avant de se diriger lui-même vers sa base située en Gotland où il demeurerait en attendant les informations sur les mouvements de l'ennemi.

J'allai directement vers la cité, suivi d'Antti qui portait mon bagage sur l'épaule, et me mêlai sans encombre aux autres voyageurs. Il me suffit de déclarer aux portes de la cité que j'étais le Très-Illustre-Docteur-Mikaël-Karvajalka pour être aussitôt admis; du bon argent sonnant et trébuchant coupa court à d'autres questions. Le noble amiral m'avait pourvu de pièces allemandes et de ducats florentins pour éviter que je ne me trahisse avec des monnaies en provenance d'Åbo ou de Suède. Je choisis de me loger dans une auberge de bon aloi, comme il seyait à un personnage de ma condition, et dès mon arrivée engageai un crieur public chargé d'aviser la population qu'ayant ouvert un cabinet, je soignerais toute espèce de maladies, même celles que les médecins de la ville désespéraient de guérir. Je fus littéralement assiégé par une horde d'incurables assistés de leurs familles, tandis que les médecins envahissaient de leur côté l'hôtel de ville pour se plaindre avec véhémence auprès du Conseil qu'un charlatan étranger vînt empiéter sur leurs privilèges. Avant que je n'aie eu le temps d'examiner le premier de mes patients, on m'amena devant les juges pour répondre de ma conduite illégale; on me demanda de présenter mon diplôme, de payer l'amende et d'adresser une pétition en bonne et due forme si je désirais exercer la médecine à Lübeck. Ainsi, et comme je m'y attendais, il ne vint à l'idée de personne que je pouvais poursuivre un but différent et plus périlleux.

Je me présentai donc sans nulle crainte devant le tribunal,

au milieu d'une assemblée de médecins revêtus de leur robe de velours garnie de fourrure. Je me lançai dans un brillant discours sur mes études à l'université et mentionnai entre autres choses, que j'avais travaillé sous les ordres du très célèbre docteur Theophrastus Bombastus Paracelsus. Mais les médecins crièrent d'une seule voix que, vu ma très grande jeunesse, je ne pouvais avoir terminé mes études; puis, ils me provoquèrent à une dispute dialectique qui devait porter sur quelque point particulièrement subtil.

— Ce n'est guère sur le latin que se fonde la science du médecin, en appelai-je aussitôt au Conseil, mais sur son pouvoir de guérison ! Et moi, je défie tous les médecins ici présents sur ce terrain ! Permettez-moi de traiter un patient qu'ils ont été incapables de guérir et nous verrons alors lequel d'entre nous s'est montré le plus subtil !

Je m'avisai, à la fin de mon discours, que les membres du Conseil le prenaient d'un peu moins haut avec moi. Convaincus que seul un homme sûr de son fait oserait parler aussi hardiment, ils commençaient à me regarder avec un certain respect. Mais les docteurs, enflammés de courroux, s'écrièrent :

— Les nobles conseillers seraient-ils si peu soucieux de la vie et de la santé de nos chers concitoyens de Lübeck pour permettre à ce charlatan de s'en occuper ? Il se peut que parfois cette homme parvienne à soulager les souffrances d'un cas incurable au moyen des arts diaboliques, mais c'est là pure tricherie et nous le soupçonnons fort d'être hérétique, nécromancien et sorcier !

Après une discussion houleuse, je me vis interdire la pratique médicale à Lübeck et dus régler les frais du procès; mais je ne fus point condamné à payer une amende, mon hôtelier ayant pu venir témoigner que je n'avais pas eu le temps de traiter qui que ce soit. Ainsi les médecins gagnèrent-ils leur cause et moi une fameuse réputation !

A peine la séance terminée, l'un des conseillers vint me demander une consultation, parce que, m'expliqua-t-il, ni la loi ni la coutume ne pouvaient m'empêcher de soigner les gens du moment que je ne touchais point d'honoraires; pas plus, ajouta-t-il, qu'il n'était illicite que les malades me fissent quelque cadeau si tel était leur bon plaisir. Au cours de notre conversation, nous évoquâmes également la guerre et les infâmes pirates danois qui infestaient les côtes, et le notable me confia que Lübeck avait vendu dix navires de guerre armés à Gustav Eriksson en échange d'un certain nombre de châteaux suédois.

Je regagnai mon auberge et les patients qui m'attendaient s'insurgèrent violemment contre la jalousie de mes collègues, en apprenant que je ne pourrais les traiter. Soudain, l'apparition d'une dame richement vêtue détourna mon attention de leurs cris. Elle portait sa chevelure teinte à la mode de Venise et ses yeux sombres s'agrandirent de surprise à rencontrer les miens. La gorge nouée, je la vis traverser la pièce sans ciller en direction de sa chambre en feignant de ne me point connaître. L'aubergiste, interrogé à son sujet, me dit qu'il s'agissait d'une riche veuve suédoise de noble naissance, qui résidait à Lübeck en attendant que la paix lui permette de regagner la Suède pour rentrer en possession de ses biens, dont l'impitoyable roi Christian l'avait spoliée après la mort de son époux tué dans une bataille contre les Danois.

Je n'étais donc pas le seul à jouer un double jeu et cette histoire ne laissa point de me rassurer. Je réfléchissais dans ma chambre sur l'opportunité d'aller la voir pour lui parler franchement afin de m'assurer de son silence, lorsque Antti entra en titubant. Je l'avais envoyé à la recherche de l'homme au bec de lièvre et aux trois doigts dans les tavernes du port, et il revenait pour m'annoncer tout bonnement que si je lui octroyais quelque argent supplémentaire, il y retournerait sur-le-champ. Je tâchai à grand-peine de le calmer quand il s'écroula tout à coup sur le plancher, ce qui me mit dans une rage telle que je lançai un coup de pied dans sa masse ivre morte. Et damoiselle Agnès, qui s'était glissée sans bruit dans la pièce, me surprit dans cette peu reluisante attitude. Elle noua ses bras autour de mon cou et me dit qu'elle n'avait cessé de penser à moi.

— Est-ce bien toi, Mikaël ? s'écria-t-elle. Quelle joie de te retrouver ! Mais quelle pitié de voir ces rides sur ton front ! Tu n'es plus, hélas ! le doux petit agneau de notre première rencontre ! Écoute, Mikaël, il ne faut pas que l'on sache dans cette atroce cité que nous nous connaissons... cela pourrait me nuire ! Nul ici ne sait que je suis la sœur de Didrik et je mène une vie pleine de vertu dans l'espoir de trouver un bon époux.

— Je suis de tout cœur avec vous, damoiselle, répondis-je. On m'a raconté que vous étiez une riche veuve de noble naissance brûlant de se venger de l'odieux roi Christian. J'imagine donc que les opérations militaires de Lübeck n'ont aucun secret pour vous et que tous vos soupirants font partie de l'élite des officiers de marine !

Elle rougit avec modestie et demanda :

— Aurais-tu eu l'audace de m'espionner ? Et toi ? Que fais-tu ? Tu finiras au bout d'une corde si l'on découvre que tu as servi la cause danoise du temps de tes jeunes ans !

— Je ne suis plus un jeune homme mais un vénérable médecin, et tout le monde ignore que je suis finnois. Je m'appelle Mikaël Pelzfuss. Ainsi vous et moi sommes dans le même bateau, jolie damoiselle Agnès, et je ne vous connais point si vous ne voulez me reconnaître ! Mais si je dois me balancer au bout d'une corde, je jure par tous les saints que vous vous balancerez à côté de moi !

Elle posa sa main sur ma bouche et murmura en frissonnant :

— Ne parle pas de ces horreurs ! Prends-moi dans tes bras et sois tendre avec moi qui suis une pauvre femme abandonnée et effrayée par les dangers auxquels son méchant frère l'a exposée ! As-tu quelque argent ?

Je lui répondis que j'en avais suffisamment pour passer quelque temps à condition de vivre simplement, ce qui parut la réjouir.

— Donne-moi donc dix pièces d'or et je ne te trahirai point. En échange, tu peux me demander ce que tu veux, même le sacrifice de ma vertu et de ma réputation si tu as l'audace de me faire une si odieuse requête !

Je protestai vigoureusement, disant que ses échanges ne m'intéressaient guère.

— A vrai dire, poursuivis-je, j'étais sur le point de vous appeler afin de vous prier de me prêter quelque monnaie d'or en souvenir du temps jadis. J'ai en effet l'intention de me rendre en Terre sainte pour obtenir le pardon de mes péchés et, en me secourant, vous accompliriez un acte agréable à Dieu !

— Ton compagnon couché là, riposta-t-elle en montrant Antti d'un brusque mouvement de tête, beuglait comme un veau sur le port pour s'enquérir d'un homme avec un bec de lièvre, un homme que tu recherches, paraît-il ? Me donneras-tu une pièce d'or si je te dis où tu pourras le trouver ?

— Dieu Tout-Puissant ! m'écriai-je surpris. Servirions-nous le même maître ? Vous aurez votre or, chère damoiselle Agnès, si vous m'amenez ici cet homme !

La belle Agnès exigea d'abord de voir le ducat, puis après avoir refermé sa jolie main dessus, elle me dit d'une voix innocente :

— Impossible de l'amener ! Il te faudra aller le chercher toi-même ! Tu le trouveras à la porte de l'arsenal, pendu en quatre morceaux sur les remparts.

Force me fut de la croire et je me sentis devenir fou de rage à l'idée d'avoir perdu un ducat entier en plus de l'argent qu'Antti avait bu. Je lui demandai alors de quelle manière le commerce des cochons marchait pour elle quand la truie avait mis bas depuis quelque temps déjà. Elle me répondit que les affaires avaient considérablement baissé parce que les petits s'étaient échappés de la porcherie et que l'amiral avait trop tardé là-bas en Finlande pour les mettre dans son sac. Elle ajouta que le gouvernement de Lübeck avait des oreilles dans toutes les tavernes et que lorsque la ville s'était armée en vue de la bataille, on avait avant toutes choses mis en prison ou exécuté tous ceux qui s'étaient montrés un peu trop curieux au sujet de ses navires de guerre.

— J'ai parfois le sentiment d'avoir fourré ma tête dans la gueule du loup, se lamenta-t-elle. Je n'ai jamais réussi à envoyer une seule information valable à Visby et je suis ici coincée avec tout ce que je sais, comme un avare accroupi sur son or qu'il ne dépensera jamais.

« De toute façon j'ai la conviction que le roi Christian a perdu la partie. Lübeck a rassemblé toutes ses forces contre lui et son cher oncle, le duc de Holstein, a l'intention de s'allier avec ses ennemis. Même le pape n'est plus en si bons termes avec lui depuis qu'il a fait venir à Copenhague des prédicateurs hérétiques.

« Je pense qu'il vaudrait mieux chercher d'autres terrains de chasse ! L'empereur, le roi de France se battent eux aussi et ont besoin de serviteurs ! Sais-tu que Henri VIII d'Angleterre vient de déclarer la guerre à François Ier ? Le pape lui a même conféré à cette occasion le titre de « Défenseur de la Foi » !

Tout en l'écoutant raconter tant de choses nouvelles et surprenantes sur les événements européens, je me pénétrais du sentiment d'avoir passé une trop longue partie de ma vie dans un trou noir. Je fis apporter dans ma chambre du vin et un repas et passai en compagnie de damoiselle Agnès une fort agréable soirée, au son des ronflements d'Antti toujours couché par terre.

Elle m'apprit que Sélim le Turc, après s'être emparé de Belgrade, menaçait à présent la Hongrie en jouant habilement des dissensions à l'intérieur de la Chrétienté, dissensions en ces temps plus graves que jamais. L'empereur, quant à lui, avait à force d'intrigues réussi à porter sur le trône de Saint-Pierre son sévère précepteur hollandais qui avait pris le nom d'Adrien VI. Puis elle me rapporta maintes frivoles anecdotes sur la cour et les maîtresses de François Ier. Elle pétillait de malice et de ruse même si parfois elle laissait échapper un soupir langoureux en me regardant de ses yeux bruns.

— Tu es si jeune, Mikaël ! Plus jeune que moi et je me sens comme une vieille femme à côté de toi ! Pourtant je n'ai même pas vingt-cinq ans ! Pas trente en tout cas ! Tu me parais plus viril que dans mon souvenir, tu as l'air maître de toi et ton regard noir est bien troublant !

Elle m'observa avec curiosité.

— A quoi penses-tu ? dit-elle.

— Je me demandais comment nous pourrions nous échapper avant qu'il ne soit trop tard et je songeais avec dépit à tous les informateurs qui doivent être en ce moment inactifs comme nous dans cette bonne ville, puisque notre cher amiral s'est trompé malgré ses calculs subtils !

— Assez ! Assez, de grâce pour aujourd'hui ! Il fait déjà nuit, regarde ! Les ronflements de ton domestique m'ennuient, viens dans ma chambre continuer cette conversation !

Les puissants ronflements d'Antti m'ennuyant aussi, je la suivis. Et quand de nouveau je respirai l'arôme de ses onguents et de ses parfums, le souvenir poignant de ma jeunesse submergea mon cœur. Alors, malgré ma résolution de ne plus jamais toucher une femme, je me trahis moi-même en moins de temps qu'il n'en faut pour réciter un Ave. Tout ce que je puis dire pour ma défense, c'est qu'elle ne m'opposa nulle résistance et éclaira ma lanterne sur bien des points du comportement féminin dont la bizarrerie m'avait souvent laissé perplexe. Toutefois, malgré ses injonctions, je ne demeurai point près d'elle pour dormir, sachant combien peu je lui pouvais faire confiance ! Je ramassai donc mes vêtements, ma ceinture et ma bourse et regagnai ma chambre dont je fermai avec précaution la porte derrière moi. Antti ronflait plus que jamais, tandis que malgré ma fatigue je ne parvenais point à trouver le sommeil. Je gisais donc sur ma couche, les yeux grands ouverts et l'esprit tendu.

La douce euphorie provoquée par le vin s'estompa peu à peu. Par la fenêtre ouverte, une odeur d'herbe mouillée montait jusques à moi du jardin de l'auberge et la lumière grise de l'aube commençait à envahir la pièce. J'avais l'impression de me tenir debout, un pied déjà dans la tombe, et de regarder derrière moi les jours que j'avais gaspillés.

Je m'étais mis au service de l'amiral Norby pour conquérir en ce monde honneurs et distinctions et mes plans, à présent, ne me paraissaient plus que songes creux et illusoires ! Si je considérais mon activité politique, je ne voyais rien d'autre que le ciel et les flocons de neige gris avec la vapeur chaude s'élevant au-dessus du sang répandu sur la place du marché de Stockholm; si, par contre, mes pensées se tournaient vers mon pays natal, alors je ne voyais que des bandes de noirs corbeaux au brillant plumage et ma mère Pirjo se couvrant la tête pour se protéger des pierres qu'on lui lançait.

L'idée de ne pouvoir retourner en arrière m'emplissait

d'une infinie tristesse, non que je ressentisse haine ou rancune, mais bien plutôt parce que s'était ancrée tout au fond de mon cœur l'inébranlable conviction que l'homme est le plus grand ennemi de l'homme.

Puis je songeai à la sainte Église et compris, à la lumière glacée de mon propre néant, que jamais je n'avais désiré la prêtrise sinon par pure ambition; jamais je n'avais en effet envisagé cette vocation religieuse comme il eût convenu à un futur serviteur des pauvres gens ! Elle ne représentait pour moi qu'une rente de sept, dix ou peut-être quinze marcs d'argent, qui tomberait chaque année dans ma bourse pour me permettre de poursuivre des études à ma guise dans le but d'acquérir diplômes supérieurs et distinctions plus élevées encore. Du reste, moi qui avais toujours accepté avec soumission ce que l'on me disait, quelle joie avais-je retirée de l'étude ? Avais-je ouvert une fois la bouche pour poser une question, moi qui avais toujours si fort redouté la colère de la sainte Église, laquelle, en ce temps, combattait farouchement tous ceux qui osaient outrepasser les limites imposées par le droit canonique au savoir humain ?

Après une nuit lourde d'angoisse et dévoré de chagrin, dans la lumière grisâtre de l'aube, un brusque relâchement de tout mon corps tendu m'apporta une extase étrange et douloureuse : les murs s'estompèrent autour de moi et je découvris que Dieu et Satan habitaient en mon cœur avec une infinie capacité à faire le bien et le mal; je m'avisai ensuite que, par-delà les confins de mon cœur, il n'y avait plus ni Dieu ni Satan, mais un monde dépourvu de sens, dont les habitants luttaient les uns contre les autres dans un horrible combat né à la fois du désir et de la peur de la mort. Ainsi donc Dieu et Satan se cachent à l'intérieur de nous et n'ont aucun pouvoir au-delà de notre noyau le plus profond où ils sont dévoilés ! Tout le reste n'est que coutume et convention, tout le reste n'est qu'un édifice construit par l'homme en proie au désir et à la peur !

Mais le Fils de Dieu s'était fait homme et s'Il avait racheté les péchés du monde avec Son sang, quel droit l'Église avait-elle de troquer Sa chair et Son sang contre de l'or ? Partout où deux ou trois hommes se réunissaient en quête de

Dieu, ils avaient le droit de rompre le pain et de bénir le vin, et ce pain et ce vin devenaient dans leurs mains corps et sang du Christ aussi sûrement que dans celles d'un prêtre consacré !

Je constatai avec désespoir combien sournoisement les idées hérétiques avaient mûri en moi et malgré l'état second dans lequel je me trouvais, mon moi habituel, accoutumé à se laisser porter au gré du vent, les rejetait de toutes ses forces.

Le matin à mon réveil, il ne me restait plus que la vague impression d'avoir fait un cauchemar. Je fus replongé sans tarder dans les soucis quotidiens à la vue d'Antti, qui gémissait sur le sol en se tenant la tête à deux mains. Je jugeai inutile de lui faire reproche de sa stupidité et pris la décision de me rendre moi-même sur le port afin d'y chercher un moyen d'entrer en contact avec l'amiral.

Mais je ne rencontrai que des hommes qui, chaussés de pantoufles de feutre, transportaient en transpirant des barils de poudre à bord des navires, et ne vis que des soldats vautrés sur les tas d'immondices devant les tavernes d'où ils avaient été jetés. Nous demeurâmes à Lübeck plus de quinze jours, durant lesquels je recueillis un nombre considérable d'informations fort utiles à l'amiral si l'on eût pu les lui transmettre. Certes, chaque matin tous les bateaux de pêche prenaient la mer avec leurs filets mais ils sortaient toujours escortés de bâtiments de garde attentifs à ne les point perdre de vue. Personnellement, j'avais pris soin de répandre le bruit que j'attendais un passage pour Danzig, de sorte que nul ne me suspectait; et comme je dînais, buvais et m'affichais souvent en compagnie de dame Agnès, l'aubergiste était convaincu que je faisais une cour pressante à la belle et riche veuve.

Dame Agnès, quant à elle, insistait à présent pour venir avec moi au moins jusques à Venise lorsque je reprendrais mon voyage interrompu.

Un jour enfin, Antti revint du port avec une nouvelle :

— Il y a un homme aux yeux vairons assis depuis quatre jours au pied de la porte de l'arsenal qui essaye de vendre ses cochons aux équipages des navires. Mais il a beau pleurer,

211

gémir et supplier tous les passants de lui en prendre « au nom de Dieu, sinon sa maîtresse le battra comme plâtre », il en demande un prix si exorbitant que personne ne veut lui en acheter !

Ce vairon, que même un étranger ne pouvait manquer de remarquer, m'eut tout l'air d'appartenir à la série des fantaisies de l'amiral au même titre que le bec de lièvre. Je me rendis donc sans tarder au port et abordai le porcher repoussant de saleté et de puanteur.

— As-tu perdu l'esprit ? lui dis-je. Voilà quatre jours que tu es assis ici pour essayer de vendre des cochons à un prix exorbitant ! Ignores-tu que le Conseil a interdit pareil négoce ? Les hallebardiers vont venir te fouetter et te confisquer tes bêtes sans t'en donner un sou ! Vends-les-moi tout de suite, tu feras une bonne affaire !

L'homme soupira, gémit pour enfin répondre :

— Le Conseil n'a fixé le prix que des bêtes mortes et du poisson salé ! Pour les bêtes sur pied, le prix est libre et ma maîtresse en demande un élevé pour ses cochons soigneusement engraissés et de bonne race. Savez-vous que l'on me les achèterait à prix d'or à Stockholm ? J'ai entendu dire que là-bas, ils en étaient à manger des chats et des rats !

— Avec ta permission, mon domestique va surveiller tes porcs pendant un moment, dis-je. Suis-moi dans l'église et nous pourrons discuter de l'affaire en toute tranquillité.

Il y consentit et, lorsque nous fûmes à genoux comme pour prier, il chuchota :

— Le noble seigneur dont je tairai ici le nom m'avait dit de chercher un homme qui, en dépit de sa jeunesse, paraît avoir vendu son lait et perdu la monnaie ! Nul doute que vous ne soyez cet homme ! Dites-moi donc sans plus tarder tout ce que vous savez. Je vous donnerai un ducat pour chaque cochon... à moins que je juge bon de vous planter mon couteau dans le ventre !

Je lui donnai tous les renseignements que j'avais glanés puis, ne voyant d'autre moyen de me débarrasser de damoiselle Agnès, le priai avec insistance d'emmener avec lui une noble dame qui possédait également de bonnes informations. Tandis que nous discutions, les cloches se mirent à sonner et une foule en liesse afflua dans l'église pour rendre grâce à Dieu.

— Une grande bataille vient d'avoir lieu devant Stockholm, répondit-on à ma question sur ce qui se passait. La magnifique armée de Lübeck qui combat pour maître Gustav a anéanti une importante escadre danoise qui venait de Finlande pour délivrer Stockholm. Gustav a pendu l'amiral, un certain Thomas Wolf qui n'a eu que ce qu'il méritait !

Mon compagnon laissa échapper un profond soupir avant de dire :

— J'en sais à présent plus qu'il n'en faut et l'amiral me fera pendre pour les mauvaises nouvelles que je vais lui apporter ! Quoi qu'il en soit, je ne veux point de jupons à bord, ils portent malheur en mer et le voyage s'annonce difficile et périlleux !

Je le priai, le suppliai et finalement lui dis qu'il pouvait garder tout l'or qu'il me destinait s'il consentait à emmener dame Agnès avec lui. Ma proposition le fit aussitôt changer d'avis :

— Si elle se déguise en nonne, observa-t-il avec componction, je puis la faire sortir de la cité sans éveiller les soupçons. Sans compter qu'un vêtement religieux attrapera peut-être les esprits de la tempête et nous permettra ainsi de faire une bonne traversée ! Qu'elle se tienne prête ! Je l'attendrai devant l'église de Notre-Dame après l'heure de vêpres.

Mais damoiselle Agnès fut loin de sourire en apprenant le voyage auquel je l'avais destinée. Elle répandit force larmes, se tordit les mains, me reprocha ma déloyauté et me dit qu'elle avait cru en ma promesse de la conduire à Venise.

— Très chère Agnès, rétorquai-je, vous m'avez mal compris ! J'avais seulement promis de vous tirer de la fâcheuse situation dans laquelle vous vous trouviez et de vous aider à cueillir les fruits bien mérités de votre travail pour l'amiral... qui, d'ailleurs, est un homme charmant auquel nulle femme ne résiste. Il est en train, précisément, de ramasser le butin des vaisseaux qu'il a capturés. Je suppose qu'à l'heure actuelle à Visby, vous ne trouverez guère de concurrence !

Après quelques raisonnements supplémentaires, elle finit par dire en soupirant :

— Il me semble bien, hélas ! que je vais devoir renoncer à mon voyage à Venise à cause de la froideur de ton cœur sans pitié, Mikaël ! Ma destinée est inscrite dans les étoiles sans doute, mais jamais je n'aurais cru qu'un jour il me faudrait porter un vêtement de nonne !

Je lui souhaitai bonne chance pour la traversée et elle me serra dans ses bras tout en cherchant à couper avec son petit couteau les liens qui attachaient ma bourse à ma ceinture. Mais je tenais fermement mon bien dans une de mes mains tandis que je la pressais contre mon cœur. Alors, les yeux pleins de vraies larmes de désappointement, elle me souhaita de tomber entre les mains des Turcs en allant vers la Terre sainte. Et, sur ce, nous nous séparâmes.

Après son départ, je dis à Antti :

— Nous avons accompli notre mission en hommes d'honneur et sommes libres à présent d'aller où bon nous semble. Partons donc vers le sud, vers de lointaines contrées sous d'autres cieux ! Laissons derrière nous nos malheureux souvenirs, et de Venise embarquons-nous pour la Terre sainte ! Nous y gagnerons le pardon de nos péchés.

Antti demanda si la Terre sainte se trouvait fort loin et, sur ma réponse affirmative, déclara que ses péchés n'étaient point encore si grands mais que de toute façon, il voulait bien mettre le plus de terre possible entre lui et la veuve des *Trois Couronnes*.

Dès lors j'abandonnai mes vêtements élégants et avec eux toute ma vie passée, et pris en échange un manteau gris de pèlerin que je serrai avec une grosse corde nouée autour de ma taille. Je vendis tout mon bagage superflu, ne gardant que mon coffret de médicaments qu'Antti m'assura pouvoir porter tout le chemin jusques à Jérusalem.

Après avoir franchi les portes de la cité, je me taillai dans une branche de frêne un bourdon de pèlerin. Les mâts, les murailles grises et les fragiles flèches des églises de Lübeck disparurent derrière nous quand nous prîmes la route du Sud. Les blés dans les champs étaient mûrs pour la moisson et nous eûmes beau temps durant tout le voyage. L'été et le chant des oiseaux nous suivaient et nous laissâmes dans notre dos la terre nordique que commençait déjà à obscurcir un ciel d'automne.

Mon habit de pèlerin suffisait à convaincre de ma pauvreté les vagabonds croisés par les chemins, tandis que les larges épaules d'Antti et son gros bâton leur inspiraient un respect salutaire. Nous cheminâmes ainsi durant soixante jours, sans nous presser ni nous attarder, jusques à ce qu'enfin nous aperçûmes au loin, par-delà la ligne verte des vignes, les Alpes s'élever dans le ciel tels de brillants nuages bleutés.

Antti contempla gravement ce spectacle puis, les yeux grands ouverts, dit :

— Voilà ce que j'appelle une bonne et solide barrière ! La pourrons-nous escalader sans déchirer nos braies ?

A vrai dire, les miennes étaient en loques avant même d'avoir atteint le pied de cette chaîne de montagnes.

Nous passâmes cette nuit-là dans une ville entourée de murailles. Dans la salle commune de l'auberge, mon habit de pèlerin attira l'attention d'un homme irascible dont le manteau portait une croix de Saint-Jean-de-Jérusalem. Il me demanda si un vœu me liait, et sur ma réponse négative, déclara sans ambages que mon entreprise ne servait de rien.

— Ignores-tu, l'ami, que les Turcs ont mis le siège devant la forteresse de Rhodes ? Si ce bastion de la Chrétienté venait à tomber, les galères de notre ordre se verraient dans l'impossibilité de protéger les bateaux de pèlerins ! Ils seraient capturés et leurs passagers condamnés à un cruel esclavage ! C'est la raison pour laquelle nul navire ne se risque de nos jours à quitter Venise pour la Terre sainte. On peut considérer à présent que nous l'avons perdue pour la dernière fois, puisque les religieux qui servent Dieu dans les églises et monastères du Saint Sépulcre attendent les dons des pèlerins pour pouvoir acquitter l'écrasant tribut de quatre-vingt mille ducats qu'exige le sultan chaque année.

« Mais la Chrétienté s'inquiète-t-elle devant le péril qui menace Rhodes ? Crois-tu qu'elle prenne la Croix ou qu'elle se charge au moins d'équiper une flotte pour partir à la défense de l'île ? Pas du tout ! Le saint empereur romain et Sa Majesté Très Chrétienne le roi de France se sont pris pour l'heure à la gorge, et peu leur importent les prières et les appels au secours du pape ! Pourtant si Rhodes tombe, la Chrétienté tombera aussi et les chrétiens devront supporter un dur châtiment pour leur hérésie et leur impiété qui ne cessent de croître ! Je sais ce dont je parle, moi qui suis l'officier chargé du recouvrement des revenus de notre ordre. Ce n'est qu'à grand-peine que j'arrive à obtenir de nos États la rente annuelle qui nous est indispensable.

« Venise, en faisant la paix avec le sultan, Venise a trahi la cause chrétienne ! Là-bas, un passage pour la Terre sainte coûte un prix usuraire et c'est dans l'escarcelle du sultan que cet argent finit par tomber ! Tu serais donc plus sage de renoncer à ton projet et de me donner ton pécule; en échange, tu recevrais mon sceau et une quittance pour une contribution de soutien à la ville de Rhodes.

Je répliquai prudemment qu'étant un pauvre hère, c'était à peine si je pouvais m'offrir un tas de paille pour dormir et un croûton de pain noir pour ne pas mourir de faim; mais s'il consentait à m'en dire davantage au sujet de Rhodes, je lui donnerais une monnaie d'argent au profit de la juste cause.

Il poursuivit donc en me contant que la flotte turque, forte de trois cents vaisseaux, était ancrée au large de Rhodes et que les musulmans possédaient de lourdes pièces de siège. Le sultan, quant à lui, venait d'arriver à Rhodes par voie de terre à la tête d'une armée de cent mille hommes.

L'hospitalier, un homme de taille épaisse, vida sa coupe et, dans un large mouvement de son manteau crasseux, fit tomber le pichet à grand fracas.

— Ici, rugit-il, ici je ne vois que boisson, jeu et fornication sans que nul ne songe au lendemain ! Mais si vous aviez des oreilles pour entendre, vous pourriez ouïr par-delà les terres et les mers le tonnerre de la canonnade et les hurlements des infidèles lorsqu'ils escaladent les murailles en appelant à leur secours leur faux prophète ! Voilà le châtiment que Dieu nous envoie pour les péchés de la Chrétienté et pour les fausses doctrines du docteur Luther

216

que des moines renégats et des prêtres mariés prêchent par tous les villages ! D'ailleurs Luther, lui, s'est empressé de se soustraire à l'interdit... à moins que, qui sait ? le diable ne l'ait déjà emporté avec lui !

Le tavernier essuya la table avec son tablier et apporta une boisson fraîche pour le chevalier qui reprit son discours avec plus de calme.

— Les tambours de recrutement résonnent de toutes parts pour attirer des mercenaires vers l'armée impériale, mais parlez de l'ordre de Saint-Jean et tous deviennent sourds ! Pourtant, le jour viendra où les Turcs leur déboucheront les oreilles, ils les leur trancheront, et les narines avec ! Le jour viendra où les Turcs écorcheront vifs les hommes, empaleront les enfants sur leurs lances, vendront les épouses comme esclaves et châtreront les époux ! Alors, il sera trop tard pour se lamenter et regretter la folie passée, la folie d'avoir abandonné l'ordre dans son combat inégal, le combat pour la Chrétienté et la liberté de la Méditerranée !

Lorsque nous nous retirâmes pour prendre quelque repos, Antti, un peu inquiet au sujet de notre voyage, me demanda si j'étais bien sûr de ma décision; Venise, notre première étape, Venise était déjà une cité scandaleuse et tombée dans le vice... et nous devions aller encore plus loin ! Jusques à la Terre sainte, dont les coutumes seraient si différentes des nôtres, et où la façon de préparer la nourriture serait si bizarre sans doute, que nous y risquerions notre santé. Pourquoi dans ces conditions, proposait-il, ne pas nous équiper comme des mercenaires et prendre du service sous la bannière de l'empereur qui, selon les officiers recruteurs, avait déjà conquis Milan et aspirait à présent à soumettre la France entière ? Nous pourrions, dans cette entreprise, gagner honneur et renommée, je recevrais peut-être un comté tandis que lui deviendrait maître-artilleur de Sa Majesté Impériale !

— Comment, lui rétorquai-je, n'était-il point encore las de guerres et de massacres ? Mieux valait pour lui contempler les plaies du Christ et méditer sur son âme immortelle que rêver de butin ! Cependant, s'il désirait prendre la Croix et partir à Rhodes se battre contre les Turcs, ce serait là une résolution tout à fait digne d'éloges qui, s'il l'accomplissait, le conduirait tout droit en paradis. Sans compter que ce serait aussi, semblait-il, l'unique moyen de parvenir en Terre sainte !

Toutefois nous n'eûmes guère à argumenter plus avant car il s'avéra que j'avais sans doute trop montré ma bourse dans cette auberge ; à l'aube du jour suivant, tandis que nous cheminions déjà vers la fameuse barrière alpine, le malheur s'abattit sur nous. Antti, se plaignant de souffrir du ventre, se retira dans un bosquet de noisetiers ; pendant que je l'attendais debout sur le chemin, deux cavaliers venant de la ville surgirent au galop ; l'un me frappa sur la tête et l'autre, l'officier du trésor de Rhodes, m'envoya un grand coup sur la nuque avant de me jeter en travers de sa selle ; c'est du moins ce que j'imagine parce que je ne me souviens de rien jusqu'au moment où je repris mes sens vers l'heure de midi dans un hallier au plus profond de la forêt. Je souffrais d'une grave blessure à la tête et grelottais de froid ; les bandits m'avaient en effet dépouillé de mes vêtements et les branches dont ils m'avaient recouvert ne me réchauffaient guère. Ainsi, non seulement ma bourse s'était-elle envolée, mais encore les pièces d'or que, de peur des voleurs, j'avais prudemment cousues dans mes habits.

Ce fut le chant d'un oiseau qui me tira de mon évanouissement ; il s'exprimait très clairement dans ma langue maternelle, disant :

— Mauvais ! Mauvais ! Retourne chez toi ! Retourne chez toi !

Je croyais être redevenu un petit garçon du temps où je m'endormais en gardant les cochons de dame Pirjo dans les environs d'Åbo. Puis, sentant le froid qui me glaçait et cette douleur à la tête, j'écartai les branches pour tenter de me mettre sur mon séant. A ce moment, j'ouïs une douce voix qui murmurait :

— Dieu soit loué ! Tu es vivant, beau jeune homme ! Je suis restée auprès de toi à prier et prier pour que tu reprennes vie ! Je croyais que tu étais mort, tu sais ! Mais je t'en prie, épargne ma pudeur, ne bouge pas les branches ! Je ne t'ai déjà que trop contemplé !

Je n'avais nulle idée de l'endroit où je me trouvais ni ne savais comment j'étais arrivé dans cette forêt. J'avais même oublié mon nom et ce que je faisais. Comme l'oiseau achevait de me parler, je crus que cette douce voix provenait du vieux chêne contre lequel j'étais couché et que je comprenais le langage des oiseaux à l'instar de ceux qui ont avalé la langue d'un corbeau blanc. Mais lorsque je réussis à tourner ma tête malgré le vertige et les violentes douleurs que tout mouvement m'occasionnait, je vis près de moi une femme agenouillée sur le sol, sa jupe à rayures rouges gracieusement étalée autour d'elle. Elle paraissait jeune et me contemplait avec dévotion de ses yeux jaune-vert de chat.

Je replaçai en hâte le feuillage pour cacher ma nudité et dis :

— Où suis-je ? Qu'est-il arrivé ? Qui êtes-vous ? Que faites-vous dans les bois ? Comment vous appelez-vous ?

— Je suis Barbara Büchenmeister et mes parents sont de braves gens qui habitent la bonne ville de Memmingen, où mon père est armurier. Je suis venue ici pour rendre visite à mon oncle, nous ne sommes point éloignés de la ville et je me promenais dans la forêt pour cueillir de l'armoise. Mais toi, qui es-tu ? Es-tu un homme ou un esprit païen des bois qui a pris l'apparence humaine pour me séduire ?

Elle avança son bras jusques à toucher mon épaule comme pour s'assurer que j'étais vraiment un être de chair et de sang, et son contact ne me fut point désagréable.

— Je suis un homme, répondis-je, et mon nom est Mikaël Pelzfuss... du moins à ce que je crois... Je me souviens de si peu de choses !... On m'a frappé, volé et jeté dans ce taillis aussi nu que le jour de ma naissance... et en vérité aussi pauvre et misérable !

La femme joignit ses mains pour rendre grâce à Dieu puis elle dit :

— Notre Père miséricordieux a donc écouté ma prière et mon rêve s'est fait réalité ! J'étais si fort tourmentée, et depuis si longtemps, que je suis venue dans la bonne ville de mon oncle dans l'espoir de me trouver un époux; chez moi,

219

tout le monde me connaît et nul n'a voulu me prendre ! Mais je ne suis plus d'âge à me marier et j'ai échoué ici aussi !

« Toutefois, j'ai rêvé que je devais pénétrer à l'intérieur de la forêt si je voulais trouver un mari et chaque jour je viens ici me promener et parler avec les charbonniers et les bûcherons... et voici que je t'ai trouvé ! Tu es sans nul doute l'époux que le Créateur me destinait, ô toi qui gis ici, nu et démuni de tout, malade et sans force, ô toi qui ne peux te sauver à mon approche comme font tous les autres !

« Moi, je t'aime déjà et bien que ma pudeur m'ait interdit de t'examiner de trop près, je pensais déjà à ma dot !

— Ô Barbara Büchenmeister, repris-je, je ne doute point que Dieu et Ses saints ne vous aient envoyée près de moi afin de m'éviter de mourir de froid ou d'être dévoré par les loups, je n'en disconviens pas ! Mais ne vous abusez point en caressant des plans qui ne pourront aboutir : je suis un religieux en pèlerinage et ne puis songer au mariage; dès que j'aurai repris des forces, je me remettrai en route !

Elle saisit ma main qu'elle serra passionnément contre sa poitrine en disant :

— C'est toi qui es abusé par ta mémoire, Mikaël Pelzfuss, et le coup que tu as reçu te donne encore des vertiges ! Tu n'as ni la tonsure ni la mine d'un religieux, même si tes mains n'ont apparemment jamais touché aux pénibles travaux. Du reste, on voit à présent des prêtres et des moines qui se marient sans encombre et vont prêcher la nouvelle doctrine ! Si c'est nécessaire, je ne verrai nul inconvénient à adopter leurs croyances et dès que je t'aurai guéri et procuré des vêtements, nous trouverons bien un frère voyageur qui acceptera de nous unir.

L'idée d'avoir perdu mon argent et d'être ainsi dans l'impossibilité de continuer mon voyage, me donna le vertige et je fus saisi d'un tremblement de la tête aux pieds. Je délirai, vomis, appelai Antti à grands cris et ce n'est qu'après trois jours, trois jours de cauchemars horribles et de visions de démons me saisissant dans leurs griffes, que je repris mes sens. Je me réveillai cette fois dans un grand lit à quatre colonnes. Les yeux vert-jaune de Barbara étaient posés sur moi et elle me tenait les mains. J'étais si faible que je ne pouvais même pas bouger les doigts, mais je ne souffrais plus et me sentais calme et reposé après cette fièvre dévorante.

Lorsque Barbara s'avisa que j'étais de nouveau conscient, elle se pencha sur moi et m'effleura les lèvres d'un timide baiser.

— Mon cher fiancé, dit-elle, tu vas bien à présent et ta tête est claire ! Durant trois jours et trois nuits, je n'ai pas fermé l'œil pour t'arracher à la mort. Il a fallu que je te force à rester couché et le barbier est venu te saigner. Te voilà maintenant plus blême qu'un spectre mais guéri ! Il faut que tu manges, puis tu t'habilleras.

« Si tu veux, tu peux parler à ton compagnon qui craint que tu n'aies perdu la raison. Dis-lui, toi, qu'il est libre de partir quand bon lui semble et que nous sommes fiancés ! Je prendrai soin de toi jusques à ce que nous soyons unis devant l'autel en l'église de ma bonne ville.

Elle appela Antti qui entra et m'observa avec attention tout en mâchonnant un quignon de pain.

— Tu as décidément une tête bizarre ! remarqua-t-il. Elle résiste aux coups les plus terribles ! J'aurais juré que tu allais mourir et non seulement te voilà vivant mais encore tu as trouvé le temps de rencontrer une amoureuse ! Il ne me reste donc plus qu'à te souhaiter bonheur et prospérité ! Après tout, cela vaut peut-être mieux pour toi que d'aller en Terre sainte finir esclave chez les infidèles ! Quoique, tout de même, je n'arrive point à imaginer ce que tu trouves chez dame Barbara ni comment tu as pu tomber si vite sous sa coupe !

— A quoi bon les discours, Antti ? Inutile de pleurer sur le pot de lait renversé, tu ne crois pas ? Combien d'argent reste-t-il ?

Il glissa sa main dans sa bourse, compta les pièces au toucher et répondit d'un ton goguenard :

— Pas tout à fait un gulden ! Tu vois, quand c'est toi qui transportes tout seul notre argent ! Si seulement je l'avais bu comme tu soupçonnais que je l'aurais fait ! Toi, tu l'as perdu en moins de temps qu'il n'en faut à un chat pour éternuer ! Quand je ne t'ai plus vu sur le chemin, j'ai vraiment cru que

Dieu t'avait soulevé par les cheveux pour t'enlever au paradis ! J'ai entendu le galop des chevaux et couru derrière eux à perdre haleine, mais j'ai dû abandonner et suis alors revenu plein de tristesse à la ville dans l'intention de parler de ce prodige à un prêtre quand, à la porte de la cité, je t'ai reconnu, couché dans une charrette de foin et dans les bras de ta fiancée. Alors je t'ai suivi jusques à cette honorable maison qui a pour seuls inconvénients sa maigre table et la rigidité de ses mœurs.

— Antti, mon frère, c'est la volonté du Créateur, n'en doutons point, que je demeure sous la protection de cette vertueuse jeune fille. Je ne puis poursuivre mon pèlerinage sans argent, et d'ailleurs je me sens si faible que je ne puis même pas remuer le petit doigt ! Si elle exigeait quoi que ce soit pour m'héberger, me nourrir, me soigner, me faire saigner, que devrais-je faire sinon l'épouser ? Je lui dois la vie ! C'est donc la solution la plus simple à tous mes problèmes et en ce moment je n'ai qu'un désir, me reposer. Il faut que tu te mettes toi aussi en quête d'une bonne épouse pour fonder un foyer et exercer ton honorable profession.

Antti leva les mains pour se protéger et dit :

— Je vois que tu n'as point encore les idées bien en place ! Je trouve indigne de chercher à attirer son frère dans le puits où l'on vient de tomber ! N'aie point de souci pour moi, cher Mikaël ! Moi aussi j'ai une bien-aimée et je dois à présent te quitter pour la suivre !

Il ne m'avoua qu'après maintes et maintes questions que, las de la maigre chère offerte par la maison de damoiselle Barbara, il avait traîné ses chausses dans une taverne et accepté trois guldens du sergent recruteur. Il avait bu cet argent ainsi que celui qu'il avait sur lui, tout en écoutant le sergent lui conter tant d'histoires fabuleuses sur l'Italie et le duché de Milan qu'il avait grande envie d'aller voir ces merveilles lui-même !

— Excusez-moi, ajouta-t-il, si je préfère être couché à côté de mon canon plutôt qu'auprès d'une femme querelleuse.

Ainsi Antti suivit-il les couleurs de l'empereur dans ses campagnes d'Italie et de France pendant que je restais à la bonne garde de Barbara. Elle me soigna avec tendresse et pas un instant ne me quitta des yeux. Dès que je fus capable de marcher, elle m'installa sur son coffre de voyage dans une charrette tirée par des bœufs, afin de regagner la maison de ses parents dans la bonne ville de Memmingen.

Barbara était la benjamine des cinq enfants d'un armurier et son unique fille. Ses trois frère aînés exerçaient le métier d'artilleur au service de l'empereur et le quatrième, un garçon à l'air buté, apprenait la profession de son père auquel il devait succéder le temps venu.

J'étais encore fort abattu et ma vie passée, dont je ne me souvenais guère, me revenait par bribes au fil des jours. Barbara se montrait douce et ferme à la fois, elle s'occupait de tout pour moi et je n'avais nul souci à me faire. Deux mois s'écoulèrent ainsi et les feuilles dans le jardin se teignirent de rouge.

Un jour, Barbara s'approcha de moi d'un air timide et hésitant. Elle me regarda avec gravité de ses yeux verts et dit :

— Tu es guéri à présent, Mikaël, et tu as retrouvé tes forces d'antan. Il faut donc que tu me dises ce que tu comptes faire. Tu es étranger ici et ne peux continuer à vivre sous le toit de mes parents et à manger leur pain. Tu es libre de nous quitter si tel est ton désir, je ne te réclame rien ! Mais je suis seule et abandonnée. Pourquoi ne resterais-tu point pour recevoir les cadeaux de fiançailles ? Ainsi, nous pourrions nous marier à la Toussaint.

Elle me remit alors une chemise qu'elle avait finement brodée à mon intention et m'accrocha au cou une chaînette de cuivre où pendait une médaille de saint. Je sentais sa chaleur, ses mains sur mes épaules et, quand elle rougit, ses traits s'adoucirent, ses taches de rousseur disparurent : je ne vis plus que ses yeux verts, ses yeux impérieux qui m'ôtaient toute force et me la rendaient désirable. Sans savoir ce qui m'arrivait, je la pris dans mes bras, la serrai contre mon cœur et la baisai sur la bouche.

— Je suis en ton pouvoir, Barbara, je n'ai pas le choix ! Oui, je désire partager le lit nuptial avec toi si tu acceptes de lier ta destinée à la mienne et si tu ne dois point le regretter...

223

une malédiction semble en effet peser sur moi qui apporte le malheur à ceux que j'aime.

— Mon cœur déborde de joie que tu m'aies choisie pour être ta femme ! répondit-elle en me donnant des baisers pleins de passion. Je te promets que je serai pour toi une bonne et fidèle épouse. Il faut que tu règles dès à présent avec mon père la question de ma dot et comme tu es timide et peu entraîné à la discussion, je vais parler à ta place.

Ainsi devint-elle ma fiancée et jamais je ne le regrettai, même s'il m'arriva parfois avant la Toussaint de me rendre compte, en la regardant à la dérobée, qu'elle n'était plus de première jeunesse. Mais il lui suffisait de poser sur moi ses yeux de chat pour être transfigurée. Elle me devenait belle alors, ses traits perdaient toute rudesse, l'on eût dit que ses taches de rousseur s'estompaient et que ses dents redevenaient blanches; je restai accroché à son regard comme un homme ensorcelé.

Un jour, alors que les préparatifs de la noce battaient leur plein, Barbara, se montrant pour la première fois impatiente, me glissa dans la main une monnaie d'argent et me pria d'aller boire une bière à la taverne au lieu de rester dans les jambes des femmes affairées. Tout heureux de cet ordre, je me rendis à *La Défense du Sanglier* proche de l'hôtel de ville, une taverne fraîche en été et chaude en hiver comme il se doit.

J'avais vécu un si long temps loin du commerce des hommes que je me sentis un tantinet désarçonné lorsque à mon entrée, le murmure des voix se fit silence et que tous les regards se tournèrent vers moi; mais je portais un costume convenable que Barbara m'avait fait faire et sans plus de crainte pris place au bout de la table d'où je commandai au tavernier un pot de sa meilleure bière. Il hésita, s'attarda à essuyer la table avec son chiffon avant de se décider à tirer la boisson du tonneau. Il posa le pot devant moi avec un geste si brusque que la mousse m'éclaboussa les genoux. Les jeunes hommes assis à la même table se mirent à chuchoter entre eux et l'un d'eux cracha avec agressivité sur le plancher quand nos regards se croisèrent. Mais je n'y pris garde car, à en juger par ses vêtements, il ne s'agissait que d'un vulgaire apprenti.

Je portai en revanche plus d'attention à un garçon installé au milieu du groupe, un livre grand ouvert devant lui. Un nécessaire à écrire pendait à sa ceinture et il portait un pourpoint dont les manches bouffantes arboraient des crevés à la dernière mode. Son visage ouvert et résolu, ses grands yeux brillants et écartés sous des sourcils noirs lui conféraient un air de puissance intellectuelle. Je bus ma bière tandis qu'après avoir ramené le silence au milieu de ses compagnons, il reprenait la lecture à haute voix interrompue par mon arrivée.

J'écoutai avec attention, le thème me paraissait familier mais je mis un bon moment avant de reconnaître qu'en fait il lisait l'Évangile en allemand. Je tressaillis à cette découverte et me levai tout en me signant machinalement. Le jeune homme s'offensa de ma réaction et, arrêtant derechef de lire, s'adressa à moi sur le ton de la menace :

— Si vous êtes étranger ici dans la ville de Memmingen et si vous craignez d'entendre les paroles sacrées de Dieu, rien ne vous empêche de terminer votre bière et de sortir pour me dénoncer ! Pour votre gouverne, sachez que je m'appelle Sébastien Lotzer et que mon père est un artisan fourreur. Je travaille dans son atelier, lorsque je ne suis point occupé à diffuser auprès des honnêtes gens la parole divine dans la langue qu'ils sont en mesure de comprendre.

Ses compagnons se donnaient des coups de coude, disant :

— Jetons dehors ce moine parasite et rompons-lui les os ! Avec sa tête enfarinée, c'est le fiancé de Barbara Büchenmeister ! Qui peut savoir d'où le diable nous l'a fait sortir ?

Le tumulte se calma peu à peu. Offensé mais jugeant une querelle au-dessous de ma dignité, je me retirai près de la sortie. Je me permis cependant de dire pour ma défense :

— Mon nom est Mikaël Pelzfuss et je suis un *baccalaureus artium* de la docte université de Paris. Quelle raison avez-vous de me haïr ? Je relève à peine d'une longue maladie et il m'a semblé à l'instant vous entendre, vous

Sébastien Lotzer, lire les paroles sacrées dans un livre imprimé en allemand bien que vous portiez l'habit laïque et soyez, selon vos propres dires, un fourreur de profession. Je ne peux donc qu'en conclure que le diable a brouillé mes oreilles et ensorcelé mes yeux pour mettre ma foi à l'épreuve.

— En vérité, vous avez dû être malade fort longtemps si vous n'avez toujours point reconnu les signes du temps ! répondit Sébastien avec un sourire. Prenez place parmi nous et écoutez ma lecture. Nous nous sommes tous cotisés pour acheter ce livre sacré qui coûte aussi cher qu'un bon cheval ! Nous devons fonder notre espoir de rédemption sur les paroles de la seule Bible et juger à travers elle seule de nos actions et des événements qui nous touchent. Cet ouvrage est le Nouveau Testament que le docteur Luther a traduit en allemand, ce n'est donc point une invention du diable ! En fait, Satan a lutté toutes griffes dehors contre Luther pour l'empêcher de mener à bien sa traduction, le troubler et le retarder dans son travail, et le docteur s'est vu obligé de lui lancer son encrier au groin ! Mais à présent, en dépit des intrigues des démons et des prêtres, le volume est imprimé; tout honnête homme peut désormais lire et expliquer le texte sacré, et je n'ai point trouvé une seule ligne ni un seul mot dans tout cet ouvrage qui interdise à un laïque de le faire !

— Il ne peut s'asseoir avec nous ! dirent ses compagnons méfiants. Regarde comme il est pâle et du reste, il va se marier avec la rouquine Barbara ! Toutefois, s'il désire partager notre compagnie évangélique, qu'il paie au moins la bière à tout le monde !

Et voilà comment je fis la connaissance de Sébastien Lotzer et pour la première fois l'entendis donner une interprétation de la Bible absolument différente de l'orthodoxie. Pour lui, pas plus que pour ses amis, la recherche du salut de l'âme ne constituait leur première préoccupation; ils cherchaient avant tout à découvrir si la Bible contenait une quelconque justification au paiement des dîmes, si l'on devait adorer les saints, croire au purgatoire et à l'intercession ou savoir si les moines et les religieuses avaient le droit de concurrencer les guildes des malheureux tisserands en se dispensant d'acquitter les taxes et autres impôts publics.

Sébastien affirmait hardiment que point n'est besoin de croire ni de payer ce qui n'est pas explicitement stipulé dans le livre sacré; il déclarait également que l'on ne trouve rien dans la Sainte Écriture au sujet des monastères, que le cloître est une invention du diable dans le seul but d'ennuyer et d'opprimer les honnêtes artisans et le pauvre monde; du reste, ajoutait-il, les tisserands qui devaient supporter la concurrence des ateliers de tissage des grands monastères exemptés de taxes, ne pourraient plus longtemps encore subvenir à leurs besoins non plus qu'à ceux de leurs familles.

— La justice divine, disait-il, est supérieure à celle de l'Église ou à celle de l'empereur, car l'Église n'est qu'une institution humaine et l'empereur un élu du peuple. Je dois nuit et jour m'efforcer de comprendre la justice divine afin, le moment venu, d'en témoigner devant mes semblables à la seule lumière de ce qui est écrit dans la Bible, désormais à la portée de tous. Dieu n'a certainement jamais voulu que les moines se vautrent dans la graisse derrière les murs de leurs cloîtres pendant que les hommes des villes et des campagnes peinent et triment pour un misérable croûton de pain ! Non ! Nous devons mettre un terme à tout cela ! Le sang du Christ a racheté tous les pauvres pécheurs et tous sont égaux aux yeux de la divinité. Dieu ne reconnaît ni évêques, ni prêtres, ni moines, ni seigneurs et nous avons tous devant lui les mêmes droits. Il faut que le peuple apprenne à lire les signes de notre temps ! La patience n'est point sans limites !

Le tavernier, qui jusqu'alors avait écouté en silence, commença à grommeler avec mauvaise humeur; il débarrassa la table de nos pots vides, l'essuya et dit :

— Je ne puis servir davantage à crédit, Sébastien ! D'ailleurs, si votre père vous entendait, il vous flanquerait une telle rossée que vous ne pourriez plus vous tenir debout ! Allez lire autre part à présent, les bons bourgeois ne vont point tarder à arriver pour leurs exercices choraux ! Il est donc temps pour les apprentis de quitter les lieux, que la Bible le dise ou non !

Sébastien Lotzer enveloppa le précieux volume dans un morceau d'étoffe et le prit sous le bras. Nous quittâmes ensemble *La Défense du Sanglier* et il me parla ainsi :

— Soyons amis, Mikaël Pelzfuss ! Je ne connais personne autour de moi avec qui discuter de tout ce qui bout dans ma tête ! J'aimerais converser en latin avec toi; c'est une langue que j'ai étudiée tout seul et je ne la parle que difficilement, mais j'avais lu une grande partie de la Bible avant que cet ouvrage incomparable ne sorte des presses.

Il me fit entrer sans marquer la moindre hésitation dans la maison de son père et m'introduisit dans l'atelier où le grand maître fourreur travaillait; debout, il coupait à coups vifs et précis de précieuses peaux destinées à border les capes de clients éminents. Les deux hommes se ressemblaient et le père comme le fils avaient de grands yeux brillants très écartés.

— J'ai trouvé un ami, dit Sébastien en me présentant à son père. Il est étranger mais instruit et de courtoises manières. Je vous prie de lui accorder votre faveur, père... et ne soyez point fâché si aujourd'hui je parle avec lui au lieu de vous aider à couper.

Maître Lotzer me regarda longuement d'un air scrutateur.

— Bienvenu chez moi, Mikaël Pelzfuss, dit-il; cependant gardez-vous d'apporter le malheur sur mon fils ! Il est jeune et impulsif, il vous faudra le calmer ! Je sais très bien qu'il n'est point venu au monde pour être fourreur, il manie plus habilement la plume d'oie que le couteau et j'espérais qu'il pourrait exercer une profession juridique; j'avais d'ailleurs obtenu pour lui un poste de secrétaire au tribunal de la ville mais son arrogance et sa tendance à répliquer le lui ont fait perdre. Je suis un homme d'esprit libéral qui respecte ce que pensent les autres; mon jeune fils, lui, n'a point encore saisi la différence entre le fait de penser et celui de penser à haute voix !

Sébastien serra son père avec un sourire radieux. Et à voir sa belle tête noblement dressée, je songeai que ni son père ni personne au monde ne pouvait réellement se fâcher contre ce garçon et devait plutôt se sentir toujours enclin à lui pardonner sa fougue.

Il m'amena dans sa chambre où il y avait, outre de très nombreux livres, un poêle de faïence aux tons gris-bleu et un lit recouvert de chatoyantes fourrures. Voilà bien, pensai-je, l'enfant gâté d'un homme riche ! On voit qu'il n'a jamais souffert ni de froid ni de rien ! Il ne doit guère lui être difficile de jouer avec des idées qui laisseraient tout autre sans toit ni pain, à moins qu'elles ne le menassent droit au bûcher !

Mon hôte discourut sans me laisser placer un mot. Je profitai d'un moment de silence pour dire :

— Sébastien, tu sais que je dois samedi épouser Barbara, la fille de l'armurier. Étant étranger ici, je n'ai point d'ami pour m'accompagner à l'autel. S'il est vrai que tu désires mon amitié, sois mon témoin de mariage et viens ensuite à la maison comme mon invité; je n'aurais pas ainsi à rougir devant les autres !

Une ombre passa sur son visage, il se mordit les lèvres et détourna son regard. Puis il déclara :

— Mikaël, sais-tu bien ce que tu fais ? Sais-tu quoi que ce soit de Barbara et de sa famille ? Elle a mauvaise réputation, si mauvaise qu'elle a creusé un abîme entre les siens et la totalité des habitants de la cité. Une fois, elle a été obligée de prêter le serment de Purification devant le tribunal ecclésiastique. Crois-moi, elle est mal vue dans cette ville et nul ici ne parvient à croire qu'elle a pu attirer un homme tel que toi par des moyens naturels.

« Si je parle de la sorte, c'est pour t'avertir car je pense qu'il faut que tu comprennes parfaitement ce dont il s'agit.

Son discours m'éclaira nombre de points que j'avais remarqués durant ma maladie sans qu'ils m'eussent réellement attiré l'attention. Toutefois, cet avertissement ne laissait point de me blesser car j'étais absolument pénétré du sentiment que la Providence m'avait destiné à devenir son époux. Je contai donc à Sébastien ce qu'il me parut bon de dire de notre première rencontre dans la forêt et le priai ensuite de me fournir quelques raisons de la mauvaise opinion qu'il nourrissait à l'encontre de Barbara.

— Elle a toujours été différente des autres, même quand elle était enfant, répondit-il d'une voix hésitante. Nul ne s'explique l'ascendant mystérieux qu'elle exerce sur ses parents !

Tout en jouant avec la chaîne de cuivre que Barbara m'avait offerte, je rétorquai :

— Mais toi aussi tu es différent, Sébastien ! Et tu exerces toi aussi un remarquable pouvoir sur ton père. Jamais il ne te réprimande, même quand il a toutes les bonnes raisons de le faire !

Il rit malgré lui, mais poursuivit :

— Tu ne comprends pas, ou tu ne veux point comprendre ! Une fois, Barbara a ensorcelé un garçon ! Tous les enfants la fuyaient, la battaient et lui tiraient les cheveux si elle essayait de se mêler à leurs jeux. Ce garçon-là a été frappé par la foudre... Elle peut, d'un seul regard, faire tarir le lait d'une jeune mère ! Et un jour qu'elle était en colère contre l'épouse d'un marchand d'épices, elle a avancé la main et trois taches noires sont aussitôt apparues sur le bras de la femme. C'est la raison pour laquelle personne n'ose la regarder dans les yeux ! Ces yeux qui t'ont certainement jeté un sort, Mikaël ! Ne vois-tu pas qu'elle n'est plus de première jeunesse, qu'elle est laide, qu'elle a des cheveux rouquins et des chicots plein la bouche ?

— Tu as peut-être raison, Sébastien, répondis-je, mais peut-être aussi que l'amour n'est point autre chose qu'aveuglement et sorcellerie ! Une mère n'aime-t-elle point son enfant le plus laid et ne le trouve-t-elle pas beau ? Chacune de tes paroles enfonce un aiguillon dans mon cœur ! Barbara n'est point laide à mes yeux ! Bien au contraire ! Pour moi, elle est douce et blanche et j'aime ses yeux verts !

« Et ne va point t'imaginer que je convoite la fortune de son père ! J'ai l'intention, dès que j'aurai trouvé un travail à ma convenance, de subvenir à ses besoins comme il incombe à un époux. Si tu veux être mon ami, tu me dois une réparation pour tes propos blessants. Insulte-moi, si tu veux, dis-moi que je suis blême et étranger, mais ne touche point à Barbara qui va devenir ma femme.

Je parlai avec exaltation car ce ne fut qu'en l'entendant médire de ma fiancée que je me rendis compte combien elle m'était chère ! Je la désirais ardemment et voulais partager ma vie avec elle, aussi étrange que cela pût paraître à mes propres yeux !

Sébastien ne put longtemps résister à ma peine. Sa cordialité naturelle fit taire son bon sens; il me promit en m'embrassant de m'accompagner à l'autel, paré de ses plus beaux atours, puis de venir à la fête au titre de mon invité. Et comme le temps s'était rafraîchi et qu'un vent glacé soufflait des Alpes, il me prêta même un manteau de velours avec un col de renard argenté pour mettre sur mes épaules le jour de la cérémonie nuptiale.

Je ne veux rien dire de ma noce sinon que j'étais aveugle et heureux; je ne prêtai nulle attention aux mauvais présages ni au peuple qui regardait méchamment la procession sans prononcer les bénédictions traditionnelles sur notre passage. Le douaire de Barbara me suffit pour acheter les vêtements, le linge et les meubles dont nous avions besoin et il resta cinquante guldens du Rhin que le vieil armurier me compta soigneusement dans une bourse de peau. Je l'aurais volontiers pressé dans mes bras comme un père, mais il me repoussa avec hargne et il ne me fallut guère plus d'une semaine pour comprendre qu'il ne souhaitait pas plus que son fils nous avoir sous son toit.

Je me mis à la recherche d'un emploi qui me convînt, hélas ! je n'appartenais à aucune des guildes de la cité où, de surcroît, j'étais étranger. J'essuyai nombre de refus secs et humiliants qui finirent par me donner l'amère impression d'être un va-nu-pieds importun aux honnêtes gens. Sébastien était mon seul ami, mais il ne me voyait que pour discuter de points touchant sa passion dévorante pour la justice divine et, comme j'étais attiré davantage par les thèmes théologiques que juridiques, nous avions des opinions contradictoires dans l'interprétation des paroles lumineuse de la Bible. Ses compagnons, d'ignorants apprentis tisserands, m'évitaient tout en m'enviant l'amitié de leur maître; ils continuèrent à m'appeler face de carême même après que j'eus recouvré mes forces et mon apparence normale. Cet état de choses blessait mon orgueil et, sans en parler à Sébastien, je me rendis auprès de son père pour le prier de m'accepter comme apprenti fourreur. Il me confia un couteau et une peau de taupe et observa comment je me tirais d'affaire. Puis il me reprit brusquement le couteau et me dit que je n'étais point doué pour ce métier. Il me recommanda alors à un apothicaire, mais ce dernier était un misérable avare qui mélangeait ses drogues dans le plus grand secret; je suis convaincu qu'il trompait ses clients en leur vendant des remèdes sans efficacité et que ce fut la raison pour laquelle il ne voulut point d'assistant. Je ne pouvais pas non plus m'établir comme médecin, j'étais trop jeune et sans diplôme. Pourtant, en m'en tenant aux principes élémentaires du docteur Paracelse, je n'eusse point fait plus de mal à mes patients que les médecins patentés.

Nous vivions en des temps agités. L'Empire entretenait une guerre interminable contre la riche et puissante France, tandis que du Nord et de la Confédération suisse nous parvenaient les voix batailleuses des hérétiques qui réclamaient la purification de l'Église. La petite ville de Memmigen se trouvait submergée par ces flots tumultueux qui ne laissaient point de l'ébranler. Il ne se passait guère un seul jour sans qu'un moine ne désertât son monastère ou qu'un apprenti cordonnier ne s'installât sur la place du marché pour prêcher contre les traditions sacrées de l'Église et la vie monastique. Puis il demandait l'aumône afin de poursuivre son pénible voyage vers d'autres cités. La foudre de Dieu ne s'abattit point sur ces agitateurs et pas un tribunal — ecclésiastique ou séculier — ne se risqua à s'opposer à eux de crainte du désordre.

Les harangues séditieuses de ces prédicants itinérants répandirent par tout l'Empire une plaie spirituelle à laquelle nul ne pouvait échapper, de même que nul ne peut échapper à une véritable épidémie qui se propage par la poussière sèche et se transmet par la respiration. Les manants écoutaient ces gueux en riant avec indifférence ou encore bouche bée; mais les mots malgré eux s'insinuaient dans leur esprit pour le corrompre comme c'est le propre de l'hérésie, et la connaissance de la Bible se développa dans les couches les plus basses de la société d'une manière fort alarmante. Tous s'étaient mis à manger du fruit défendu dans la mesure de leurs moyens ou de l'occasion, et le temps approchait où chacun prétendrait justifier ses désirs mauvais en se référant aux Saintes Écritures.

Sébastien m'avait présenté à l'ancien recteur de la cité, qui était originaire de Saint-Gall dans la Confédération suisse. C'était par malheur un homme irascible, un grossier personnage absolument pourri par les idées hérétiques, même s'il ne se risquait guère à les exprimer clairement. Il montrait un grand empressement à s'entourer de jeunes gens qu'il invitait à boire de la bière chez lui pour discuter; il appuyait son argumentation en frappant de son poing sur la Bible traduite en latin par Erasme. Il n'avait point en effet reconnu Luther mais trouvé à Zurich, ville de son pays, un précepteur encore plus virulent et avancé dans l'hérésie. Du reste, Sébastien l'accompagna pour la Nouvelle Année et j'eusse moi aussi fait volontiers le voyage jusqu'à Zurich si mes moyens me l'eussent permis. Force me fut, néanmoins, de demeurer où j'étais et je passai mon temps à nourrir un petit oiseau vert enfermé dans une cage d'osier ou à regarder les toits du voisinage par la fenêtre.

Un jour, ne pouvant plus longtemps contenir mon désespoir, je laissai libre cours à mon amertume, la tête sur les genoux de ma chère épouse.

— Hélas ! Misérable abandonné ! Je ne vaux rien ! Nul ne veut ici m'adresser la parole et je ne suis même pas capable de subvenir aux besoins de ma propre femme ! Tu as vraiment fait une mauvaise affaire en m'épousant, ô Barbara ! Il vaudrait mieux que je disparaisse de ce monde comme j'y suis venu !

— Mikaël, ne te décourage pas ! répondit-elle tout en passant sa main fine dans mes cheveux. J'ai un plan ! Le répartiteur d'impôts du Conseil de la ville est un ivrogne aux mains tremblantes qui ne tardera guère à avoir un accident; je pense qu'alors tu pourras exercer sa profession. Essaye en attendant de gagner son amitié, aide-le dans sa tâche sans exiger rétribution et de cette manière les membres du Conseil s'accoutumeront à ta vue et ne t'éviteront plus.

Pendant qu'elle me caressait ainsi, je me sentis envahi d'une impression de sécurité pleine de douceur bien qu'illusoire, je le sais, et ne prêtai point grande attention à son bavardage. Toutefois, je ne me fis point faute de rechercher la compagnie du répartiteur, que j'obtins en l'invitant tout simplement à boire une bière à *La Défense du Sanglier*. Il m'amena bientôt à son bureau, puis à des réunions du Conseil et m'autorisa de plus en plus souvent à l'aider dans la copie des protocoles, ce qui lui permettait de retourner plus tôt à la taverne. J'appris donc à manier les sceaux, et m'initiai aux discussions les plus courantes touchant les faux poids et mesures utilisés par les marchands ou concernant le contrôle des prix établis pour prévenir la concurrence déloyale. Pas une seule fois, la pensée de la monotonie et de l'ennui de cette charge ne me vint troubler l'esprit ! Je ne rêvais qu'aux joies d'une tâche peu astreignante et d'une vie paisible, et mettais tout mon idéal dans la perspective de vieillir honorablement aux côtés de ma bonne épouse, entouré de mes livres et dans la compagnie de mes amis, mes seuls plaisirs sur cette terre. Dans l'espoir d'obtenir ces privilèges, je fis de mon mieux pour gagner la faveur des conseillers, m'inclinant profondément sur leur passage, m'habillant toujours correctement et grossoyant les documents de ma plus belle écriture. L'aspect négligé de mon employeur abruti par l'alcool ne me troublait guère et je ne voyais point en lui l'image de mon propre avenir dans une fonction publique, sinon que je lui enviais sa position et souhaitais en mon cœur qu'il tombât malade.

Sébatien et le recteur revinrent de Zurich ivres de zèle et d'exaltation et furent aussitôt assaillis par la populace évangélique, avide à la fois de nouvelles et d'enseignement. Ulrich Zwingli, le fameux recteur de Zurich, avait défendu soixante-sept thèses sur la liberté chrétienne contre l'oppression de l'Église, si brillamment que personne n'avait été en mesure de lui opposer une sérieuse réfutation.

— Est-il possible, m'exclamai-je, que Dieu ait octroyé à cet agitateur une grâce supérieure à celle qu'Il concéda aux Pères éminents de l'Église ainsi qu'à tous les saints bénis qui, pour lui, ont souffert torture et martyre ! Je ne le puis croire ! Ce Zwingli est l'esclave de sa chair, il a abandonné le célibat pour se marier et je ne vois point qu'il donne non plus preuves de sainteté en d'autres domaines !

— Dommage que tu ne l'aies pas vu ! Il aurait fallu que tu pusses le regarder dans les yeux ! répondit Sébastien. Tu aurais alors su que le Saint-Esprit parle par sa bouche. Et il ne va point s'arrêter à ce qu'il a déjà fait; il a confié à ses plus intimes partisans qu'il ne prendrait point de repos tant que les images de saints de toutes les églises n'auraient point été détruites comme des idoles, et tant que les bâtiments qui abritent des monastères n'auraient été convertis en écoles ou en ateliers.

« Luther n'est qu'un tiède pacificateur comparé à Zwingli ! Si le premier permet tout ce que la Bible ne défend point explicitement, le deuxième en revanche se propose d'interdire tout ce qui n'est point ordonné explicitement par la Bible !

— Ah ! Ceci je veux bien le croire ! répliquai-je. Une fois décrochée l'amarre et abandonnée l'ancre du salut de l'Église, il n'y a plus de raison de conserver quelque autre lest inutile ! Larguons une fois pour toutes par-dessus bord les saints sacrements et que Satan souffle dans nos voiles de toutes ses forces !

Je parlai ainsi par esprit de moquerie, mais Sébastien me regarda avec des yeux où brûlait le fanatisme.

— Tu ne penses pas si bien dire ! Une tempête se prépare dont on peut déjà entendre les grondements. Elle balaiera au loin toutes les vieilles croyances usées sur lesquelles le royaume de Dieu est bâti sur cette terre.

— Le pape en personne a cherché à soudoyer Zwingli, intervint le recteur Christophe, en promettant une réforme à l'intérieur de l'Église. Mais en vain nettoie-t-on une maison en ruine ! Il faut l'abattre ! Zwingli s'appuie sur la révélation de saint Jean pour témoigner que l'Église gouvernée par le pape est l'Antéchrist ! Des présages sans équivoque annoncent d'ailleurs sa chute imminente. Sais-tu qu'alors qu'Adrien célébrait la messe de Noël dans une Rome en proie au fléau de la peste, une grosse pierre détachée d'un des piliers est venue s'abattre sur l'autel devant le pape ? Voilà un signe que tous les vrais chrétiens ne manquent de comprendre même si lui cherche à l'expliquer d'autre façon; il prétend que la chute de cette pierre veut rappeler celle de Rhodes qui, malgré sa reddition, s'est vue envahie, saccagée et pillée par les infidèles le jour de Noël !

— En vérité, je crois que l'Antéchrist est apparu sur la terre ! dis-je en quittant mon siège. Oui ! Satan a faussé la vision des humains ! Et quand on injurie le Saint-Père, que l'on appelle idoles les images des saints et que l'on ne redoute point le péril turc qui menace la Chrétienté tout entière, c'est Satan qui s'est emparé de l'esprit des hommes ! Ainsi donc, à la onzième heure, vous attisez encore dissensions et conflits et vous ne le regretterez que lorsque les sabots des hordes turques résonneront le long de vos rues et que leurs prêtres clameront le nom de leur faux prophète du haut des tours des églises de notre cité !

Un ou deux tisserands se levèrent à leur tour.

— Ce Mikaël Pelzfuss est un homme corrompu avec son charabia de moine ! dirent-ils à Sébastien. Il méprise les paroles de clarté du saint livre que les honnêtes gens peuvent comprendre ! Pourquoi ne pas lui ouvrir les yeux avec nos poings et lui arracher son papisme du ventre ? Nous sauverions ainsi son âme immortelle avant qu'il ne puisse jeter la discorde au sein de notre communauté évangélique !

Mais Sébastien prit ma défense et je regagnai mon logis sans encombre, profondément troublé cependant par les discours entendus.

Mon ami vint me rendre visite le jour suivant sans se soucier des préjugés pesant sur ma maison, dans l'espoir de triompher de mes doutes. Barbara l'écoutait en silence, nous regardant tour à tour de ses yeux jaune-vert, tandis que je persistais dans mon opposition à ses arguments.

— La sainte Église glorifiée par le sang de ses saints et de ses martyrs tient bon depuis plus de quinze siècles ! Le pape Adrien est un homme sévère, dévot et il ne demande pas mieux que de purifier l'Église et de jeter les marchands hors du temple. Rends-toi compte ! L'Église est perdue si le moindre apprenti cordonnier ou forgeron se met à lire la Bible à sa façon et à l'interpréter à la lumière de son ignorance !

— Les saints apôtres aussi étaient d'ignorants pêcheurs ! rétorqua Sébastien. Et Dieu a permis que son Fils unique naquît chez un vulgaire charpentier ! Église et université n'ont fait que compliquer le message tout simple des Écritures !

— Sébastien ! insistai-je. Si les hommes perdent leur foi en la sainte Église et les sacrements, ils perdront foi en toutes choses et il ne peut en résulter que péché, perdition et chute de la Chrétienté. Déjà l'on voit ceux qui violent sans honte les jours de jeûne, ceux qui blasphèment contre les choses sacrées en se réclamant des textes bibliques pour défendre leurs vices ! Le misérable et l'avaricieux professent l'évangélisme pour se soustraire au paiement des dîmes; des tisserands exigent la dissolution des monastères parce que leur guilde s'est appauvrie; des mercenaires transportent la Bible dans leur havresac pour justifier le pillage des églises et le viol des nonnes ! En vérité, la Bible est une arme terrible dans les mains d'un ignorant s'il recherche en elle la satisfaction de ses coupables appétits et non le salut de son âme ! Crois-moi, Sébastien, le lecteur le plus assidu de la Bible n'est autre que Satan !

Il m'observa et son front était pur et serein au-dessus de ses sombres yeux écartés.

— Écoute-moi, Mikaël, Dieu a donné à l'homme une belle terre pour y vivre et Il lui a conféré un pouvoir sur toutes les bêtes des champs, les oiseaux du ciel et les poissons des rivières ! Avec le sang de son Fils unique, il a rédimé l'humanité sans excepter un seul homme ! Ceci, et ceci seulement constitue l'enseignement véritable ! Et l'on voit néanmoins le paysan peiner comme un esclave pour son seigneur et le labeur de l'artisan n'enrichir que le grand commerce ! Le paysan est mis aux fers et croupit dans le cachot du château s'il attrape un poisson dans la rivière pour nourrir sa femme malade ! Le tisserand perd son pain quotidien et se voit chassé de la cité si dans sa colère il a montré le poing aux grands ateliers de tissage des monastères ! Dieu ne peut vouloir cela ! La Bible donc sera notre arme pour établir le royaume de Dieu sur terre !

Je fixai mon regard sur Sébastien et ne le voyais plus désormais comme un ami mais comme un bel animal sauvage et implacable recouvert d'un pelage à la douceur de satin; des boutons d'argent ornaient son pourpoint et le confortable col de fourrure de sa cape de velours effleurait sa joue à chaque vigoureux hochement de tête dont il accompagnait ses propos. Le péché, la souffrance et la rédemption de l'humanité n'étaient pour lui que concepts étrangers; il voyait dans la Bible non pas un chemin pour accéder au royaume de Dieu mais une manière de modifier le cours des affaires du monde d'ici-bas.

— Erasme a pondu un œuf, commentai-je, Luther l'a couvé et Zwingli à présent chante comme un coq adulte ! En vérité tu as allumé une étincelle et enflammé une torche qui pourrait bien mettre le feu à toute la basse-cour ! Pourquoi ? Qu'as-tu donc au fond de ton cœur qui te tourmente ? Il ne te manque rien de ce qu'un homme peut à juste titre désirer dans la vie : tu es jeune, en bonne santé, tu viens d'une bonne famille et toutes les portes te sont ouvertes !

Il détourna de moi son visage qui devint cramoisi.

— Non ! Il y a des portes qui ne céderont pas même si je frappe jusqu'à m'écorcher les poings ! s'écria-t-il. Mais nous ne tarderons point à les faire sauter avec de la poudre et alors nul ne me méprisera plus !

Barbara intervint à ce moment pour dire sur un ton enjoué :

— Voyons, Sébastien, point n'est la peine de mettre le monde en pièces parce que tu es malade d'amour ! Achète-toi un philtre bien éprouvé et tu n'auras plus besoin d'une bible ! Ton désir se calmera et ton âme trouvera la paix pour une ou deux pièces d'or !

— Sorcière ! Rosse ! Jeteuse de sorts ! rugit Sébastien d'une voix tremblante de haine en bondissant sur ses pieds. Nous avons assez souffert par ta faute à Memmingen et ton serment de Purification ne va plus te servir encore longtemps ! Un de ces jours, on te brûlera sur un bûcher pour te faire expier toutes tes méchancetés !

Je suis sûr que Barbara avait seulement voulu faire une plaisanterie, mais elle se dressa sous les insultes de Sébastien, ses yeux verts lançant des étincelles de rage. Ses joues devinrent brusquement si pâles que ses taches de son y traçaient comme des marques brunes. Elle le regarda avec intensité puis, se reprenant, quitta la pièce sans dire un mot.

Sébastien regretta aussitôt son éclat et se signa à plusieurs reprises. Furieux de son emportement et de sa violence, je lui dis sur le ton de la raillerie :

— Si tu suivais Notre-Seigneur selon les préceptes catégoriques de l'Écriture, tu irais vendre tout ce que tu possèdes et distribuerais l'argent aux pauvres ! Car, en vérité, tu es un jeune homme riche et saint François n'en fit pas moins !

— Tu as raison ! répondit-il soudain blême. Mais je n'ai point l'intention de tomber dans la même erreur que saint François qui recherchait le paradis au-delà de la tombe. Non ! Moi, je le chercherai ici-bas, sur cette terre ! Je forcerai les monastères et les riches à partager leurs biens avec les pauvres ! Ils devront désormais se satisfaire d'une part égale à la mienne !

A ces mots, il jeta par terre sa belle cape de velours et la piétina. Puis il arracha rageusement les boutons d'argent de son pourpoint.

— Je m'habillerai dorénavant comme un misérable apprenti ! cria-t-il en les lançant à travers la pièce. Je gagnerai mon pain à la sueur de mon front et me contenterai de manger le brouet du plus pauvre des aides de mon père sans demander le secours de personne !

Des larmes brûlantes coulaient de ses yeux, il mit ses beaux vêtements en lambeaux puis se précipita dehors avant que j'aie pu lui dire au revoir. Je pensai qu'il souffrait sans doute de quelque mal secret que sa fierté l'empêchait de révéler. Barbara, toujours blanche comme un linge, revint près de moi. Elle ramassa la cape, la brossa et récupéra tous les boutons d'argent, disant sur le ton de l'amertume :

— Il est facile à Sébastien de parler ! Fils d'un homme riche, il ne risque pas grand-chose et nul n'oserait toucher un cheveu de sa tête ! Si c'était toi qui parlais ou te conduisais comme lui, on t'expulserait de la ville !

« Tu sais, aucun mal secret ne le ronge ! Une dame de haute naissance a dédaigné son amour parce qu'il était d'origine bourgeoise, c'est tout ! Et son père n'est point assez riche pour acheter à l'empereur une couronne de comte à l'instar de Jacob Fugger.

Je remarquai dans sa voix une note nouvelle et lui demandai :

— Aimerais-tu m'entendre parler comme lui et prêcher le bouleversement du monde ?

Elle évita pour la première fois mon regard et soudain je la vis laide et décharnée avec ses pommettes saillantes et ses taches de son.

— Tu ne m'interrogerais pas si tu avais la foi ! répondit-elle. Mais tu ne l'as pas, même si tu sais que l'Église est souvent cruelle, les prêtres paresseux et les moines avares et ignorants ! On peut utiliser l'eau bénite et la cire tant à de bonnes qu'à de mauvaises fins... Toutefois, ma raison féminine me dit que l'on ne peut changer le monde ! Il y aura toujours des riches et des pauvres, des puissants et des opprimés, tout comme il y a des sages et des fous, des forts et des faibles, des bien portants et des malades. Je n'aime pas les hommes ni ne leur désire aucun bien ! Ils ne m'en souhaitent guère non plus, tu as pu l'entendre de la bouche de Sébastien. Tu es le seul que j'aime, Mikaël, vivons cachés pour ne pas éveiller la méchanceté ! Qu'ils ignorent à jamais que nous sortons tous deux du même moule enchanté !

J'oubliai ses paroles énigmatiques lorsqu'elle posa de nouveau sur moi ses yeux verts qui brillaient de tendresse. Comme elle était belle ! Je l'attirai à moi, le désir me submergea telle une vague de la mer, et nous nous réjouîmes l'un l'autre bien qu'il fût déjà grand jour. Je me disais que, le monde fût-il un bateau en train de couler, je n'étais point sur terre pour le sauver pas plus d'ailleurs que pour creuser un trou dans sa coque ! Et il ne manquait plus qu'une année avant que les planètes ne se rencontrassent dans le signe du Poisson.

Mais mon amitié pour Sébastien s'en trouva refroidie. Fidèle à sa parole, il vécut désormais comme un pauvre dans la maison de son père et mangea à la table des apprentis. Le soir, il lisait la Bible et écrivait sur la liberté chrétienne de longs pamphlets dont il réussit à faire imprimer un ou deux.

Les membres du Conseil le trouvaient suspect et je n'éprouvais nulle envie de le revoir. Il acquit peu à peu une mauvaise réputation et même son père déplorait son entêtement, dans lequel il penchait à découvrir un acte de sorcellerie. Je ne considérais point quant à moi son changement si brutal; il était passé par une longue période de mûrissement mais son père, incapable de lire dans le cœur de son enfant, ne pouvait que remarquer sa transformation extérieure pour s'en lamenter. Au bout de quelques semaines, Sébastien amaigri avait l'allure aussi débraillée et le regard aussi dévorant que n'importe quel autre prédicant vagabond.

Ce fut à peu près à cette époque que l'accident prédit par Barbara toucha le répartiteur d'impôts du Conseil de la ville. Il tomba dans son escalier en rentrant chez lui et se cassa le bras droit, ce qui le mit pour un certain temps dans l'incapacité de tenir une plume. Avec l'approbation du Conseil, il me nomma son assistant et partagea dès lors son salaire avec moi, ce qui se résumait pour lui à abandonner complètement son travail; pour sauver les apparences cependant, il venait de temps en temps à l'hôtel de ville me donner ses instructions. Cet arrangement nous convenait parfaitement à tous les deux. Je ne saurais dire pourquoi, sa blessure ne semblait point vouloir se guérir; cela ne le gênait guère, m'expliqua-t-il, il n'avait besoin que de son bras gauche pour vider sa chope !

Il me disait parfois sous l'empire de la boisson :

— Je sais ce que je sais, mon jeune renard, vous n'arriverez point à me jeter de la poudre aux yeux ! Je sais bien à quels artifices je suis redevable de ma chute dans les escaliers ! Mais je ne vous en garde point rancune parce que, grâce à elle, ma vie est devenue beaucoup plus plaisante. Il serait prudent, néanmoins, de dire à la rousse Barbara que votre bien-être ici-bas repose entièrement sur ma personne; tout seul, étranger et époux de cette femme, vous n'obtiendrez jamais aucun poste ! Qu'elle sache en outre que ma mort, loin de vous profiter, entraînerait votre ruine. Inutile donc de gaspiller votre temps à frétiller devant les conseillers ! Ayez confiance en moi et n'oubliez surtout pas de répéter ce que je viens de dire à votre très chère épouse !

Mais je mettais ces messages mystérieux sur le compte de l'excès de bière !

Je me sentais mortellement fatigué du silence de la demeure de l'armurier et de ses pièces basses dans lesquelles régnait, me semblait-il, une continuelle épouvante secrète. Je n'ignorais point que le taciturne maître du logis — et plus encore son morne fils — souhaitaient nous voir Barbara et moi à l'autre bout du monde; je n'aimais guère la mère atteinte d'hydropisie qui restait presque toujours étendue sur sa couche. Si bien que si je recherchais la faveur des conseillers, ce n'était point dans le but de nuire à mon protecteur et ami le répartiteur, mais parce que j'espérais pouvoir installer mon foyer dans les deux petites pièces situées dans les caves de l'hôtel de ville. Et au bout d'un certain temps l'un des conseillers, avec lequel je m'étais toujours montré particulièrement empressé, me donna l'autorisation d'occuper ces caves dès que les occupants actuels auraient vidé les lieux. Sur le conseil de Barbara, j'allai rendre visite à ces derniers, un huissier et son épouse toute marquée de la petite vérole. Je m'entretins avec eux et leur offris une monnaie d'or pour obtenir leur départ. La femme, dotée d'un vocabulaire abondant, vomit un flot d'injures mais son époux, qui d'un air lugubre déjà rassemblait leurs effets, lui enjoignit de se taire pour ne pas attirer le malheur sur leurs têtes en me maudissant.

Ainsi fîmes-nous, Barbara et moi, l'acquisition de notre premier et unique foyer ! Un foyer où nous avons vécu comme de petites souris, nous cachant à l'approche de l'orage et de la méchanceté de notre entourage. Le soir, lorsque l'hôtel de ville était vide, nous lavions les grands salons où résonnait l'écho, balayions les étages de pierre et frottions les escaliers à la brosse. A la faible lumière des matins d'hiver, j'allumais des feux dans les cheminées monumentales avant de remplir, durant le jour, les devoirs de ma charge de clerc, tranquillement, discrètement et sans adresser la parole à personne.

Notre bienfaiteur, l'ivrogne répartiteur, venait tous les soirs nous imposer sa présence au moment des repas.

Barbara se comportait de son mieux pour lui plaire tandis que chaque jour, je me rendais à la taverne pour chercher un énorme pot de la bière la plus forte. Notre hôte tirait certes avantage de sa position mais je reste persuadé qu'il ne nous voulait point de mal même s'il devenait grincheux, irritable et insultant après avoir longtemps cherché la vérité dans le fond de sa chope. Ses insinuations et ses airs entendus firent plus d'une fois monter les larmes aux yeux de Barbara qui se mordait les lèvres en rougissant.

Mais à quoi bon évoquer cette part déplaisante de notre vie si en vérité nous étions très heureux ensemble et qu'à cette époque-là, je ne désirais rien de plus ? Notre logis aux murs ruisselants d'humidité nous paraissait à nous couvert de brillantes tapisseries; la maigre lueur de la lampe à huile de colza se transformait en un candélabre à plusieurs branches resplendissantes de clarté; et je serrais la nuit sur une couche de soie ma chère Barbara à la lumière de mille cierges radieux. Elle était pour moi plus belle qu'une reine, malgré ses mains rougies et abîmées par le dur labeur et ses joues pâlies encore par la vie dans ces pièces obscures.

Elle me pressait souvent de rechercher des amis ou des livres. Sans doute avait-elle le sentiment que je n'étais point né pour toujours vivre ainsi et que le sort me réservait pour de plus grandes tâches. Mais Sébastien et moi nous étions par trop éloignés et de toute façon, les conseillers auraient vu d'un mauvais œil que je fréquentasse des fanatiques hérétiques. Je pris donc une fois de plus la résolution d'étudier le grec mais je n'avais plus l'enthousiasme de mes années d'écolier.

Barbara franchissait rarement le seuil de notre porte et toujours à la nuit tombée, comme si elle eût craint de rencontrer les gens et préféré faire oublier son existence. Son étrange timidité m'affectait au point qu'il m'arrivait parfois d'éprouver une peur douloureuse de la vie en général, et je finis par préférer la pensée que les choses étaient bien telles qu'elles étaient et qu'un changement ne nous pourrait apporter que du malheur. Je puis jurer devant Dieu et ses saints que jamais durant le temps que nous avons passé dans notre étrange foyer, je ne vis une seule fois Barbara s'adonner à quelque activité suspecte qui eût pu faire penser à de la sorcellerie. S'il lui est arrivé, au cours de son existence, de commettre des actes qui relevaient du domaine de l'ombre, je suis pénétré du sentiment qu'elle y renonça après notre mariage et n'eut plus qu'un désir, se libérer du mal.

Quant au chien, il est arrivé chez nous de la manière la plus naturelle ! Nous l'avons vu un jour qui jouait dans la cour et nul n'est venu le réclamer. C'était un chiot, une petite boule noire ébouriffée de cette race qui vit habituellement dans les campements; leurs courtes pattes ne leur permettent point d'effectuer de longues marches, mais ils gardent le camp et font fuir les voleurs pendant le sommeil de leurs maîtres.

Plus tard, dans la journée, le chien s'est mis à gémir de faim derrière notre porte. Alors je l'ai apporté à Barbara qui lui a donné à manger et l'a remis dehors. Mais personne n'est venu le chercher et cette petite bête abandonnée me faisait réellement de la peine. D'ailleurs je pensais qu'elle pouvait tenir compagnie à ma femme durant les longues heures de la journée qu'elle passait seule dans ces pièces obscures. Nous avons donc adopté l'animal. Et Barbara, tandis qu'il sommeillait sur ses genoux, dit en caressant son doux pelage noir :

— Ton nom sera Azraël ! Que ta puissance parmi les chiens égale celle d'Azraël parmi les anges ! A voir ta fourrure, tu as l'air d'un véritable chasseur de mandragores ! Nous rendras-tu, Mikaël et moi, assez riches pour quitter cette cité hostile et partir vers les chauds pays du Sud ? Dépêche-toi de grandir, petit Azraël, et chasse pour nous la mandragore, dusses-tu y perdre la vie ! Nous revêtirons la plante d'habits d'enfançon et la vendrons maintes fois son poids en or... à moins que nous ne la gardions pour réussir dans toutes nos entreprises et devenir riches sans lever le petit doigt !

Elle souriait, en passant sa jolie main sur le noir pelage de l'animal. Puis elle posa sur moi son immense regard vert.

— Ne te soucie guère de mes paroles, Mikaël ! Je plaisante ! me dit-elle. Je crois que je connais un endroit au fond de la forêt où un homme s'est pendu autrefois et la plante qui pousse là pourrait bien être une mandragore ! Il y a péril de mort à la déraciner, tu sais, mais je n'aurais pas peur si tu étais près de moi ! Après, nous ne manquerions plus jamais de rien ! Un chien noir peut l'arracher pour nous; ce faisant, il risque de mourir. Nous, nous n'aurons aucun mal si nous nous bouchons les oreilles avec de la cire; tu sais, quand on déracine une mandragore, elle pousse un hurlement si affreux que celui qui l'entend meurt ou devient fou à lier !

— Barbara, coupai-je, ne donne pas ce nom au chien ! Azraël est trop lourd à porter pour une petite bête ! Et puis, je ne veux pas qu'il souffre ! J'ai vu une fois une mandragore dans les trésors d'un marchand de reliques à Paris; c'est devenu une chose rarissime et qui du reste a perdu sa réputation depuis que des escrocs ont donné forme humaine à des racines ordinaires pour les vendre à des prix fabuleux comme véritables mandragores !

Une fois ou deux encore nous parlâmes pour plaisanter de ces racines magiques, rêvant à ce que nous ferions si nous en trouvions une et survivions à son arrachement. Mais nous abandonnâmes vite ce sujet de conversation ! Nous commencions à nous attacher à notre petit chien qui devint bientôt notre compagnon et fidèle ami. Son nom se réduisit à Raël et je crois que j'oubliai tout bonnement le mot magique dont il n'était que le diminutif.

Nous étions très heureux, mais il m'arrivait parfois d'être la nuit en proie à une indicible oppression qui m'empêchait de respirer. Barbara y était également sensible, elle se blottissait alors contre moi, le visage dans mon cou. Durant ces nuits-là, nous restions silencieux sur notre couche, serrés l'un contre l'autre comme si nous avions tout au fond de nous la peur secrète de nous perdre.

Et pourtant, lorsque j'y repense à présent, il me semble que nous vivions alors nos meilleurs moments, nous étions aussi proches l'un de l'autre que deux mortels peuvent jamais l'être... et nous ne disions pas un mot.

L'année s'écoula ainsi. Nous n'étions point seuls à regarder l'avenir avec crainte. Toutefois les grandes planètes se rencontrèrent en février et rien ne se passa qui fût bien remarquable. Le printemps s'habilla de vert à l'entour de la cité et les rais du soleil dansaient sur la vaisselle d'étain chez le marchand de la place du marché. J'étais encore jeune, j'oubliai mes sombres pressentiments et savourai pleinement mon bonheur terrestre. Qu'importait après tout qu'il fût pauvre, misérable et mêlé d'amertume !

Hélas ! Ces brèves semaines emportèrent avec elles toute ma joie de vivre ! Je vais donc arrêter ce livre en ce printemps de l'an de grâce 1524 et commencerai le sixième, le plus cruel qui jamais fut écrit.

SIXIÈME LIVRE

BÛCHER SUR LA PLACE DU MARCHÉ

J'ai vu d'étranges choses tout au long de ma vie, des choses qui ne se peuvent expliquer, et je ne saurais donc affirmer que la sorcellerie n'existe pas ! Je garde encore en ma mémoire certaines expériences du temps de mon enfance dans la cabane de dame Pirjo, et trop de témoignages, recueillis dans les quatre coins du monde, viennent encore confirmer ce phénomène pour qu'un honnête homme se permette d'en rejeter l'existence. Du reste, la preuve la plus solide ne réside-t-elle point dans le fait que le docteur Luther, l'archi-hérétique en personne, partage en cette matière le point de vue du Saint-Père ! Mais là où l'opinion peut différer, c'est en ce qui concerne les modes d'investigation, de jugement et de châtiment. Je maintiendrai jusques à mon dernier souffle, dussé-je pour cela finir sur le bûcher, que les méthodes que pratique la sainte Église sont fausses et pleines d'horreur. En outre, je suis convaincu que l'on taxe souvent de sorcellerie des actes qui ne sont que l'expression du désir qu'éprouve tout être humain à se frayer une voie vers l'Éternité, désir qui dort en chacun de nous et que réveille la souffrance morale. Ces actes ne me paraissent donc mériter ni condamnation ni châtiment et encore moins les supplices cruels infligés par l'Église ! Car cette voie, ce chemin de traverse pour gagner l'Éternité, n'est qu'une illusion, et les illusions, pas plus que les rêves, ne se peuvent punir ! Hélas ! Barbara, elle, n'était pas une illusion ! Certes, l'on avait beau jeu de me railler, de me traiter d'hérétique et de me jeter à la face que j'étais moi-même la meilleure preuve de l'existence de la sorcellerie puisque Barbara, toute laide, rouquine et couverte de taches de son qu'elle était, me tenait sous son charme.

J'ai compris plus tard que la sainte Église n'avait exigé son supplice et choisi de l'immoler comme sorcière pratiquant la magie noire que pour manifester sa puissance, et je clame qu'elle s'est en cela rendue coupable d'une grande et honteuse injustice ! Toutefois, et comme je n'ai point l'intention ici de l'accuser, je me bornerai à dire que ses serviteurs étaient de mauvais serviteurs... et pourtant, il m'est difficile de dénoncer de la sorte le père Angelo, que j'ai connu et dont je reste persuadé qu'il accomplissait sa lourde tâche en toute bonne foi.

Je n'ai jamais pu savoir si le projet avait pris naissance à la curie ou à la cour du prince-évêque, mais je demeure convaincu que l'Église avait pour seul but de faire un exemple en tout cas, les propos des prédicants hérétiques se faisant chaque jour plus insolents; la doctrine de Sébastien au sujet de la justice divine était sur toutes les lèvres et l'hérésie évangélique déjà si répandue que nul ne se fût risqué à attaquer les coupables; il aurait fallu pour ce faire arrêter et exécuter plus de la moitié des habitants du diocèse, ce qui n'aurait point manqué de susciter des troubles ! Tandis que condamner la sorcellerie constituait pour l'Église un devoir et un droit que les hérétiques les plus fanatiques lui reconnaissaient encore. C'est la raison pour laquelle le prince-évêque et ses juges, appuyés peut-être par la classe la plus riche de la cité, arrivèrent froidement à la conclusion que l'odeur de chair brûlée pourrait avoir un effet salutaire sur le bon peuple en proie à l'agitation et Barbara, ma chère épouse, fut la victime désignée de ce plan astucieux dont le succès ne fut point cependant assez grand pour justifier les moyens employés. Même aujourd'hui, alors que je considère l'affaire avec impartialité, je n'arrive point à admettre que ces dignes personnages y aient fait preuve d'une grande perspicacité ! Je les hais tous ! D'une haine féroce et implacable et peu me chaut qu'ils fussent tous persuadés sans doute d'agir correctement et pour le plus grand intérêt de la sainte Église !

Je ne connaissais point la réputation de cet homme vêtu de gris et à la face de rat quand je l'introduisis auprès du Conseil. Il s'adressa à moi sur un ton aimable et me tapa sur l'épaule tout en ne cessant de remuer la tête de droite et de gauche, ses petits yeux cruels furetant partout comme à l'affût. Il avait un air insignifiant et je ne compris guère pourquoi les membres du Conseil lui manifestèrent tant de respect. Ils ordonnèrent de fermer immédiatement toutes les portes pour tenir avec lui une conférence secrète dont je fus moi-même exclu; ils ressortirent peu après et l'inconnu s'approcha de moi, accompagné de deux conseillers qui, avec un certain embarras, évitaient mon regard.

— Vous êtes bien Mikaël Pelzfuss ? s'enquit-il d'une voix pleine d'aménité. Mon nom est maître Fuchs et je viens de la capitale du diocèse. J'aimerais rencontrer votre épouse Barbara pour lui dire un mot. Ayez l'obligeance de me montrer le chemin !

Je ne me doutais toujours de rien, trompé, ô combien ! par ses manières amicales ! J'aurais voulu courir en avant pour prévenir Barbara de la visite, pour qu'elle se changeât avant de les recevoir... mais l'individu me saisit le bras pour m'empêcher de partir et je me vis contraint de l'amener à l'improviste avec les deux conseillers dans notre logis dont la pauvreté me faisait honte.

C'était un jour de printemps plein de lumière et, après l'obscurité de l'escalier de la cave, les pièces semblaient inondées des rayons du soleil couchant qui pénétraient par les soupiraux ouverts sous le plafond. Barbara qui, à notre arrivée, touillait quelque chose dans la marmite, nous jeta un regard surpris.

— Mikaël, est-ce toi ?

Ses yeux tombèrent alors sur l'étranger et je la vis

tressaillir. Laissant tomber sa main qui tenait encore la cuillère elle recula d'un pas. Son visage pâlit jusqu'à devenir transparent et ses affreuses taches brunâtres s'accentuèrent sur ses pommettes.

L'étranger la dévisagea de ses petits yeux cruels, puis sourit en découvrant deux dents jaunâtres de rat. Il se tourna ensuite vers ses accompagnateurs pour dire :

— C'est bien ! Nous pouvons nous retirer !

Les deux conseillers parurent étonnés et l'un deux demanda, tout en me jetant un regard de compassion :

— Ne désirez-vous point fouiller les pièces, maître Fuchs ?

— C'est bien ! répéta-t-il en donnant un coup de pied à Raël qui s'était avancé pour lui faire fête.

Il fit demi-tour, les conseillers lui emboîtèrent le pas sans mot dire et je refermai la porte derrière eux avec une profonde révérence.

— Que se passe-t-il ? interrogeai-je avec curiosité.

Elle était debout, la cuillère à la main, les yeux dans le vague, et n'ouvrait pas la bouche. La soupe bouillait sur le feu sans qu'elle y prît grade et Raël se mit à geindre doucement comme s'il eût senti son désarroi. Elle se baissa machinalement pour le caresser.

— Il faut que je parte, Mikaël ! dit-elle. Moins tu en sauras, mieux ce sera pour toi. Ma seule consolation, c'est qu'ils ne peuvent rien contre toi ! Mais quoi qu'il arrive, même si jamais nous ne devions nous revoir, Mikaël, je t'en supplie, ne crois pas de mal de moi ! Je t'ai toujours aimé, toi seul, et je t'aimerai toujours !

Mon cœur tressaillit dans ma poitrine.

— Qui était cet homme ? demandai-je.

— Fuchs, le commissaire de l'évêque ! répondit-elle comme si ce nom expliquait tout.

Remarquant mon air interrogateur, elle eut un léger sourire et immédiatement retrouva sa beauté à mes yeux.

— J'oublie toujours que tu n'es pas d'ici ! Pourtant c'est bien la raison pour laquelle tu t'es marié avec moi ! Maître Fuchs est le chasseur de sorcières de l'évêché; il prétend les sentir à plus d'une lieue et que son seul regard suffit à les

252

condamner. C'est à cause de lui que j'ai dû déjà prêter un serment de Purification. Mais je vivais à l'époque dans la maison de mes parents sous la protection de la réputation de mon père et de sa guilde. A présent, nul ne me protège et il faut que je m'en aille.

Je compris en un éclair tout ce qu'elle voulait dire; notre isolement, mes pressentiments, les insultes de Sébastien, tout soudain s'accordait ensemble pour former une ferme et unique conviction.

— Tu as raison ! Nous devons fuir. Peut-être qu'en traversant à pied les forêts et les montagnes nous pourrons atteindre quelque ville de la Confédération. Ou peut-être que si nous suivons le Rhin nous arriverons à passer sur la rive française.

— Tu viendrais avec moi ? Même si j'étais une sorcière ? Même si notre fuite t'accusait à ton tour ?

— Bien sûr ! répondis-je avec quelque impatience. Et puis, tu n'es pas une sorcière ! Laissons là ces stupidités ! Occupons-nous plutôt de rassembler les affaires que nous pourrons porter. Nous partirons cette nuit !

— Ô Mikaël, je t'aime ! dit Barbara.

Elle posa doucement un baiser sur mes lèvres et sa bouche se fondit avec la mienne.

— Mais que tu es têtu ! reprit-elle. Je sais que je ne pourrai t'empêcher de m'accompagner, même si ce voyage risque d'attirer une catastrophe sur ta propre tête ! Nous devons donc préparer habilement notre fuite afin de ne point éveiller les soupçons. Il faut avant tout que tu fasses ton travail comme à l'accoutumée pendant que moi, je préparerai notre voyage. Si quelque imprévu nous obligeait à fuir séparément, décidons de nous retrouver dans le bois en dehors de la ville où habite mon oncle, à l'endroit où je t'ai rencontré la première fois.

Elle devait savoir, tandis qu'elle me parlait ainsi, qu'une fuite était impossible et son unique souci avait sans doute été de me garder hors de l'affaire pour me protéger. Lorsque, penché sur ma copie, j'entendis vers la fin de l'après-midi un brouhaha s'élever de la place du marché, je me précipitai dehors, et, la mort dans l'âme, vis maître Fuchs qui traînait au bout d'une corde Barbara, les mains attachées derrière le dos. Deux gardes maintenaient en respect une foule hurlante qui lançait sur elle de la boue et du crottin de cheval.

Maître Fuchs agitait d'un air triomphant un petit baluchon au-dessus de sa tête en criant :

— Je l'ai surprise alors qu'elle se préparait à s'échapper ! Et pourquoi voulait-elle s'échapper ? Les innocents ne s'enfuient pas !

— Sorcière ! Magicienne ! Jeteuse de sorts ! criaient les gens en tentant d'écarter les lances des gardes pour lui donner des coups de pied et de poing et lui cracher à la figure.

Déjà le sang coulait de son nez et de sa bouche. Au prix d'efforts inouïs, je parvins à me frayer un passage jusques à elle.

Ce fut moi alors qui me saisis du bras de maître Fuchs.

— Laissez-la, maître Fuchs ! sanglotai-je. C'est mon épouse et moi, son mari, je sais qu'elle n'est pas une sorcière !

— Va-t'en, Mikaël, va-t'en! m'intima Barbara en tirant sur ses liens comme pour s'éloigner de moi.

La foule reporta alors son attention sur ma personne et se mit à hurler :

— L'étranger ! L'étranger ! Arrêtez-le, maître Fuchs ! Il ne vaut pas mieux qu'elle.

Maître Fuchs esquissa un sourire pincé et leva la main pour prendre la parole. Le tumulte retomba et l'on entendit çà et là :

— Il veut parler ! Écoutons-le !

Après avoir obtenu le silence, maître Fuchs dit :

— Je comprends parfaitement votre inquiétude, bonnes gens, mais vous n'avez point à injurier ni à maltraiter cette femme ! La sainte Inquisition mènera une enquête en toute justice et la jugera selon ses mérites. S'il est prouvé qu'elle a provoqué malheurs et souffrances à certains d'entre vous, soyez assurés qu'elle souffrira mille fois davantage avant d'être emportée en enfer au galop du char enflammé de son maître ! Sachez, bonnes gens, que le père dominicain Angelo vient d'arriver au siège de notre prince-évêque, investi de la pleine autorité du Saint-Père pour juger les sorciers, mâles et femelles, qui ont couvert le diocèse de tant d'iniquités tout au long de ces dernières années !

Soudain une voix puissante s'éleva sur la place :

— Au diable le pape et les moines !

Tous, en un instant, reprirent ce cri et maudirent le pape et les moines avec la même férocité qu'ils avaient mise à vitupérer Barbara.

Un loqueteux aux cheveux longs que je n'avais jamais vu, grimpa sur l'éventaire du marchand d'étains et, lançant des regards enflammés, ses bras agités comme des fléaux, vociféra à pleine voix :

— Remettez-nous la sorcière, maître Fuchs, et foin du pape et de ses moines ! Nous n'avons nul besoin d'eux pour brûler nos sorciers ! Amenez des fagots, bonnes gens, et débarrassons-nous du démon qui vit parmi nous !

Maître Fuchs parut réfléchir et me jeta un regard furtif. Puis il donna brusquement un ordre aux gardes et entraîna Barbara vers l'hôtel de ville. Aidé par les hommes en armes, je parvins à contenir le flot de la canaille, à pousser ma femme à l'intérieur et à fermer la lourde porte qui résisterait aux coups violents de ceux qui étaient restés dehors.

Je m'agenouillai près de Barbara évanouie et essuyai le sang et la poussière sur son visage. Mes larmes, en tombant sur ses joues, la réveillèrent, et elle ouvrit les yeux.

— Vous commencez à prendre de l'âge, maître Fuchs ! remarqua l'un des conseillers avec quelque ironie. Je ne retrouve point en cette affaire l'incomparable dextérité qui a fait votre réputation ! Cela pourrait vous coûter cher !

Maître Fuchs eut un petit rire froid.

— Certes ! acquiesça-t-il. Ce pourrait en effet se révéler déplaisant si notre bon prince-évêque et le père Angelo en avaient un écho. Mais il me semble que la cité ne s'en tirera pas non plus à très bon compte. Écoutez !

On entendit alors le fracas de la première verrière brisée et une pierre rouler sur le plancher au-dessus. Dehors, la foule réclamait à grands cris qu'on lui remît la sorcière pour la brûler.

— Est-ce Satan en personne qui t'a mis dans la tête de fuir

en plein jour, sorcière ? demanda maître Fuchs en donnant un léger coup de pied à Barbara prostrée au sol. J'avais l'intention pourtant de venir te chercher dès la nuit tombée car je connais tous vos tours !

Le ton de sa voix n'était point particulièrement méchant, plutôt empreint de curiosité, comme celui d'un homme qui vient de découvrir une nouveauté dans son métier.

Les membres du Conseil se tordaient les mains, deux coûteuses fenêtres de vitres avaient déjà été brisées, tandis que maître Fuchs restait impassible.

— Mauvaise époque ! observa-t-il. Ne serait-il point préférable que l'un de vous, messires, sortît sur le balcon pour calmer la foule ? Dites-leur que j'ai emmené la sorcière par la porte de derrière et que nous galopons déjà loin de la cité sur la charrette ! Nous pourrions ainsi sortir plus tard sans encombre !

Mais aucun de ces notables ne manifesta d'empressement à se montrer devant le peuple sous cette pluie de cailloux ! L'ironique conseiller, dont je connaissais par ailleurs le secret penchant pour les luthériens, pâlit et dit avec sécheresse :

— Maître Fuchs, donnez-la-leur ! Barbara Pelzfuss est née et a grandi ici ! Nous ne pouvons empiéter sur les droits de la libre cité de Memmingen ! On ne peut la déplacer sans le consentement du Conseil !

— Pour une affaire pareille, la juridiction du Conseil d'une ville ou même de l'empereur, est soumise à celle de l'Église ! répliqua maître Fuchs. De toute façon, si vous vous en souvenez, j'ai dans ma poche l'autorisation écrite du Conseil ! Vous avez, ce matin, approuvé qu'elle me soit remise, n'est-ce pas ? Soyez assurés que le père Angelo fera diligence pour vous la renvoyer au moment de l'exécution de la sentence qui vous incombe. Mais le jugement, lui, incombe à la sainte Inquisition, et des hommes de votre sagesse peuvent le comprendre !

Les membres du Conseil, après en avoir débattu, reconnurent le bien-fondé des propos de maître Fuchs; nul d'entre eux, toutefois, ne voulut se risquer sur le balcon et ils se poussaient les uns les autres. Maître Fuchs les contempla un moment d'un air dédaigneux, puis se tourna vers moi, toujours assis par terre, la tête de Barbara reposant sur mes genoux.

— Mikaël Pelzfuss ! commença-t-il. Tant qu'il y a de la vie, il y a de l'espoir ! Avant peu, la populace va entrer ici et vous savez ce qui arrivera alors à votre épouse ! Tandis qu'entre les mains de la sainte Inquisition, elle sera totalement à l'abri jusques à ce que les preuves relevées contre elle et sa propre confession aient établi sa culpabilité. Le procès peut durer plusieurs mois et je vous garantis que le père Angelo est un homme rigoureux et plein de piété dont nul ne peut dire de mal. C'est d'ailleurs la raison qui l'a fait choisir pour assumer la lourde tâche et les hautes responsabilités d'un inquisiteur. Courez donc sur le balcon, Mikaël Pelzfuss, et dites-leur que j'ai emmené votre épouse !

Sans savoir à quoi me résoudre, je soulevai la tête de Barbara. Elle ouvrit ses yeux verts et murmura :

— Mikaël, mon amour, enfonce-moi ton poignard dans le cœur pour que je meure dans tes bras sans souffrir !

Mais j'étais un lâche, un misérable lâche et je me cramponnai au minuscule espoir que semblaient receler les fausses assertions de maître Fuchs.

— Tu n'es pas une sorcière ! lui dis-je à l'oreille. Je te sauverai ! La sainte Église ne peut se tromper dans ses jugements, j'irai parler au père Angelo !

Elle fit un léger mouvement en guise de réponse et tenta de s'accrocher à moi pour me retenir, mais je détachai ses bras. Quatre à quatre, je montai à l'étage au-dessus, ouvris d'une secousse la porte de la galerie extérieure et surgis dehors en braillant et agitant les bras.

— Attrapez-le ! Il a emporté ma femme par la porte de derrière ! Sauvez-la des griffes de l'Inquisition ! Sauvez-la ! Ils ne doivent pas encore avoir atteint les murs de la ville !

Je m'égosillai et gesticulai jusques à ce que le vacarme s'apaisât et que ma voix se fît entendre. Lorsque enfin l'un d'entre la multitude s'engagea en courant dans la rue de traverse, la masse suivit, hurlante et aveugle, et l'on ne vit bientôt sur la place vide du marché que chapeaux, bâtons, bûches et pierres abandonnés.

A mon retour au rez-de-chaussée, on m'enjoignit de dresser le compte en usage pour services rendus à la cité : « Poursuite d'une sorcière, selon la taxe réglementaire.... 7 guldens. »

Maître Fuchs apposa sur le reçu une signature surchargée de fioritures et le trésorier lui compta avec répugnance les sept monnaies d'or dans la main. Il les fit glisser dans la bourse pendue à sa ceinture puis se tourna vers moi.

— Nous allons devoir attendre jusques au milieu de la nuit, déclara-t-il. Il ne serait guère prudent en effet de partir plus tôt ! Heureusement que j'ai laissé la charrette des sorcières dans une étable en dehors de la cité, cela nous évitera d'attirer l'attention. Mais rien ne nous empêche en attendant de passer la soirée chez vous, où votre épouse pourra nous préparer à souper. Sans doute désirerez-vous l'accompagner jusques à la prison, et je n'y vois aucun inconvénient car j'ai l'intention de prendre une escorte armée. J'imagine que le père Angelo tiendra à vous interroger dès notre arrivée !

Nous laissâmes donc les conseillers se tordre les mains en discutant de verrières brisées, et descendîmes dans le sous-sol où notre modeste foyer nous offrirait un abri aussi sûr que le reste de l'hôtel de ville. Raël courut en jappant joyeusement à notre rencontre. Quand maître Fuchs se fut assis, il le prit sur ses genoux pour le caresser. Les soldats, sur son ordre, demeurèrent dehors pour monter la garde et Barbara cuisina également à leur intention. Elle prépara une bonne soupe pour tous — à quoi bon désormais économiser nos provisions ! Maître Fuchs mangea de bon appétit et prononça les grâces avec dévotion. Pour moi, j'avais la gorge si serrée que je ne pus rien avaler. Je regardais notre petit logis et jamais auparavant il ne m'avait paru si doux et si cher à mon cœur, jamais je ne l'avais senti si rassurant que durant ces dernières heures avant notre voyage dans le royaume de l'horreur.

Après que le veilleur eut crié l'heure de la mi-nuit, nous nous glissâmes furtivement hors de la cour et suivîmes la même allée par laquelle Barbara avait projeté de s'échapper. Il n'y avait pas âme qui vive dans la cité. Le Conseil avait donné des ordres secrets à la garde de la porte des troupeaux et nous passâmes sans attente ni question. Bientôt la charrette des sorcières nous cahota sur les ornières profondes du chemin qui menait à la ville du prince-évêque.

C'était une nuit embaumée de printemps. Nous étions assis dans la paille sur le plancher de la charrette. Maître Fuchs tenait Raël sur ses genoux et lui pinçait l'oreille de temps en temps d'un air rêveur. Nous aurions pu, malgré les barreaux de la charrette qui formaient comme une cage autour de nous, profiter de l'obscurité de la nuit et tenter de fuir, si Barbara avait été plus solide; mais elle était étourdie et n'aurait pu courir sur une longue distance. Du reste, bien que j'eusse maintes fois ouï dire beaucoup de mal des procès de sorcellerie, je caressai l'espoir de convaincre de l'innocence de Barbara le père Angelo, dont maître Fuchs avait loué la piété et le sens de la justice, et j'espérais qu'il la relâcherait. Une tentative de fuite, en revanche, fournirait une grave preuve qui ne pourrait que lui nuire.

La nuit était sombre, le vent soufflait, les vers luisants scintillaient dans l'herbe d'inquiétante manière et le bruit assourdi des sabots du cheval sur le chemin semblait apporter un présage de mort. Une nuit de sorcières ! Je cherchais à mettre de l'ordre dans mes pensées... Est-ce que je croyais, au fond de moi, à l'innocence de Barbara ? Sa tête reposait dans mes bras, elle serrait étroitement mes genoux et un profond sanglot secouait tout son corps de loin en loin. Afin de chasser mes doutes, je posai mes lèvres tout contre son oreille, chuchotai : « Barbara ! » et lorsqu'elle fut réveillée, murmurai encore :

— Barbara ! Sauve-toi à présent si tu es vraiment une sorcière !

Seul un sanglot plus lourd encore me répondit, elle s'accrocha plus fort encore à mes genoux. Alors je sus qu'elle ne pouvait être une sorcière ni une alliée du diable parce qu'à l'évidence ce dernier aurait pris soin de son bien !

Le soleil se levait comme nous approchions de la ville. Je ne crois pas avoir jamais vu le monde plus jeune et plus beau que ce matin-là. Au loin, les sommets enneigés dessinaient à l'horizon des nuages bleutés, une herbe fraîche couvrait de vert les vallées et l'écume des eaux tourbillonnantes de la rivière éclaboussait de blancheur le gris des galets de son lit. Les vignes alentour se teignaient de tons d'or bruni, la jeune frondaison accrochait des voiles de vert très doux aux sombres branches des frênes et des tilleuls et, devant nous, se profilaient les tours de la cité du prince-évêque. Çà et là, l'étage supérieur d'une maison, qui de loin ressemblait à un nid d'hirondelles, se découpait au-dessus des remparts de la ville, tandis que le son frêle et clair de la cloche du monastère appelait les fidèles à la prière.

A la porte, le garde reconnut maître Fuchs et nous laissa franchir le porche voûté. Des servantes et des artisans matinaux s'arrêtèrent pour regarder la charrette peinte en jaune avec des yeux ronds. Nous fûmes bientôt suivis d'une petite troupe d'enfants, de servantes et d'apprentis. Le cheval, fourbu, clopina à pas lents à travers les ruelles étroites jusqu'à ce que nous eussions atteint la tour de la prison jouxtant le palais épiscopal. Le commissaire réveilla le geôlier à la garde duquel il confia Barbara, puis, à mon grand étonnement, il saisit Raël par la peau du cou pour le prendre dans ses bras, ce qui arracha un glapissement de douleur au petit chiot.

— Je m'occuperai de cela ! dit-il. Le père Angelo décidera si l'on va s'en servir comme témoin ou s'il doit être également accusé de sorcellerie.

Raël tenta de se libérer et lança un aboiement plaintif en direction de Barbara, toujours debout sur le seuil de la porte. Des bouffées d'une affreuse puanteur s'exhalaient de la prison dans l'air frais du matin, tandis que le concierge à l'aspect rabougri s'attardait, les yeux méchants, à examiner Barbara tout en discutant avec maître Fuchs sur la manière la plus adéquate de la bien garder. Je lui donnai un gulden entier et le priai de se montrer généreux avec elle pour la nourriture et la boisson. On m'interdit l'entrée de cette sombre tour et seul maître Fuchs accompagna le geôlier avec dans ses bras le malheureux petit chien. Il donna une tape sur la tête de Barbara pour la faire avancer devant eux. Et la lourde porte se referma.

Elle se rouvrit lentement un peu plus tard pour livrer

passage au commissaire qui parut à la lumière du jour, s'essuyant les mains aux pans de son long manteau gris.

— N'ayez aucune crainte ! dit-il au geôlier. Le père Angelo vous donnera de l'eau bénite et des cierges. Tant que vous ne regarderez point la sorcière dans les yeux et que vous n'oublierez pas vos prières, rien de mal ne peut vous atteindre. A présent, elle est inoffensive.

— Qu'avez-vous fait à ma femme, maître Fuchs ? criai-je, glacé d'horreur.

— Nous l'avons mise aux ceps, répondit-il, et je l'ai examinée ainsi que mon devoir l'exige afin de m'assurer par moi-même qu'elle n'avait caché dans ses vêtements ou sur sa personne nul talisman maudit qui pût mettre en péril la vie de ce brave homme et de sa famille.

Je fixai ses yeux, son visage et ses mains cruelles et me sentis envahi d'une horreur et d'un dégoût sans limites. Mais qu'aurais-je gagné à le lui montrer ? Maîtrisant ma colère, je dis sur le ton de l'humilité :

— Cher maître Fuchs, je suis un homme dépourvu d'expérience et qui ne connait rien aux procès. Dites-moi ! Que puis-je faire pour mon épouse ? Mais ne nous attardons point ici ! Vous me répondrez dans quelque proche taverne en buvant une coupe de vin chaud aux épices qui nous réchauffera après ce voyage éprouvant.

— Excellente idée, Mikaël Pelzfuss ! approuva-t-il. Allons ensemble boire une coupe et j'en profiterai pour vous présenter mes comptes du déplacement.

Il se frotta le nez et me toisa pour évaluer mes ressources.

— Vous n'êtes pas bien riche et je serai raisonnable, ne craignez rien ! Nous en discuterons plus à l'aise devant un pichet de vin !

Avant de franchir le porche de la cour, je me risquai à demander :

— Qu'avez-vous fait à mon chien, maître Fuchs ?

— Il est enchaîné et enfermé dans une cellule, répliqua-t-il. Ne soyez pas inquiet, Mikaël ! Il a de l'eau et les enfants du concierge lui apporteront des os et du pain. C'est une gentille petite créature et je ne lui veux aucun mal, mais je suis tenu de le mettre en prison.

Nous reprîmes notre marche et il ajouta après un instant de silence :

— J'aime beaucoup les animaux, surtout les oiseaux ! J'en ai de fort jolis en cage chez moi !

Nous entrâmes dans une taverne accueillante où je commandai du vin chaud aux épices, des gâteaux tout frais et des beignets. Maître Fuchs sirotait notre boisson matinale tout en comptant sur ses doigts et finit par dire qu'en considération de ma jeunesse et de ma pauvreté, il se contenterait de deux guldens et demi. Je n'ignorais point qu'il me volait en demandant cette somme, mais le droit se trouvait de son côté et j'avais un besoin désespéré de m'acquérir ses bonnes grâces. Je savais que j'allais devoir payer les frais du procès et les taxes des témoignages, que Barbara soit acquittée ou non. Mais peu m'importait la dépense pourvu qu'au moins j'aie assez d'argent dans ma bourse !

En réponse aux questions dont je le harcelais, il me dit qu'une purification canonique se trouvait cette fois hors de question.

— Vous devez tâcher de comprendre la situation, Mikaël ! expliqua-t-il avec patience. La sorcellerie est un *crimen exceptum* comme celui de lèse-majesté, de haute trahison et de frappe de fausse monnaie mais d'une nature beaucoup plus effroyable. Le juge d'un procès de ce crime-là doit être armé de pouvoirs particuliers car il n'a pas seulement à lutter avec le sorcier mais aussi avec Satan, Satan le père du mensonge, qui s'installe, invisible, derrière l'accusé pour aveugler le juge, pour troubler la mémoire des témoins et pour exposer toute l'assistance à de graves périls. On concevra dès lors que le nom des témoins et des informateurs doive parfois être tenu secret et que l'on utilise des méthodes spéciales pour arracher une confession. Tous les moyens sont permis, qui tendent à jeter la lumière sur une affaire de ce genre et à établir la vérité.

« Si vous considérez la question en toute honnêteté, Mikaël, vous devez reconnaître que ce que je viens de dire n'est que justice !

J'approuvai volontiers mais ne laissai de soutenir que

Barbara était innocente. Moi, son époux, me trouvais mieux que quiconque en mesure de le savoir ! Et du reste, ajoutai-je, le diable aurait eu beau jeu d'aider Barbara à s'échapper la nuit dernière si elle avait été réellement liée à lui !

— J'y ai pensé ! répondit maître Fuchs. J'y ai pensé et non sans embarras ! Mais le diable est infiniment plus rusé que nous ne pouvons l'imaginer ! Nul doute qu'il aura vu quelque avantage à la livrer au pouvoir du tribunal revêtue de la robe de l'innocence ! C'est pourquoi je présume que Satan lui a enseigné quelques tours pour résister, bien que je n'aie point réussi à découvrir sur elle un seul instrument impie. Quoi qu'il en soit, la sainte Inquisition dispose de moyens que mes serments m'empêchent de vous révéler.

— J'espère au moins que l'on ne la soumettra point à des tourments qui dépassent ce que peut supporter la fragilité d'une femme ! dis-je saisi de terreur à cette pensée.

Mais le commissaire trouva des mots pleins d'amabilité pour me rassurer.

— Il n'en est pas question, voyons ! Et il n'est pas non plus obligatoire qu'elle soit soumise à la question ! Mais si les choses en venaient là, sachez, Mikaël, que les enquêteurs n'ont pas le droit d'occasionner un mal corporel aux accusés. Ceci est établi en termes catégoriques, un interrogatoire ne doit ni causer de maux durables ni dépasser la force de résistance de l'accusé. Certes, il est arrivé parfois que Satan ait tué lui-même une sorcière quand il s'était aperçu que sa résistance faiblissait. Mais il n'y a aucun mal là-dedans ! Une mort pareille fournit la preuve irréfutable que l'on se trouvait bien en présence d'un cas de sorcellerie ! On peut du reste tirer la même conclusion de toute mort qui survient en prison.

Le bon vin parfumé aux épices me brûla la gorge comme du fiel en entendant ces propos; je commandai néanmoins une autre coupe pour lui. Il poursuivit en me donnant de multiples exemples des activités du diable sur ses séides emprisonnés. Il me parla d'une fillette âgée de douze ans, qui avait eu un enfant des œuvres de Satan lui-même dans sa cellule et confessé ses rapports nocturnes avec lui. Sa mère et elle furent brûlées ensemble sur le bûcher.

— Maître Fuchs, je me rends compte que tout est possible avec le diable, intervins-je. Mais toutes vos histoires me glacent et j'aimerais rencontrer le père Angelo le plus rapidement possible. Je voudrais lui rapporter toute l'affaire et en appeler à sa justice !

Il répondit à ma prière le plus aimablement du monde et dès l'après-midi je frappai à l'austère cellule du père Angelo dans le monastère des dominicains.

Immense était mon angoisse ! Mais tandis que je marchais entre les murs silencieux du cloître et que je respirais cette odeur familière d'encens mêlée à celle des tuniques imprégnées de sueur, mon cœur affligé trouva quelque apaisement.

— Voilà donc la demeure du Seigneur ! pensai-je tout en suivant le couloir de pierres froides derrière le frère lai. La voilà sanctifiée par des centaines de prières, de mortifications et de dévôtes contemplations ! Certes il y a de bons et de mauvais moines, mais la demeure de Dieu est le gage que nul mal ne peut advenir à Barbara !

A mon entrée dans sa cellule, le père Angelo était prosterné devant l'image du crucifié. Il se leva et je me jetai à ses pieds pour baiser le bord de son habit noir. Il ne portait point de sandales et je constatai à son pied déformé aux veines apparentes qu'il allait déchaussé tout au long de l'année. Mais son pied était propre et lorsque je levai les yeux, je vis que son visage était net et brillant. Amaigri par le jeûne et les exercices de piété, il rayonnait de bonté en se penchant vers moi pour me relever.

— Il ne faut pas t'agenouiller devant moi, Mikaël Pelzfuss, dit-il, seulement devant Dieu et ses saints ! Ne révère point en moi l'homme mais l'éternelle et indestructible justice de l'Église qui condamne le coupable et délivre l'innocent. Prends un siège, mon fils, et calme-toi ! Dis-moi tout ce que tu as sur la conscience, c'est encore la meilleure manière de t'aider et de venir en aide à ton épouse.

Il y avait tant de bienvaillance et de consolation dans ses paroles, que les larmes se mirent à couler de mes yeux tant m'avaient affaibli la longue angoisse, le jeûne et le manque de sommeil. Il me réconforta, me fit asseoir sur un petit tabouret près de sa chaise et sa voix pleine de compassion apaisa peu à peu les chagrins de mon âme.

Je lui fis un récit complet de ma vie passée, avouai ma naissance illégitime et mon désir premier de servir l'Église. Je lui montrai mon diplôme tout chiffonné de l'université de Paris, puis déclarai que les coups répétés du sort m'avaient induit à la repentance et inspiré l'idée de faire un pèlerinage au Saint Sépulcre de Notre-Seigneur. Hélas ! j'avais été attaqué et volé en chemin, et laissé pour mort dans la forêt.

— Barbara Büchenmeister m'a trouvé dans cette tragique situation comme si Dieu, dans ses insondables desseins, l'eût conduite jusques à moi, retraçai-je. Barbara se montra douce et pleine de tendresse. Elle me soigna jusques à ma guérison et me donna des habits, à moi qui n'avais même plus de chemise ! Mon cœur s'éprit d'elle et nous nous sommes mariés pour partager notre vie aujourd'hui et à jamais.

« Nous menions une vie frugale consacrée au travail, sans faire de tort à personne. La seule malignité de nos voisins, qui ont persécuté Barbara depuis son enfance à cause de son apparence physique, a provoqué ce terrible soupçon dont elle est à présent victime ! Mais moi, son époux, je la connais mieux que personne et je jure par Dieu lui-même et par les saints sacrements qu'elle est innocente du crime odieux dont on l'accuse.

L'air serein et impassible, le père Angelo, assis, ses belles mains fines reposant sur les bras du fauteuil, me regardait de ses yeux clairs et scrutateurs. Il me relançait par de brèves questions lorsque je marquais quelque hésitation et je lui racontai sincèrement, sans la moindre réserve, tout ce qui m'était advenu.

Lorsque je me tus, il resta silencieux durant de longues minutes sans cesser de me fixer.

— Mikaël Pelzfuss, finit-il par dire avec un profond

soupir, je crois ce que tu me dis et désire penser du bien de toi puisque tu étais en route vers la Terre sainte pour racheter tes péchés lorsque la sorcière t'a trouvé et pris sous sa coupe. Hélas ! tu manques d'expérience et n'as point encore compris la nature épouvantable de la matière qui nous préoccupe. Mais j'espère qu'avec l'aide de Dieu nous mènerons à bien cette affaire et dans ce but, je dois te poser quelques questions.

Il se redressa alors sur son siège tel une statue de pierre et son regard bienveillant posé sur moi devint tout à coup celui dur et froid d'un juge.

— Mikaël Pelzfuss, commença-t-il, crois-tu donc dans les sorciers et la sorcellerie ?

— Que Dieu me préserve, répondis-je en me signant, de jamais mettre en doute les enseignements de l'Église ! Je ne suis pas un hérétique ! Les sorcières existent bien sûr, mais mon épouse Barbara est innocente.

— Crois-tu donc que les sorcières condamnées par la sainte Église étaient coupables et qu'elles avaient mérité le juste châtiment du plus horrible des péchés ?

Je baissai les yeux mais me vis à la fin obligé de répondre à voix basse :

— Je dois le croire puisque la sainte Église ne peut se tromper !

Une pensée, toutefois, me troublait dans le plus profond de mon âme et je ne pus affronter son regard en disant ces mots.

Le père Angelo s'affaissa contre le dossier du fauteuil et ses yeux clairs retrouvèrent leur chaleur.

— Mikaël, mon fils, tu possèdes la foi véritable et n'es pas un hérétique ! Tu dois donc croire que justice sera faite ! Justice, tu entends !

« La chasse aux sorcières est une tâche difficile, une terrible tâche qui met à l'épreuve les pouvoirs spirituels des juges. J'ai gémi plus d'une fois dans ma faiblesse que le Saint-Père m'ait chargé du poids de cet effrayant fardeau ! Satan cherche toujours à profiter de cette faiblesse mienne et ce n'est qu'à force de prières constantes et de mortifications corporelles que je parviens à triompher des doutes qu'il murmure à mon oreille !

« Prie toi aussi, ô Mikaël ! Prie pour l'amour de ton âme ! Prie pour que je puisse vaincre ma faiblesse et que, comme un bon juge, j'évite les pièges de Satan au cours de mon enquête dans cette funeste affaire.

Sa supplication témoignait d'une torture si profonde, d'une constance si pure que ma propre crainte, si petite à côté de l'angoisse spirituelle de ce saint homme, s'évanouit bientôt.

— Père Angelo, dis-je humblement, je prierai Dieu de tout mon cœur qu'il vous aide à mettre au jour la vérité. Et je prierai aussi pour mon âme. Mais j'élèverai mes prières les plus ferventes à l'intention de mon épouse Barbara afin qu'il ne lui arrive aucun mal !

— Mikaël, mon fils, répondit-il avec un grand hochement de tête, je découvrirai la vérité avec l'aide de Dieu ! Mais sache que jamais auparavant je ne me suis trouvé confronté à tâche aussi pesante ! Car non seulement je dois confondre la sorcière par une preuve décisive, mais en même temps sauver ton âme aveuglée par le doute, de manière que, convaincu absolument de la justice de la sainte Église, tu reconnaisses du fond de ton âme et non pas du bout des lèvres, que la vérité a triomphé.

Il se mit alors à me poser plusieurs questions incisives sur la façon dont Barbara m'avait trouvé et soigné au cours de la maladie qui avait suivi, et sur notre mariage. Il m'interrogea également au sujet de notre chien et souhaita avoir des éclaircissements sur l'accident au cours duquel le répartiteur d'impôts s'était cassé le bras. Je m'avisai qu'il était parfaitement informé à notre endroit et répondis à toutes ses questions sincèrement et à cœur ouvert. Je ne me contredis pas une seule fois quand il les reprit d'une manière différente.

— Alliez-vous tous les deux régulièrement à la messe et à la confession ? Receviez-vous ensemble les saints sacrements ?

Je dus reconnaître que nous avions quelque peu négligé nos devoirs religieux, pour la seule raison que Barbara souffrait de l'hostilité des autres et avait peur de se montrer en public. Je lui assurai en revanche que nous n'avions jamais omis nos prières et que nous observions rigoureusement les jours de jeûne.

— Je regrette profondément notre négligence et vois que nous aurions dû nous défier de la méchanceté des gens et montrer plus de zèle dans l'accomplissement de notre devoir de chrétiens, ce qu'en réalité nous désirions faire !

— L'innocent n'évite ni ne craint ses semblables ! dit le père Angelo. Mais les sorcières ont de bonnes raisons de s'abstenir d'aller écouter la messe ! Et qu'elle ait négligé les sacrements est encore une preuve aggravante... bien que Satan soit si malin que, si elle s'était montrée pratiquante et avait régulièrement communié, je l'aurais de même considéré comme circonstance aggravante !

— Ma femme n'est pas une sorcière ! répétai-je, incapable de dire autre chose.

— Tu as épousé Barbara Büchenmeister. La trouves-tu belle ?

— Oui !

Et à l'idée qu'elle était enchaînée dans l'immonde puanteur de la tour de la prison, j'éclatai en sanglots.

— Oui, père Angelo ! m'écriai-je. Elle est pour moi la plus belle femme du monde et je l'aime plus que tout ici-bas !

Le père se leva dans un violent mouvement et se signa.

— Assez ! ordonna-t-il. Tu dois dorénavant te consacrer sans relâche à la prière, la mortification et la pénitence ! Nul autre moyen ne te pourrait délivrer du pouvoir de Satan. Je n'ai point encore vu la sorcière, mais je sais qu'elle est laide, plus vieille que toi et qu'elle avait largement dépassé l'âge de se marier lorsqu'elle t'a rencontré ! A partir d'aujourd'hui, tu ne quitteras plus les murs de ce monastère ! Je vais te mettre sous la garde du prieur pour que tu pries et fasses pénitence jusqu'à ce que, tous les témoignages réunis, le procès puisse commencer.

— Père ! dis-je dans un cri en tombant à genoux devant lui. Oui, je ne veux que prier et mortifier ma chair, mais permettez-moi de visiter ma femme dans sa prison !

Laissez-moi la consoler de sa solitude ! L'idée de la situation atroce qui est la sienne me brise le cœur !

Il resta insensible à mes pleurs et je pus voir que mon obstination commençait à l'irriter. Je repris donc mon calme et il me confia au prieur. Ce dernier, à l'heure de complies, me mit un cierge dans la main et du sel consacré dans la bouche, tandis que les moines chantaient pour exorciser le démon de ma personne et que le père Angelo avec d'autres bons pères élevaient au ciel d'ardentes prières pour mon salut. Cette cérémonie épuisante m'apporta un certain soulagement et je sombrai dans une torpeur semblable à la mort. Trois heures plus tard, on me secoua pour me faire lever et assister à l'office nocturne.

Ce régime se poursuivit jour après jour; les veilles constantes et le jeûne de pénitence contribuèrent à me mettre dans un état d'hébétude miséricordieuse. J'avais parfois cependant des éclairs de lucidité et lorsque Barbara et sa vie en prison me revenaient en mémoire, c'était comme si l'on m'enfonçait un poignard dans la poitrine. Je répandais des larmes amères et implorais les frères de me châtier avec des cordes nouées et des épines afin que les douleurs physiques étouffassent les souffrances que j'éprouvais pour mon amour. Et les bons moines me fouettaient jusqu'à ce que mon dos mis à vif laissât sortir le diable que j'avais dans le corps.

Ainsi passèrent près de deux mois et l'été fleurissait sur la cité du prince-évêque. Mais que savais-je de l'été, moi qui pour foyer avais une cellule nue, pour couche une pierre et le passage voûté conduisant à l'église pour unique promenade ? Peu à peu se calma l'agitation de mon esprit et quand le bon prieur jugea que ma blessure s'était refermée, il permit un allégement de cette discipline. On me rendit alors mes vêtements personnels, on me donna une nourriture plus substantielle et, après quelques jours, l'esprit clair, je me sentis redevenu moi-même. J'en déduisis que le procès devait approcher et attendis avec impatience.

Je demandai un jour au prieur d'aller me faire couper les cheveux en ville et il m'en accorda la permission. Je me rendis directement à la prison; sans oser aborder le concierge, j'entrai cependant dans la cour pour contempler au moins la grosse tour où je savais Barbara enfermée. Mes larmes coulaient à ce spectacle quand tout à coup j'aperçus le père de Barbara, l'armurier Büchenmeister, qui sortait du palais épiscopal et se dirigeait vers la porte. Je courus derrière lui et le saluai le plus chaleureusement que je pus. Bien qu'il ne parût guère content de me voir, comme il avait bu et désirait de la compagnie, il m'invita après quelque hésitation à le suivre à la taverne. Quand nous fûmes installés sur le banc de bois, l'armurier volubile se lança dans de grandes lamentations sur l'époque en général et sa mauvaise incidence sur ses affaires en particulier.

Incapable de maîtriser plus longtemps mon impatience, je coupai court en l'assurant de ma réelle sympathie pour ses ennuis et demandai :

— Mon cher père, n'avez-vous point de nouvelles de votre fille Barbara ?

Il me regarda avec méfiance et se mit à ricaner.

— J'ai fait ma déposition et mis ma marque près de mon nom, dit-il. Me voilà enfin débarrassé d'elle ! Et complètement certain de ne plus avoir, dorénavant d'ennuis ni de troubles par sa faute ! C'est bien fini pour moi et pour ma famille ! Buvons une autre chope pour fêter dignement le plus beau jour de ma vie ! Finis pour nous les cauchemars, et mon fils va pouvoir enfin commencer une nouvelle vie !

— Avez-vous porté témoignage contre votre enfant ? m'exclamai-je consterné. Comment pouvez-vous de la sorte détester votre propre chair ? Ah ! La folie du monde est vraiment plus grande que ce que je croyais !

Il cogna sa chope en étain contre la table pour en commander une autre et répliqua :

— Je ne vous en veux point, Mikaël, mais ne vous ai-je pas payé cinquante guldens le jour de vos noces pour que vous emportiez la sorcière loin de notre bonne cité ? Vous avez préféré rester avec nous et vous devez maintenant en supporter les conséquences ! Moi, je m'en lave les mains ainsi que mon épouse et mon fils !

« Vous me demandez si je déteste ma fille... Eh bien ! A présent que ces maudits yeux verts ne peuvent plus se fixer sur moi, je vous avouerai que je l'ai détestée depuis le jour où elle est née ! Je ne crois point, du reste, qu'elle soit ma fille, mais le fruit procréé par quelque incube avec ma pauvre femme.

Je considérai ces yeux bornés et larmoyants d'homme pris de boisson et jetai ma bière à sa face stupide. Puis je courus dehors en claquant la porte de la taverne derrière moi. Mais bientôt ma colère retomba. En quoi mon inutile rage pouvait-elle aider Barbara ? Mieux valait me montrer courtois si je voulais lui être utile. Je repris donc mon attitude soumise et regagnai le monastère d'un pas tranquille. A peine me trouvais-je dans ma cellule que le père Angelo me fit appeler.

Il était assis devant une pile de papiers.

— Que ton cœur, mon fils, garde sa fermeté pour affronter la vérité ! dit-il sur un ton empreint de bonté. Le procès commence aujourd'hui et il va falloir que tu sois fort. Afin de te préparer aux souffrances qui t'attendent, je vais t'exposer les preuves que j'ai réunies. Ce n'est point d'usage et je le fais uniquement pour le bien de ton âme.

« Mon fils, il faut que tu saches que ton épouse est une sorcière !

Je m'attendais à ces mots et ne répondis rien mais pour lui plaire, baissai la tête en me signant.

— La verrai-je au procès ? demandai-je d'une voix calme.

Le père Angelo soupira.

— Nous ne pouvons l'empêcher et dans l'intérêt de ton âme, il est même souhaitable que tu y assistes. Lorsque tu auras pris connaissance de ces dépositions faites sous serment, je crois qu'il ne subsistera plus aucun doute en toi. Je te demanderai ensuite de signer ta propre déclaration que j'ai dictée au secrétaire du tribunal de l'Inquisition.

Il me donna les documents que je me mis en devoir de lire attentivement. Je ne pouvais parfois réprimer une exclamation de colère ou de surprise, mais m'efforçais de me contenir et de garder les yeux baissés afin que le père Angelo ne pût observer mon expression. Son regard inquisiteur était rivé sur moi et sa conviction rendait de pierre son beau visage intelligent.

271

Je ne citerai ici que quelques-unes de ces dépositions. La première, signée par les parents d'un ancien soupirant de Barbara, décrivait comment elle s'était violemment querellée avec leur fils dans un pré des environs de la ville; elle avait fait des gestes vers le ciel, une effrayante tempête s'en était suivie et le garçon avait péri foudroyé alors qu'il s'était mis à l'abri d'un arbre tandis que Barbara restait au beau milieu du champ. Les témoins étaient convaincus qu'avec l'aide du démon elle avait guidé l'éclair sur leur fils en utilisant son propre nom puisque sainte Barbara protège les hommes de la foudre.

Une femme prétendait que le lait avait tari de ses mamelles après une dispute avec Barbara. Mon ami, le répartiteur d'impôts, témoignait que Barbara s'était servi de la magie pour qu'il tombât dans l'escalier et se cassât le bras droit, le bras indispensable dans son office; elle avait agi de la sorte pour me faire obtenir son poste et l'avait ensuite attiré chez elle chaque soir à dîner dans le but d'empêcher son bras de guérir. L'huissier signait que nous les avions, lui et sa femme, chassés de leur agréable logis pour nous installer à leur place, et soulignait qu'ils n'eussent jamais déménagé sans la crainte que Barbara ne leur fît du mal par sorcellerie. Quant aux membres du Conseil, ils rappelaient que Barbara depuis son enfance avait la réputation d'être une sorcière et, de ce fait, avait déjà été amenée à prononcer un serment de Purification.

Son père enfin certifiait qu'une fois, alors que sa fille était entrée dans son atelier, le creuset pour fondre les métaux s'était fendu en une formidable explosion, occasionnant de graves dommages.

Ce sont ces témoignages-là qui me remplirent de la plus amère indignation et mon cœur à les lire se brisait un peu plus dans ma poitrine. Le dernier de ces papiers ne portait pas de signature et je commençai à le parcourir avant de m'aviser qu'il s'agissait de ma propre déposition.

Je, Mikaël Pelzfuss, ou Mikaël de Finlande, bachelier de l'université de Paris, déclarais comment Barbara par quelque moyen mystérieux m'avait découvert, assommé et dépouillé, dans la forêt et que seul le diable en personne l'avait pu conduire jusques à l'endroit reculé où les bandits m'avaient laissé pour mort. Barbara au cours de ma maladie m'avait fait boire d'amères potions dont j'ignorais la composition. Nul doute qu'elle ne les eût préparées selon quelque formule magique car peu après je tombai amoureux d'elle malgré sa laideur et l'épousai. Tout au long de notre vie commune, elle continua à m'ensorceler au point que j'étais toujours persuadé qu'elle était la plus belle femme du monde. Mais à présent que je savais la vérité, je renonçais à elle et à toutes les œuvres du démon et reconnaissais que seule la sorcellerie m'avait induit à la prendre pour épouse.

Après avoir terminé la lecture de cet infâme papier, je levai les yeux et dis d'une voix ferme :

— Jamais, père Angelo, jamais je ne signerai cette déposition ! Elle est fausse !

Il esquissa un mouvement d'impatience, puis, se reprenant, me parla sur le ton de la conciliation :

— Ne sont-ce point là les mots que tu as toi-même employés ? Ne peux-tu voir que c'est sa sorcellerie qui t'avait lié à elle ? Nul homme sensé ne peut prétendre qu'elle est la plus belle femme du monde, voyons !

Mais en dépit de toutes ses tentatives pour me convaincre, je refusai de signer le témoignage et il se résolut à me le laisser rédiger moi-même. Je retraçai donc comment Barbara m'avait trouvé dans la forêt et guéri de mes blessures, je dis que je l'avais épousée de ma propre volonté et que je l'aimais toujours plus que personne au monde. Lorsque je voulus ajouter que jamais, durant notre vie commune, je n'avais vu quoi que ce fut que l'on pût taxer de sorcellerie, il me l'interdit sous prétexte que ce n'était point à moi de décider si oui ou non Barbara était coupable mais aux juges qui donneraient leurs conclusions après l'examen des déclarations y compris la mienne.

Je compris bien trop tard qu'il comptait utiliser mon témoignage contre Barbara. Et parce que sa volonté était supérieure à la mienne et parce que j'espérais assister au procès pour l'empêcher de dénaturer mes paroles à sa guise, je signai le document et il s'en saisit.

De nouveau calme, il tourna vers moi son beau visage plein de compassion.

— Hélas ! Mikaël ! Je ne suis moi aussi qu'un homme et la tâche qui repose sur mes épaules me semble plus lourde que ce que je puis supporter ! Cependant je me dois de vaincre cette faiblesse pour servir l'Église fidèlement. Crois-moi, dans des affaires comme celle-ci, même la pitié est une arme que le démon manie avec adresse pour tenter de sauver ses séides.

— Je ne crois pas que ma femme soit une sorcière, quelles que soient les charges retenues contre elle ! affirmai-je.

Le père Angelo inclina la tête dans ses mains, poussa un profond soupir et se mit à prier en silence.

— Mikaël, reprit-il, vois comme je suis faible ! Depuis mon enfance, je ne puis supporter sans souffrance la vue des larmes et la douleur d'autrui me rend malade. C'est justement en raison de cette défaillance que l'on m'a choisi pour cette œuvre, parce que je glorifie Dieu en triomphant de mon humaine insuffisance !

« Son Église demeure et demeurera à jamais, Mikaël ! Ses piliers et ses voûtes ne cesseront de nous protéger ! Le rebut de la terre passera mais la sainte Église, elle, restera !

Je fus pénétré d'un sentiment inexorable d'écrasement en l'écoutant parler de la sorte, parce qu'il me disait que la sainte Église était hostile à Barbara de tout le poids de ses traditions et de ses vénérables pères, il me disait que Barbara était toute seule, sans personne pour la défendre et que même moi, son époux, j'avais signé un document qui deviendrait une arme dans les mains de ses ennemis.

Le tribunal siégeait dans la tour de la prison du palais épiscopal, dans une salle nue, faiblement éclairée par d'étroites ouvertures pratiquées dans l'épaisseur des murs. En attendant les augustes pères, je levai la tête pour regarder dehors à travers ces minces fentes de lumière et m'étonnai de voir que l'été régnait dans la campagne avec ses arbres feuillus et ses champs reverdis. Cette salle de la tour s'élevait

274

en effet au-dessus des remparts et dominait un magnifique paysage où les Alpes dessinaient au loin leur barrière de brume.

Le père Angelo, assisté de deux autres dominicains dont l'un fit lecture de l'acte d'accusation, présidait le tribunal, tandis que maître Fuchs occupait le siège de l'accusateur. Personne d'autre n'avait le droit d'assister au procès et, après l'entrée de Barbara, les gardes et le geôlier durent rester de faction dehors devant la porte fermée.

Barbara, lavée et peignée, portait pour tout vêtement une tunique propre taillée dans une grossière étoffe. J'avais redouté cette rencontre après m'être peint les horreurs et les souffrances de son emprisonnement, mais je ne remarquai nul signe extérieur de mauvais traitements et son aspect me rassura. Elle avait cependant notablement maigri et une cicatrice marquait la commissure de ses lèvres; elle m'apparut là d'une saisissante laideur avec ses cheveux roux ternes et aplatis, ses taches jaunes couvrant son visage et ses yeux clignotants qui essayaient de s'accoutumer à la lumière; je pense qu'il lui fallut un certain temps avant de distinguer quoi que ce fût, car elle se frottait de temps en temps les yeux comme s'ils la brûlaient.

La lecture se prolongea pendant plus de deux heures, puis Barbara nia d'une voix tranquille l'accusation de sorcellerie et d'alliance avec le diable que reprit le père Angelo. Le secrétaire lut ensuite d'une voix monotone les divers témoignages et Barbara répondit tantôt oui tantôt non aux questions de l'inquisiteur. J'éprouvais un grand soulagement à la retrouver toujours vive et résolue; elle donnait des réponses affirmatives à tout ce qui était réellement arrivé et pouvait être prouvé, par exemple la querelle avec son soupirant ou avec la jeune mère, l'explosion du creuset et la fracture du bras du répartiteur d'impôts; mais elle niait absolument avoir un quelconque rapport avec ces malheurs. Sa présence et son attitude convaincante dissipèrent mes doutes secrets : je crus alors en toute honnêteté en son innocence.

Lorsqu'on lut ma déposition, ses yeux avaient fini par s'habituer à la lumière et elle me découvrit assis dans mon coin. Une fois de plus, son regard vert se posa sur moi, son visage mince s'illumina, elle me parut immédiatement jolie et mon cœur fut de nouveau conquis.

Quand toutes les déclarations eurent été lues et que les membres du tribunal en eurent discuté chaque point à tour de rôle, le père Angelo prononça ces mots d'une voix sévère et glaciale :

— Sorcière Barbara ! A la lumière de ces témoignages indiscutables et concordants, le tribunal de la sainte Inquisition t'accuse de sorcellerie dans tous et chacun des cas plus haut mentionnés qui ont causé graves malheurs et infortunes à des personnes innocentes. Et attendu qu'il ne peut y avoir sorcellerie sans alliance avec le diable, la cour considère cette nouvelle charge également tout à fait établie.

« Veux-tu donc avouer volontairement ta culpabilité ou préfères-tu continuer à placer ta confiance en Satan et persister à nier ?

— Je ne suis pas une sorcière, s'écria Barbara, et je n'ai point d'alliance avec le démon quoi que puissent raconter les gens derrière mon dos ! Même lorsque j'étais petite enfant, ils me détestaient parce que je suis laide et différente d'eux !

— Invitée en termes clairs à se confesser volontairement, la sorcière s'est entêtée à nier l'accusation, dicta le père Angelo, mais a reconnu que depuis son enfance, elle a été différente des autres.

Puis tourné vers Barbara, il dit :

— J'ai fait tout ce qui était en mon pouvoir, soit durant ton emprisonnement soit à présent devant ce tribunal, pour te convaincre de faire une confession volontaire. Néanmoins tu persistes dans ton obstination ! En conséquence, cette cour va suspendre la séance pendant deux heures après lesquelles le procès reprendra et, conformément aux règles de l'Inquisition, te soumettra à la question.

« Ne t'imagine point, ma fille, que ton allié le démon va pouvoir t'aider ! Confesse-toi et tu nous épargneras un pénible devoir qui ne plaira pas plus à toi qu'à nous-mêmes !

— Mais je ne suis pas une sorcière ! gémit Barbara fondant en larmes.

Le père Angelo, sans tenir compte de ces pleurs, ordonna au geôlier de la ramener dans sa cellule.

— Père Angelo, le suppliai-je, laissez-moi parler à mon épouse pour la persuader qu'il vaut mieux pour elle avouer si elle est coupable ! Je ne puis supporter l'idée de ses souffrances !

— Impossible, Mikaël ! répliqua-t-il impatienté. Elle ne ferait que t'ensorceler de nouveau, ton propre bon sens peut te le rappeler !

Il m'invita à me rendre à l'office du prince-évêque pour prendre quelque nourriture, mais je n'avais guère envie de manger et préférai faire les cent pas dans la cour pendant cette longue attente. J'essayai de suborner le geôlier afin qu'il me permît de voir Barbara, mais sa peur de perdre la vie en désobéissant aux ordres formels de l'inquisiteur fut plus forte que sa cupidité. Il me promit nonobstant, en échange de l'argent que je lui offris, de lui apporter un bon repas.

Les vénérables pères revinrent des appartements princiers, essuyant le vin sur leurs visages congestionnés et conversant entre eux avec animation. Je m'approchai encore du père Angelo et le priai de m'autoriser à assister à la prochaine phase du procès. Il montra cette fois plus d'aménité en disant :

— En prévision de ta requête, nous avons débattu de cette question avec monseigneur. Jamais auparavant pareille chose ne fut accordée, mais eu égard à l'inaccoutumé de cette affaire, je pense que tu ne voudras reconnaître qu'elle t'a ensorcelé que si tu en entends l'aveu sortir de sa propre bouche. Ainsi donc, par faveur spéciale de Son Excellence, tu peux assister à cette séance à la condition expresse de n'intervenir dans le déroulement de l'interrogatoire ni par mot ni par geste et de rester à ta place sans bouger. Tu dois également, conformément à l'usage, prêter le serment de n'abriter aucun sentiment de haine ni rancune à l'encontre de nul d'entre nous, de ne rien tenter pour soudoyer ni acheter quiconque dans un but de vengeance, mais de te résigner quoi qu'il puisse se passer.

Nous regagnâmes la salle de la tour où il me fit prêter serment, puis nous descendîmes l'un derrière l'autre les escaliers menant à la chambre de torture, une salle voûtée sans fenêtre, éclairée par deux torches où nous attendaient le bourreau et son valet. Ils étaient entièrement vêtus de rouge selon les règles de leur office bien qu'au cours de leur travail, ils n'eussent point le droit de faire couler le sang ni d'infliger de durables blessures. J'essayai, en regardant autour de moi dans cette cave, de me conforter en pensant qu'aucune de ces affreuses tenailles ni vis à oreilles ne serviraient donc; mais une échelle posée sur des chevalets, une corde pendant d'une roue accrochée au plafond et de lourds poids de pierre suffirent à me donner la chair de poule.

On fit ensuite entrer Barbara, morte de peur et toute tremblante; pourtant, quand sur l'ordre du père Angelo le bourreau lui eut expliqué la manière dont il allait procéder avec ses instruments, elle nia encore sa culpabilité d'une voix douce et suppliante et dit qu'elle ne pouvait avouer une chose qu'elle n'avait point commise. Le père Angelo soupira et fit signe à maître Fuchs de commencer son examen.

A cette fin, les bourreaux dépouillèrent Barbara de sa tunique. A présent elle était nue. Ils la renversèrent sur l'échelle à laquelle ils l'attachèrent solidement par les pieds et les mains. Elle avait considérablement maigri, mais son corps soigneusement lavé était blanc et seules les marques brunes des ceps à ses chevilles et à ses poignets rappelaient sa captivité. Elle poussa un ou deux gémissements quand on lui coupa les cheveux à ras, ne lui laissant pas la plus petite mèche. Ensuite maître Fuchs fit un pas en avant et se mit en devoir d'examiner rigoureusement chaque pouce de sa peau et chaque orifice de son corps pour vérifier qu'elle ne portait nul talisman diabolique susceptible de la rendre insensible à la douleur. Le père Angelo, préférant par pudeur détourner son regard de cette opération, parlait à voix basse avec les autres dignitaires. De mon côté, je pensai que ce traitement, pour brutal et honteux qu'il fût, n'était guère insupportable. Je bénissai chaque moment qui retardait la véritable torture de Barbara.

— Plus d'une sorcière s'est vantée de ne rien sentir à condition de conserver sur elle un seul minuscule morceau de sa vêture, remarqua maître Fuchs. Mais ou je ne suis plus bon à rien dans ce métier ou celle-là n'a plus aucun pouvoir !

Il se retira et les bons pères, entonnant à voix basse des prières, s'approchèrent du corps nu de Barbara; ils l'arrosèrent d'eau bénite et lui enfoncèrent le sel consacré dans la bouche. La cérémonie de purification augmenta encore la crainte des bourreaux, que j'avais déjà vus se signer furtivement à plusieurs reprises tandis qu'ils attachaient les membres de Barbara. Je remarquai que même les bons pères avaient peur d'elle à la lueur des torches de cette sombre cave. Ainsi j'avais la preuve que tous agissaient de bonne foi, que tous étaient convaincus de sa culpabilité et cette constatation me remplit de désespoir.

Le père Angelo intima l'ordre au commissaire de procéder à l'épreuve suivante. Maître Fuchs prit alors une longue aiguille effilée et se mit à chercher sur le corps nu un stigmate de sorcière doué d'insensibilité. Les bons pères se penchèrent avec curiosité pour suivre l'opération et ils poussaient un grand soupir chaque fois que Barbara criait et que le sang coulait. Il n'est point un seul petit grain de beauté que maître Fuchs ne contrôlât avec minutie et quand il sonda même le bout de ses seins, elle hurla de douleur. Il finit par trouver sur une hanche une grande marque de naissance qui ne saigna point sous la piqûre et ne parut guère la faire souffrir. Il n'y avait donc plus de doute ! C'était là le stigmate que le diable avait inscrit sur elle pour signaler qu'elle lui appartenait !

Cette découverte me laissa décontenancé ! Combien de fois, dans nos moments de passion, n'avais-je point en effet baisé cette marque, croyant qu'il s'agissait d'un grain de beauté !

Le secrétaire enregistra sur la minute le résultat de l'épreuve de l'aiguille, qui avait révélé sur la peau de la sorcière une tache insensible en forme de fer à cheval située un pouce au-dessus de l'os iliaque.

Le père Angelo fit ensuite détacher Barbara de l'échelle pour la peser et nul ne s'étonna d'apprendre qu'elle pesait dix livres de moins qu'une femme normale de sa taille et de sa complexion, ce qui ne faisait que les conforter tous dans leur croyance à sa culpabilité. On sait en effet que les sorcières pèsent moins que les autres et flottent sur l'eau.

L'inquisiteur autorisa Barbara à se rhabiller et l'invita une fois encore à avouer. Mais elle ne leva pas la tête et ne dit pas un mot. Alors, avec une répugnance manifeste, il ordonna au bourreau d'accomplir son devoir.

Ce dernier la prit tandis que son assistant lui attachait les mains derrière le dos. Ils fixèrent ensuite la corde qui pendait de la roue à ses poignets et la hissèrent sous le plafond où elle resta suspendue, les articulations des épaules tordues d'une manière très anormale. Puis le bourreau relâcha la corde et la laissa courir pour l'arrêter juste avant qu'elle n'atteignît le sol ce qui arracha à la suppliciée un cri à fendre le cœur parce que ses bras menaçaient de sortir de leur cavité naturelle.

— Mikaël ! criait-elle, Mikaël !

Mon visage ruisselait de sueur et je levai la main pour toucher le père Angelo : à la lueur des torches, je le vis qui, les traits déformés, fixait Barbara, de grosses gouttes de sueur coulant sur son front pur et plein d'orgueil. Ainsi, il souffrait comme moi devant cette vision d'horreur et ma main retomba sans force. Après avoir répété plusieurs fois cette opération, le bourreau descendit Barbara jusques au sol et elle resta couchée, la face contre les dalles de pierre. Le père Angelo, implacable, lui demanda si elle voulait avouer à présent.

Barbara gémit, appela à haute voix la mère de Dieu à son secours et dit :

— Que dois-je avouer ? Je ne sais que dire ! Oh ! Pour l'amour de Dieu, nobles seigneurs, ne me torturez plus !

Le juge, exaspéré, fit un signe à l'exécuteur qui apporta une pierre de près de dix livres. Il attacha ensemble les pieds de Barbara et fixa ce poids à ses orteils. Lorsqu'il la souleva du sol une nouvelle fois, elle poussa des cris plus effarants encore et l'on voyait craquer ses épaules et les doigts de ses pieds s'allonger à n'en plus finir. A la première chute, elle resta pendue, les épaules disloquées, les bras tordus en arrière levés verticalement au-dessus de la tête. Son épouvantable hurlement s'acheva en une plainte sourde et continue et mon corps fut agité alors en tous sens comme pris de convulsions. L'inquisiteur lui demanda d'une voix dure si elle allait maintenant avouer, mais elle perdit conscience en essayant de parler. Le bourreau la reposa, lui frotta les tempes avec un chiffon imbibé de vinaigre et lui mouilla les lèvres avec de l'eau-de-vie.

— Avez-vous remarqué, mon révérend père, qu'elle n'a pas versé une seule larme ? Les sorciers ne peuvent pleurer et ceci constitue la troisième preuve !

Le fait fut consigné dans la minute. Barbara revint à elle, gémissant doucement, mais quand l'inquisiteur se pencha sur elle pour lui arracher un aveu, elle parut avoir perdu la parole et ne put que remuer la tête.

Pressé d'en finir, le père Angelo enjoignit au bourreau d'augmenter le poids.

— Et puis mettez-lui un bâillon ! ajouta-t-il. Elle nous casse les oreilles avec ses cris ! Inutile de rendre à cette vénérable assemblée et à moi-même cet interrogatoire aussi pénible !

L'homme introduisit une poire d'angoisse de bois creux entre les mâchoires de Barbara; cette forme de bâillon maintenait la bouche ouverte et les joues distendues sans gêner la respiration. Après avoir accroché un poids près de deux fois plus lourd à ses orteils, il la hissa avec l'aide de son valet, amarra la corde et se rangea à côté pour attendre.

Le silence régna un temps dans la chambre de torture. On n'entendait plus que le grésillement des torches et le léger chuintement du sable dans le sablier du secrétaire. La plainte de Barbara s'était tue à présent, mais sa poitrine se soulevait et s'abaissait en haletant. Je voyais ses petits orteils démesurément allongés et ses épaules qui commençaient à enfler et à prendre une couleur noir-bleu autour des articulations. Le bourreau alla chercher un pot de bière dissimulé dans une niche du mur, en but une gorgée et en offrit à son valet. L'un des dominicains se mit à marmonner des prières en faisant glisser les grains bruns de son rosaire entre ses doigts.

Je ne pus me maîtriser plus longtemps ! J'éclatai en un violent sanglot, me précipitai vers Barbara et tentai d'ôter le fardeau de ces terribles pierres.

— Avoue, Barbara, avoue ! la suppliai-je dans ma

281

lâcheté. Avoue par pitié de notre amour ! Ô Barbara ! Je n'en puis plus !

Elle ouvrit péniblement ses yeux verts et baissa lentement son regard à présent sans effet sur moi. Seule la monstrueuse horreur de ce supplice m'affectait quand je pris dans mes bras ses jambes menues.

Le père Angelo quitta sa place et me fit lâcher prise pour que le corps agité de soubresauts retombât et pendît à nouveau par ses épaules atrocement torturées.

— Avoues-tu, sorcière ? demanda-t-il en lui donnant un coup de poing dans la poitrine. Sinon tu vas entraîner avec toi à la perdition ton époux Mikaël !

Alors Barbara remua la tête pour indiquer son désir de parler. Le bourreau monta à l'échelle pour lui ôter le bâillon de la bouche; elle avait les commissures des lèvres déchirées et des filets de sang coulaient le long de son menton.

— Je suis peut-être une sorcière, dit-elle dans un hoquet, mais laissez Mikaël tranquille ! Il ne sait rien de moi !

Avec un soupir de soulagement, le père Angelo ordonna au bourreau de lâcher la corde pour que, les poids reposant au sol, il fût plus aisé d'ouïr la confession. Il l'interrogea sur chaque déposition une à une et elle reconnut que toutes les accusations étaient justifiées.

L'inquisiteur dicta pour la minute :

— *Question :* reconnais-tu avoir commandé à la foudre de frapper ton promis ? *Réponse :* Oui. *Question :* reconnais-tu avoir cassé le bras du répartiteur d'impôts en ayant recours à des formules magiques de sorcellerie ? *Réponse :* Oui.

Je ne vais point répéter ici toute les questions ni toutes les réponses, mais je voudrais mentionner que j'ai entendu de sa bouche même que, guidée par Satan, elle m'a trouvé dans la forêt et qu'en me faisant avaler des potions magiques elle m'a contraint à la prendre pour épouse. A ce point de l'interrogatoire, le juge me jeta un regard de côté et peut-être lut-il une lueur de doute dans mes yeux horrifiés car il changea la teneur de sa dernière question.

— De quoi était composée la drogue grâce à laquelle tu lui as jeté un sort ?

Barbara, hésitante, laissa errer son regard terne dans le vague avant de balbutier :

— De l'eau bénite, de l'ergot de seigle et du jus de jusquiame.

Et, à ces mots, je me vis forcé de croire qu'elle m'avait ensorcelé.

— Pardonne-moi Mikaël ! ajouta-t-elle d'une voix à peine audible.

Ensuite le juge demanda :

— Reconnais-tu avoir donné à boire et à manger au démon sous la forme d'un chien noir qui te servait dans tes arts diaboliques ?

Elle ouvrit grand les yeux et s'écria :

— Non ! Raël est un petit chien ordinaire ! Il n'a rien fait de mal !

— Nous verrons ! Maintenant réfléchis, sorcière, et pèse bien tes mots car il faut que je sache quand, où et comment tu as signé ton pacte avec le démon. Je veux savoir ensuite quand, où et comment il a posé sa marque sur ton corps, combien de fois tu as eu des relations intimes avec lui, et sous quelles formes il t'apparaissait alors ?

« Réponds à ces questions et nous te laisserons en paix ! Quand tu auras renoncé au diable et à ses œuvres, la sainte Église te recevra en son sein, pardonnera tes péchés et enfin sauvera ton âme immortelle des feux de l'enfer. Réponds, sorcière !

Mais Barbara garda le silence, ses yeux hébétés d'étonnement fixés sur l'inquisiteur. Ce dernier, visiblement contrarié, répéta ses interrogations que Barbara nia fermement, en appelant à sa clémence, disant qu'elle ne comprenait mie ce qu'il voulait dire.

Une fois de plus, le bourreau la hissa sous la voûte et je dus presser mes oreilles à deux mains pour ne point entendre les hurlements épouvantables que le supplice lui arracha alors.

— Laissons-la pendre jusqu'à ce qu'elle retrouve la mémoire ! dit le père Angelo plein de courroux. Entre-temps, allons examiner le chien !

Les mains sur les oreilles lui aussi, il s'engagea dans

283

l'escalier à pas pressés. Tous le suivirent, hormis le valet de l'exécuteur, qui, malgré sa terreur, dut rester seul avec Barbara et le pot de bière.

L'air frais et la lumière de la salle du tribunal éclaircirent mes idées; je tremblais de froid dans mes vêtements trempés de sueur qui collaient à ma peau. Le geôlier apporta du vin dont nous avions tous grand besoin. Le père Angelo se laissa tomber dans un confortable fauteuil en soupirant d'aise et vida son gobelet.

— Amenez le chien ici ! intima-t-il.

Ce fut à peine si je reconnus mon petit chien lorsque maître Fuchs revint en tirant Raël par une corde. On avait tondu son brillant pelage noir et toute sa peau nue et grise était couverte de plaies purulentes. Raël me flaira et lutta en lançant de petits cris plaintifs pour venir vers moi. Maître Fuchs le laissa sauter sur mes genoux. L'animal s'assit en frissonnant et, glapissant doucement, me lécha le visage et pressa sa truffe contre mon épaule, tandis que je versais des larmes amères sur ses blessures. Mon petit chiot, lui au moins, était innocent, je le savais.

— Ce chien a pour nom Raël, observa maître Fuchs. Un nom indéniablement singulier et barbare ! Il sait faire nombre de tours, mais on peut en dire autant des chiens que l'on présente sur la place du marché. J'ai, comme l'exige mon devoir, mis toute mon habileté dans l'examen de cet animal et tenté de le faire parler. Nous savons qu'il le pourrait s'il était une incarnation du démon. Je lui ai donc administré le fouet plusieurs fois par jour, j'ai fait brûler sur son dos des plumes trempées dans le soufre sans jamais provoquer nul son qui pût passer pour du langage humain. J'ajouterai que l'épreuve de l'aiguille n'a donné que des résultats négatifs.

L'inquisiteur inspecta le chien en se bouchant le nez d'un air dégoûté, car les plaies de la pauvre bête exhalaient une détestable odeur. Il se retira bientôt de la discussion qui suivit et enjoignit au bourreau de poursuivre l'investigation, lui-même n'étant point aussi versé dans les matières animales que maître Fuchs.

Alors, les yeux brouillés de larmes, je dus assister à la

cruelle rossée qu'ils infligèrent au malheureux Raël. A la fin, je pensais froidement que si la torture avait amené Barbara à avouer, le plus cruel des supplices ne contraindrait jamais ce pauvre petit chien à articuler un mot.

— Père Angelo, criai-je en sanglotant, vous ne forcerez jamais ce chien à parler quand bien même vous le tortureriez jusques à la mort ! Et ma femme est déjà condamnée !

— A la lumière de toutes mes expériences, je conclus à l'innocence du chien, confirma maître Fuchs. Mieux vaudra l'utiliser simplement comme témoin contre la sorcière et le libérer ensuite.

Le juge et les autres membres du tribunal approuvèrent ce point de vue et le commissaire alla chercher un récipient plein d'eau que Raël but goulûment. Le bourreau reprit la laisse en main. Une fois désaltéré, le chien leva les yeux vers le père Angelo qui s'adressait à lui sur un ton officiel :

— Chien, qui que tu sois ! Le tribunal de la sainte Inquisition te requiert de faire une déposition. Je dois te rappeler les droits et les devoirs d'un témoin et t'ordonne d'établir si oui ou non un sorcier se trouve dans cette pièce et s'il s'y trouve de nous indiquer où il est.

Le bourreau détacha la corde et Raël se jeta avec un grognement sourd sur maître Fuchs qu'il mordit au mollet. Fuchs poussa un cri et lança le chien à travers la salle d'un coup de pied, mais Raël revint à l'attaque et le commissaire eut bien du mal à se défendre tant que le bourreau n'eut point saisi la laisse. Cet incident inopiné fit une profonde impression sur chacun de nous. L'exécuteur se signa en jetant un regard étrange sur maître Fuchs qui ôtait la poussière de ses jambes en jurant et insultant le chien pour son ingratitude à l'égard d'un homme qui avait plaidé en sa faveur et sauvé sa vie !

— Ce témoignage est sans valeur, dit-il en s'adressant à l'inquisiteur, et pour ma réputation, je demande qu'il ne soit point porté sur la minute. La créature me garde rancune pour les tourments que mon devoir m'a obligé à lui infliger. Je suggère que l'épreuve soit renouvelée en présence de la sorcière que l'on descendra au sol afin que le chien puisse flairer sa piste.

Les dignes pères discutèrent entre eux avant de conclure que maître Fuchs avait parlé sagement. On ne fit donc point mention de cet incident sur la minute du procès. Le père Angelo ne laissait point cependant de lancer des regards furtifs à l'accusateur tandis que nous regagnions la cave et que le bourreau descendait à terre Barbara. Aussitôt entré, le chien se mit à geindre et après que l'inquisiteur l'eut une fois de plus exhorté à porter témoignage sans considération de parenté, amitié ou inimitié, il bondit joyeusement vers Barbara et lui lécha le cou, les mains et le visage.

On consigna le fait que le chien avait de son plein gré dénoncé sa maîtresse comme sorcière. L'accusation portée contre lui fut retirée et l'animal acquitté.

La vive tendresse de Raël avait sorti dans une certaine mesure Barbara de son évanouissement. Elle ouvrit les yeux et commença à gémir. C'en fut trop pour moi et je n'en pus endurer davantage ! Tout devint noir et je perdis connaissance. Quand je revins à moi, je me trouvais dans la salle de la tour, le valet du bourreau me frictionnait les membres et me versait de l'eau-de-vie dans la bouche.

— Qu'est-il arrivé ? articulai-je faiblement.

— La sorcière a tout avoué ! répondit l'homme. Le troisième degré a été au-dessus de ses forces, elle a abjuré le démon. Elle a dit que deux fois l'an, elle volait à Brocken sur un balai de flammes et couchait là-bas avec le démon, qui lui apparaissait tantôt sous la forme d'un bouc noir tantôt sous celle d'un homme à la face blême. J'en avais la chair de poule à l'écouter. Après, maître Fuchs m'a ordonné de vous porter ici et j'ai perdu le reste de la confession.

L'inquisiteur monta peu après nous rejoindre. La sueur coulait sur son front et il tremblait d'excitation.

— La sorcière a avoué, Mikaël ! C'est quand elle avait seulement douze ans qu'elle s'est donnée au diable et a reçu sa marque. Son initiatrice était une sorcière brûlée il y a dix ans. Souviens-toi, Mikaël, si jamais il y avait eu le moindre doute sur l'existence de pactes avec Satan, l'unanimité des témoignages en provenance de divers pays et la similarité des plus petits détails prouvent incontestablement leur réalité. Cette confession représente un nouveau maillon de la chaîne que notre sainte Église forge autour du royaume du démon depuis des siècles.

— Dieu du ciel ! m'exclamai-je. Êtes-vous encore en train de la tourmenter ? N'a-t-elle pas assez avoué ?

Il me regarda comme s'il doutait de mes facultés.

— Elle doit évidemment nous livrer le nom de ses complices ! rétorqua-t-il. Et c'est là le moment le plus difficile de tous; je crains fort que nous ne devions aller jusques au quatrième ou même au cinquième degré avant de lui tirer les informations requises. Mais nous sommes prêts à rester ici toute la nuit s'il le faut ! Si nous la laissions maintenant pour ne reprendre la séance que demain, elle pourrait se rétracter. Les sorcières le font souvent une fois que Satan leur a octroyé de nouvelles forces durant la nuit.

« Tu sais, Mikaël, que je crois en ton innocence, mais naturellement nous devons l'interroger à ton sujet ! Il faut également apprendre d'elle les noms de tous ceux qu'elle a reconnus aux sabbats des sorcières à Brocken, et tout cela va nous demander du temps et de la patience !

A ces mots je perdis derechef connaissance et restai dans un bienheureux état d'inconscience jusques à tard dans la nuit. Quand j'ouvris les yeux, le père Angelo brandissait une torche au-dessus de moi.

— Réveille-toi, mon fils ! Nous avons mené et gagné une splendide bataille ! Tu as été déclaré innocent de toute faute et tu es autorisé à aller voir ta femme pour lui dire adieu si tel est ton désir. Elle ne peut plus désormais te faire de mal ! Grâce à ses aveux et à sa repentance, elle a obtenu la miséricorde du tribunal et en la remettant au bras séculier, nous demanderons de lui trancher la tête avant de la brûler afin de lui épargner les souffrances du feu.

Il se retira tandis que, Raël dans les bras, je descendais en chancelant sur mes jambes tremblantes pour me rendre dans la cave, cette cave qui continue même à ce jour de hanter mes cauchemars. Car si la souffrance physique est terrible sous la torture, plus terrible encore me paraît la souffrance morale de celui qui doit contempler impuissant le supplice d'un être cher.

Un feu brûlait dans la cheminée de la chambre de torture

et le bourreau soignait Barbara tout en lui adressant doucement des paroles de réconfort. Il lui avait d'une main experte remis en place les articulations des épaules et les avait bandées avec des compresses calmantes imbibées de vinaigre. Mais Barbara pleurait, elle pleurait doucement, continûment, désespérément. Elle avait les yeux mi-clos et je sentis les battements désordonnés de son cœur affolé contre ses côtes. Elle tressaillit de douleur quand je passai légèrement ma main sur ses chevilles et ses orteils martyrisés.

Je donnai quelque argent au geôlier afin qu'il allât chercher de la nourriture et un vin fort, ainsi que de l'eau pour le chiot. Il revint bientôt chargé de deux bols en terre pleins de soupe fumante et portant sous son bras un pot d'étain rempli de vin. J'en offris au bourreau qui, tout réjoui, m'appela « noble seigneur » en me remerciant de ne pas lui en vouloir.

— J'ai fait serment de ne point tirer vengeance, lui dis-je, et l'on ne peut rien vous reprocher de ce qui est advenu. Vous ne faites que remplir les devoirs de votre charge pour le compte de vos maîtres. Du reste, vous n'êtes point un mauvais cœur puisque vous avez soigné aussi doucement et habilement qu'un médecin les blessures que vous aviez infligées. Mangez et buvez donc, l'ami ! Vous venez de passer une dure journée et je doute que vous y ayez pris du plaisir. Ensuite, vous nous laisserez seuls !

J'essayai de faire manger Barbara, qui ne prit qu'un cuilleron de soupe et une gorgée de vin. Raël, en revanche, montra un si bon appétit que ses flancs décharnés en furent tout gonflés. Il était si heureux de nous avoir retrouvés qu'il interrompait à tout moment son repas pour courir tantôt lécher la main de mon épouse, tantôt me donner un petit coup de museau dans le genou.

Après avoir terminé son souper le bourreau, l'air embarrassé, suggéra en rotant d'abondance de profiter de ma présence pour régler nos comptes. Il s'étendit largement sur sa pauvreté et sa grande famille, mais n'osa point me regarder dans les yeux lorsqu'il réclama quatre guldens dont un destiné à son valet; je lui en donnai cinq afin de m'en débarrasser au plus vite, ce qui rendit le pauvre diable fou de joie. Il se jeta à genoux pour me baiser la main et appela la bénédiction sur moi et sur Barbara. Il me laissa en outre ses onguents et ses médicaments et me dit ce que je devrais faire quand la fièvre commencerait à monter. Il me promit également que si on le chargeait, comme il l'espérait, d'exécuter la sentence de Barbara, il lui couperait le cou si vite et si adroitement qu'elle ne s'en apercevrait même pas.

Au moment où enfin il se disposait à nous laisser, je me souvins de ne point avoir revu maître Fuchs depuis que j'étais sorti de mon inconscience; craignant de le voir surgir pour me séparer de mon épouse, je demandai ce qui lui était arrivé.

Le bourreau se frotta les mains avec gêne et finit par me chuchoter à l'oreille que maître Fuchs avait été arrêté et se trouvait pour l'heure aux ceps dans le cachot de la tour.

— Voici ce qui s'est passé ! expliqua-t-il. On en était arrivé au cinquième degré et je pensais déjà que toute mon habileté ne servirait de rien lorsque la sorcière, je veux dire cette noble dame, se mit à donner les noms de ses complices. Elle a continué à nier que vous ayez jamais eu quelque part que ce fût à ses crimes mais par contre, elle a affirmé avoir vu plusieurs fois à Brocken maître Fuchs à l'occasion de la Noël et de la nuit de la Saint-Jean. Et il paraît que Satan le favorisait tout particulièrement, que c'était lui qui attribuait leurs tâches aux autres sorcières et célébrait la messe noire. Elle a juré au nom de tous les saints que maître Fuchs était le plus grand sorcier qui eût jamais existé sur la terre d'Allemagne. Alors, non sans hésitation et en dépit de serments et protestations de l'accusateur, l'inquisiteur l'a arrêté et fait mettre aux ceps.

« Ce brave petit chien l'avait aussi accusé, vous vous en souvenez ! Et après qu'il fut sorti, les écailles nous sont tombées des yeux, une foule de petits détails suspects dans son comportement au cours des années passées nous sont revenus à la mémoire. Nul doute que le père Angelo va rassembler d'abondantes preuves contre lui ! Cela explique également pourquoi maître Fuchs en était arrivé à connaître si bien la sorcellerie !

Cette histoire me laissa abasourdi au point que j'eus

l'impression un moment d'avoir perdu le jugement. Comment cet homme, infatigable chasseur de sorcières depuis plus de vingt années, pouvait-il être coupable de ce crime ? Mais l'exécuteur rétorqua en haussant les épaules que la ruse du démon dépassait largement l'humaine compréhension.

Enfin nous étions seuls Barbara et moi, seuls et ensemble ! J'en éprouvais un sentiment de soulagement mêlé de tristesse, bien que l'air de cette cave fût imprégné de l'infecte odeur de sueur et de souffrance et que les atroces instruments autour de nous me rappelassent les longues heures du martyre de Barbara. Mais, un bon feu brûlait dans l'âtre, j'avais étendu mon manteau à terre pour elle et tenais à présent sa tête rasée dans mes mains. Ses yeux grands ouverts brillaient à la lumière du feu et je sentais que la fièvre avait commencé à monter.

— Tu sais, Mikaël, je ne crois plus en Dieu ! murmura-t-elle.

Je me signai et la priai de ne point dire des choses pareilles, mais de garder son calme et de penser au salut de son âme maintenant que la sainte Église lui avait pardonné, maintenant qu'elle allait mourir. Elle se mit à rire, doucement d'abord, puis d'un rire aigu, discordant, jusqu'à ce que son corps émacié en parût convulsé.

— Même toi ! Même toi tu crois que je suis une sorcière alliée avec le démon ! Pourquoi dans ce cas m'as-tu prise dans tes bras pour me consoler !

Il me fallut du temps pour trouver une réponse logique et je finis par dire très sincèrement :

— Je ne sais pas ! Peut-être parce que du temps de notre bonheur je te tenais ainsi et qu'à présent, à l'heure du malheur, je désire te cacher entre mes bras... même si je t'ai entendue avouer de ta propre bouche que tu es une sorcière !

Le regard plein de gravité qu'elle leva vers moi était brûlant de fièvre.

— Tu ne veux pas me croire, ô Mikaël, mais je t'aime et

290

n'ai jamais aimé que toi depuis le premier moment où je t'ai vu. Ne pense pas trop de mal de moi, à présent que je vais mourir et que nous ne nous reverrons plus jamais. Oh ! Quel serment serait assez sacré pour me purifier à tes yeux ? Aucun, je le sais ! Je puis seulement jurer qu'aussi vrai que je ne crois plus ni en Dieu ni à sa sainte Église ni en ses sacrements, je ne suis pas une sorcière et je n'ai jamais été liée au démon même si j'ai péché et touché à des choses avec lesquelles il vaut mieux ne pas jouer. De vieilles femmes et des charbonniers m'ont, c'est vrai, enseigné les simples qui font le mal et la manière de s'en servir; c'est vrai aussi que pour l'amour de toi j'ai souhaité malheur au répartiteur d'impôts, peut-être également à d'autres quand j'étais en colère contre eux; et ma méchanceté semble toujours avoir eu plus de force que celle des autres personnes ! Voilà toute ma sorcellerie ! Il y a une chose que j'ai désirée de tout mon cœur, de toute mon âme et de toute ma force, ton amour ! Et tu m'as aimée ! Mais je te jure qu'il n'y avait là nulle sorcellerie !

Je voyais tant de ferveur dans ses paroles et dans son regard que j'étais forcé de la croire.

— Je te crois, Barbara ! Mais pourquoi entraîner un innocent à la perdition et mourir avec ce péché sur la conscience ? Si tu dis la vérité, alors tu n'as jamais vu maître Fuchs à Brocken et tu as fait un faux témoignage contre lui ! Et d'après ce que j'ai vu aujourd'hui, le père Angelo lui arrachera un aveu qui le fera parjure et enverra son âme en enfer !

Barbara eut un petit rire et m'effleura la joue de la paume de sa main.

— Quel grand nigaud, Mikaël ! Mais je l'ai toujours su et c'est peut-être la raison pour laquelle je t'aime ! Si tu avais, comme moi, souffert sur terre toutes les peines de l'enfer, tu ne dirais point pareilles billevesées.

« L'inquisiteur ne m'aurait pas laissée en paix tant qu'il y avait en moi une étincelle de vie pour supporter le supplice. Il fallait que je donne le nom de quelques complices ! J'ai dénoncé maître Fuchs non seulement pour me venger personnellement, mais parce que je me souvenais de la foule des malheureux qu'il a envoyés sur le bûcher et des centaines d'innocents dont il a ruiné la vie en exigeant d'eux un serment de Purification. Maître Fuchs a creusé lui-même sa tombe !

« Mais peut-être penses-tu que j'aurais dû mettre fin à la torture en livrant ton nom comme complice, car c'était cet aveu que l'inquisiteur cherchait à m'extorquer à tout prix !

Cette idée m'était sortie de l'esprit et une sueur froide descendit le long de mon dos à la pensée de ce qui serait arrivé si Barbara ne m'avait chéri si tendrement.

— Pardon ! Pardon pour ma stupidité ! dis-je humblement. Tu es bonne, loyale et mille fois plus intelligente que moi ! A ta place, je t'aurais trahie !

Barbara sourit alors et posa ses lèvres sèches et brûlantes sur ma main.

— Chut ! A quoi bon ces folies ! Il nous reste si peu de temps ! Ô Mikaël, sois doux avec moi, doux comme au temps de notre bonheur... Serre-moi fort pour que je ne pense pas à la souffrance... J'ai si peur du noir... !

L'âme pénétrée d'une paix mêlée de mélancolie, je me rendis le jour suivant auprès du père Angelo. Mon angoisse s'était en moi comme engourdie, parce que j'avais compris que tout ce qui arriverait désormais à Barbara ne pouvait être pire que ce qu'elle avait déjà vécu. Il existe une limite à ce que l'homme est en mesure de ressentir et de souffrir. Cette limite franchie, la souffrance fait éclater les confins de l'âme et vient échouer sur un océan immense et tranquille où l'angoisse n'existe plus. Comment interpréter autrement ma morne sérénité de ce matin-là ? Je m'étais résigné même à la mort de Barbara et la conviction que nulle force au monde, pas même un ordre impérial, ne pouvait changer son sort une fois que la sainte Église la tenait en son pouvoir, renforçait encore la paix de mon esprit.

Mais le père Angelo, quant à lui, était loin de mon calme ! Il marchait de long en large dans le cabinet de travail du prince-évêque, rendu hagard par le manque de sommeil et le souci. Il me parla un peu de Barbara puis parut de nouveau accablé par sa propre inquiétude et sa faiblesse.

— Mikaël, ô Mikaël ! je suis perdu ! dit-il en éclatant en sanglots. Mon zèle pour l'Église a causé ma perte ! Maître Fuchs ! Mon compagnon, celui en qui j'avais toute confiance, un sorcier ! Je ne parvenais point à le croire au début, et pensais que le démon m'envoyait quelque hallucination, quelque trouble de mon esprit. Puis mes yeux se sont ouverts et je vois à présent toute l'importance de cette terrifiante affaire !

— Mais alors, pourquoi maître Fuchs se montrait-il si intraitable dans la persécution des sorcières ? Pourquoi les trahissait-il ? On pourrait aussi bien suspecter monseigneur lui-même puisque maître Fuchs est son fidèle serviteur !

Le père Angelo essuya la sueur de son front, se moucha dans sa large manche et, jetant un regard angoissé autour de lui, chuchota :

— Maître Fuchs, en qualité de lieutenant du démon, était sans doute chargé de poursuivre et d'arrêter sans délai les sorcières qui, pour quelque raison, avaient offensé leur satanique souverain.

« Après ce coup, je ne ferai plus confiance en personne ! Même ton allusion à Son Excellence me remplit d'effroi ! Cette nuit, en effet, son comportement vis-à-vis de moi ne fut en rien celui qui convient à un prince de l'Église.

Je lui demandai timidement si la seule accusation de mon épouse allait suffire pour déclarer la culpabilité du commissaire, mais il me rappela l'attitude du chien qui avait déjà corroboré son aveu. En outre, une perquisition nocturne effectuée au logis de maître Fuchs n'avait que trop apporté de preuves supplémentaires; on y avait trouvé une poupée de bois usée d'avoir beaucoup servi, ainsi qu'un oiseau aux couleurs chatoyantes enfermé dans une cage qui avait parlé comme un homme, juré et crié : « Une chope de bière ! Une chope de bière ! » jusques au moment où l'une des personnes présentes, en l'occurrence un soldat ignorant, lui avait tordu le cou.

— Son Excellence le prince-évêque est fortement cour- roucé à mon endroit ! poursuivit-il. Principalement parce que j'ai commis la négligence de ne point exiger de serment de silence de la part de tous ceux qui assistaient à l'interrogatoire. Bientôt, pense-t-il, on verra le diocèse tout entier s'agiter en apprenant que maître Fuchs a été convaincu de sorcellerie. Le prince-évêque dit que cela va porter le déshonneur et une disgrâce immense sur notre mère l'Église et que les hérétiques pourraient en profiter pour susciter des troubles. Il a fini par me menacer de me dénoncer à la curie et je me suis vu dans l'obligation de lui rappeler l'autorité dont je suis investi par notre Saint-Père en personne. Cet argument l'a par bonheur calmé et résolu à se taire.

Le père Angelo arpentait toujours la pièce à grandes enjambées en se tordant les mains.

— Mikaël, mon fils, tu sais que seule la vérité m'importe et s'il s'avère que maître Fuchs est un sorcier, alors il sera brûlé comme tel sans souci des conséquences temporelles ! Et même si cela doit faire plus de mal que de bien à la sainte Église eu égard à la situation actuelle ! L'Église a toujours déployé une certaine diplomatie dans sa manière de traiter les affaires mondaines, mais c'est là le travail des légats du Saint-Père, moi, je ne puis que suivre ce que me dicte ma conscience où que cela me mène. Je laisse à un légat plein d'astuce la tâche de débrouiller ce que j'ai embrouillé et m'en irai retrouver la paix du cloître et du labeur comme le plus humble des frères lais jusques à la fin des mes jours !

Non sans hésiter, je lui demandai alors s'il pensait qu'un aveu obtenu par la torture valait tous les troubles et les souffrances qu'il entraînait. Il arrêta sa marche et me regarda fixement comme l'on regarde quelqu'un qui a la tête dérangée.

— Crois-tu en Dieu, Mikaël ? me demanda-t-il.

Je me signai et déclarai ma foi.

— Dans ce cas, tu dois concevoir quel terrible péché ce serait de permettre qu'une âme tombât dans les chaudrons bouillonnants de l'enfer si, grâce à la souffrance corporelle, qui n'est rien en comparaison, l'on peut la gagner pour le paradis ! En soumettant de pauvres malheureux aux supplices de l'Inquisition, mon lourd fardeau est allégé par la conviction ancrée au plus profond de moi-même que je leur rends le plus grand service qu'un homme puisse rendre à son semblable.

Je considérai son honnête détresse avec compassion et en voyant qu'il agissait en toute bonne foi, je ne ressentis contre lui nul sentiment de haine. Je lui demandai s'il me serait permis de revoir Barbara avant son exécution, mais il m'opposa un refus absolu.

— Je crois en ton honnêteté et en tes nobles intentions, Mikaël Pelzfuss, mais il ne faut plus que ta femme soit dérangée avec des préoccupations terrestres. Elle doit passer le temps qui lui reste à vivre en prières et en actes de contrition.

« En ce qui concerne la date de son exécution, elle dépend uniquement de Son Excellence le prince-évêque. C'est lui qui décidera également si l'on doit la proclamer par tout le diocèse, ou seulement dans votre cité afin que les gens réunis pour leur édification autour du bûcher soient les témoins de la puissance inébranlable de la sainte Église et méditent par la même occasion sur l'état de leur âme.

A ma question touchant aux frais, il répondit :

— La somme sera aussi modérée que possible ! Personnellement, je ne réclame rien sinon tes prières bien que tu puisses laisser en mon nom quelque souvenir au monastère, si tel est ton bon plaisir. Toutefois, tu devras payer leurs honoraires réglementaires aux deux autres membres du tribunal et je crains que les comptes du secrétaire, qui a utilisé beaucoup d'encre et de papier pour la minute, ne soient élevés. Je tâcherai en tout cas de déduire une partie des frais des biens de maître Fuchs. Il restera ensuite à acquitter la sentence et la signature du délégué de l'empereur. Je ne vois rien d'autre, si ce n'est évidemment la nourriture de ta femme et son logement à la prison jusques au jour de son exécution, ainsi que, bien sûr, le prix d'un tombereau du meilleur bois de bouleau. Bref, en calculant au plus juste, je pense que vingt-cinq guldens devraient suffire.

Soulagé d'apprendre que j'étais en possession d'une somme suffisante pour régler toutes mes dettes, je poussai un profond soupir et baisai le bord de son habit noir. A vrai dire, il m'aurait grandement déplu d'avoir à recourir au père de Barbara.

Je priai encore le dominicain de m'autoriser à visiter ma femme et il me refusa derechef. Alors je sollicitai la permission de parler avec maître Fuchs. Tout d'abord interloqué par cette requête inattendue, il approuva ensuite mon idée en réfléchissant que mon intervention pouvait amener le commissaire à une confession volontaire.

Lorsque je le quittai, il me saisit par le bras. Une horrible grimace tordait ses traits et la sueur ruisselait sur son front.

— Attends ! souffla-t-il d'une voix rauque. Attends, il me vient une idée, de Dieu ou du diable je ne sais, mais j'entrevois une chance de sauver l'Église de cette disgrâce publique... Je viens de réfléchir que nous pourrions introduire dans le cachot un morceau de corde ou un couteau... S'il se suicidait, cela prouverait sa culpabilité et en même temps étoufferait le scandale ! Je frémis quand je pense où allait me conduire la route sur laquelle je venais de m'engager ! Oui, Mikaël ! Si maître Fuchs, poussé par le démon, se suicidait avant demain, tu aurais gagné sept guldens !

Je promis de faire mon possible pour la bonne cause et le père me donna la corde qu'il prit à sa ceinture, et un petit canif effilé qui se trouvait sur la table de travail de l'évêque pour aiguiser les plumes.

Je m'avisai en le quittant que j'avais l'estomac vide et avant de descendre dans la prison, je pris le temps d'entrer dans l'office de Son Excellence où, sur ma courtoise requête, une gracieuse servante m'apporta du pain, du fromage, une demi-perdrix froide et un pot de bière mousseuse. Je traversai ensuite la cour et en réponse à mon appel, le geôlier ouvrit la porte garnie de clous. Se saisissant de sa lanterne, il me conduisit en bas à travers les ténèbres empestées de la prison, en bas où se trouvait captif maître Fuchs.

Nous marchions en trébuchant sur des monceaux d'immondices et j'entendais parfois courir les rats qui barbotaient dans les flaques d'eau. Peut-être valait-il mieux que la lanterne dispensât une si avare lumière car, tel que je le voyais, l'endroit me donnait déjà la chair de poule et j'eus peur, venant de l'air frais, de suffoquer dans cette pestilence incroyable.

Enfin le geôlier leva sa lanterne et je pus apercevoir maître Fuchs, assis par terre, les bras et les jambes allongés et fixés dans les petits trous des ceps. Il s'était souillé dans cette position et gisait dans sa propre flaque. Mais son abandon ne m'inspira aucune pitié ! Barbara était restée seule aussi dans cette même obscurité, assise durant des semaines dans cette position insupportablement rigide. Ma gorge était tellement nouée à cette pensée que je ne parvenais point à maîtriser ma voix pour m'adresser à lui.

— Est-ce toi, Mikaël Pelzfuss ? demanda-t-il sur un ton irrité. Es-tu venu me railler dans ma déchéance ? Sommes-nous le soir ou le matin ? Détache ma bourse de ma ceinture et trouve-moi de quoi boire et manger ! Je suis mort de faim ! Pourtant je n'aurais jamais cru être capable d'avaler quoi que ce soit tant j'étais amer et justement indigné !

Au nom du père Angelo, j'intimai l'ordre au geôlier de détacher les mains du commissaire. Tout en marmonnant, l'homme dévissa les écrous rouillés et je l'aidai à lever la poutre supérieure des ceps afin de permettre au captif de retirer ses mains. Il se frotta les poignets en vomissant quelques grossiers jurons et nous montra comment les rats avaient grignoté le bout de ses doigts pendant la nuit. Il les avait si à vif que je dus l'aider pour dénouer le cordon de sa bourse avant de mander le gardien chercher de la nourriture et de la bière.

— L'affaire est sérieuse, maître Fuchs ! On a recueilli de terribles témoignages contre votre personne. Il est reconnu que vous étiez le lieutenant du démon et son principal sacerdote, et rien ne peut vous sauver du bûcher.

— C'est ce que je craignais, proféra-t-il d'un air sombre après s'être signé en jurant, et je présume qu'il va me falloir avaler de bonne grâce cette histoire de démon. Mais, sur mon âme, je suis curieux de connaître les charges relevées contre moi !

— *Pro primo*, répondis-je, il y a le témoignage de mon chien.

— Cela m'apprendra à lui sauver la vie ! Tout compte fait, je crois que cet animal est possédé !

— *Pro secundo*, il y a le témoignage de ma femme, témoignage arraché sous le cinquième degré comme vous savez.

Il ne répondit point à cet argument mais se mit à mâchonner fébrilement la pointe de sa barbe.

— *Pro tertio*, on a trouvé, soigneusement caché dans votre logis, un morceau de bois à figure humaine, utilisé à l'évidence à des fins diaboliques.

— Une poupée ! C'était la poupée de ma petite fille qui est morte de la variole ! La plus petite de mes filles, ma préférée... elle s'appelait Margaretha... Je la gardais en souvenir...

Comme il disait ces mots, les larmes étouffèrent sa voix.

— En outre, poursuivis-je, on a trouvé chez vous un démon sous la forme d'un oiseau parleur; il a, paraît-il, réclamé une chope de bière aux soldats du prince-évêque et l'un d'entre eux, effrayé, lui a tordu le cou. Nombreux sont les témoins de cet incident.

Maître Fuchs, pleurant encore plus amèrement, dit d'une voix brisée :

— Mon beau perroquet ! Ils me l'ont tué, les bandits ! Je l'avais acheté à un vagabond espagnol qui me raconta avoir conquis une cité dans les Indes de Colomb en compagnie d'un certain Cortez, une cité avec des pyramides, disait-il, et un million d'habitants qui portaient des plumes sur la tête !... Mais je possède d'autres oiseaux, Mikaël, qui va s'occuper de les nourrir à présent ?

— Moi, si vous voulez. Mais il faut que vous compreniez que toutes ces preuves rempliront un volume qui vous passera sur le corps et vous écrasera telle une avalanche ! C'est pourquoi le père Angelo vous somme de faire une confession volontaire afin de ne point avoir à vous torturer inutilement.

Il réfléchit un moment puis dit avec un profond soupir :

— Apportez-moi plume, encre et papier ! Je connais le sort qui m'attend et n'ignore point qu'il est inévitable. Je trouverai cependant quelque consolation en rappelant à ma mémoire tous ceux qui m'ont blessé dans la vie ! Ils sont très nombreux, Mikaël ! La vie d'un commissaire d'évêque est loin d'être un lit de roses, tu peux me croire ! Alors, je vais à présent dresser la liste de tous ceux qui m'ont nui dans mon labeur, de ceux qui ont utilisé des dés pipés avec moi, de ceux aussi qui m'ont jeté leur pot de bière à la figure ou qui d'une manière ou d'une autre m'ont rendu la vie insupportable ! En tête, je mettrai Son Excellence le prince-évêque pour m'avoir si ignoblement abandonné à mon sort, ainsi que maints autres dignitaires de l'Église qui m'ont spolié de ma juste part des biens des sorciers.

« Je dois me souvenir de bien des choses, Mikaël Pelzfuss ! Mais je ne suis plus tout jeune et ne puis me reposer entièrement sur ma mémoire ! C'est pourquoi je demande une plume et du papier, pour n'oublier personne !

— Jésus, Marie ! criai-je. Voulez-vous dire que vous allez accuser le prince-évêque lui-même d'être lié avec le démon ?

— Bien sûr ! Mais je dénoncerai en premier le père Angelo, parce que c'est lui qui a attiré cette catastrophe sur ma tête d'une manière infâme et injuste.

Je sursautai et pressai mon front entre mes mains pour retrouver mes esprits. Je conçus soudain toute la portée de cette affaire et m'avisai que l'inquisiteur avait déplacé un rocher dont il ne pourrait plus arrêter la course. Il avait provoqué un éboulement qui écraserait et ensevelirait le dernier vestige de l'autorité de l'Église dans une région déjà envahie par les idées évangéliques. Il fallait éviter à tout prix cet épouvantable scandale ! Peut-être bien que l'inspiration qu'avait eue le père Angelo à la dernière minute allait tout sauver !

Le geôlier revint sur ces entrefaites et maître Fuchs mangea de bon appétit. Quelques gorgées de bière forte lui rafraîchirent la mémoire et il se frappait le front de temps en temps comme s'il se souvenait brusquement de noms jusques alors oubliés.

Quand il eut terminé son repas, je posai ma main tremblante sur son épaule et dis :

— Que me donneriez-vous en échange d'une délivrance

sans douleur, d'un moyen d'échapper à la torture et au bûcher ? Que me donneriez-vous en échange de telle chose qui vous permettrait de recommander votre âme à la miséricorde divine en pécheur repenti ?

— Mikaël Pelzfuss, répondit-il avec gravité, je te bénirais pour un pareil service jusques à mon dernier souffle ! Tu ne me dois rien, cependant... Ta femme est très certainement une sorcière et elle s'est vengée de moi de la plus effroyable manière qui se puisse imaginer ! Ma bénédiction n'a point grande valeur sans doute à tes yeux... Sache donc que dans ma cave, tu trouveras sous une brique descellée une bourse contenant près de soixante-dix monnaies d'or en bons guldens du Rhin et en ducats de Venise. J'espère pour toi que les bandits de l'évêque n'ont pas déjà découvert cette cachette et, si tu trouves chez moi autre chose à ton goût, prends-le aussi pour faire bonne mesure ! Mais prends garde, si les scellés épiscopaux sont posés sur ma porte, on pourrait t'accuser de vol ! Ô Mikaël, promets-moi de prendre soin de mes oiseaux, je t'en prie, tu peux les confier à de braves enfants ou les remettre en liberté... Tu verras toi-même !

Sa voix se faisait de plus en plus pressante comme s'il eût craint que je fusse à le tourmenter avec de faux espoirs pour me venger du mal qu'il m'avait fait. Il me parla également d'une belle arquebuse impériale d'un nouveau modèle dont il me faisait cadeau si j'en avais envie, puis de coupes en argent ainsi que d'une bible en latin... Mais je craignais fort de m'attirer de sérieux ennuis en m'appropriant ce qui désormais appartenait à l'Église, et il eut quelque peine à lever mes scrupules. Il me promit de me donner une autorisation écrite de prendre des biens dans son logis jusques à concurrence de cinquante guldens et m'abreuva de conseils de prudence.

En fait, ses dons ne soulevaient en moi aucun enthousiasme ! Que m'importaient à présent tous les biens de ce monde puisque Barbara allait mourir ! Mais la voix de la raison me disait que le temps passerait et que j'aurais bientôt besoin d'argent. Je le remerciai donc et il rédigea l'autorisation convenue avec l'écritoire que je portais à ma ceinture. Je lui remis alors la corde du père Angelo et le couteau de l'évêque, disant qu'il avait jusques au matin pour choisir s'il allait se donner la mort en se pendant ou en s'ouvrant les veines.

Maître Fuchs prit la corde dans une main et le couteau dans l'autre.

— Tu me donnes une noix bien dure à croquer, Mikaël ! s'exclama-t-il. Que choisir ? La pendaison me paraît bien impossible avec les pieds fixés dans des anneaux, et le froid d'une mort qui envahit lentement tandis que s'écoule son propre sang ne m'attire guère non plus ! Si au moins je pouvais disposer d'un seau d'eau chaude dans lequel tremper mes mains pendant que je me couperais les veines ! Enfin ! Comme tu le dis, j'ai toute la nuit pour réfléchir et ce problème me tiendra bien jusques au chant du coq !

J'étais sur le point de l'abandonner à ses méditations lorsqu'il me rappela, en proie à une soudaine peur. On eût dit que toute sa force l'avait quitté et je n'avais plus en face de moi qu'un vieillard, sale et craintif, dont la barbe tremblait à chaque mot qu'il disait.

— Mikaël, le suicide est un péché mortel ! Et la torture qui m'attend vaut toutes les peines de l'enfer, je suis bien placé pour le savoir ! Dis-moi que tu crois que Dieu me pardonnera si je m'ôte la vie par humaine faiblesse... dis-moi que le sang du Christ m'a racheté, moi aussi, comme il a racheté tous les pauvres pécheurs !

Je lui répondis que je croyais en la justice divine parce qu'il était difficile d'imaginer la vie sans elle, et que le Christ était mort sur la croix tant pour lui que pour les autres. Maître Fuchs parut soulagé.

— A vrai dire, ma part de bonheur ici-bas a été bien congrue ! La variole m'a enlevé tous mes enfants en l'espace d'une semaine, le sais-tu ? Alors s'il est vrai, comme tu le dis, que je vais échapper à l'enfer et passer du purgatoire à la lumière des cieux, je ferai coup double ! Prie pour moi, Mikaël, prie pour moi quand je serai mort et fais dire une messe à l'intention de mon âme ! Tu en as les moyens désormais !

J'eus l'impression, en respirant de nouveau l'air frais de la cour, de passer de l'enfer en paradis. Le concierge m'ouvrit la porte et m'apprit que Barbara dormait et que l'enflure de ses épaules avait déjà un peu diminué grâce à l'excellence des onguents du bourreau. Je lui donnai un autre gulden pour la joie que m'apportaient ces nouvelles et il en eut les larmes aux yeux. Mais quand je lui enjoignis de procurer un seau d'eau chaude à maître Fuchs qui désirait se laver, il parut sur le point de s'évanouir; il considérait en effet ce désir comme la preuve irréfutable de la culpabilité du commissaire, se laver étant un acte anti-naturel et malsain. Je me refusai à discuter avec lui sur ce thème déjà fort rebattu, qui divisait même les savants. Je me bornai à répéter mon ordre et m'empressai d'aller rejoindre le père Angelo que je trouvai en prières dans le cabinet où je l'avais laissé.

Il se leva aussitôt et me salua d'un air mortellement angoissé et impatient. Je jugeai préférable de le laisser dans une incertitude salutaire et lui dis seulement que j'espérais avoir fait entendre raison à maître Fuchs et l'avoir convaincu d'abandonner volontairement ce monde avant le matin suivant, reconnaissant ainsi sa culpabilité.

— C'est en vérité un dangereux sorcier, ajoutai-je, et je frémis à la pensée des révélations qu'il ferait sous la torture ! La moitié de l'Allemagne serait en émoi si l'on devait consigner ses aveux !

— Mikaël, m'interrompit le père, si tu réussis dans cette affaire au mieux des intérêts de l'Église et des miens, je jure d'accomplir nu-pieds le pèlerinage à Rome, de tout raconter au Saint-Père et d'expier selon ce que l'Église ordonnera de moi ! Mais cet homme doit être éliminé !

Je lui montrai ensuite l'autorisation que m'avait signée maître Fuchs de retirer des biens de sa demeure, mais le père Angelo y fit maintes objections : il était absolument nécessaire, selon lui, d'avoir l'accord de Son Excellence qui, malheureusement indisposée par toute cette affaire, ne pouvait être dérangée. Je dus me battre d'arrache-pied avant qu'il consentît à m'obtenir une audience, et il finit par se rendre auprès de monseigneur que j'entendis hurler à travers l'épaisseur de plusieurs murs. Il voulait me voir immédiatement !

Quand je pénétrai dans sa chambre et m'approchai du lit, il repoussa violemment les couvertures et releva son visage empourpré de colère.

— Maître Fuchs était le meilleur commissaire à la sorcellerie de tous les états de l'Allemagne ! Il rapportait des sommes considérables dans les coffres du diocèse ! Indispensable, il était indispensable, fût-il mille fois le lieutenant de Satan ! Et si nous pouvons résoudre cette affaire pour cinquante guldens, alors qu'attendons-nous ? Qu'on me donne une plume !

Je m'empressai de tremper la mienne dans mon encrier avant de la lui tendre. La respiration sifflante de rage, il griffonna sa signature sur le papier de maître Fuchs, puis ordonna à son secrétaire de me taxer de cinq guldens pour le sceau et lorsque je m'inclinai pour lui baiser la main, il me gifla avec violence.

— Veille à faire évaluer en présence d'un notaire tout ce que prendra cette crapule ! rugit-il. Et ce qui dépassera les cinquante guldens devra être versé dans mes coffres contre un reçu ! Il faut sans délai procéder à l'inventaire des biens de maître Fuchs ! Et à présent, allez tous au diable ! Laissez-moi me reposer et prier Dieu de débarrasser la sainte Église d'un imbécile tel que le père Angelo !

Le secrétaire refusa les cinq guldens mais voulut m'accompagner pour faire l'inventaire. C'était un jeune homme aux yeux vifs, d'un abord agréable et qui me parut disposé à défendre mes intérêts. Nous cheminâmes en bavardant amicalement et fîmes une halte dans une taverne pour boire une coupe de vin avant d'arriver au logis de maître Fuchs, une petite maison basse coincée entre deux grandes demeures de marchands. Nous entrâmes après avoir envoyé le garde du prince-évêque déguster une bière à notre santé. Des gazouillis nous parvenaient de l'étage supérieur, tandis que nous voyions, pendues ici dans l'embrasure des fenêtres, une foule de cages en osier ou en fils dorés, dans lesquelles des oiseaux sautillaient gaiement de perchoir en perchoir. La maison était dans un état indescriptible : couvertures et draps de lit jetés en tas, coussins éventrés, serrures des coffres forcées ! Le secrétaire épiscopal hocha la tête devant ce lamentable spectacle et se mit à tripoter machinalement une coupe d'argent qui avait attiré son regard.

J'annonçai que j'allais m'occuper des oiseaux et rappelai que maître Fuchs m'avait promis une bible en latin; le secrétaire m'assura qu'il se mettait à sa recherche sur-le-champ. Éclairé par une chandelle, je descendis à la hâte à la cave où je ne tardai guère à trouver la brique descellée et la pesante bourse. Je m'en saisis en poussant un soupir de soulagement, puis remontai à la cuisine où je découvris quantité de graines pour oiseaux, chacune des variétés rangée dans une petite boîte. Ensuite, j'offris les plus beaux spécimens des volatiles à deux jeunes enfants élégamment vêtus que j'avais entendus rire dans la rue; ils battirent des mains pour exprimer leur joie et s'engagèrent à s'en occuper convenablement. Enfin j'ouvris la fenêtre aux autres pour leur rendre la liberté, mais l'on eût dit qu'ils avaient peur et je dus secouer les cages pour les obliger à prendre leur vol.

A mon retour dans la pièce du haut, le pot d'argent avait disparu de sur l'étagère où je l'avais vu posé, et la robe du secrétaire s'ornait, en revanche, d'une bosse d'un volume correspondant ! Je n'eus donc plus de scrupules à m'emparer d'une paire de petits gobelets d'argent et d'une coupe ancienne rehaussée d'un blason. Puis, tout en évitant de nous regarder en face, nous nous mîmes de concert en devoir d'inspecter la somptueuse garde-robe du commissaire. Finalement le secrétaire se décida à prendre le taureau par les cornes et fit remarquer que si l'on mentionnait sur l'inventaire ces magnifiques vêtements ou la superbe collection d'étains, on nous soupçonnerait aussitôt d'en avoir retenu quelque chose; maître Fuchs, souligna-t-il, menait une vie très solitaire du fait de sa sinistre profession, et il paraissait peu probable qu'il existât une seule personne informée de l'importance et de la magnificence de ses possessions. Les gardes épiscopaux, quant à eux, auraient tout intérêt à garder le silence étant donné que le coffre renfermant l'argent avait été forcé et qu'il ne restait plus dans la maison ni une monnaie ni un chandelier dont on pouvait penser que tous étaient d'argent. Il me parla ensuite d'un Juif de sa connaissance qui accepterait de nous échanger la plupart des objets contre des pièces sonnantes et trébuchantes, et saurait garder sa langue malgré son avarice et son mauvais caractère.

J'applaudis à sa proposition et ce fut donc avec une certaine réserve que nous entreprîmes de dresser l'inventaire dans lequel fut consignée ma part pour une valeur de cinquante guldens; elle comprenait les coupes dont j'ai parlé, une robe de laine, la Bible en latin, enfin la grande arquebuse et ses accessoires, à savoir un sac à balles, une mesure et une corne argentée pour la poudre ainsi qu'un ceinturon avec des gobelets de bois destinés à porter les charges réparties à l'avance de façon à pouvoir charger l'arme dix-sept fois de suite rapidement selon la nouvelle méthode. De plus, j'emportai un somptueux manteau de fourrure. Tout compte fait, le Juif que nous avions appelé nous donna, en échange des vêtements, des étains, du lit de plume et de deux sièges, soixante-douze guldens, non sans évidemment s'arracher les cheveux et implorer Abraham à son aide. Je reçus la moitié de cette somme et me retrouvai ainsi dans la peau d'un homme riche.

Nos efforts réunis parvinrent à fabriquer un inventaire tout à fait respectable et convaincant. Rien n'y manquait en tout cas, de ce dont pouvait avoir besoin un homme accoutumé à la solitude et du reste, nul ne songea à mettre en doute son exactitude.

Il était déjà nuit lorsque nous achevâmes ces diverses tâches, l'inventaire, le marchandage avec le Juif, et nous fîmes ensemble le chemin du retour au palais épiscopal comme deux vieux amis. Le secrétaire m'invita à un excellent dîner, se loua de ma discrétion et de mon tact, s'offrit à me loger pour la nuit et me proposa même de choisir une fille à mon goût parmi les servantes de Son Excellence. Je le remerciai, disant que je me contenterais d'un endroit pour dormir et, après avoir terminé de manger, le laissai en compagnie de la jeune fille qui nous avait servi. Légèrement éméché, je dirigeai rapidement mon pas vers la prison, chargé d'un couffin de poires, pêches et raisins que j'avais ramassé sur la table à l'intention de Barbara, et partis ensuite pour dire à maître Fuchs que j'avais pris soin de ses oiseaux.

Je le trouvai au milieu d'une brillante illumination, se pavanant entouré de huit chandelles de cire, quatre fichées dans de la cire fondue sur la poutre supérieure des ceps et quatre autres parmi la nourriture et sur le bord du seau. Il avait dîné en abondance, bu encore davantage et ses hoquets résonnaient plus que ses jurons. Je lui conseillai de cesser de boire de la bière afin d'arrêter son hoquet qui gênait la conversation; il n'y vit aucun inconvénient et se mit aussitôt à déguster mon vin. Lorsque nous eûmes vidé le pichet d'étain, je me risquai à lui rappeler avec ménagement que le matin n'était plus guère loin et que nous ne tarderions point à entendre le coq chanter dans la cour. Il me remercia de lui remettre en mémoire cette pénible affaire mais, dans son exaltation, m'expliqua qu'il n'osait pas commettre le péché mortel du suicide et qu'à vrai dire il attendait plutôt avec impatience le scandale qu'il allait soulever au cours de son procès. Il voulait voir la tête de l'Excellence quand il l'accuserait d'être liée avec le démon.

J'étais au désespoir ! Ainsi donc l'ivrognerie du commissaire allait faire échouer tous mes efforts ! Je m'évertuai alors durant de précieuses minutes à le persuader que sa mort était le dernier grand service qu'il pouvait rendre à l'Église pour couronner ses vingt et quelques années de labeur fidèlement accompli pour sa gloire; je lui affirmai qu'il tenait là l'occasion de sauver son âme immortelle tout en abrégeant peut-être son temps au purgatoire. Enfin mon discours ne laissa point de le toucher mais, tout en larmes à présent, il se plaignit de ne pas avoir le courage de se tuer et de trouver également horrible la corde et le couteau.

— Si tu tiens vraiment à ce que je meure, Mikaël, dit-il sur un ton rusé, fais-le toi-même ! Nul ne le saura jamais ! Ils croiront tous à un suicide et seul Dieu Tout-Puissant sera témoin que je ne suis point coupable !

Je commençai par sursauter à cette proposition, mais l'état d'ivresse dans lequel je me trouvais et l'étonnante éloquence dialectique du vin me convainquirent qu'elle n'avait rien que de très raisonnable. Il mit donc ses mains dans l'eau, je lui coupai les veines des poignets, il se contracta et cria puis la douleur passa. Il me rendit grâce, je portai à ses lèvres le pot de bière pour qu'il bût une dernière gorgée et le quittai lorsqu'il me demanda de le laisser prier au milieu de ses chandelles. Ainsi fis-je mes adieux à maître Fuchs.

Je me sentis malade, abandonné de Dieu et des hommes, tant que dura l'attente de l'exécution. Non point que je m'affligeasse outre mesure du sort de Barbara, je savais bien que la mort serait pour elle un soulagement après les souffrances qu'elle avait endurées, mais elle me manquait plus que je ne saurais dire et j'aurais donné tout au monde pour passer auprès d'elle ses derniers jours. Mais le père Angelo se montra inexorable sur ce point, lui-même et les autres dominicains qui la préparaient à mourir devant constituer sa seule compagnie. Je ne pouvais lui écrire puisqu'elle ne savait point lire et il ne me restait qu'à lui envoyer des sucreries, des gâteaux, de bons repas et du vin que le geôlier lui apportait la nuit lorsque les moines avaient regagné leur monastère. J'espérais que ces douceurs, même si elle n'avait point le cœur à les manger, lui disaient combien je l'aimais et pensais à elle.

Je m'étais logé à l'auberge du *Cygne Noir* où j'avais porté tout mon bagage, y compris ma part des biens de maître Fuchs, et je déposai la plus grande partie de mon argent à l'agence bancaire du grand Fugger. Mon attente cependant ne fut point trop longue, car le Conseil de la cité de Memmingen ne tarda guère à mander au prince-évêque et au délégué de l'empereur d'avoir à se charger eux-mêmes de l'exécution de Barbara; une telle hostilité agitait pour l'heure Memmingen contre l'Eglise, qu'il ne voulait point se risquer à exécuter une sentence de cet ordre et la ville, dans l'avenir, s'occuperait sans intervention extérieure de ses cas de sorcellerie, conformément à son statut de cité libre. Ainsi donc le commissaire de l'évêque n'aurait désormais plus rien à faire là-bas.

Son Excellence, ulcérée, décréta que l'exécution de la sorcière aurait lieu le dimanche suivant dans le jardin de la cathédrale, après la grand-messe, et serait accompagnée de tout le cérémonial religieux afin de servir d'exemple et d'avertissement. Penché à ma fenêtre, je regardai pendant la journée du samedi empiler les fagots de bouleau et construire l'échafaud. On me permit de rendre visite à Barbara le dimanche matin, mais seulement en présence de l'inquisiteur et des deux autres membres du tribunal. Je ne pus donc que la serrer dans mes bras et mêler mes larmes aux siennes.

— Mikaël, mon amour, te souviens-tu de ce que je t'ai dit ? murmura-t-elle à mon oreille.

— Oui ! répondis-je.

Le père Angelo nous sépara alors, disant que ce devait être pour nous une heure de joie et non point de tristesse puisque la sainte Église avait accueilli derechef Barbara en son sein et lui assurait son éternelle bénédiction. Ils me firent donc sortir et, tandis que les moines chantaient des psaumes dans la cour, le père l'entendit en confession et lui donna l'absolution; il lui administra ensuite le viatique et l'extrême-onction, les cloches de la cathédrale se mirent à sonner et Barbara parut en plein jour.

C'était le temps d'automne, les arbres étaient chargés de fruits, et le ciel d'azur sans nuage resplendissait de lumière. Barbara, avec sa noire suite de moines, me parut plus petite et comme écrasée, il me semblait la voir de très loin et de très haut. Vêtue de la grossière tunique des pénitents, elle marchait, la tête rasée, et dut s'appuyer sur le bras du père Angelo pour franchir la courte distance qui séparait la cour du jardin de la cathédrale. Les moines psalmodiaient avec harmonie et l'on voyait accourir une foule de gens, parmi lesquels des paysans de districts éloignés qui regardaient en silence avec un air craintif. La cavalerie du prince-évêque ainsi que des hommes en armes entouraient la place du marché afin de prévenir toute démonstration d'hostilité.

Le peuple aimait à voir brûler des sorcières, mais les robes des prêtres soulevèrent son ressentiment et un murmure courut parmi la multitude lorsque le chapitre de la cathédrale apparut sur le parvis, suivi de monseigneur revêtu de splendides habits rouges et bleus, la crosse et la croix pectorale étincelantes de pierreries. Sous les puissantes tours de la cathédrale, la sainte Église attendait dans toute sa majesté l'exécution de Barbara.

Elle monta toute seule à l'échafaud. Je me trouvais assez près pour distinguer les traits de sa pâle petite figure et remarquer qu'elle titubait, étourdie par l'air frais inaccoutumé et la marche depuis la prison. Je pense que dans cet état d'hébétude elle ne se rendait guère compte de ce qui se passait. Pourtant elle scrutait la foule comme si elle cherchait quelque chose. Je levai les deux bras au-dessus de ma tête et elle me vit alors, me sourit et inclina sa tête profondément. Pour la dernière fois, je rencontrai ses yeux verts, plus beaux qu'ils n'avaient jamais été auparavant. Elle était redevenue pour moi la plus belle femme du monde, et une vague insondable de désespoir me submergea à l'idée que jamais, plus jamais je ne la tiendrais dans mes bras.

Cet instant ne dura guère. Le bourreau monta promptement sur l'estrade derrière elle, lui attacha les mains et la fit s'agenouiller devant le billot. Le prince-évêque tenta d'attirer son attention mais l'homme paraissait aveugle et sourd; d'un seul coup il trancha la tête de Barbara, lui épargnant toute autre souffrance. Ainsi le brave homme avait-il rempli sa promesse ! Normalement, en effet, elle aurait dû attendre que fussent lues devant la foule l'accusation et la sentence; le bourreau lui avait épargné cette épreuve. Infiniment reconnaissant, je lui donnai plus tard une somme bien supérieure à celle qu'il me réclama.

Le héraut en retard monta en hâte les marches et se mit à lire d'une voix monotone son interminable proclamation tandis que tombait goutte à goutte le sang de Barbara sur les cailloux de la place du marché.

La haine alors envahit mon cœur, une haine implacable, une haine glacée, une haine qui imprégna de son poison chacune de mes fibres. Mais ce n'est point le père Angelo, ni les dominicains, ni même le prince-évêque dans sa splendeur que je haïssais ! Non ! Je n'en voulais à aucun de ceux-là ! Ils n'étaient que d'aveugles serviteurs ! J'en voulais à la sainte Église pour son cruel abus de pouvoir; le pape, seul le pape était coupable du supplice et de la mort de Barbara !

Je me frayai un passage jusques à l'échafaud tandis que le

héraut poursuivait sa lecture, et recueillis dans mes mains jointes les dernières gouttes du sang de Barbara. Puis je fis en mon cœur le terrible serment de lutter jusques à mon dernier souffle contre le pouvoir du pape et de ne prendre nul repos tant que Clément VII n'aurait été chassé du Saint-Siège, ne serait devenu un fugitif sans défense et sans abri, et tant que je n'aurais point contemplé la puissance de Rome foulée aux pieds.

Je ne saurais dire si ce serment me fut inspiré par Dieu ou le diable. Jamais, auparavant, je n'avais abrité de telles pensées ! Et pourtant, je crois qu'il me venait de Dieu puisqu'Il m'a permis de le tenir et que mon désir se fit réalité avant que trois années fussent passées. Mais l'avenir m'était inconnu en ce moment précis et j'éprouvais dans ma haine un cruel sentiment d'impuissante solitude lorsque le bourreau porta le corps de Barbara sur le bûcher et lui posa la tête sur les genoux. Le bouleau s'enflamma aussitôt, la fumée tournoya dans l'air et l'odeur qui vint frapper mes narines m'ôta toute force. Je tombai à genoux sur les pierres et enfouis mon visage dans mes mains.

SEPTIÈME LIVRE

LES DOUZE ARTICLES

Une fois réglées mes dettes au prince-évêque, au Conseil de la cité et une fois payés ses honoraires à l'exécuteur des hautes œuvres, j'étais prêt à quitter cette ville en espérant bien ne jamais revoir ses tours. Je m'en fus donc récupérer mon chien laissé à la garde du geôlier et louai les services d'un charretier pour me conduire à Memmingen avec mon coffre de voyage.

Mon pauvre Raël me fit de prodigieuses fêtes en me revoyant. Le geôlier me dit qu'il était resté fidèlement aux pieds de mon épouse durant sa fièvre avant d'être emmené par les bons pères; Barbara avait soigné ses brûlures avec les onguents du bourreau et il était pratiquement guéri, un nouveau pelage commençait à pousser, mais un pelage gris et non plus noir; encore très faible, il préférait se pelotonner sur mes genoux plutôt que de courir à renifler les bonnes odeurs du chemin. Lorsque je le pris dans mes bras, je sentis la présence de Barbara près de moi, et ainsi nous consolâmes-nous l'un l'autre dans notre malheur.

Dans ma triste solitude, j'aurais aimé pouvoir parler à un ami pour trouver près de lui du réconfort. Alors, pour la première fois depuis de longs mois, je pensai à Antti, Antti entré au service de l'empereur, parti pour les guerres d'Italie et point encore revenu bien que son temps fût terminé

313

depuis fort longtemps. Lui m'aurait consolé comme nul autre au monde parce qu'il parlait ma langue maternelle... Mais c'était un garçon un peu fou et nul doute que sans moi pour le guider, il ne fût tombé tête la première dans le gouffre de la mort.

Dès mon arrivée à Memmingen, je rendis visite à Sébastien Lotzer, mais ne trouvai que son père vivement inquiet à son sujet. Il ne manifesta aucun dédain bien que mon épouse eût péri sur le bûcher pour sorcellerie.

— Nous vivons une tragique époque, Mikaël Pelzfuss ! dit-il. Comme tu le sais, les paysans forment des bandes hostiles aux seigneurs dans maintes régions. Ils vont jusques à piller des monastères et des couvents ! Les discours et la conduite de mon malheureux fils ont attiré sur moi tant d'ennuis, que j'ai finalement été obligé de le mettre à la porte. Tout ce que je sais de lui, c'est qu'il va par les villages, la Bible hérétique de Luther sous le bras et un bâton de mendiant à la main, et qu'il se répand en menaces et insultes contre son vieux père.

« Ah ! vraiment nous vivons dans un monde à l'envers ! Tu m'as toujours semblé, toi, un jeune homme honnête et de bonnes manières, Mikaël Pelzfuss, et, personnellement, je ne puis concevoir ce que recherche la jeunesse d'aujourd'hui dans sa volonté de détruire l'ordre constitué. Depuis toujours, depuis le temps du paganisme même, nos pères ont travaillé sans relâche à construire une excellente structure sociale, à l'intérieur de laquelle chacun a sa place. Le fils succède à son père; les lois, les traditions, les institutions corporatives, tout régit la vie de l'homme du berceau à la tombe, la sainte Église prenant soin de nos pauvres âmes. Chaque chose comporte son prix. Les paysans paient taxes et dîmes et travaillent la terre. Les péchés eux-mêmes sont imposés suivant un barème établi par l'Église et les lois somptuaires règlent la coupe et l'étoffe de nos vêtements selon notre rang et notre position. Bref, nul n'a besoin de se préoccuper de quoi que ce soit tout au long de sa vie ! Et voilà qu'à présent quelques têtes brûlées veulent tout renverser !

Je lui fis remarquer que le monde était loin d'être l'endroit

314

idyllique qu'il imaginait et que j'avais vu trop de violences, de luttes, de misère et de désespoir.

Il en convint mais ajouta :

— Un ordre établi par l'homme est forcément défectueux et imparfait, même si ses fondements émanent de Dieu; nous ne pouvons éviter de nous sentir parfois troublés, pas plus que nous ne pouvons échapper à la maladie et à la mort. Cependant, il n'y a point de commune mesure entre ces quelques perturbations et les avantages incommensurables que nous dispense notre ordre social ! Il ne peut exister plus grande folie que de saper l'Église avec de fausses doctrines ! L'Église constitue notre propre base; si elle tombe, tout tombera et alors le jour du Jugement sera proche !

Je n'avais guère l'intention de disputer avec maître Lotzer, je désirais seulement prolonger la conversation parce que dans mon abandon solitaire, son atelier me paraissait un havre agréable et douillet en ce temps inclément d'automne. Et c'est la raison pour laquelle je m'attardai à discuter sur ces sujets en sa compagnie jusques au moment où, ne pouvant décemment rester plus longtemps, je dus prendre congé de lui.

L'huissier et son épouse avaient réintégré le sous-sol de l'hôtel de ville et utilisaient notre lit ainsi que notre misérable mobilier. Mais à quoi bon leur en faire grief ! Je n'avais guère le cœur à reprocher quoi que ce soit à qui que ce soit ! Du reste, je dus à leur bonté d'avoir un toit pour dormir cette nuit-là. Mon cœur se serra dans ma poitrine en voyant Raël tout joyeux de se retrouver dans notre vieille maison où il se mit à chercher Barbara avec fébrilité avant de s'écrouler de fatigue auprès de moi.

Je pris la résolution de quitter Memmingen. Je laissai mon coffre à la garde de l'huissier qui, trop content de s'en tirer à si bon compte, me promit d'en prendre soin. Avant de fermer le couvercle, je vérifiai le contenu et un miroir vénitien, qui venait de chez le commissaire, attira mon attention. Je me regardai et en voyant mes cheveux en broussaille, mes joues creuses et mes yeux hagards, je compris pourquoi les gens dans la rue se retournaient sur mon passage.

— Mikaël Karvajalka, dis-je, interpellant mon image, qui es-tu ? Que veux-tu ? Où vas-tu ?

Mais je n'eus point de réponse. Alors je pris la parole pour elle :

— Mikaël Karvajalka ! Tu es un pauvre homme, sans honneur et de basse extraction, venu de la lointaine Åbo. Tu n'as jamais apporté que le malheur à tous ceux qui t'ont aimé et, que tu le mérites ou non, tu es maudit ! Ta mère s'est noyée, poussée au suicide par ta venue au monde ! Si tu retournes en ton pays, seule la potence te souhaitera la bienvenue parce que tu as rêvé d'un Nord uni et tout-puissant et que tu t'es montré trop crédule en servant des hommes pleins d'ambition ! Que veux-tu donc, Mikaël Karvajalka ?

Raël, sentant ma peine, posa son museau sur mon bras, et la compassion que je lus dans son regard me toucha si profondément que je jetai le précieux miroir, qui se brisa en mille morceaux; puis, les bras autour du cou de mon chien et le visage pressé contre son chaud pelage, je fondis en larmes amères tandis qu'il me léchait l'oreille et le cou pour me consoler.

— Où allons-nous, petit ? lui demandai-je.

Un vif regard plein d'interrogation me répondit. Alors je poursuivis pour moi-même :

— Partons à la recherche de ta maîtresse ! Elle saura nous donner un conseil !

J'avais de l'argent. Suffisamment pour entrer dans quelque université et vivre frugalement durant deux ans ou plus. Mais cette perspective n'avait plus nulle saveur pour moi ! Je pouvais également poursuivre mon pèlerinage interrompu, mais le voyage était fort périlleux depuis la chute de Rhodes et d'ailleurs, après le serment inconsidéré que j'avais prononcé au pied de l'échafaud, je n'avais plus envie de partir.

Je fermai mon coffre et me mis en route en quête de Barbara avec pour tout bagage les vêtements que je portais sur moi et un change de linge, la Bible en latin et le fusil de maître Fuchs. Je ne pensais guère aux nombreux autres vagabonds qui allaient sans but par les chemins en cette fin d'automne. Sébastien était parti ainsi et maints autres abandonnèrent foyers, ateliers, écoles et labours sans bien savoir ce qui les incitait dans cette course en avant.

Je commençai par me rendre dans la cité où vivait l'oncle de Barbara et où elle m'avait soigné, puis dirigeai mes pas dans la forêt, vers l'endroit où elle m'avait découvert. Le sol était jonché de glands et un sanglier grommelait dans les fourrés; l'air était imprégné d'humidité automnale.

— Barbara ! Barbara, mon amour, viens ! appelai-je de toutes mes forces dans la forêt. Tu as promis que nous nous retrouverions ici quoi qu'il arrive, et je suis venu te chercher !

Mais seul l'écho répondit à mes cris. Raël se mit à geindre d'un air agité et malheureux, puis hurla à la mort en m'entendant prononcer le nom de Barbara.

Il y avait tout près une cabane de charbonniers abandonnée où je m'installai pour passer l'hiver. Lorsque cela me venait à l'esprit, je me rendais à la ville pour acheter des provisions mais passai le plus clair de mon temps plongé dans la lecture de ma bible en latin. Parfois, un chat sauvage grimpait sur le toit de la cabane ou montait tout en haut d'un arbre, hors de portée de Raël, et fixait sur nous ses yeux de braise, ses yeux jaune-vert. Je l'appelai Barbara. Je crois que la folie s'était emparée de mon âme cet hiver-là. Ni la faim ni le froid n'avaient de prise sur moi, je me laissai pousser la barbe et mes vêtements ne furent bientôt plus que des loques.

Il neigeait de temps en temps et je pouvais ouïr les loups hurler dans la forêt. Puis la neige fondit, une brise printanière se mit à souffler et des fleurs blanches poussèrent dans les clairières. Plus calme désormais, je faisais de longues promenades sans plus chercher ma Barbara, et ce fut alors qu'elle vint à moi. Je la sentais proche dans le murmure du vent, je sentais la douceur de ses lèvres dans les pétales des fleurs et l'apercevais dans le sombre embrasement du crépuscule. Plus tard, je versai des larmes de joie en constatant ma guérison. Après m'être arrangé du mieux que je pus, je retournai vivre parmi les hommes. A la mi-février, de nouveau je me trouvai à Memmingen.

Je n'étais point seul sur les routes ! Cette région de la Germanie, alors très agitée, voyait des bandes armées de paysans déferler par ses chemins. Sébastien Lotzer avait une fois de plus regagné le domicile paternel et c'était lui à présent, qui, avec ses partisans, gouvernait la cité; le Conseil n'avait plus le droit de prendre une décision sans au préalable avoir consulté Sébastien ou l'un de ses lieutenants sans cervelle.

Lorsque je pénétrai dans la maison du fourreur, son fils déployait un drapeau de soie rouge et blanc qui arborait, cousue en son mitan, la croix de Saint-André.

Les bras ouverts, mon ami courut à ma rencontre.

— Tu arrives à point, Mikaël ! s'exclama-t-il. Aujourd'hui, nous allons hisser notre étendard afin de voir changer le monde et prévaloir en Germanie la justice divine !

Je vis qu'il n'était plus question maintenant de haillons pour Sébastien, il portait comme jadis un vêtement de velours orné de boutons d'argent, bien que son rang ne l'y autorisât pas. Son enthousiasme plein d'ardeur lui seyait à merveille et ses yeux écartés étincelaient lorsqu'il se mit en devoir de me lire les Douze Articles qu'il avait rédigés lui-même, confiant en la justice divine; il comptait fonder sur leur base un ordre nouveau avec l'aide d'artisans et de paysans. Je n'étais point seul pour l'écouter, dignitaires civils, riches fermiers et membres de sa société évangélique se pressaient dans la pièce dans un silence attentif. Voici ce qu'il lut :

— « 1. Chaque congrégation aura le droit de nommer et, le cas échéant, de déposer son prêtre, qui devra prêcher la seule parole divine à l'exclusion de toute invention humaine.

2. Le traitement du prêtre sera payé par les dîmes perçues sur les céréales, dont le reliquat sera distribué aux pauvres de la paroisse.

3. Les dîmes sur le bétail seront supprimées parce que Dieu a créé les animaux à l'usage de l'homme.

4. Le servage sera aboli parce qu'il est incompatible avec

318

la parole divine. Le sang du Christ a rédimé tous les hommes, qu'ils soient princes ou bergers. En conséquence, nous sommes et serons libres et ne reconnaîtrons pas plus d'autorité qu'il n'est nécessaire et chrétien.

5. Dieu a créé pour l'homme les bêtes dans les champs, les oiseaux dans les airs et les poissons dans les rivières. En conséquence la chasse et la pêche seront libres pour tous.

6. Les forêts redeviendront propriété commune afin que tout le monde puisse, en raison de ses besoins, collecter du bois pour le feu et pour construire.

7. Les jours de travail aux champs et les tâches dont les seigneurs ont écrasé les paysans seront réduits à un minimum raisonnable comme Dieu l'a ordonné et comme les pères l'ont pratiqué.

8. Des hommes de confiance seront désignés pour établir les impôts sur les fermes dont les loyers ont indûment augmenté, de manière que les paysans ne travaillent point pour rien car, selon la parole divine, tout travail mérite salaire.

9. Les anciennes lois devront être respectées au lieu de l'actuel arbitraire de l'administration judiciaire. Les châtiments ne varieront plus suivant le rang ou la faveur, mais seront les mêmes pour tous.

10. Les champs et les pâturages indûment accaparés par les seigneurs redeviendront propriété commune.

11. Les charges accablantes qui pèsent sur tout héritage seront abolies de façon à supprimer l'infâme spoliation dont sont victimes veuves et orphelins. »

A ce point de sa lecture, Sébastien s'interrompit pour jeter un regard intense autour de lui, puis il poursuivit.

— Le douzième et ultime article est le plus important de tous ! Il est la preuve que nous ne proposons ni violence ni sédition mais que si la justice divine fonde nos droits elle fonde également nos devoirs ! Écoutez !

« 12. Si quiconque se trouve à même de démontrer, sur la base des Saintes Écritures, que l'un ou plusieurs de nos articles n'est point en accord avec le mandement divin, nous y renoncerons. En revanche, nous nous réservons le droit, pour cette même raison, d'incorporer ultérieurement d'autres articles qui trouveraient leur justification dans les paroles de l'Écriture. »

Les paysans tombèrent d'accord sur l'excellence de ces articles mais la question pour eux était de savoir, d'une part comment ils entreraient en vigueur, et d'autre part ce qu'il était advenu de toutes les doléances envoyées de plus ou moins loin aux seigneurs; on leur avait en effet permis de les présenter à condition qu'ils regagnassent bien sagement leurs foyers.

— En qualité de frère, répondit Sébastien, laissez-moi vous déconseiller de recourir à de misérables arrangements qui ne vous apporteraient qu'une amélioration temporaire tout en jetant dans la misère plus malheureux et plus opprimé que vous. J'ai lu des centaines de ces doléances et pétitions, mille peut-être ! J'ai même aidé au début plus d'un pauvre hère à les écrire jusqu'à ce qu'enfin j'aie compris que tous ces papiers ne servaient de rien !

« Ainsi donc nous hisserons notre drapeau puis choisirons parmi nous un capitaine, un lieutenant et un porte-drapeau ! Ensuite nous rédigerons nos articles de guerre et pour assurer la discipline, prêterons le serment de leur obéir !

Les paysans, alarmés par ces propos, murmurèrent que grande était la différence entre présenter légalement des doléances et brandir l'étendard de la révolte ! Il faut dire qu'ils n'avaient toujours récolté que le pire dans leurs luttes avec les seigneurs.

— Quel réel profit pouvez-vous retirer, mes pauvres amis, insista Sébastien, si l'un de vous voit baisser son loyer, ou si l'on restitue à l'autre son pâturage, ou si un troisième obtient le droit de mener ses cochons dans la forêt ou encore un quatrième celui de pêcher le vendredi pour nourrir sa femme qui allaite ? Toutes vos doléances sont résumées dans ces Douze Articles. Vous pouvez le constater vous-même si seulement vous vous donnez un peu la peine de réfléchir !

« Ce n'est qu'en fondant l'ordre nouveau sur la justice divine, que vous serez à même d'obtenir une amélioration permanente de vos situations individuelles. Ne vaut-il pas la peine de lutter pour ce but-là ? Jamais les pauvres n'ont eu cause plus juste ! En vérité, mes amis, si vous croyez en un

Dieu de justice, force vous est de croire que Lui-même alors lutte pour sa justice et que vous êtes ses instruments dans cette bataille !

En proie au doute, les paysans discutaient entre eux en se grattant l'oreille et en se dandinant sur leurs pieds. Ils n'étaient point si pressés, disaient-ils, et mieux valait réfléchir à la question avant de prendre une décision, car une fois levé l'étendard, il serait impossible de revenir en arrière ! Il faudrait aussi ouïr l'opinion des braves gens de Baltringen et de ceux qui vivaient sur les bords du lac, afin de vérifier s'ils avaient l'intention de se rebeller.

Leurs tergiversations exaspéraient Sébastien.

— Ne pouvez-vous vous enfoncer dans le crâne que c'est maintenant le moment ? s'écria-t-il. L'empereur a commencé une campagne et tous les mercenaires de Germanie sont partis à sa suite, de sorte que les princes allemands ne disposent aujourd'hui que de leurs garnisons réduites à leurs seuls hommes. Le roi de France a mis le siège devant Pavie, en Italie, avec des forces supérieures et Frundsberg a traversé les Alpes avec ses lansquenets. Ainsi ne tarderons-nous point à apprendre que l'empereur a essuyé une défaite aussi terrible que celle de Marignan !

« Chaque jour qui passe est un jour perdu pendant que les princes tremblent dans leurs forteresses et que les moines enterrent leurs trésors ! Pensez-vous que les nobles seraient assez fous pour écouter vos doléances s'ils n'y étaient poussés par la faiblesse de leurs armes ? Ils vous trompent en vous persuadant de retourner chez vous après avoir déposé vos pétitions, ils vous trompent et ils gagnent du temps pour se concerter et recruter des hommes pour se défendre !

Son discours fit son effet sur son rustique auditoire qui, en chœur, lui donna raison. Après une brève discussion, tous décidèrent d'ajouter aux Douze Articles de Sébastien les doléances de trente-quatre villages, de prendre l'étendard et d'aller présenter le tout au Conseil de Memmingen, afin que fût adoptée la justice divine comme base d'un ordre social nouveau à l'intérieur de la juridiction de la ville libre.

Les paysans en armes entrèrent quelques jours plus tard dans la cité, leur drapeau rouge et blanc en tête avec les fifres et les tambours, et suivis d'une foule joyeuse d'apprentis et de pauvres gens, tandis que les honorables bourgeois fermaient boutiques et ateliers et se barricadaient derrière leurs portes. Une centaine de délégués discutèrent avec les conseillers dans la grande salle des conférences de l'hôtel de ville. Sébastien et le pasteur de la cité prirent la parole au nom des paysans et justifièrent chacun des Douze Articles en citant constamment la Sainte Écriture. Le Conseil se défendit pied à pied en se référant à son tour aux Saintes Écritures, mais les paysans étouffèrent sa voix, trop faible du reste vu sa connaissance biblique. Et ce fut ainsi que le miracle se produisit : le Conseil de Memmingen accepta les Douze Articles pour la cité comme pour les villages de sa juridiction sans dispute ni effusion de sang ! Cet accord souleva une joie immense sur la place du marché, nombre de paysans burent jusqu'à tomber ivres-morts dans les caniveaux, et les apprentis coururent réclamer fusils et arbalètes puisque tout le monde à présent avait le droit de chasser.

Au milieu de la liesse générale, Sébastien cependant faisait une mine de dix pieds de long.

— A quoi bon mon drapeau et qu'ai-je à faire ici ? Memmingen n'est qu'une goutte d'eau dans le grand océan de l'Allemagne ! Mais je crois en mes Douze Articles et si j'avais de l'argent, je les imprimerais pour les distribuer dans toutes les villes, campagnes et principautés. Hélas ! Les paysans sont pauvres et avaricieux et mon père ne me donnera jamais un pfennig pour une pareille entreprise !

Profondément impressionné que Memmingen eût adopté les Douze Articles, j'étais pénétré du sentiment qu'il serait bon en effet de les porter à la connaissance de tous. Mais avant d'avoir pris une décision, Sébastien dut partir pour Baltringen; le chef des bandes unies des paysans, submergé par les doléances de ses troupes et informé des articles de Memmingen, lui lançait un appel désespéré. Nous chevauchâmes donc aussitôt en direction de Baltringen pour constater avec stupéfaction, dès notre arrivée, que la situation ici n'était plus un jeu d'enfant. Une foule innombrable de paysans armés de lances, de gourdins et de massues hérissées de clous, se trouvait cantonnée dans la ville même et ses alentours. Les uns prétendaient être cinq mille, d'autres dix mille et leurs chefs ne pouvaient en préciser le chiffre, les hommes allant et venant sans cesse pour porter des provisions dans leurs foyers.

Le chef élu avait entamé les négociations avec les princes et les évêques qu'il avait déjà convaincus de recevoir les doléances des paysans. Ce chef, un simple artisan plein de piété nommé Ulrich Schmidt, n'avait personnellement aucune plainte à déposer. Il était réputé pour son éloquence et les paysans qui avaient coutume de le rencontrer à la taverne de leur village où ils se réunissaient pour se plaindre de concert, l'avaient élu chef parce qu'il connaissait la Bible. Il ne savait guère lui-même comment il était arrivé à Baltringen, à la tête de dix mille hommes qui l'assaillaient de leurs réclamations. Il avait établi sa résidence à l'hôtel de ville où les mercenaires vagabonds et les paysans armés qui composaient sa garde passaient le temps à boire, jouer aux dés et se quereller.

Il accueillit Sébastien avec des larmes de joie dans les yeux et le nomma sur-le-champ son adjoint en lui montrant d'un air désespéré les lettres et les montagnes de papiers qui encombraient la table, les armoires, s'amoncelaient sur le plancher et constituaient l'ensemble des doléances paysannes à leurs seigneurs temporels et religieux. Sébastien se mit en devoir de les étudier mais abandonna bientôt cette tâche harassante, affirmant que ses Douze Articles couvraient la totalité des questions soulevées. Il en fit alors une lecture à haute voix à Ulrich Schmidt qui, après les avoir écoutés avec attention, y donna sa complète adhésion. Nul doute pour lui que Dieu ne lui eût mandé Sébastien afin de clarifier ses idées ! Il envoya immédiatement battre les tambours pour appeler les chefs auxquels on allait lire et expliquer les articles.

Il ne fallut pas moins d'une semaine de discussions, prières et explications pour leur faire comprendre clairement ce que nous disions. Ulrich Schmidt dans sa simplicité s'accrochait avec ténacité à ce qui était devenu une évidence pour lui, et le répétait infatigablement jusques à le faire entrer et le fixer dans la tête la plus obtuse. Nous ne nous arrêtâmes qu'après que tous les paysans, jusques au dernier, eurent brûlé leur propre pétition au nom de la justice divine et porté Ulrich Schmidt en triomphe sur le bois de leurs lances par tous les campements. Quand Sébastien et moi nous retrouvâmes seuls, nous étions tellement enroués qu'à peine pouvions-nous articuler un mot !

— Imprimons ces articles pour l'amour de Dieu ! m'écriai-je.

Et je lui révélai alors que je possédais une centaine de guldens en billets sur la maison Fugger. S'il entrait dans les intentions de Dieu de réaliser sa justice sur la terre, je récupérerais mes fonds, sinon peu m'importait de revoir jamais mon argent ! Sébastien, débordant de joie, me promit par sa foi en Dieu vivant et en la justice divine, que je serais remboursé. Puis il se mit aussitôt en devoir de rédiger les articles dans leur forme définitive, appuyant chacun des points sur les textes sacrés correspondants. Il écrivit également une préface « Au lecteur chrétien » où il insistait sur le fait que les Évangiles ne justifiaient en aucune manière ni la violence ni les troubles, et que leur unique enseignement était celui de la paix, la patience et la concorde. Du moment que, dans les articles, les paysans, expliquait-il, ne faisaient qu'exprimer le désir de transformer cet enseignement en réalité, nul ne les pouvait accuser de sédition, bien au contraire, et s'opposer à leurs justes réclamations revenait à s'opposer à l'enseignement même du divin Évangile.

J'ai toujours eu tendance à accorder davantage de confiance aux autres qu'à moi-même et il suffit souvent que l'on m'explique une chose avec clarté et conviction pour que je me sente enclin à y croire. Je pense du reste n'être point différent du monde sur ce point ! Ainsi comprendra-t-on sans mal que les propos de Sébastien m'eussent enflammé au point que je donnais avec joie mes billets à l'imprimeur en paiement de son travail. Je croyais sincèrement rendre service à ces paysans opprimés ! Les articles sortirent rapidement de l'imprimerie et des courriers à cheval les emportèrent au galop, encore humides des presses, pour les distribuer au nord, au sud, à l'est et à l'ouest du pays. Peu de temps après, le docteur Luther en publia un commentaire à

Wurtemberg, dans lequel il reconnaissait que les doléances étaient justifiées, mais où il conseillait vivement aux paysans de se réconcilier avec leurs seigneurs et d'éviter toute violence et effusion de sang.

En apprenant le soutien du docteur d'une part, et d'autre part que de nombreux paysans formaient des groupes dans tout le pays pour convertir ces enseignements en réalité, nos espoirs grandirent jusqu'à la démesure. Les princes, cependant, ne se lassaient point d'avertir les envoyés de Schmidt en leur rappelant la fable de la grenouille qui éclata à force de s'enfler ! Ils demandaient en riant si le chef des paysans pensait que Dieu Tout-Puissant allait venir jouer l'arbitre et se prononcer au sujet de ces articles... Schmidt s'engagea à réunir dans les trois semaines les plus éminents savants du monde religieux d'Allemagne, Luther et Zwingli compris, afin qu'ils formulassent un jugement.

Schmidt réussit, sur le conseil de Sébastien, à former une ligue chrétienne de l'ensemble des grandes armées paysannes réparties dans les différentes principautés, et à les persuader d'adhérer à la justice divine pour la solution de leurs problèmes. Une grande réunion se tint à cette fin dans la ville de Memmingen, à laquelle vinrent même les hommes des lacs et où la troupe du fameux Allgau envoya ses délégués. Mais lorsque Sébastien lut ses Douze Articles, de violentes dissensions éclatèrent, les hommes des lacs refusant absolument de renoncer à leurs justes et raisonnables réclamations pour un vague principe de justice divine que tout le monde pouvait interpréter à sa guise !

De bons repas bien arrosés et des discours pleins d'habileté finirent cependant par convaincre les plus enragés que l'union seule leur pouvait apporter un espoir de réussite. Les négociations durèrent toute une nuit avant que les chefs, à bout de force, ne votassent pour la justice divine, à condition que chacun d'eux conserve toute latitude de l'interpréter à sa convenance. Ils déclarèrent sans ambages que les articles étaient pure sottise, tout à fait à côté de la question, et, leur objectif principal étant d'affirmer leurs positions respectives, ils exigèrent un article supplémentaire, le treizième, selon lequel tous les châteaux et monastères seraient conquis si leurs propriétaires refusaient de s'unir à la Ligue chrétienne.

Sébastien répondit non sans ironie que cet article n'avait aucune valeur, étant donné qu'il ne leur serait guère possible de renverser des murailles à poings nus, mais il se trompait grandement comme nous l'allions voir : la quasi-totalité des châteaux ouvrirent librement leurs portes et les joueurs de chalumeaux et de tambourins, qui naguère réjouissaient les hôtes des banquets seigneuriaux, se joignirent allègrement aux armées paysannes en tête desquelles ils marchaient et dansaient joyeusement.

Les princes, pleins d'amertume, estimèrent que la noblesse allemande se comportant comme un troupeau de vieilles femmes, il leur serait plus facile de lutter directement contre les paysans plutôt que d'inciter les seigneurs à dégainer leurs épées pour défendre leurs droits ancestraux.

Je ne m'étendrai pas davantage sur les disputes et discussions qui aboutirent à la création de la Ligue chrétienne. Que l'on sache cependant qu'afin d'apaiser Sébastien, les trois armées paysannes adoptèrent sa bannière rouge et blanc avec la croix de Saint-André, dont elles firent leur étendard. Les hommes de la région des lacs, ceux de Allgau et ceux de Baltringen jurèrent d'offrir leur vie, leur honneur et leurs biens, tous pour un et un pour tous. Leur esprit d'unité se trouva encore affermi à l'annonce du ralliement de l'ancien duc de Wurtemberg, le duc Ulrich, qui avait promis publiquement d'appuyer leur cause; il venait, avec de l'argent donné par le roi de France, de recruter des mercenaires dans la Confédération et marchait déjà sur les domaines impériaux à la reconquête de son duché.

Nous n'eûmes que de bonnes nouvelles au cours de ces jours pleins de fièvre et, lorsqu'on distribua les Douze Articles au peuple, Baltringen devint le lieu de réunion des délégués paysans qui là se communiquaient leurs prétentions pour en discuter ensemble. L'Allemagne du Sud était en pleine effervescence et toutes les forces que les princes et gouverneurs de l'Empire avaient réussi à rassembler marchaient à présent contre le duc Ulrich. Rien d'étonnant, dès lors, à voir les paysans se promener insouciants sous le soleil printanier et profiter de la généreuse hospitalité que leur offraient les monastères. Ils avaient une confiance absolue dans la compétence de leurs chefs à traiter avec les princes et gaspillaient ainsi un temps précieux jusques au jour où, tel un coup de tonnerre, nous parvint la nouvelle que l'empereur, au lieu d'être battu à Pavie par le roi de France comme on s'y attendait, avait remporté la plus grande victoire de tous les temps, anéanti les mercenaires suisses au service des Français et capturé Sa Majesté Très Chrétienne ! Cette victoire atterra tous les hommes quelque peu doués de raison; les paysans évoquèrent les labours pour les semences de printemps et les plus avisés se hâtèrent de regagner leurs demeures. La majorité, toutefois, persista dans sa confiance en la justice divine.

Ulrich Schmidt et les autres délégués se rendirent modestement à Ulm pour parlementer avec les princes qui, maintenant, chantaient une tout autre chanson et les traitèrent avec arrogance. Ils exigèrent la complète soumission des paysans qui devaient se disperser immédiatement et regagner leurs foyers, payer leurs dettes en argent et en travaux des champs, comme autrefois. Alors seulement Leurs Altesses désigneraient une commission pour examiner les Douze Articles et prendre une décision faisant loi pour les deux parties.

Ulrich Schmidt nous avait quittés, confiant en la justice divine; il revenait à présent comme un vieil homme fatigué et vaincu et évitait nos regards. D'une voix triste, il avoua que les représentants des paysans avaient accepté ces conditions et garanti l'accord de leurs partenaires.

— Avez-vous perdu la tête, Ulrich Schmidt ! s'écria Sébastien. Et avez-vous aussi perdu la foi ? Si nous nous dispersons maintenant, la justice divine n'aura plus aucune valeur et nous retrouverons tous nos ennuis multipliés par sept !

— Je crois en Dieu et c'est là ma seule consolation, répondit Ulrich. Vous ne savez pas tout et ne pouvez juger comme moi de la situation. Les princes et les conseillers de l'Empire ont parlé très librement devant moi, ils m'ont dit avec franchise que leur patience avait des limites et qu'ils ne pourraient conserver éternellement des mercenaires à leur service; ils m'ont dit aussi qu'ils allaient se voir obligés de nous faire la guerre et de nous tuer tous si nous ne nous soumettions.

Alors les officiers hurlèrent comme un seul homme :

— A bas Ulrich Schmidt ! Les princes ont dû le soudoyer ! Ils n'ont point de troupes et leur général, Jürgen von Truchsess, est sur la route de Wurtemberg où les Suisses du duc Ulrich écrasent ses faibles forces comme des petits pois sur une enclume !

Ulrich Schmidt secoua la tête d'un air accablé.

— Non ! dit-il. Vous ne savez encore rien ! La Confédération, affolée après la défaite de Pavie, a rappelé ses hommes qui servaient dans l'armée du duc : Ulrich de Wurtemberg est seul, abandonné et il a fui en France, laissant ses canons en gage pour payer ses dettes. Jürgen von Truchsess, au contraire, s'approche d'ici à marches forcées et nous agirions prudemment en nous dispersant pour éviter le massacre. Faisons confiance à la bonne foi de nos princes ! Ils m'ont donné leur parole !

La clameur que soulevèrent ces mots fut telle que des hommes accoururent au bruit de toutes parts, tandis que les officiers insultaient Ulrich Schmidt, le traitant de lâche, de poule mouillée et de traître. Et lorsque tous connurent le résultat de son ambassade, ils le frappèrent et le malmenèrent jusqu'à le laisser pour mort. Pleurant alors, il affirma que son unique désir était de vivre et de mourir pour la bonne cause et qu'au lieu d'attendre l'attaque des princes dans le campement, il lutterait pour la justice divine l'épée à la main, si toutefois quelqu'un consentait à lui en apprendre le maniement. Mais il n'était déjà plus un homme de premier plan.

Les officiers les plus experts se réunirent avec leurs subordonnés afin d'établir ce qu'il convenait de faire dans l'immédiat. Tous les vagabonds et les mercenaires avides de butin, ainsi que les paysans vindicatifs fatigués des éternelles mesures pacifiques, se joignirent à eux.

On a beaucoup parlé des crimes sanglants commis par les hordes de paysans quand ils brandirent leur étendard, mais je puis affirmer, moi qui me trouvais avec eux, que ceux de Baltringen du moins ne se rendirent coupables de nulle violence avant cet affreux jour du mois de mars. Le château de Schemmeringen ne fut pas incendié avant cette nuit-là et, que je sache, ce fut le premier, alors que le mouvement paysan durait déjà depuis plus de six mois. La faute doit tout entière retomber sur les princes. Eux seuls ont entamé la guerre et non les paysans qui ne réclamaient que la paix et la justice de Dieu !

Ce fut comme si les paysans n'attendaient qu'un signe et dès que les flammes s'élevèrent au-dessus de Schemmeringen, on vit s'embraser jusques à l'horizon châteaux et monastères. Les rebelles se vengeaient de tous les maux dont ils avaient souffert, plus d'un gouverneur plein de cruauté se promena au bout des lances et plus d'un noble dut lutter corps à corps avant de rendre l'âme. Même les plus modérés, ceux qui étaient restés aux côtés d'Ulrich Schmidt, se laissèrent séduire par le spectacle de ces compagnons ivres qui ramenaient chez eux des charretées de butin pris dans quelque château ou monastère, et des troupes sans cesse croissantes de pilleurs déferlèrent sur le pays jusques aux vallées du Danube.

Sébastien revint tout pâle d'une de ces expéditions et déclara :

— Jamais je n'aurais cru me trouver en compagnie de criminels et de voleurs ! Si ce sont des hommes de cet acabit qui doivent apporter sur terre la justice divine, je ne pourrai plus croire en un Dieu juste !

— Alors que vas-tu faire ? lui demandai-je.

— Retourner chez mon père à Memmingen, répliqua-t-il. Que ces bandits s'occupent eux-mêmes de leurs Douze Articles ! Je me suis déjà opposé suffisamment à la volonté paternelle alors que la Bible nous fait un devoir de respecter nos parents. Si donc mon bon père désire toujours que je me consacre à l'étude des lois, je suis prêt à lui obéir et à entrer à l'université de Bologne maintenant que la guerre est terminée en Italie.

— Tu n'as pas grand mal à parler de la sorte ! rétorquai-je. Tu peux te retirer bien tranquillement dans une maison auprès d'un père plein d'argent ! Mais où sont mes cent guldens ?

— C'est toi qui as voulu les donner à l'imprimeur ! Je vois, hélas ! que tu es bien pareil à tous ceux-là et que tu ne songes, comme eux, qu'à te remplir la bourse et la panse ! Tu n'as pas besoin de me regarder de cet air pincé ni de critiquer mon départ ! Ces canailles ne sont capables de rien ! Ils avaient autrefois à leur tête d'honnêtes fermiers bien éduqués qui savaient écouter les hommes cultivés et intelligents comme moi, mais ils suivent à présent des tailleurs, des cordonniers, des voleurs, des bandits et des mercenaires sans foi ni loi qui vendraient pour deux pfennigs leur propre mère et jetteraient les articles aux orties !

« Je te conseille de partir toi aussi tant qu'il en est encore temps ! Je crois que rien de bon ne peut sortir d'ici désormais !

J'éclatai de rire puis, en regardant son beau visage aux yeux sombres et son vêtement de velours sali aux boutons d'argent, je fus envahi par la honte d'appartenir à l'espèce humaine, la honte d'avoir un jour considéré comme mon ami ce garçon qui n'était qu'un enfant gâté par un père riche, un petit coq de basse-cour accoutumé à ce que les autres lui passent tous ses caprices. Alors je lui répondis :

— Non, Sébastien ! Non, je ne fuirai pas ! Où irais-je d'ailleurs et pour quoi ? J'ai pour tout bien un petit chien et cette arquebuse ! Je suis étranger ici peut-être, mais d'une race obstinée, et si une fois j'ai trahi, cela me suffit ! J'ai trop longtemps bêlé à tes pieds comme un agneau, dorénavant je vais hurler avec les loups et qui sait si les loups, eux, n'implanteront pas cet ordre nouveau que jamais les moutons ne réussiront à imposer, comme il ressort de tes démonstrations !

Ainsi nos routes se séparèrent-elles et notre amitié fut-elle brisée. Sébastien quitta le campement pour rejoindre la maison paternelle et je ne tardai guère à apprendre la véritable raison de son changement : il s'était élevé une controverse au sujet de son commandement; les vétérans, lassés de ses prétentions, lui avaient ordonné de mettre un frein à sa langue et de ne plus se mêler d'affaires auxquelles il ne comprenait rien mais, comme il refusait de se calmer, ils l'avaient frappé sur la bouche et repoussé du bout de leurs lances. Voilà la raison pour laquelle il ne voulut plus frayer avec des voleurs et leur prédit une mauvaise fin.

Après le départ de Sébastien, je rejoignis Jürgen Knopf, le chef des hommes d'Allgau, lassé à mon tour d'Ulrich Schmidt qui était véritablement un homme ennuyeux et timoré.

Ce Jürgen Knopf était un homme maigrichon dont la grosse tête se balançait au bout d'un cou de poulet comme si elle était pleine d'eau. Mais ce n'était point d'eau qu'elle était pleine ! Il savait exactement ce qu'il voulait et son attaque contre la forteresse du prince-évêque fut loin d'être un coup du hasard. Il choisit ses meilleurs hommes et emporta quelques canons pris dans les châteaux du voisinage, ainsi que de la poudre en quantité suffisante pour ouvrir une brèche dans les murs de Son Excellence.

— Je connais de reste la prison de cette tour ! dit-il tandis que nous chevauchions ensemble. J'ai bien failli une fois être pendu là-bas ! Depuis cent ans, les paysans de ce diocèse combattent pour leurs droits et ils ont tout perdu ! Mais l'évêque actuel est pire que tous ceux que nous avons eus jusques à présent, il ne pense qu'à étrangler les gens de sa propre main ou à les fouetter pour les laisser à moitié morts. Aujourd'hui, pour changer, c'est moi qui vais le prendre à la gorge ! Ce sera le plus beau jour de ma vie et peu me chaut ensuite ce qui pourra m'arriver !

Puis, inclinant sa lourde tête sur une de ses épaules, il ajouta avec un sourire plein de malice :

— Je peux te dire en secret, Mikaël Pelzfuss, que j'ai envoyé des messagers en Thuringe et en Bohême. Oui ! Le meilleur cheval du pays galope en ce moment avec mon homme de confiance sur la route de Pavie et Milan pour prendre langue avec les lansquenets de Frundsberg. Ce sont nos alliés et nos frères et il faut qu'ils sachent ce qui se passe ici. S'ils viennent nous rejoindre, alors les princes auront dit leur dernier mot ! Mais pour payer ces hommes, nous aurons besoin de´ sommes considérables et je compte les prendre à l'évêque !

« Ulrich Schmidt est un imbécile ! poursuivit-il. Il ne veut pas comprendre qu'au point où nous en sommes, le meurtre, la violence et le pillage sont seuls capables de souder nos forces ! Rien ne peut faire l'union comme la complicité dans le crime. Impossible de revenir en arrière ! Désormais, seules la torture et la corde attendent celui qui dépose les armes et s'en remet à la clémence des princes !

Nul doute qu'il n'y eût une grande part de vérité dans ses propos, et pourtant ma conscience me disait que l'assassinat, l'incendie et le vol ne pouvaient être les meilleurs moyens d'imposer la justice divine sur la terre.

L'idée que je me trouvais en douteuse compagnie vint m'effleurer alors, mais nous approchions de la cité et en voyant ces tours si familières se profiler dans le bleu du ciel de mars, je sentis mon cœur tressaillir. Je n'éprouvais plus nul dédain envers mes compagnons et pensais qu'après tout Dieu pouvait se servir pour sa vengeance des instruments les plus inattendus. Un an avait passé depuis ce jour où Barbara et moi étions entrés dans cette cité sur la charrette jaune des sorcières.

On tira un ou deux coups de fusil du haut des murailles et de petits nuages blancs de fumée trouèrent la brume. Mais le plan préparé par Jürgen Knopf était excellent : les apprentis et les habitants les plus misérables de la cité fomentèrent des troubles sur la place du marché, provoquant la panique au sein du Conseil de la ville. Les conseillers, qui ne portaient guère eux non plus le prince-évêque dans leur cœur, ordonnèrent d'ouvrir les portes avant même de nous laisser le temps de tirer un coup de feu, désavouèrent Son Excellence et nous offrirent même plusieurs couleuvrines pour mettre le siège devant le palais épiscopal. Hélas ! Nous apprîmes à notre grand regret que le prélat avait quitté la ville pour chercher refuge dans une forteresse située au sommet d'une colline des environs. Il avait emporté son trésor, ainsi que les biens les plus précieux du monastère.

Mais le brave Jürgen Knopf ne se découragea point pour si peu !

— Chaque chose en son temps ! affirma-t-il, et, à la tête de ses troupes, il se dirigea vers le cloître que je connaissais si bien. En ce lieu j'assistai à une scène de sauvage destruction, de vol, de gloutonnerie, d'ivresse et de débauche comme jamais encore je n'en avais vu. Ils commencèrent par faire rouler dans le jardin du cloître tous les tonneaux de bière et de vin de la cave et, après avoir étanché leur soif, pénétrèrent dans l'église et jetèrent par terre les manteaux liturgiques brodés d'or et les nappes d'autel. Puis ils cassèrent pour l'ouvrir le précieux reliquaire dont des femmes arrachèrent le contenu, et je les vis pousser devant elles à coups de pied les os sacrés, tandis que les plus entreprenants parmi les hommes extirpaient l'or et l'argent du coffre même qu'ils aplatissaient à coups de marteau. D'autres, armés de filets, vidèrent les viviers, coupèrent en morceaux les plus ravissantes sculptures de bois pour faire du feu et mirent à bouillir les plus belles carpes dans les bénitiers et les fonts baptismaux qu'ils avaient transportés dans la cour. Et comme le bois sec flamba tel de l'amadou, des hommes titubants se précipitèrent dans la bibliothèque du monastère, en quête de livres sans prix, de manuscrits et de rouleaux de parchemin innombrables en provenance des archives, pour entretenir le feu !

Quand un vieux moine à la tête chenue s'avisa de ce qui se passait, fou de rage, il s'empara d'une croix fixée à un mur, attaqua les pillards et, les joues ruisselantes de larmes, les frappa en appelant tous les saints à son secours. Il réussit à attendrir quelques-uns de ces hommes qui n'étaient, dans le fond, point mauvais et ne lui voulaient aucun mal même s'ils raillaient son zèle sacré. Mais lorsque Jürgen Knopf ouït parler de cet incident, il se précipita dans la bibliothèque et d'un coup de son épée fit sauter la tête du vieux moine qui s'écroula, baignant dans son propre sang. Plus personne désormais n'empêchait les soldats ivres de casser les chaînes qui retenaient les livres aux lutrins ! Les frères ou bien prenaient la fuite ou bien venaient proposer leurs services en se déclarant adeptes secrets des doctrines de Luther et disposés à quitter le monastère pour se marier au plus tôt.

Le spectacle de cette débauche et de cette destruction insensée m'emplit d'un sentiment de révolte et en vérité il me fut impossible de hurler avec ces loups-là. Je parcourus fiévreusement les couloirs du monastère, allant d'un feu de camp à l'autre. Toute la racaille de la ville s'était donné rendez-vous pour tirer sa part de butin. Certains, après s'être dévêtus, s'affublaient des chapes et des dalmatiques puis caracolaient au son des fifres et des tambours. Je ne saurais décrire le bruit ni la confusion qui régnaient alors !

Assis loin de tous devant un petit feu, j'avisai un vieux paysan à la mine grave qui examinait avec attention les enluminures d'un missel ancien. Le voyant tranquille et point trop éméché, je pris place près de lui. Son feu avait épargné en partie une Vierge en bois sculpté dont le doux et innocent visage, créé cent ou deux cents années auparavant par les mains habiles d'un artiste, me fixait d'un air de reproche avec ses yeux carbonisés.

Ce monastère, durant des siècles, avait amassé et conservé ses trésors. Poussés par l'humain espoir du pardon et de la rédemption, les meilleurs sculpteurs, peintres, orfèvres, tisserands et brodeurs avaient travaillé sans relâche pour embellir l'endroit sacré. Et voici qu'en une seule nuit, tout était détruit par une populace de paysans ignorants et ivres de passion. Je ne pouvais expliquer ce phénomène autrement que par le fait que l'Église étant devenue temporelle, Dieu voulait ramener l'humanité à sa foi simple et primitive de la rédemption par l'intermédiaire du seul sang du Christ, sans la médiation de prêtres et de moines avaricieux ni de vaines images et reliques. Mais, témoin de l'horrible comportement de ces paysans, je ne laissai pas de penser que le Seigneur eût pu choisir meilleurs apôtres.

Le paysan près de moi se mit à arracher les enluminures de son missel en disant :

— Je suis un homme simple sans instruction. Tous les livres, hormis la Bible, sont superflus et on doit les brûler. Mais ces peintures sont bien jolies et je vais les apporter chez moi pour mes enfants; eux aussi, comme les fils de princes, pourront regarder des images !

Il les plia soigneusement avant de les ranger dans la bourse qui pendait à sa ceinture, puis il jeta le missel au feu qui allait s'éteindre et repoussa dans les flammes d'un coup de pied le visage de la Vierge sculptée.

— Au nom de Dieu, dormons à présent ! dit-il.

Il se signa et se coucha à même le sol, la tête appuyée sur le sac qui contenait ses maigres provisions et son butin.

Le palais épiscopal fut pris d'assaut le lendemain et pillé sans difficulté. A vrai dire, les défenseurs parurent plutôt soulagés de se rallier aux paysans; ils avaient eu très peur de ne jamais réchapper dans cette région agitée avec la livrée épiscopale sur le dos, dans le cas où ils auraient réussi à sortir de la cité. Jürgen Knopf, après avoir trouvé vides les coffres du palais et envolés tous les objets de valeur, s'exclama plein de courroux :

— Nous devons attaquer à tout prix le nid de ce corbeau et le capturer ! Il ne faut point espérer d'enlever nos amis à l'armée de l'empereur si nous ne pouvons les payer généreusement !

Il rassembla donc ses forces, fit avancer son artillerie jusqu'au sommet de la colline et après avoir repéré le point le plus faible de la forteresse, les artilleurs se mirent à canonner sans relâche. La muraille, qui paraissait redoutable, était en fait de pierre tendre et s'écroula sans difficulté; mais les canons et les arbalètes de l'évêque répondirent à notre feu et lorsque les assaillants entendirent les balles siffler à leurs oreilles et purent voir voler la terre des trous qu'ouvraient les boulets dans le sol, ils manifestèrent quelque hésitation avant de se déterminer à quitter ce nid de guêpes au profit de terrains plus avantageux.

Je me joignis aux autres arquebusiers, plantai mon support dans le sol, chargeai et tirai à plusieurs reprises; le recul de mon arme était si violent que j'en crus avoir l'épaule complètement disloquée.

Le prince-évêque, apparemment indifférent à la pluie de boulets et de balles, monta en personne sur les remparts, son armure étincelant comme de l'argent. Nous le vîmes frapper du pied, tempêter et il proféra contre nous des malédictions si terribles que nous crûmes sentir l'odeur du soufre ! Canons et arquebuses tirèrent sur cette cible plus de dix fois sans parvenir à la toucher. La rage de l'évêque réjouissait Jürgen Knopf qui y voyait un signe que le prélat se trouvait dans une situation critique. Il envoya au château quelques hommes d'armes et laquais de Son Excellence chargés de lui transmettre une proposition de reddition immédiate; les assiégeants, lui faisait-il tenir, ne constituaient que l'avant-garde des dix mille lansquenets déjà en route avec les lourdes pièces de siège de la Confédération; en outre, devaient-ils ajouter, Frundsberg s'était rallié à la cause paysanne, tandis que les princes avaient fui et que les troupes de Jürgen von Truchsess avaient été anéanties. Si le château ne se rendait immédiatement, Jürgen Knopf ne répondrait plus de la vie des défenseurs, car les paysans courroucés se vengeraient sûrement de la manière la plus cruelle et nul n'en pourrait réchapper.

Les parlementaires s'acquittèrent si bien de leur mission que les soldats se mutinèrent à l'intérieur de la forteresse durant la nuit. Nous ouïmes du vacarme, quelques coups de feu et soudain le pont-levis tomba à grand fracas : ils en avaient saboté les chaînes et l'on ne pouvait plus le relever. Mais l'évêque parvint à rétablir l'ordre, et maints cadavres, le matin suivant, furent lancés dans les fossés.

Le pont-levis baissé avait toutefois laissé l'entrée principale à découvert et ce fut vers elle que nos artilleurs dirigèrent dès lors le feu. Mais elle se trouvait en fait très en retrait de la voûte et les fortifications extérieures nous gênaient pour placer nos canons.

— S'il y avait parmi nous un seul homme qui ait le courage d'aller clouer un pétard sur cette porte, la forteresse serait à nous dès aujourd'hui ! grommela Jürgen Knopf. Je donnerai mille guldens sur le trésor de l'évêque à celui qui sera capable d'en fixer un là-bas et d'y mettre le feu... Mille guldens ! Aucun de vous n'en a vu autant dans toute sa vie ! Allez ! On peut le faire en moins de temps qu'il n'en faut pour réciter un Credo ! A moi, mes braves ! Vous tenez là la grande chance de votre vie !

Mais les vétérans secouèrent la tête et répondirent en riant :

— A quoi bon mille guldens pour un homme mort, comme vous le savez très bien, vieux renard de Jürgen Knopf !

Je m'occupais, durant cette discussion, d'un paysan qui avait eu la jambe droite arrachée à partir de la cuisse par un boulet de canon; cependant lorsque son visage prit une vilaine teinte gris-bleu et que je compris qu'il allait trépasser, je le laissai pour rejoindre le groupe des soldats.

— Qu'est-ce qu'un pétard ? demandai-je.

— Tu prends un chaudron de fer, me répondit l'un d'eux, mais beaucoup plus résistant qu'un chaudron ordinaire. Tu le remplis de poudre et l'attaches solidement par les anses à une grosse planche de chêne trouée à chaque extrémité. Dans les trous, il y a de grands clous que tu dois planter dans la porte afin d'y fixer le pétard. Ensuite tu mets le feu à la mèche et la porte explose en mille morceaux !

— Me donneras-tu vraiment mille guldens de la fortune de l'évêque si je fais sauter la porte ? dis-je en m'adressant cette fois à Jürgen.

Il me regarda par en dessous tout en balançant sa grosse tête, et me jura par le sang du Christ qu'il tiendrait sa promesse si je clouais la charge et allumais la mèche. Les vétérans firent cercle autour de moi en chantant à l'envi mes louanges, mais je voyais bien qu'ils me prenaient pour un fou d'une part et qu'ils étaient convaincus d'autre part que je ne reviendrais jamais pour recevoir ma récompense.

J'avais mes raisons pour tenter cet exploit. Lorsque ce gros paysan avait rendu l'âme dans mes bras en se griffant la poitrine de ses doigts noueux, j'avais eu une espèce de révélation. J'étais las de la vie après tous les malheurs qui m'avaient accablé et les pensées contradictoires qui m'avaient assailli près des feux de camp dans le jardin du monastère, et j'étais las aussi de moi-même ! Il me parut donc avoir trouvé là une occasion de laisser Dieu décider de mon sort. Et si Sa justice n'existait point, alors peu m'importerait la vie ou la mort puisque je ne vaudrais guère plus qu'une bête sans âme !

Mais j'avais horriblement peur ! Je sursautais au sifflement de la moindre balle et la sueur ruisselait sur ma poitrine et sur mes épaules à la seule vue de la porte du château et des nuages de fumée qui s'élevaient des tours qui la flanquaient. Les artilleurs, une fois persuadés que je n'avais pas dit une plaisanterie, se hâtèrent d'aller chercher un pétard dans leurs charrettes. En fait, ils en apportèrent trois. Extrêmement lourd, le pétard est d'une fabrication toute simple; ils mesurèrent une courte mèche qui, brûlant le temps d'un Pater Noster, me devait donner la possibilité de m'éloigner avant l'explosion. Jürgen Knopf me promit que ses hommes les plus aguerris se tiendraient prêts à se ruer vers la porte avec une grosse poutre ferrée pour renverser ce qui en resterait. Un mercenaire plein de bienveillance à mon égard se mit en devoir d'enlever son plastron et ses cuissardes pour me protéger du feu ennemi; mais je venais de m'aviser que le poids seul du pétard dépassait déjà ce que je pouvais porter et savais que mon unique chance de salut résiderait dans la rapidité de ma course vers le couvert de la voûte d'entrée. Je me bornai donc à fourrer une courte massue et deux grands clous de fer dans ma ceinture, pris la mèche enflammée entre mes dents, soulevai la bombe et, quittant l'abri des canons, me mis à courir en direction de la porte d'entrée.

En réalité, je n'avais pas plus de cent cinquante pas à faire; mais cette distance — courbé sous le poids comme je l'étais — me parut bien plus longue ! A moitié chemin, j'étais déjà hors d'haleine et le sang me battait violemment dans les tempes ! Du haut des remparts, le feu ennemi crépitait sans répit et les défenseurs déchargeaient sur moi toutes les armes dont ils pouvaient disposer. J'étais entouré d'un nuage de poussière et craignais plus que balles ou poudre les flèches qui bourdonnaient autour de moi comme des guêpes, car le tir de l'arbalète est souvent plus sûr que celui des arquebuses.

Jürgen Knopf et ses hommes soutenaient cependant un feu nourri contre les murailles, afin de faire diversion et de réduire la défense. Enfin, sans en croire mes yeux, je parvins à la voûte et rampai jusques au lieu que je croyais être le plus à l'abri. Mais à peine avais-je atteint l'ombre du mur que les hommes au-dessus versèrent des chaudrons de plomb fondu, dont quelques gouttes en éclaboussant le sol me brûlèrent les jambes; ma terreur était telle que je ne m'en rendis compte que bien plus tard : et pourtant, je porte encore les cicatrices que ces gouttes de feu imprimèrent dans ma chair ! Je m'avisai avec terreur, en examinant la porte, qu'elle était flanquée de meurtrières de chaque côté du mur et lorsque je soulevai mon pétard pour le clouer, la bouche d'une arquebuse pointée dans ma direction sortit de l'une d'elles; laissant tomber ma charge, je m'aplatis contre le mur au moment précis où elle fit feu tandis qu'aussitôt apparaissait la bouche d'une autre arquebuse dans la meurtrière opposée. Couvert de sueur froide, je sautai ainsi d'un côté à l'autre jusques au moment où, fatigué de ce petit jeu, ma misérable prétention à vouloir échapper au décret de Dieu me frappa; je soulevai derechef mon pétard et le clouai à coups de marteau rageurs sans plus me soucier de ce qui se passait autour de moi; la peur me donna une telle force, que je plantai les clous dans le bois dur comme aiguilles dans du beurre ! Un coup de feu tiré de l'intérieur creusa un trou gros comme le poing dans la porte précisément à hauteur de ma tête. J'arrachai la mèche que je serrais toujours entre mes dents et mis le feu à la bombe qui se mit à crépiter tout en m'enveloppant d'une fumée sulfureuse. Alors je me signai et me lançai à corps perdu à découvert en direction des miens.

Nul sans doute n'avait cru me voir sortir vivant car j'avais bien franchi déjà une cinquantaine de pas avant d'entendre le premier coup de feu ennemi ! En cet instant retentit une détonation plus formidable que celle d'aucun canon, et les vaillants de Jürgen Knopf se lancèrent à ma rencontre, chargés du grand bélier et suivis de piquiers et d'arquebusiers hurlant de peur et de rage. Et force me fut de revenir sur mes pas, tel un cerf aux abois, pour ne pas être piétiné par cette troupe ! Je retournai donc mais bien à contrecœur car il me semblait avoir largement gagné le droit de souffler un peu ! Du haut des tours de l'entrée on nous lança du plomb fondu et de la poix bouillante, et des cris d'effroi et de douleur s'élevèrent aussitôt dans les rangs des soldats qui portaient le bélier. Et moi, moi je ne pouvais qu'avancer aveuglément à leur tête comme si c'eût été moi le chef de cet assaut, alors que je n'avais qu'un unique désir : m'écarter de leur chemin !

La charge explosive avait détruit les madriers armés de la porte et quelques coups de bélier suffirent à renverser la double porte derrière laquelle la cour nous apparut, tache brillante tout au bout du passage voûté. Lâchant leur poutre, les hommes se ruèrent avec des cris de joie dans le sombre couloir m'entraînant dans leur course. Ils ne pouvaient agir autrement, de toute façon, poussés dans le dos par les piques aiguës de leurs camarades. A peine avions-nous atteint la cour qu'un épouvantable craquement nous fit nous retourner : une énorme herse de fer venait de tomber, nous prenant à son piège ! Toute retraite coupée désormais, nous étions la cible impuissante de la pluie de balles et de flèches que l'on tirait de chaque fenêtre de la cour. Derrière nous, les piquiers frappaient en vain la herse et la moitié de ceux qui avaient chargé en tête baignaient déjà dans leur sang.

Ce fut peu après que le prince-évêque apparut. Il intima l'ordre à ses hommes de ne point gaspiller davantage de poudre ni de balles et nous enjoignit d'une terrible voix de rendre nos armes.

Je n'en avais guère mais lui lançai ma réponse :

— Il n'entre point dans nos intentions de rendre nos armes, mon cher monseigneur ! C'est vous au contraire qui devez le faire si vous voulez sauver votre précieuse vie. Nous ne désirons point porter la main sur l'oint du Seigneur, mais je ne pourrai longtemps retenir ces braves guerriers qui réclament seulement que justice de Dieu soit faite ! Votre résistance a suscité en eux une véritable folie et vous les pouvez ouïr qui rugissent comme des fauves enragés derrière moi.

— Je vous en donnerai, moi, de la justice de Dieu ! hurla le bon prince-évêque en frappant le sol de son pied. Je vais tous vous faire pendre, tous ! Mais toi, qui es-tu ? J'ai l'impression d'avoir déjà vu ton visage !

Je compris alors que le prélat, qui jamais n'eût daigné m'adresser la parole, avait peur.

— Je suis Mikaël Pelzfuss, répliquai-je hardiment, et vous n'ignorez point, Excellence, que je ne voudrais vous nuire ! C'est la raison pour laquelle j'ai couru devant ces désespérés afin de vous sauver la vie si faire se pouvait ! Ô monseigneur, mettez un terme à ce sauvage massacre et par ce qu'il y a de plus sacré, je vous jure que vous pourrez vous retirer en paix sans que nul ne touche un seul cheveu de votre tête !

Les malheureux encore vivants qui se trouvaient avec moi dans la cour crièrent pour manifester leur accord et promirent de lui permettre de s'éloigner avec ses serviteurs en emportant ses effets personnels. Mon impudence ne laissa point d'ébranler le prélat et, tandis qu'il réfléchissait en proie au doute, ses gardes commencèrent à murmurer entre eux que les conditions leur paraissaient tout à fait raisonnables et qu'ils n'avaient nulle envie de s'affronter à Frundsberg, s'il était vrai qu'il se trouvât avec les paysans.

Finalement Son Excellence accepta de se rendre après que Jürgen Knopf eut ratifié nos engagements. Et si ce dernier fut quelque peu furieux de voir lui échapper sa vengeance personnelle sur l'évêque, les hommes pris au piège de la herse comme moi se montrèrent fort satisfaits d'avoir ainsi sauvé leur vie car il ne faisait aucun doute pour nous que deux ou trois coups de canons tirés dans la cour à travers la grille nous eussent tous anéantis sans difficulté.

Ainsi Jürgen s'empara-t-il de la forteresse et avec elle d'un énorme butin. Il évalua les effets personnels du prince-évêque à seulement dix coupes d'argent, deux cents guldens et une paire de chevaux dont l'un fut chargé du lit de plume du prélat avec sa literie. Lorsque Son Excellence apprit cette interprétation donnée à nos conditions de reddition, il en resta muet de colère et si furieux qu'il faillit en perdre la respiration ! Son visage se couvrit d'une pâleur si alarmante que son chirurgien jugea prudent de le saigner sans délai, ce qu'il fit avec l'aide de deux solides gaillards pour l'immobiliser. On le hissa ensuite sur sa selle et il s'en fut, suivi de ses troupes dont les bagages, femmes et enfants venaient derrière dans des chariots. Fifres et tambours résonnèrent, les paysans tirèrent plusieurs salves de couleuvrines pour marquer leur allégresse et les soldats épiscopaux furent d'avis que tout s'était réglé à l'honneur des deux parties.

Jürgen Knopf n'ayant permis qu'à deux de ses hommes de confiance de l'accompagner dans la chambre forte située dans les souterrains du château, je n'ai aucune idée de la quantité d'argent ni des trésors dont il a pu s'emparer. Je sais seulement que pour calmer les murmures de ses partisans, il distribua à chacun trois guldens, ce qui correspond à l'avance de solde d'un mercenaire, et qu'il en octroya six aux survivants de ceux qui avaient pénétré dans la cour de la forteresse. Les soldats, calmés, s'en furent dîner puis dormir, et j'en profitai pour m'approcher de lui afin de lui réclamer les mille guldens qu'il m'avait promis.

— Mikaël Pelzfuss, soupira-t-il en évitant mon regard, j'ai bien peur qu'à l'instar de nombreux camarades, tu te fasses des illusions sur les richesses de l'évêque ! Tu dois te souvenir qu'il nous faut plus de trente mille guldens pour payer dix mille mercenaires et tu comprendras, dans ces conditions, qu'il me soit difficile de te verser maintenant la totalité de la somme en monnaies sonnantes et trébuchantes ! Pour récompenser ton courage, je vais t'en donner trente-cinq à présent avec une promesse écrite de te verser la différence, ce que je ne manquerai point de faire dès que nous aurons établi l'ordre nouveau et que la justice divine régnera sur cette terre !

Ulcéré d'une pareille dérobade et tourmenté de surcroît par les brûlures de mes jambes, qui me faisaient souffrir mille morts, je le traitai de parjure et de voleur et exigeai au moins la moitié de l'argent sur-le-champ. Après une joute verbale rien moins qu'agréable, je parvins à lui soutirer une centaine de pièces d'or, dont la moitié du reste ne pesaient pas le poids légal, avec une reconnaissance de dette de neuf cents guldens accompagnée d'une exhortation à confier en Dieu. Je n'ai jamais su ce qu'il fit des trésors de l'évêque, mais je pense qu'il n'en dépensa qu'une partie pour payer les mercenaires et puis témoigner que lors de son exécution, le trésor avait disparu sans laisser de traces ! J'acceptai l'arrangement selon le principe qu'« un tiens vaut mieux que deux tu l'auras » comme la bonne dame Pirjo avait coutume de me répéter, et pour me prouver sa bonne foi, Knopf me donna un robuste cheval de l'écurie épiscopale.

A la tombée du soir, tandis que les blanches étoiles s'allumaient dans le ciel estival, je partis au galop porter à Baltringen les nouvelles de notre grande victoire et de la fuite du prince-évêque.

Ulrich Schmidt, dont la foi allait s'affaiblissant au fil des jours, ne manifesta guère de joie à me revoir.

— La violence n'amène que la violence ! me dit-il. Jürgen Knopf périra par l'épée dont il s'est armé !

Fatigué par les propos de ce défaitiste, je regagnai mon logis, enfermai mon coursier dans l'étable et, tenant à peine sur mes jambes blessées, montai péniblement l'escalier qui menait à l'étage où j'avais eu la chance de trouver une chambre pour moi seul. Ma logeuse, la respectable veuve d'un commerçant en épices, à laquelle j'avais confié mon chien, m'avait promis de n'y laisser entrer personne sans mon autorisation. On pourra dès lors imaginer sans peine mon indignation lorsque je vis en entrant un mercenaire inconnu vautré sur mon lit et ronflant la bouche ouverte. Il portait des braies de couleurs vives et son justaucorps déboutonné révélait une poitrine velue. Même endormi, il agrippait d'une main la poignée de son épée tandis que de l'autre il serrait sa bourse. Mon chien, roulé en boule sur l'estomac de l'individu, ne se leva même pas pour me saluer, se contentant de remuer la queue et de cligner des paupières comme pour me signifier qu'il n'était point convenable de troubler ainsi le repos du guerrier. Il y avait bien pour moi quelque chose de familier dans ce corps énorme et stupide mais, ne reconnaissant point l'homme, je le secouai avec rudesse pour le réveiller. Il se mit à articuler des mots en des langues différentes, donna l'ordre de faire feu et jura en espagnol. Lorsqu'enfin il revint à lui, il s'assit sur le bord du lit et s'exclama en me voyant :

— Mikaël Karvajalka, mon frère ! Tu es vivant ! Mais pourquoi arrives-tu en clopinant comme une vieille bonne femme ?

Mes yeux s'ouvrirent alors et je reconnus Antti dont la perte, que j'avais crue certaine, m'avait si fort affecté. Je poussai un cri de joie et le pris dans mes bras. Sa forte étreinte de vieil ours me coupa la respiration et pour un peu m'eût fait craquer les côtes ! Il paraissait encore plus grand et plus large et il émanait de sa personne cette brutalité propre aux mercenaires, mais il me regardait comme au temps jadis, de ses yeux gris un peu somnolents, et sa chevelure était toujours aussi hirsute. Il parlait un finnois hésitant, mêlé de nombreux mots étrangers; je ne m'exprimais pas non plus avec facilité car tant d'années avaient passé sans que j'eusse parlé ma langue maternelle !

— Dieu soit béni qui t'a ramené à moi sain et sauf ! m'écriai-je. A présent, oui, je vais pouvoir veiller sur toi et t'empêcher de faire d'autres bêtises ! Tu sais, j'ai de l'argent, tu ne vas manquer de rien ! Mais comment as-tu pu survivre tout ce temps sans moi ?

Antti fit tinter sa pesante bourse avec orgueil et répliqua :

— Je ne suis pas revenu sans rien ! Dès que j'ai entendu dire que l'on se battait en Germanie, j'ai quitté le camp de l'empereur pour venir te chercher. J'avais de toute façon terminé mes trois ans de service et l'empereur me doit plus que je ne lui dois ! Je crois qu'il n'y eut jamais sur terre souverain plus pauvre que celui-ci ! Il doit de l'argent non seulement à tous les rois et princes de l'Europe, mais aussi au plus misérable piquier ou muletier de son armée ! Enfin ! j'ai eu de la chance et ne puis me plaindre ! Je suis bien content également d'avoir appris les troubles qui secouent ce pays avant d'avoir bu toute ma fortune et à te dire la vérité, j'étais sûr de trouver une pieuse tête de linotte comme la tienne au beau milieu du bouillon de culture ! Mais je suis là et je vais te sortir d'ici !

— Mon pauvre Antti, tu es aussi fou que tu en as l'air ! Tu n'y comprends rien ! Les paysans et artisans de cette région se sont levés comme un seul homme pour construire un ordre nouveau sur la base de douze équitables articles que je ne prendrai point la peine de te répéter maintenant; d'ailleurs tu n'es pas assez intelligent pour les comprendre. Je puis te garantir toutefois qu'ils sont admirables; j'ai du reste moi-même participé à leur rédaction. La justice divine deviendra une réalité ici-bas, par la force s'il le faut, et je suis heureux de te voir ici pour défendre la bonne cause.

Antti bâilla en se grattant la tête.

— Bon ! Tu es étudiant et certainement très fort sur ces questions de théologie, mais d'après ce que j'ai vu en traversant le pays pour venir te chercher, j'ai l'impression que ton ordre nouveau a pris le mors aux dents ! La plupart de ceux que tu prétends être ses défenseurs me semblent être tout sauf de braves gens ! Une engeance de diables, oui ! Je ferais mieux de t'emmener tout de suite avec moi en Italie où les arbres portent des fruits d'or !

Il parlait en toute sincérité, je le savais bien et je lui dis avec un petit sourire de pitié :

— Trêve de disputes, veux-tu ? Mieux vaut raconter ce qui nous est advenu ! J'ai hâte de savoir tout ce que tu as fait et comment tu es parvenu à cette prospérité. Ensuite à mon tour je te conterai mes malheurs et tu pourras voir alors que je ne suis plus l'homme que j'étais lorsque tu m'as quitté.

Au mot prospérité, Antti m'avait jeté un regard plein de gravité.

— Il y a dans toute coupe une goutte d'absinthe amère et je ne me réfère point aux privations, froid, faim, fièvre, vie dure ou autres blessures ! Tout cela est inhérent à une vie au service de l'empereur ! Non ! Je veux parler d'autre chose que je t'expliquerai plus tard... Tu sais, point n'est besoin que tu me contes tes ennuis, j'en ai entendu parler en venant ici de Memmingen. Je suis informé au sujet de ton épouse et de tout cœur avec toi, crois-moi, quoique cette histoire ne m'ait guère surpris; n'importe qui moins naïf que toi se fût rendu compte que c'était une sorcière ! Je sais également que tu es devenu un fervent zélateur des enseignements de Luther et un agitateur : tu vois que tu n'as rien à m'apprendre de nouveau et que tu as plutôt intérêt à m'écouter, car moi j'ai des choses très instructives à te dire ! Mais comme mon histoire risque de durer jusques au soir,

345

peut-être qu'un petit rafraîchissement nous irait bien, qu'en dis-tu ?

Mes devoirs d'hospitalité m'étant ainsi rappelés, je m'empressai de descendre l'escalier sans plus songer à la fatigue pour chercher mon hôtesse, que je trouvai dans sa cuisine précisément en train de sortir des petits pains tout frais de son four. Elle gloussait comme une poule en proie, semblait-il, à une grande indignation.

— Messire Mikaël, expliqua-t-elle, je ne veux point médire de votre ami qui règle toujours fort poliment ses boissons, mais je ne puis tolérer qu'il reçoive dans ma respectable maison cette étrangère dévergondée qui parle une langue de sauvages ! Elle porte impudemment des vêtements qui ne conviennent guère à sa position et au lieu de mettre des plumes sur sa tête, elle ferait mieux de se coiffer de la toque rouge à deux cornes ! C'est tout ce qu'elle mérite ! Je vous avertis, le scandale ne peut plus durer et j'espère que votre ami aura la sagesse de chasser promptement à coups de pied cette catin !

Ennuyé d'avoir à entendre des observations de ce genre, j'appelai Antti pour lui demander des explications.

— Je préférerais, dit-il en se signant avec dévotion, porter sur les épaules un sac rempli de chats sauvages plutôt que de parler de cette personne maintenant ! Cela va me couper l'appétit parce que c'est elle la goutte d'absinthe amère dans ma coupe !

Il engloutit sa chope de bière en deux gorgées et en redemanda.

— Quoique nul ne devrait cracher sur l'absinthe ! ajouta-t-il. Il existe en Italie une boisson forte, mélange de vin et d'absinthe, qui a guéri plus d'une crampe d'estomac et maintes fièvres !

Je lui rappelai les funestes suites que sa soif inextinguible de bière et de vin pouvait entraîner et le priai de se restreindre, mais il me contredit tout net :

— On voit que tu n'as point vécu une campagne sérieuse ! Un bon soldat ne boit jamais d'eau et dépensera s'il le faut son ultime pièce pour s'acheter du vin ou de la bière précisément ! J'ai vu trop de mes camarades, moi qui te parle, se consumer de fièvre et mourir pour avoir bu des eaux frelatées. Mon sergent ne se fiait ni aux lacs ni aux flaques ni aux rivières ! « Si vous êtes obligés de boire de l'eau, disait-il, buvez-la chaude avec une infusion d'herbes ! » Voilà ! Je te transmets cet excellent conseil, mon cher Mikaël, puisqu'il semblerait que tu sois attiré par le métier de soldat ! Ce qui est sûr, en tout cas, c'est qu'une telle foule a afflué dans cette cité qu'une épidémie de peste ne tardera point à se déclarer qui mettra fin à tous les buveurs d'eau !

La solennité du ton sur lequel il prononça ces mots m'inclina à lui faire confiance car il en savait plus long que moi sur ces sujets, et j'arrosai donc mon repas de bière et de vin, comme lui. Bientôt très gais, nous échangeâmes d'affectueuses bourrades tout en plaisantant avec la veuve du commerçant d'épices qui ne cessait d'apporter généreusement de nouveaux petits plats sur la table. Elle se signait avec admiration devant la capacité d'absorption d'Antti.

Enfin repu, il commença son récit :

— Que Dieu bénisse notre hôtesse et la récompense de ses peines ! dit-il. Ah ! J'étais vraiment fatigué de manger des olives et des côtelettes d'âne !

« Il faut tout d'abord, Mikaël, que je te dise quelques mots de la politique mondiale parce que tu es davantage versé dans les affaires célestes que dans celles d'ici-bas, n'est-ce pas ? Moi, j'ai été obligé de me plonger un peu dans ces questions parce qu'un soldat se doit de savoir à qui il vend son épée et pour quoi il risque sa peau. Et pour acquérir ces connaissances, à savoir discuter d'empereurs, de rois et de leurs faits et gestes, je pense qu'il n'est point meilleur endroit que le cercle autour d'un feu de camp à la tombée de la nuit. J'ai appris de bien profitables leçons dans des discussions pareilles, crois-moi !

Il vida une grande coupe de vin qui disparaissait complètement dans son énorme patte et pria notre hôtesse de lui en procurer une plus grande encore. Puis il reprit :

— Bon ! Comme tu t'en souviens, j'ai pris du service dans les armées de l'empereur avec la conviction d'agir en homme sage. Notre bon souverain Charles Quint n'est-il point le plus grand seigneur du monde ? Ne domine-t-il pas l'Autriche, Naples, l'Espagne et les Pays-Bas pour ne mentionner que quelques-uns d'entre ses domaines puisqu'il est également empereur d'Allemagne, des Indes et d'Amérique par-delà les océans ? Et si tous les contes qu'on nous fait sur le Nouveau Monde étaient vrais, il serait à coup sûr l'homme le plus riche de la terre ! Pourtant il souffre d'un manque d'argent que l'on peut taxer de chronique ! Ce qui prouve que les Espagnols qui colportent ces histoires sur leur Nouveau Monde sont bien les plus fieffés menteurs que l'on ait jamais vus ! Quoi qu'il en soit, nul autre prince ne lui peut être comparé, hormis peut-être François de France que je connais bien puisque j'ai participé à sa capture à Pavie, et Henri VIII d'Angleterre qui, lui, s'est enrichi dans le négoce de la laine.

Il vida une autre coupe et s'essuya la bouche avant de poursuivre :

— Point n'est besoin de parler des princes de Germanie parce qu'ici comtes, princes, évêques et cités libres poussent partout comme des champignons dans la moisissure ! Le seul à mon sens qui mérite d'être cité est l'archiduc Ferdinand, le frère de l'empereur. Et je mettrai à part Soliman, le grand sultan de Turquie, dont je ne dirai rien sinon que les mauvaises langues parlent d'une alliance entre lui et le roi de France contre l'empereur.

— En ma qualité d'ami de la France et d'ancien étudiant de l'université de Paris, cité à nulle autre pareille, coupai-je, outré par ses derniers propos, permets-moi de déclarer une fois pour toutes que des rumeurs pareilles ne sont que fausseté et malveillance ! Nous ne devrions rien ajouter au lourd fardeau qui pèse déjà sur un noble et valeureux monarque qui a eu le courage de s'opposer à l'empereur ! Et s'il s'y est opposé, ne doutons point que ce fut pour obéir à Notre-Seigneur qui ne voulut jamais laisser un homme seul étendre son pouvoir sur le monde entier !

Antti assena son poing sur la table avec un rugissement de plaisir.

— Touché, Mikaël ! Tu as mis dans le mille ! Voilà la raison pour laquelle ils sont tous deux comme chien et chat, parce qu'ils ont tous deux brigué la couronne impériale ! La France, royaume le plus riche et le plus puissant d'Europe, constitue en effet le seul obstacle à l'extension du pouvoir impérial.

« Mais je veux à présent t'expliquer les affaires italiennes. L'Italie est un pays qui ne tolérera point un maître despotique. L'empereur et le roi de France n'ont cessé de se battre pour le duché de Milan et pour la fertile province de Lombardie d'où j'arrive. En Italie, c'est Venise, la voisine de Milan, qui joue le rôle le plus important et ce en raison de ses possessions; il ne faut pas oublier non plus le pape, un Médicis qui contrôle à la fois Rome et Florence, et on doit tenir compte du royaume de Naples, qui appartient à l'Empire mais que le roi de France réclame au nom d'un certain droit d'héritage.

— Tu me tournes la tête avec tes histoires ! protestai-je. Raconte donc ce que tu as vu et entendu personnellement ! A mon avis, l'empereur et le roi en se faisant la guerre agissent en criminels. La loi est à même de résoudre tous leurs litiges d'héritages et en toute justice pour les deux côtés.

Antti rit de bon cœur.

— Les litiges d'héritages, de même que ceux des alliances et des traités signés par leurs ancêtres, sont tellement embrouillés que le diable lui-même ne s'y retrouverait point et plus d'un docte juriste, devenu fou à le tenter, a fini dans une cellule de moine ! Les empereurs et les rois ne reconnaissent d'autre droit que celui du plus fort et c'est celui qui réunit le plus grand nombre de piquiers, arquebusiers, cavaliers et artilleurs qui gagne le procès !

« Pour cette guerre, le duché de Milan a servi de prétexte : il était sous domination française lorsqu'en compagnie d'autres braves, j'ai traversé les Alpes et battu les Français en Provence, pillant, volant, assassinant sur mon passage. Et sais-tu ? Nous avions pour chef le duc de Bourbon, connétable de France, qui en rébellion contre son souverain voulait lui infliger le plus grand dommage possible.

Notre hôtesse déclara en se signant qu'elle ne pouvait croire qu'Antti eût commis de si grands forfaits. Quant à moi, je lui demandai comment il se pouvait que le connétable de France se fût allié à l'empereur contre son propre souverain.

Antti, quelque peu gêné par les remarques de la veuve, croqua un os dont il donna la moelle à mon chien.

— Le pillage fait partie du métier de soldat et je n'ai jamais tué personne pour le plaisir comme les Espagnols par exemple. En ce qui concerne les viols, je me bornerai à dire que les femmes couraient vers nous plus qu'elles ne nous fuyaient.

« Quant au connétable de France, s'il a trahi son souverain et secondé l'empereur, c'est pour se tailler, sous la protection de ce dernier, un royaume sur le sol de France et il se servit à cette fin des mercenaires, de sorte que notre troupe fondit comme neige au soleil. Après être resté quelque temps au siège de Marseille, j'ai moi-même dû abandonner bien à regret ma belle couleuvrine aux mains des Français pour regagner péniblement l'Italie avec les autres. Le roi de France avait réussi, contrairement à toute attente, à lever une puissante armée qui se trouvait coude à coude avec nous dans les Alpes sur le chemin de Milan.

L'excitation d'Antti allait croissant : il assena un nouveau coup sur la table, renversa son pot et poursuivit :

— Mais c'est la bataille de Pavie que je veux vous raconter ! Que Dieu m'assiste pour parler d'elle ! Oui, car ce fut un combat digne d'un grand récit ! D'autres plus savants que moi ont dit que cette bataille a décidé de la destinée de l'Europe et assuré le pouvoir de l'Empire pour des centaines, voire des milliers d'années ! L'empereur, prétendent-ils, n'a plus qu'à faire du roi de France son vassal, partir avec lui combattre les Turcs et reconquérir Constantinople qui, pour notre grande honte, se trouve depuis plus d'une génération sous le joug infidèle.

« Mais revenons à Pavie ! Nous, à savoir les affamés et loqueteux qui restaient de l'armée impériale, nous traversions donc une fois de plus les Alpes tels des hordes de mendiants ou, si vous préférez, des agneaux privés de leur mère. Tous se moquaient de nous; là-bas, à Rome, les Italiens avaient cloué un avis sur la pierre qu'ils appellent *pasquino* où ils ont coutume d'inscrire des obscénités; cet avis disait : « Perdue, volée ou égarée, l'armée impériale. Magnifique récompense à celui qui retrouvera l'armée impériale perdue, volée ou égarée ! » A présent, il va leur falloir avaler leurs plaisanteries ! On ne doit point frapper un homme à terre et l'infortune d'un soldat peut n'être pas de sa faute comme nous le prouve le triste sort du roi François.

Je le priai d'en rester à la bataille de Pavie dont j'avais moult envie d'ouïr un récit direct, mais il me répliqua sur un ton légèrement irrité :

— Ne sois pas pressé, Mikaël ! Ce que je te raconte là fait partie de l'histoire ! As-tu déjà vu un artiste digne de ce nom peindre la sainte Famille sur un fond blanc ? Non, jamais ! Il dessine d'abord tout un riche fond de fertiles vallées, de vignes, de cascades et de cités. J'ai vu travailler de très bons peintres en Italie et je sais de quoi je parle ! Tu ne comprendras jamais cette bataille si tu n'écoutes point ce qui s'est passé avant et qui en fut le prologue.

« Donc, nous traversâmes à grand-peine la Lombardie, affamés, loqueteux et sans argent. Nous avions l'intention de nous aller réfugier à Milan, languissant de nous retrouver à l'abri derrière de solides murailles. Hélas ! La peste régnait à Milan ! Dans les demeures abandonnées toutes les couches étaient infectées, il ne restait plus guère qu'un tiers de la population et de surcroît, les troupes de la garnison impériale avaient déjà tout emporté de ce qui se pouvait voler. Aussi nous empressâmes-nous de quitter la cité par la porte de l'orient, tandis que les Français entraient par celle de l'occident. Sachez que ces circonstances affligèrent grandement le duc de Bourbon qui nous remercia pour nos fidèles services et prit congé de nous avec tristesse parce qu'il avait des affaires urgentes ailleurs. Il laissait dans Pavie entourée de remparts cinq mille lansquenets allemands et deux cents arquebusiers espagnols qui, confiants toujours dans les promesses de l'empereur, voulaient conserver à leur seigneur sinon le duché tout entier, du moins une partie. Mais moi et nombre d'autres tirâmes notre révérence pour aller passer un triste hiver en Lombardie, au grand désespoir de ses habitants.

« Dans l'entretemps, le roi de France mit le siège devant Pavie qui était un os bien plus difficile à ronger que ce qu'il croyait. Mais il avait si grande envie de conquérir cette cité, qu'il tenta même de dévier le cours de la rivière pour attaquer les murs en leur point le plus faible. Hélas ! Les pluies d'automne firent monter les eaux, emportèrent ses travaux et les sapeurs avec, que Dieu ait leur âme ! Il perdit ainsi trois mois devant Pavie. Si nombreuses étaient ses forces cependant, qu'il en envoya une partie occuper Naples pour gagner du temps ! Mais au début du mois de février, le duc de Bourbon revint de Germanie avec dix mille lansquenets sous le commandement de Frundsberg. Alors, en rassemblant toutes nos forces, le duc et le général de l'empereur, le marquis de Pescara, réussirent avec le vice-roi de Naples, de Lannoy, à former une manière d'armée. Nous gagnâmes Pavie pour, à notre tour, assiéger l'assiégeant dont les troupes se réfugièrent dans un camp pratiquement inexpugnable d'où les soldats nous lançaient des quolibets : ils se livraient à des commentaires péjoratifs sur nos prouesses guerrières, notre origine, et coetera !

« A dire vrai, notre situation paraissait sans issue car nous pouvions voir des collines l'anneau continu formé par les feux de camp français tout autour de Pavie. Jamais à mon sens les forces impériales n'eurent à résoudre problème aussi ardu ! La cité allait se rendre, ce n'était plus qu'une question de temps; les hommes de l'intérieur n'avaient rien touché depuis plus de six mois et si j'ajoute qu'ils avaient déjà dévoré tous les ânes, chiens et chats qu'ils avaient pu attraper, tu ne t'étonneras guère qu'ils se sentissent près du découragement !

« Nous traînâmes deux longues semaines durant autour de la cité assiégée, tandis que nos officiers discutaient entre eux sur ce qu'il convenait de faire. Ils décidèrent pour finir de tenter la chance et prendre d'assaut la nuit même le parc de Mirabello.

— Un parc ? m'exclamai-je. Et que vient donc faire ce parc dans la bataille de Pavie ?

— C'est moi qui raconte ou toi ? répliqua-t-il d'un ton sec. Cet immense parc entouré d'un mur et qui appartenait au duc de Milan était situé précisément sous les remparts de la cité. On n'y voyait plus guère ni daim ni paon, les Français ayant là mangé tout animal vivant. Le marquis de Pescara nous ordonna de nous rassembler sous le couvert de la nuit au nord du parc et, après nous être glissés à l'intérieur, d'attaquer les Français par surprise.

A ce moment de son récit, Antti leva les yeux au plafond en réfléchissant, puis se plongea dans la contemplation admirative de ses énormes mains, secoua la tête et continua :

— Pescara harangua les Espagnols et Frundsberg s'adressa à nous les Germains. Il nous dit en substance que nous ne possédions rien en ce monde sinon le bout de terre sur lequel nous avions les pieds posés, qu'il ne restait plus de pain pour le lendemain et que l'empereur, appauvri, ne pourrait nous payer nos soldes. Nombreux furent ceux qui versèrent des larmes à l'écouter parler et nous nous sentîmes tous à nouveau de pauvres agneaux sans leur mère. Mais il ranima notre courage en disant que le camp du roi de France regorgeait de vin, de viande et de pain ainsi que de coffres remplis à craquer, et que là-bas nous attendaient les seigneurs les plus distingués de France dont les rançons feraient la fortune de ceux qui les captureraient.

« Jamais je n'oublierai cette nuit de ténèbres et de vent ! Jamais je n'ai sué autant que cette nuit de février, perché avec mon levier de fer en haut du mur du parc de Mirabello ! Nous avions reçu l'ordre de porter une tunique blanche ou pour le moins un bout de ruban blanc attaché autour du bras, afin de reconnaître nos camarades dans l'obscurité et la confusion de l'assaut. L'ordre était plus facile à donner qu'à exécuter avec nos chemises en loques et rien moins que blanches ! Nous fîmes tous de notre mieux pour réussir à trouver un chiffon par homme et avec un peu de bonne volonté nous pourrons même dire un chiffon blanc ! Cette précaution cependant s'avéra inutile et ne servit qu'à gaspiller notre meilleur linge ! Franchir les murs se révéla plus difficile que nous ne nous y attendions, si bien que le jour se levait que nous n'avions point encore pénétré dans le parc. Évidemment, il y avait déjà longtemps que l'ennemi avait sonné l'alarme et nous nous trouvions face à face avec une armée française en impeccable formation et prête à la bataille. On pouvait voir, à la tête de ses cavaliers couverts d'acier, le roi de France en personne revêtu de son armure incrustée d'or et monté sur un blanc coursier. Les Français avaient eu tout leur temps pour placer leurs canons de siège en position et le baiser de bienvenue que nous reçûmes fut sauvage, crois-moi ! Les artilleurs français utilisent contre toute honnête tradition en l'art de la guerre des boulets enchaînés par paires et à la première salve bras et jambes volèrent comme feuilles au vent d'automne; notre avant-garde, la cotte maculée de sang, dut se mettre à couvert dans les halliers.

— Dieu fit-il un miracle ? demandai-je. Je n'arrive point à concevoir comment votre faible troupe a pu venir à bout de l'armée la plus invincible d'Europe !

Antti réfléchit un moment puis dit :

— J'ai du mal à croire que Dieu ait eu quelque chose à voir dans la bataille de Pavie où sa Majesté Très Chrétienne le roi de France luttait contre sa Majesté Impériale et Catholique, l'une et l'autre soutenues par le Saint-Père. Si j'ai bien compris le contenu politique de l'affaire, cela va de soi! Non! Je pense que nous devons attribuer la victoire aux talents militaires du général Pescara et à notre propre valeur.

« Quoi qu'il en soit, en ce moment précis nous étions loin d'être vainqueurs ! Lorsque la cavalerie impériale chargea lances en avant, la fleur de la chevalerie française poussa une immense clameur. Le roi éperonna sa monture et les plus fiers cavaliers du monde s'avancèrent tels une nuée d'orage avec des éclairs d'or et d'argent et la terre gronda en un bruit de tonnerre sous la galopade. Ils pulvérisèrent nos propres cavaliers; le roi François transperça de sa lance un prince italien dont j'ai oublié le nom et qui périt sous les sabots des chevaux. Le souverain crut alors que la bataille était terminée et nous pensions de même tandis que nous chargions avec nos piques, Frundsberg derrière nous à nous houspiller et nous encourager. Parce que Frundsberg savait aussi bien que nous qu'une maladroite formation de piquiers n'a aucune chance contre des cavaliers protégés dans leur armure. Les Suisses menaçaient notre autre flanc et mettaient à nous rejoindre une hâte égale à la haine qu'ils nourrissent contre les Allemands et à leur désir de partager l'honneur de la victoire avec les Français.

« Je crois que ce fut là le moment décisif de la bataille, mais je l'ignorais alors ! Nous refusâmes de faire un pas de plus pour dire notre dernière prière et recommander notre âme à Dieu jusqu'à ce que la poussée derrière se fût faite tellement forte que nous nous vîmes contraints d'avancer ce qui, bien sûr, en est le but. Mais oui ! c'est afin d'assurer cette indispensable poussée que les piquiers se forment pour l'attaque en carrés de dix hommes de profondeur.

Pendu aux lèvres d'Antti, j'étais si absorbé que j'en oubliais presque de respirer. La veuve se signait en laissant échapper des exclamations d'horreur et de consternation. Antti disposa alors sur la table des quignons de pain, des os, des couteaux et se mit à les ordonner et à les animer tandis qu'il continuait son récit.

— Ce couteau à découper représente le roi de France avec ses cavaliers, cet os juteux les forces suisses qui sont en train de charger... mais ce morceau de foie, qui figure les troupes des bruns Italiens pleins de furie, se précipite en avant pour partager avec eux les lauriers de la victoire, les Italiens estimant sans doute avoir leur mot à dire dans une guerre pour l'Italie ! Leur mouvement gêne l'artillerie française et l'on voit sauter frénétiquement de tous côtés le sénéchal du roi de France qui en arrache les plumes de son heaume ! Notre avant-garde a reculé jusques à cette fissure et tout à coup : bang ! bang ! cette coupe de vin, c'est Pescara, le plus subtil général du monde, qui arrive ! Il scrute le champ de bataille, regroupe notre cavalerie désorganisée et envoie ses arquebusiers espagnols, mille cinq cents en tout, contre les chevaliers montés du roi de France. Nos hommes se glissent de fourré en fourré sur les deux flancs, comme ceci... suivis de quelques centaines d'Allemands armés des nouvelles bouches de feu portatives de l'armée impériale. Maintenant, ces Espagnols bien exercés ont planté les supports de leurs armes... ils chargent... tirent et rechargent avec une extraordinaire vélocité ! Chaque homme ne tire pas moins de cinq fois en quinze minutes ! La fumée s'élève au-dessus des bois, les coups crépitent et les lourdes balles perforent les armures des Français comme si elles étaient de papier. Chose inouïe à ce jour, deux hommes et deux grands chevaux sont transpercés par une même balle ! Les cavaliers tombent à droite, tombent à gauche et leurs énormes montures se cabrent et se renversent en hennissant.

— Pauvres bêtes ! pleurnicha la veuve. Les chevaux sont de braves animaux et on aurait mieux fait de les atteler à la charrue ou de les vendre plutôt que de les mener à une pareille mort cruelle et inutile !

Antti poursuivit sans sourciller :

— Les cavaliers démontés rampent à quatre pattes pour tenter de se relever mais le poids de leur armure les en empêche ! Les autres, en proie à la panique, font volte-face et essaient de s'enfuir du champ de bataille. Regardez ! Ce couteau à découper avance jusqu'à l'os, notre cavalerie légère foule aux pieds les Suisses bientôt transformés en une masse hurlante pendant que nous nous heurtons aux Italiens ! Nous sommes ici, tu vois cette fourchette, moi je suis là, et Frundsberg là, qui meugle comme un taureau. On nous pousse par-derrière mais les Italiens luttent tels des sangliers, Frundsberg renverse leur chef, je fais tournoyer mon épée à deux mains, abattant les hampes des lances, et ouvre un chemin pour nos piquiers. Les Italiens résistent toujours ! Nous devons les massacrer jusques au dernier avant de parvenir enfin aux Suisses ! Maintenant je peux donner le foie au chien... il n'en veut pas ?... c'est à peine s'il le renifle ?... Maudit sois-tu, animal !

« Bon ! Je vous disais donc que les Suisses écrasés par la cavalerie française n'étaient plus en mesure de s'affronter à nous et comme nul ne les pressait dans leur dos, ils firent demi-tour et prirent la fuite. Pour la première fois dans l'Histoire, des soldats de la Confédération ont tourné le dos à l'ennemi ! Le roi de France lève sa visière dorée pour mieux voir et s'écrie : « Mon Dieu ! Mon Dieu ! Que signifie cela[1] ? », mais les Suisses ne s'arrêtent point pour lui donner des explications !

1. En français dans le texte.

« A présent, regardez ! De ce petit palais d'été de Mirabello, Pescara expédie un détachement sur le flanc des Français lorsque soudain on entend un effroyable tumulte sur les arrières. Cette écuelle de bois représentera la cité de Pavie où l'espagnol Leuva, commandant des forces alliées, dirige l'attaque; ses hommes, fous de faim et de soif de pillage, écrasent l'arrière-garde française et les Suisses en fuite. Nul n'a jamais vu semblable massacre ! Les clairs ruisseaux du parc se teintent de pourpre et l'air gelé se remplit de vapeur comme lorsque l'on tue le cochon.

— Jésus, Marie ! s'écria la veuve. Cela me fait penser que j'avais mis des saucisses dans le four ! Et j'ai oublié de les apporter !

Elle s'empressa d'aller les chercher, Antti mordit dans une d'un air distrait puis, les yeux fixes et la bouche pleine, poursuivit son récit :

— Le roi François a toujours son cheval, il peut encore se sauver ! Mais non ! Il a vu que sa victoire a tourné en la plus écrasante défaite de tous les temps et la rage l'aveugle. Vous savez, cette chevalerie française ne supporte point la honte d'une fuite et le plus noble sang de France coule dans ses veines ! Il ne tombera que l'épée à la main ! Alors il éperonne son coursier, se jette tel un éclair sur les lances… et sa fière monture se dérobe sous lui. En hurlant, jurant et nous battant, nous nous précipitons sur lui ! Imaginez ! Jamais un mercenaire n'a mis la main sur une prise de cette valeur ! Grâce à ma force, j'écarte les Espagnols sans ménagement et parviens à agripper une des jambes royales pour emporter au moins un éperon en souvenir ! Les autres lui ôtent son armure qui doit valoir des dizaines de mille de ducats.

« Nous l'aurions sans nul doute mis en pièces, si de Lannoy, le vice-roi de Naples, ne se fût avancé à cheval, nous obligeant à lâcher prise à coups redoublés du plat de son épée. Force nous fut de lui ouvrir le passage ! Le roi s'assied et essuie le sang qui coule sur son visage; il est blessé en effet à la face et à une main, ce qui n'a rien d'étonnant. Nous donnons nos noms et réclamons notre part du butin mais de Lannoy arrache l'épée du roi des mains d'un

Espagnol, la rend au Français, met un genou à terre devant lui et l'invite à se rendre à l'empereur. Le duc de Bourbon arrive alors au galop et François lui crache son sang au visage en criant : « Traître ! » et il remet son épée à de Lannoy.

« En deux heures, tout est terminé ! Vingt mille hommes gisent morts dans le parc, Français, Germains, Suisses et Espagnols, seigneurs et paysans, chevaliers en armure dorée et vulgaires piquiers, tous pêle-mêle. Si notre butin est colossal, notre victoire l'est plus encore. Nous crions, chantons, pillons de bon cœur et tout à notre joie, oublions la souffrance que nous infligent nos blessures.

Antti poussa un profond soupir, écarta couteaux, coupes et os pour bien montrer la fin de l'épopée et baissa ses braies afin de nous dévoiler la cicatrice à présent bien guérie d'un coup de poignard dans le gras de la cuisse. La veuve, agréablement impressionnée, le palpa puis observa avec admiration que l'on croirait toucher du fer.

Mais mon ami remonta sa culotte et reprit le fil de sa narration :

— Si nombreux étaient nos captifs que nous dûmes libérer près de quatre mille Suisses et Français pour n'avoir point à les nourrir ! De toute manière, ils étaient pauvres et nous n'en aurions rien retiré ! Par contre, nous avions capturé nombre de nobles chevaliers et personnellement je n'ai point à me plaindre ! Pour le roi, en revanche, on ne nous donna pas le moindre liard. Il faut dire que nous étions plus de mille prêts à jurer sur la Vierge d'avoir posé le premier la main sur lui et de Lannoy nous manda tous à l'enfer ! C'était lui qui avait capturé Sa Majesté très Chrétienne et tous ceux qui étaient présents pouvaient jurer que le prisonnier royal lui avait, à lui, rendu son épée !

— Oui ! Cela ne m'étonne guère ! souligna la veuve. Nous connaissons les seigneurs ! Leur demander justice équivaut à serrer un hérisson dans sa main ! On n'y gagne jamais qu'une poignée de piquants !

Antti engloutit un autre bénitier de vin, puis me regarda avec gravité en disant :

— Mikaël mon frère, je t'ai parlé de haute politique et raconté la bataille de Pavie au cours de laquelle trente mille

358

soldats bien équipés et aguerris, commandés par de brillants généraux, ont combattu contre une armée de trente-cinq mille autres. Je t'ai fait ce récit pour te montrer que ce soulèvement de paysans insensés n'est que roupie de sansonnet à côté de la politique de haute volée et d'une véritable guerre. Un chef de quelque expérience abattra ces malheureux comme la faux fauche le blé mûr ! La victoire a rendu l'empereur tout-puissant et tu sais qu'il ne porte guère les luthériens dans son cœur ! Il a juré d'extirper l'hérésie de l'Allemagne et, avec l'aide de toute la Chrétienté, de conquérir bientôt l'empire ottoman. Du fond du cœur, je te supplie de penser avec raison ! Partons d'ici tant que nous le pouvons et cherchons ensemble d'autres terrains plus intéressants !

Quoique dans mon esprit il ne fut point digne de me donner des conseils, son discours ne laissa pas de me plonger dans un abîme de réflexions. J'étais, il est vrai, passablement ivre pour avoir bu plus que nécessaire, tout à la joie de nos retrouvailles.

— Tu ne changeras jamais, mon pauvre Antti ! répondis-je. Tu es peut-être capable de manier correctement une épée mais l'art de la dialectique passe au-dessus de ta tête ! Et tu n'as pas à te vanter de tes pillages car tout le monde peut glisser sa main dans la bourse de son voisin ! Il faut que tu saches que la justice divine est supérieure au droit des princes et même si les Douze Articles sont défectueux et imparfaits parce que de conception humaine, ils reposent sur la parole de Dieu et nul pouvoir au monde n'est en mesure d'empêcher qu'ils se réalisent, car Notre-Seigneur abattra ses adversaires comme Samson abattit les Philistins avec la mâchoire d'un âne. Et n'oublie point que les paysans sont mieux armés que Samson ! Comme de vrais soldats, ils possèdent des lances, des armures et même des canons !

— Je suis peut-être un ignorant à côté de toi, reprit Antti d'un air sceptique avec la suffisance de ses expériences, mais le simple bon sens me dit que Dieu se trouve du côté de l'empereur catholique et ne penche en aucune manière vers celui de paysans hérétiques ! Il me semble avoir ouï-dire également que la Bible nous ordonne d'obéir à ceux qui sont investis de l'autorité sur nous; je crois même qu'il est écrit que nous devons donner à Dieu ce qui est à Dieu et à l'empereur ce qui appartient à l'empereur. Et à mon sens, la vie, l'honneur et les biens d'un homme privé sont à l'empereur et son âme à Dieu.

Avant que j'aie pu prononcer un mot pour lui répondre, la porte s'ouvrit, livrant passage à une femme à l'allure légère, les joues empourprées et le sourire aux lèvres. Les vêtements déchirés et un chapeau orné d'une plume flétrie sur la tête, elle fredonnait en entrant une petite chanson mélancolique :

Monsieur de la Palice est mort,
Mort devant Pavie,
Un quart d'heure avant sa mort
Il était encore en vie[1].

La veuve du marchand d'épices renifla d'un air pincé et dit :

— C'est elle, cette catin sans vergogne que maître Antti a ramenée d'Italie ! Prenez un bâton, messire Mikaël, et envoyez-la promener hors de ma respectable maison !

Mais en entendant la voix de cette femme et en voyant ses traits, je tressaillis et me signai comme si je reconnaissais le diable en personne car, aussi vrai que je suis vivant, j'avais sous mes yeux, un peu indécise mais on ne peut plus réelle, dame Geneviève de la maison du marchand de reliques de Paris ! Elle poussa un cri de joie en me reconnaissant, jeta ses bras autour de mon cou et m'appliqua deux baisers sur les joues avant que je ne parvinsse à m'en défaire.

Toute vitalité semblait avoir abandonné Antti qui s'était tassé sur sa chaise.

— Pardon, pardon, Mikaël ! me dit-il d'une voix suppliante. Je n'ai rien pu faire ! Elle s'est collée à moi comme une sangsue depuis Pavie et ma vie est devenue un véritable fardeau ! Je compte sur toi pour m'en délivrer, car je crois qu'en d'autres temps tu fus un peu amoureux d'elle, non ?

1. En français dans le texte.

N'a-t-elle point, de son côté, quelque dette vis-à-vis de toi sur certaines questions ?

Je restai foudroyé sans pouvoir ouvrir la bouche. Dame Geneviève s'assit en une attitude quelque peu frivole, baissa son haut de robe d'une manière suggestive et me regarda à la façon d'un chien contemplant un morceau de viande tout en ne cessant de chantonner.

— Que Dieu nous protège ! dis-je sur un ton courroucé lorsque je retrouvai la parole. J'en ai assez entendu sur Pavie pour le restant de mes jours ! Et si tu as ramené de là-bas cette noble personne comme part de butin, tu es, mon pauvre Antti, encore plus stupide que ce que je pensais et bien loin de m'avoir rendu un service !

Dame Geneviève, pensant que j'en avais après sa chanson, intervint l'air offensé :

— Monsieur de la Palice était un homme qui valait mieux que vous deux réunis et les Français ont composé cette chanson après sa mort dans la bataille, car cet homme lutta seul contre une centaine d'Espagnols, il combattit jusqu'à son dernier souffle, les yeux déjà embrumés par la mort, un bras emporté et une blessure béante à la cuisse !

Je tentai de la faire taire afin de pouvoir reprendre mes esprits, mais autant essayer d'arrêter la roue d'un moulin !

— Moi, oui, je puis me porter garante de sa virilité ! J'ai toujours été dans ses bonnes grâces et ce matin-là, précisément, il me fit cadeau d'une bourse de soie richement brodée remplie de vingt monnaies d'or. Et vous me croirez ou vous ne me croirez pas, mais le roi de France en personne m'a baisé la main et... pas seulement la main. Ah ! C'était un galant chevalier et il trouvait la vie de camp terriblement ennuyeuse !

Elle poursuivit son discours dans le même esprit, nous laissant à entendre qu'elle avait remporté un succès exceptionnel dans le métier qu'elle avait choisi d'exercer.

— Il n'y a pas au monde homme plus généreux, plus galant et plus expert en amour qu'un chevalier de France ! affirma-t-elle. Ce sont les mercenaires, maudits soient-ils, qui seuls ont amené le malheur sur ma tête ! Eux, oui, qui m'ont volé mes vêtements, mes onguents, mes boîtes à maquillage, tous les fruits de mon travail dans le campement du roi de France, tout ce que j'avais amassé afin de m'assurer une vie libre de soucis avec mes enfants !

— Jésus, Marie ! m'écriai-je sans tenir compte des signes d'avertissement que me lançait Antti. Vous avez donc des enfants, chère dame Geneviève ?

— Mikaël, intervint Antti, Mikaël, mon frère, ne crois rien de ce que raconte cette femme, je t'en prie ! Elle prétend avoir un fils et une fille qui vivent chez leurs parents adoptifs à Tours. Elle dit que le garçon a près de cinq ans et bien que je n'en croie pas un mot, elle me tient attaché à elle parce qu'elle soutient que c'est mon enfant !

— Impossible de me tromper ! assura dame Geneviève. Je l'ai vu dès sa naissance, c'est tout le portrait d'Antti ! J'eus bien du mal d'ailleurs à convaincre mon premier protecteur — vous vous en souvenez, Mikaël, n'est-ce pas ?

— qu'il en était le père. J'ai finalement réussi à l'en persuader, après force discussions, et il a consenti à le reconnaître comme son bâtard. Le garçon se trouve donc sous la protection d'une famille noble même si son père, je parle naturellement du père légitime, ne fut qu'un malotru et un gaspilleur. Paix à son âme ! Il est mort à Pavie comme tant d'autres ! En fait il a eu la chance de se noyer alors qu'il tentait de traverser la rivière et cette mort bienvenue lui a épargné la honte de sa couardise.

« J'ai appelé mon fils André-Florian afin qu'il porte le nom de ses deux pères, le légitime et le naturel. Vous l'avouerai-je ? Lorsque j'étais dans les bras d'amants plus faibles et moins agréables, il m'est arrivé maintes fois de me souvenir avec nostalgie de la tendresse d'Antti, et voilà que la Providence divine me l'a envoyé pour me sauver de la violence des Espagnols à Pavie !

Elle parlait d'une manière si aimable et convaincante, le regard de ses yeux violets me parut si plein d'affection lorsqu'elle le posa sur mon ami que je ne pus imaginer qu'elle mentît et je commençai à juger qu'Antti s'était comporté avec droiture en prenant la mère de son enfant sous sa protection. Qu'importaient après tout, pensais-je, les dépenses et les complications que sa présence entraînerait pour nous !

Mais Antti n'était point de cet avis.

— Tu la crois, Mikaël ? Il te faudra, en ce cas, supporter la part de paternité qui te revient en cette affaire parce qu'en vérité cet enfant est à toi pour moitié et on aurait dû l'appeler André-Mikaël-Florian pour bien faire !

Je m'insurgeai vivement contre cette allégation et jurai avec indignation n'avoir jamais eu le moindre contact avec dame Geneviève même si, dans ma folle jeunesse, je n'avais point laissé de la désirer ! C'était la duplicité de la dame elle-même qui m'en avait préservé et j'en rendais grâce au ciel aujourd'hui quand je voyais le problème devant lequel Antti se trouvait placé par sa faute.

Il me regarda avec ses yeux toujours honnêtes et un peu endormis et fit remarquer d'un ton railleur qu'elle avait eu envers moi une dette pour laquelle il avait accepté un acompte en mon nom et que, par conséquent, j'étais responsable de l'enfant au même titre que lui. Argument que d'évidence je ne pouvais nier mais qui me remplit d'un sentiment de rage impuissante.

Dame Geneviève interpréta le silence dans lequel je m'enfermai comme une acceptation et se mit en devoir de poursuivre la piteuse histoire de ses aventures. Elle nous raconta comment elle avait trouvé refuge après la bataille dans la cellule d'un monastère où on l'avait reçue grâce à l'appui de son protecteur, comment elle avait attendu là, parée de ses plus beaux atours, qu'un noble seigneur vînt et lui offrît son aide, et comment, au lieu de cela, son abri avait été envahi tout d'abord par une horde de brutes sales et couvertes de sang qui lui arrachèrent tous ses biens y compris ses beaux atours, ensuite par des Espagnols qui, ne trouvant rien d'autre à prendre, lui volèrent son honneur violemment et successivement.

Elle versa quelques larmes au souvenir des mauvais traitements dont elle avait été l'objet, puis ajouta en guise de conclusion :

— Vous devez comprendre, Mikaël, que le succès d'une femme dépend de ses vêtements, de ses produits de beauté et du soin qu'elle prend de sa coiffure. La perte de mon argent ne m'a guère affectée, j'aurais pu sans peine récupérer cette somme dans le campement de l'empereur si seulement j'avais conservé les habits et les accessoires qui sont absolument nécessaires pour conquérir un protecteur de haut rang. Hélas ! Privée de ces ornements, je ne vaux guère mieux que la plus misérable des créatures ! Mais Dieu soit loué qui m'a permis de retrouver le père de mon enfant ! C'est lui qui m'a arrachée à ma situation désespérée en attendant de me procurer la garde-robe dont j'ai besoin pour recouvrer mon ancienne position et pourvoir honorablement aux frais de l'entretien de mes enfants.

Antti jura qu'il ne gaspillerait sûrement pas ses ducats si durement gagnés pour lui acheter des fanfreluches, fût-elle mille fois la mère de son fils ! Mais il me parut qu'il n'y avait aucune chance de nous débarrasser de dame Geneviève tant que nous ne lui aurions point fourni les effets appropriés à l'exercice de sa profession. Aussi lui dis-je que les paysans pillaient partout des châteaux, que leurs femmes se pavanaient dans de la soie, du velours et de la fourrure et que ce serait bien le diable si nous ne pouvions lui procurer des vêtements convenables pour un prix modéré. En attendant, ajoutai-je, j'étais fatigué et mes jambes brûlées me faisaient très mal.

— Allons nous coucher ! dis-je. La nuit nous portera conseil !

Dame Geneviève se méprit sur le sens de mes dernières paroles et, les yeux brillants, se pendit à mon cou, offrant de m'aider à marcher jusques à mon lit pour soulager mes pauvres jambes et se proposant pour soigner mes brûlures. La veuve, quant à elle, refusa catégoriquement de nous prêter sa couche et prédit que tout finirait mal pour nous.

Nous fûmes donc obligés de dormir tous les trois dans ma mansarde et de partager mon grabat. Antti se mit à ronfler dès que sa tête eut touché l'oreiller et dame Geneviève, qui était couchée entre nous deux, m'étreignit doucement en susurrant à mon oreille; mais je résistai à ses tentatives de séduction, j'étais trop fatigué d'ailleurs pour y succomber, et plongeai dans un profond sommeil, ses bras à la peau douce noués autour de mon cou.

Les excès de la veille se firent douloureusement sentir le lendemain matin et je dus boire une gorgée de bière forte pour me remettre les idées d'aplomb avant de me traîner péniblement chez Ulrich Schmidt. J'appris de ses capitaines qu'une armée de près de cinq mille paysans se dirigeait vers Leipheim sur le Danube et qu'il y avait dans cette région de nombreux et riches châteaux et monastères. J'annonçai mon intention de les rejoindre sans tarder, convaincu que mieux valait régler au plus vite l'affaire de dame Geneviève. Ulrich Schmidt se montra satisfait de cette décision et me pria au nom de Dieu de dire aux paysans de se hâter de se joindre au gros des forces, parce que le général souabe Jürgen von Truchsess s'approchait à marches forcées et tuait, égorgeait, massacrait et brûlait les hommes dispersés en petites troupes. Il fallait donc que les bandes de Leipheim agissent rapidement.

Nous quittâmes aussitôt la ville. Les pluies de printemps avaient creusé de profonds sillons dans les chemins, les prairies étaient parsemées de fleurs scintillantes et l'air frais embaumait déjà le tilleul bien que le mois d'avril vînt à peine de commencer. Nous eûmes une pensée nostalgique pour notre pauvre terre natale encore bloquée par les glaces à cette époque de l'année, avec ses cabanes grises à moitié enfouies sous la neige. Antti me dit avoir connu dans la troupe des mercenaires allemands un lieutenant danois qui avait autrefois servi sous les ordres du roi Christian. Selon cet officier, notre souverain avait dès longtemps perdu sa couronne et ses terres après avoir livré bataille contre son oncle le duc de Holstein, et s'était enfui en Hollande pour chercher refuge auprès de l'empereur, son beau-père. Les nobles suédois avaient choisi pour roi, en un moment de faiblesse, Gustav de la lignée des Vasa, ce même Gustav qui avait si fort encouragé Suédois et Finnois à se soulever contre leur souverain légitime.

Nous cheminions en devisant de la sorte et dame Geneviève participa à nos bavardages en nous racontant maintes histoires peu édifiantes sur la Cour et les mœurs du roi de France.

Nous atteignîmes la petite ville de Leipheim, autour de laquelle les paysans avaient établi leurs campements où régnait l'habituelle confusion avec la débauche et l'ivrognerie pour compagnes. Un commerce animé se tenait sur la place du marché mais les Juifs, accourus comme des mouches sur un tas de fumier, avaient déjà chargé leurs charrettes des marchandises les plus précieuses qu'ils avaient achetées pour trois fois rien à des paysans avides et ils les revendaient à présent à des prix exorbitants. Nous abandonnâmes donc la place pour nous rendre au campement le plus proche. Partout des paysans avaient installé leurs quartiers et, des parcs à moutons aux étables à vaches en passant par les masures aux toits de chaume et les abris construits dans les taillis, ils étalaient avec complaisance leur butin devant nous. Dès que nous avions affaire avec un des chefs, ou pour le moins avec un des plus forts en gueule, je ne manquais pas de lui transmettre le message d'Ulrich Schmidt qui leur conseillait de retourner à Baltringen et de présenter pacifiquement leurs doléances au général de l'armée des princes qui s'était déjà mis en route pour venir leur enseigner les bonnes manières. Mais ces hommes, aveuglés par leur propre force et leurs nombreux succès, me répondaient qu'ils ne comptaient ni sur les généraux ni sur des négociations pas plus d'ailleurs que sur Ulrich Schmidt qui s'était conduit comme une vieille femme.

Pendant que je parlementais de la sorte avec un officier, dame Geneviève avisa un coffre rempli de somptueuses parures, de soieries, de velours, de capes bordées de fourrure, de dentelles et de plumes; il renfermait également une boîte d'onguents et de maquillages ainsi que des faces-à-main d'argent, des brosses, des peignes, des pinces et autres spatules; c'était apparemment un coffre préparé pour la fuite par quelque noble et riche dame. Geneviève s'accrocha à mon cou, ce que du reste elle avait tenté de faire à Antti qui l'avait repoussée, et me supplia de le lui acheter :

ce coffre contenait exactement, me disait-elle, tout ce dont elle avait besoin; et elle ajoutait avec une moue malicieuse que je ne la reconnaîtrais pas une fois qu'elle se serait maquillée et habillée. Elle virevoltait autour de nous avec ce charme si particulier aux femmes de France et sa danse légère dans ce crépuscule printanier au milieu des vertes collines en fleurs me ramena au temps de ma jeunesse, si bien que je finis par m'enquérir du prix de ce coffre auprès de son propriétaire. Ce dernier entreprit un long marchandage où il se montra volubile : tout était destiné à son épouse, disait-il, et il ne la laisserait jamais à moins de mille guldens ! Les Juifs eux-mêmes lui en avaient offert cent cinquante. Dame Geneviève me supplia, versa des larmes, bref m'étourdit à tel point que je finis par en offrir soixante. L'officier ferma alors brusquement le couvercle en déclarant ne plus vouloir entendre parler de cette affaire.

Antti, pendant ce temps, semblait perdu dans la contemplation des collines et de la vallée du Danube. Le fleuve en crue avait envahi ses berges et à moitié encerclé la petite ville dans ses méandres d'écume.

— Je vois des cavaliers qui approchent, dit-il. Ils portent des armures et des lances et semblent très pressés... j'ai l'impression que ce sont des hommes de l'armée des princes plutôt que des paysans. Leurs montures sont en excellente condition.

L'officier détourna la tête pour se moucher entre les doigts puis dit :

— Nous sommes très nombreux et je ne connais même pas tous mes hommes. Ceux-là viennent sans doute de l'autre côté du Danube pour se joindre à nous.

Nous portâmes alors nos regards vers la vallée et vîmes des cavaliers charger, lances en avant, quelques paysans qui conduisaient des charrettes de grain. Ils les transpercèrent de leur arme avant de leur passer sur le corps avec leurs montures. Nous entendîmes de faibles cris et un attelage de deux chevaux de trait se renversa avec son chargement. L'incident, vu à cette distance et à travers le voile de brume, avait pris une allure de rêve et nous n'étions point sûrs de ne pas nous tromper.

Antti nous signala alors un second détachement de cavaliers qui s'approchaient de la cité par un autre chemin.

— J'ai une certaine expérience de la guerre, dit-il, et m'est avis qu'il est temps de donner l'alarme ! Il s'agit, si je ne me trompe, de patrouilles envoyées en reconnaissance par von Truchsess et le gros des forces ne doit pas être bien loin, sinon elles ne se seraient pas risquées à venir provoquer une escarmouche sous notre nez !

L'officier de l'armée des paysans rit de bon cœur des craintes d'Antti lorsque à cet instant précis les cloches des églises se mirent à sonner; les paysans sortaient par toutes les issues comme les abeilles quand vient le temps de l'essaimage et couraient vers les hauteurs en trébuchant sur leurs lances. Les deux troupes de cavaliers avaient fait une halte pour inspecter les lieux, puis en un soudain tournoiement se lancèrent ensemble au galop.

Les tambours se mirent à battre au sommet de notre colline et les hommes émergèrent des masures, magasins, taillis, étables en se frottant les yeux encore remplis de sommeil. L'officier, devenu blême, tentait de faire bonne contenance.

— Si ce sont là les hommes du prince, disait-il, ils sont en vérité bien peu nombreux et si Dieu le veut nous les battrons en combat ouvert. Il serait tout de même plus prudent de fortifier notre position ici et je vous invite, messire l'officier, à nous donner quelques conseils éclairés. Nous avons pour habitude de nous entourer d'un cercle de charrettes, mais nous envisagerions avec plaisir des méthodes plus nouvelles si vous en avez appris au cours de vos glorieuses campagnes.

Déjà nous pouvions apercevoir les piquiers qui avançaient le long de la vallée en formations régulières, flanqués de troupes de cavalerie.

— N'aviez-vous pas dit soixante guldens, noble chevalier ? Ajoutez-en dix et le coffre est à vous !

Dame Geneviève, indifférente aux cavaliers et à l'ondulante forêt de piques qui remontaient la vallée, sauta de joie comme une petite fille et me supplia d'accepter le marché, mais Antti s'y opposa.

— Ce n'est pas le moment de s'occuper de cette histoire !

dit-il. J'ai l'impression que nous nous sommes fourrés dans un terrible guêpier. Von Truchsess me semble un habile stratège, bien que sans comparaison avec le marquis de Pescara cela va de soi, et je parie qu'il va nous enfermer dans cette boucle du Danube avant que la moitié du sable n'ait eu le temps de couler dans le sablier. Je vois arriver de ce côté des attelages de bœufs qui traînent des couleuvrines et comme ici je ne suis qu'un étranger et que je n'ai rien à y faire, je vous tire ma révérence sans plus attendre !

Les paysans amenaient leurs charrettes pour former le cercle, puis enfonçaient des piquets dans le sol qu'ils attachaient entre eux avec des cordes. Ils placèrent en position deux petits canons et je vis aussi quelques hommes armés d'une arquebuse.

— Va-t'en si bon te semble et si ta conscience te le permet ! Pour moi, c'est ici ma place et celle de mon bon fusil, ici au milieu de mes vaillants compagnons prêts à lutter pour la justice de Dieu !

Dame Geneviève refusa absolument de bouger sans le coffre et, pour bien marquer sa détermination, elle se jeta dessus en s'y agrippant des deux mains. Le propriétaire, après un rapide coup d'œil sur la vallée où les compagnies de piquiers se formaient à présent en petits groupes qui encerclaient la colline en un ordre impeccable, se hâta de remarquer que la vanité de ce monde l'indifférait, que la parole divine était son unique richesse et que, par conséquent, il se contenterait de trente guldens. Ébloui par un prix aussi avantageux, harcelé par dame Geneviève, je m'empressai de lui compter l'argent sans même prendre le temps de séparer les bonnes pièces des mauvaises.

— Mikaël, je t'en prie ! me dit Antti. Au nom de notre vieille amitié, viens avec moi ! Je suis peut-être idiot, mais l'expérience me dit que c'est notre dernière chance ! Je veux bien porter le coffre de cette entêtée, mais il faut partir sur-le-champ !

Mais moi je croyais en la victoire du bien sur le mal, et cette conviction me rendit sourd à la voix de la raison. Peut-être aussi que mon aventure avec le pétard m'était montée à la tête ! Et puis il ne faut pas oublier que jamais encore je n'avais vu les paysans battus !

— Fuis ! Fuis donc ! répondis-je sur un ton méprisant. Traverse le Danube pour être à l'abri ! J'irai te rechercher quand nous aurons remporté la victoire sur les princes ! Mais la prochaine fois que tu te vanteras de tes prouesses guerrières, tu me permettras d'en douter !

Il jeta un regard autour de lui, se signa et articula :

— Trop tard ! Nous avons perdu le temps en bavardages. Je vais donc rester près de toi puisqu'aussi bien je suis venu d'Italie pour te sauver précisément de pareille catastrophe.

Il n'était en effet plus temps de discuter ! Capitaines, lieutenants et sergents, qui arboraient des plumes de coq à leur chapeau pour indiquer leur rang, couraient de tous côtés comme des poules affolées en poussant devant eux leurs hommes pour les amener à prendre leurs positions. Je repérai une trentaine d'arquebusiers auxquels je me joignis tandis que la cavalerie commençait à gravir la colline. Je plantai mon support en terre et, le cœur tremblant comme une feuille, amorçai, chargeai et tirai. Quand les cavaliers virent les éclairs de nos coups de feu, ils firent volte-face pour attendre que leurs piétons aient entouré la colline. Appuyés par leur artillerie, les piquiers montaient d'un pas court et ferme.

Le feu ennemi détruisit et renversa les charrettes qui formaient toutes nos défenses et désorganisa de ce fait notre camp. Quand la première file de piquiers atteignit nos palissades, Antti me conseilla de tirer sur le groupe le plus fourni d'assaillants et s'empara lui-même d'une épée à deux mains. Mais tout était inutile ! Face aux longues et cruelles piques, les paysans se mirent à douter sérieusement de la justice de leur cause et comme nul ne les poussait vers l'avant, ils tournèrent les talons et prirent la fuite vers le bas de la colline en direction de la cité, se frayant un passage dans les rangs serrés des piétons qui grimpaient à l'assaut.

Antti éclata de rire devant cette débandade.

— Vas-tu enfin me croire, Mikaël ? s'écria-t-il. Viens, c'est le moment de partir nous aussi !

Et sans plus attendre, nous prîmes nos jambes à notre cou.

Antti ouvrait le passage avec son épée et moi avec la culasse de mon arquebuse. Nos chevaux avaient disparu et dame Geneviève se tordait les mains en hurlant et suppliant de sauver sa précieuse caisse. Antti lui donna un coup sur la bouche et la tira pour l'obliger à avancer. Nous nous mêlâmes aux groupes de fuyards tout en nous efforçant de ne pas nous séparer. Je m'accrochai au ceinturon de cuir d'Antti qui traînait dame Geneviève tantôt par un bras, tantôt par les cheveux tout en nous taillant un chemin sanglant à travers la foule des paysans et la cohue des piquiers qui frappaient férocement de leurs piques et de leurs masses d'armes. Plus de deux mille paysans en fuite trouvèrent en un clin d'œil la mort sur ces pentes !

Antti nous fit traverser sans nous permettre de souffler la petite ville de Leipheim pour sortir du côté opposé, et ne s'arrêta qu'au bord du fleuve dont il se mit à scruter les eaux glauques et tourbillonnantes. Dans leur panique, des paysans qui nous avaient suivis se jetèrent dans le fleuve où ils furent engloutis; on pouvait voir leurs têtes tournoyer dans le courant avec leurs bras qui faisaient de grands moulinets.

Le temps qu'Antti reprît haleine, nous nous retrouvâmes seuls; il aperçut alors un peu en aval de la rive quelques hommes qui poussaient vers l'eau un bateau échoué et nous entraîna vers eux en leur criant de nous attendre. Mais ils n'en avaient aucunement l'intention et aussitôt que la barque toucha l'eau, ils s'y précipitèrent tête la première si bien qu'elle s'enfonça dans la fange et refusa de bouger. Antti l'attrapa par l'étambot et, bandant ses gigantesques forces, la ramena à terre avec ses passagers auxquels il offrit très courtoisement d'acheter leur bateau. Il ne reçut pour toute réponse qu'un coup de couteau qui lui fit une estafilade à la main; alors, toujours avec calme, il leur assura que s'ils préféraient la violence plutôt qu'un honnête marché, ils avaient trouvé leur homme, puis sans plus de discours, du plat de son épée fit tomber à l'eau l'homme qui l'avait blessé, me passa son arme et se mit en devoir de balancer par-dessus son épaule ceux qui restaient et qui furent emportés par le courant. Le dernier, un petit homme tout fluet, implora sa miséricorde et supplia de venir avec nous sur le Danube. Il y avait de la place pour quatre et Antti nous fit promptement le rejoindre à bord. Il attrapa par les cheveux dame Geneviève qui refusait de confier sa vie à cette vieille coquille de noix pourrie. Pour ma part, je m'accroupis au fond et chargeai mon arquebuse tandis que l'étranger empoignait les rames.

Il était temps ! Déjà plusieurs paysans s'accrochaient pour grimper à bord et Antti dut les frapper à coups d'épée afin de les obliger à lâcher prise. Puis il poussa la barque et se hissa par un des côtés. Maints hommes tombés dans l'eau profonde tentèrent de saisir les plats-bords, et ils nous auraient fait couler si Antti ne leur eût coupé les doigts. Alors le courant nous entraîna, et le petit inconnu se mit à ramer énergiquement en direction de la rive opposée, aidé par Antti qui avait pris le gouvernail en guise de rame. Une ou deux fois l'esquif se mit à tournoyer dans un tourbillon comme un bouchon et nous sentîmes tous le cœur nous remonter dans la gorge.

Antti, l'air sombre, le regard fixé devant lui, marmonna une courte oraison puis dit à voix haute :

— Puisse Dieu me pardonner la cruauté dont j'ai fait preuve sur la rive ! Je sais que j'ai mal agi en coupant les mains et les doigts de ces innocents, mais cette barque ne peut transporter plus de quatre personnes ! Ne vaut-il pas mieux que quatre se sauvent plutôt que tous coulent ?

Les flots tourbillonnants ballottaient notre frêle embarcation comme fétu de paille. Elle prenait l'eau de toutes parts, à telle enseigne qu'en touchant la rive, nous étions trempés jusqu'à la taille. Aussitôt que je sentis la terre ferme sous mes pieds, je fus saisi d'une sauvage soif de vengeance. J'avais réussi à préserver ma poudre de l'humidité et malgré les protestations d'Antti remontai pour rejoindre un groupe de paysans en face de la porte de la cité. Ils regardaient passer au fil de l'eau les corps des noyés et contemplaient avec horreur la tuerie qui se déroulait sur l'autre rive.

Piquiers et cuirassiers avaient encerclé une masse de plusieurs milliers de paysans qu'ils massacraient à plaisir. Un peu en retrait, un général vêtu d'une armure scintillante chevauchait un noir coursier. A son panache et à la bannière que le vent agitait devant lui, je reconnus Jürgen von Truchsess. Il avait relevé sa visière et je voyais nettement sa barbe frisée et sa figure brune aux traits émaciés, tandis qu'il regardait avec complaisance le carnage auxquels se livraient ses hommes avec une si belle maestria. Cependant les cavaliers de sa suite semblaient le presser de mettre un terme à cette inutile boucherie, lui rappelant, sans doute, que les paysans ne poussent pas dans les arbres et qu'ils sont de surcroît nécessaires pour labourer et semer le grain.

Alors von Truchsess fit sonner les trompettes et ordonna à son grand prévôt d'administrer la justice selon la loi. Il cria si fort que la brise porta sa voix jusqu'à nous et quand je l'ouïs appeler le bourreau, je clouai mon support dans le sol et mis l'amorce à mon arme, sans tenir compte des objurgations des badauds qui m'entouraient et qui s'enfuirent pris de peur. Antti lui-même me conseilla de ne rien faire car, me dit-il, rien ne servait d'agiter un bâton dans un nid de guêpes ! Sans l'écouter, je versai la poudre fraîche dans le bassinet, allumai la mèche, l'attachai à la détente, visai et tirai. Mais je ne touchai point von Truchsess ! Ma belle arquebuse se rompit en deux dans un claquement ! De l'eau avait dû entrer dans le canon lorsque nous avions traversé le fleuve et ce fut un véritable miracle si personne autour de moi ne fut blessé ! Seul mon visage fut criblé de poudre.

Notre petit compagnon se mit alors à prêcher avec fougue : il affirmait que c'était là une preuve que les paysans de la Souabe avaient commis une erreur en suivant de fausses doctrines. Sa critique ne laissa point de produire une certaine impression en mon cœur déjà ébranlé par l'explosion de ma belle arquebuse. Je lui demandai de me dire qui il était et sur quoi il se fondait pour prétendre ainsi que les paysans de la Souabe s'étaient fourvoyés alors qu'ils défendaient Luther et luttaient pour la justice divine et les douze équitables articles. Il me répondit qu'il était le plus humble et le dernier de la terre, qu'il s'appelait Jacob le tailleur et venait de la bonne cité de Mülhausen en Thuringe. Son maître et précepteur l'avait mandé porter lettres et messages aux habitants de la région dans le but hautement louable de les encourager à résister à leurs seigneurs et à se joindre à la congrégation des Élus de Dieu. Il avait l'intention de se rendre plus loin encore, mais les gens de Leipheim s'étaient gaussés de ses lettres et voilà qu'à présent ils en recevaient le juste châtiment ! On ne se moque pas impunément de Dieu !

Châtiment était bien le mot qui convenait ! En face, le bourreau était déjà prêt et l'on avait traîné devant lui les chefs des paysans ainsi qu'un prêtre que l'on avait trouvé sur un âne au milieu d'eux. En fait, les soldats n'eurent pas grand mal à s'en saisir, la défaite avait rabattu l'orgueil des vaincus et ils rivalisaient pour dénoncer leurs officiers et les faire sortir des rangs à coups de poing rageurs dans le dos. Enfin les têtes roulèrent devant les sabots du cheval noir avec, parmi elles, celle du prêtre.

— Non ! Luther n'est pas un saint prophète, dit Jacob réjoui. C'est un loup recouvert de la peau d'un agneau ! L'homme qui dit la vérité de Dieu, c'est mon maître et mon professeur, celui qui, venu du désert tel un saint Jean-Baptiste, prêche la congrégation des Élus de Dieu et la doctrine du millénium. Je n'ai quant à moi plus rien à faire ici et m'en vais retourner auprès de lui. Mais ne dirait-on pas que les piquiers se sont mis en quête d'une embarcation pour traverser le fleuve jusques à nous ?

Il avait raison et nous partîmes en toute hâte sous sa conduite. Chaque pas nous éloignait de Baltringen où j'avais laissé Raël à la garde de la veuve, mais Baltringen était là-bas au loin, et nous avions le Danube et l'armée ennemie entre nous. Je ne pouvais plus être d'aucune utilité à Ulrich Schmidt, qui fut d'ailleurs décapité moins d'une semaine plus tard. J'appris aussi, longtemps après, que toute son armée se dispersa sans coup férir et que les paysans regagnèrent leurs masures enfumées ou du moins ce qui en restait après le passage des troupes de von Truchsess.

Nous marchions haletants à la suite du petit tailleur, franchissions des promontoires saturés d'eau, contournions des marais et passions à travers bois et taillis pour éviter les mauvaises rencontres. Dame Geneviève ne cessait de gémir et de nous insulter pour avoir abandonné son coffre et, comme elle avait perdu ses chaussures dans la boue, pour se trouver plus misérable encore qu'auparavant.

De multiples présages, notre étrange sauvetage et l'explosion de mon arquebuse m'avaient plongé dans un abîme de réflexions et je craignais que quelque divine intention ne se dissimulât derrière ces événements. C'est la raison pour laquelle je voulus interroger le petit tailleur au sujet de sa croyance. Il pérora à perdre haleine tout au long de notre voyage et, entre autres choses, nous dit :

— Mon maître Thomas Müntzer se consacre actuellement à la fondation d'une congrégation d'élus à Mülhausen. Il en a déjà créé de semblables dans de nombreuses régions ainsi que dans la Confédération, mais on l'a pourchassé et persécuté cruellement en tous lieux à cause de sa foi. Il est à peine âgé de trente-cinq ans et il a déjà étudié dans maintes doctes universités, il parle les langues grecque et hébraïque et connaît la Bible par cœur. Il fut considéré en son temps comme l'étudiant le plus brillant de toute la Germanie. Mais le Seigneur ne lui accorda point la paix et il ne put jamais demeurer longtemps en un même lieu. Il fut maître, prêcheur et confesseur dans de nombreux couvents jusqu'à ce que la parole de Dieu le touchât par le truchement d'un tisserand ignorant qui avait reçu la grâce divine. Depuis lors, il a renoncé à ses titres et grades universitaires pour devenir le serviteur de Dieu et le messager de l'Évangile de la Croix.

Profitant d'un moment où il reprenait son souffle, je lui fis observer que Luther, lui aussi, se disait le messager de la Croix.

— Luther a choisi le chemin de la facilité ! rétorqua-t-il sur un ton courroucé. La foi seule ne nous peut permettre de jouir de la compagnie des élus ! L'homme doit porter la croix dont Dieu a chargé ses épaules, la porter jusqu'à ce que l'humilité emplisse son cœur et son âme, jusqu'à se dépouiller de tout orgueil et vanité ! Alors Dieu insuffle en lui son souffle sacré et parle par sa bouche ! Mais ceci n'arrive qu'aux élus et qu'il est dur le chemin, et que les élus sont rares ! Ils sont le sel de la terre et Dieu leur livrera les impies !

« Je devine en notre délivrance un signe céleste, un doigt

qui vous signale, vous aussi, comme des élus de Dieu. Venez, je vous en supplie, venez avec moi à Mülhausen pour devenir les disciples de mon maître ! Je redoute de voyager seul en ce pays troublé et je vous vois tous deux plus forts et plus robustes que moi, nul doute que le Seigneur ne vous ait envoyés afin que vous soyez mes compagnons et mes protecteurs.

A la tombée de la nuit Antti estima que nous nous étions suffisamment éloignés de Leipheim pour nous sentir en sécurité. Nous pénétrâmes au cœur de la forêt où nous nous écroulâmes morts de fatigue. Nous nous partageâmes un quignon de pain qu'Antti tira de son havresac et un morceau de fromage que le tailleur avait dans sa besace de mendiant. Chacun avala la bouchée qui lui échut, puis sécha ses vêtements devant le feu que nous avions réussi à allumer. Enfin, dans cette nuit froide, nous nous couchâmes bien serrés les uns contre les autres pour ne rien perdre de notre chaleur.

Le lendemain se posa à nous la question du chemin que nous voulions emprunter, car vagabonder à l'aveuglette n'est point chose aisée. Antti était partisan de retourner en France mais il changea d'opinion lorsque, de nouveau en terrain découvert, on aperçut vers l'ouest d'épaisses colonnes de fumée s'élever à l'horizon tandis que tonnait le canon. Il jugea alors plus prudent de continuer la route en compagnie de Jacob le tailleur.

Et nous poursuivîmes notre course, tels les fils d'Israël dans le désert, guidés le jour par les nuages de fumée et la nuit par les flammes des demeures seigneuriales et des châteaux incendiés. Nous ne rencontrâmes aucune difficulté pour nous ravitailler en Thuringe, qui possédait alors d'immenses troupeaux de moutons, dont j'ai tant mangé de chair grasse que je n'en pourrai plus avaler jusqu'à la fin de mes jours ! Nous trouvâmes aussi d'élégants vêtements pour dame Geneviève et lorsque après deux semaines de pénible marche nous atteignîmes sans encombre la bonne ville de Mülhausen, elle n'avait rien de commun avec les femmes en haillons qui suivent les armées de campement en campement.

HUITIÈME LIVRE

LA BANNIÈRE DE L'ARC-EN-CIEL

Mülhausen était une grande ville, une des plus importantes d'Allemagne avec sa population qui dépassait les sept mille habitants. Comme ils ne pouvaient tous se loger entre les remparts, les plus pauvres avaient élu domicile dans cinq faubourgs extra-muros, de sorte que Mülhausen était deux fois plus grande que Leipzig ou que Dresde par exemple, considérées alors comme des villes importantes.

A notre arrivée, les rues étaient grouillantes de monde. On pouvait voir nombre de portes et de fenêtres enfoncées et partout des groupes d'hommes occupés à discuter de la grâce divine, de l'Évangile, de la manière d'administrer les sacrements et de la croix que riches et pauvres se doivent de supporter à parts égales. Bien que la cité regorgeât de monde, nous réussîmes à trouver un logement dans une auberge grâce à notre argent et nos bonnes manières. Jacob le tailleur s'empressa d'aller rejoindre son épouse non sans nous avoir fait promettre, avant de nous quitter, de le retrouver à l'église pour l'office du soir, après lequel il voulait nous présenter à Thomas Müntzer et à son commandant militaire Heinrich Pfeiffer.

J'invitai donc Antti et dame Geneviève à m'accompagner, mais le premier se sentait tellement fatigué qu'il ne voulait pas créer un scandale en s'écroulant de sommeil au beau milieu du service religieux et notre amie, quant à elle, préférait se laver et se parer des atours que nous lui avions procurés pendant le voyage. Je me vis donc obligé, malgré le peu d'envie que j'en avais, de m'y rendre seul et ne pus qu'à grand-peine me faufiler dans l'église tant il y avait de foule.

Une bannière mesurant près de vingt-cinq aunes, faite de lourde soie blanche brodée d'un arc-en-ciel et portant écrit en latin : « LA PAROLE DE DIEU EST ÉTERNELLE » flottait, immense, au-dessus de l'autel. Je n'y prêtai guère attention, absorbé tout entier dans ma contemplation de Thomas Müntzer. Ce fut son aspect insignifiant qui me frappa tout d'abord : c'était un homme bien plus petit que moi et ses traits, son nez, sa bouche, son menton, dégageaient une impression de mollesse, accentuée encore par ses yeux taillés en amandes et son teint olivâtre propre aux personnes bilieuses ou aux étrangers. Il y avait un je-ne-sais-quoi dans son visage qui m'évoquait curieusement un cochon apeuré, surtout pendant qu'il prêchait.

J'oubliai cependant son apparence dès qu'il se mit à parler et fus littéralement envoûté par ses yeux qui brillaient d'un feu singulier; jamais encore il ne m'avait été donné d'entendre un sermon d'une telle intensité, un sermon aussi irrésistible que celui que prononça cet homme-là. Toute sa personne semblait enflammée d'une conviction si inébranlable qu'on le croyait sans peine habité réellement par l'Esprit Saint. Il ne hurlait point comme un fou furieux à la manière de ces gueux vagabonds qui avaient répandu la nouvelle doctrine par tout le pays au cours des dernières années ! Non ! Mais soit qu'il élevât le ton soit qu'il le baissât, chaque syllabe se détachait avec clarté pour être entendue jusqu'aux moindres recoins de l'église.

Il commença par rappeler à son auditoire tout ce qu'il avait personnellement souffert et la croix qu'il avait dû porter sur cette terre avant d'être libre et à même de recevoir et révéler la parole de Notre-Seigneur. Car ce n'était point lui qui prêchait, dit-il d'un air modeste, c'était Dieu qui parlait par sa bouche et s'adressait au peuple pour lui faire part de sa volonté ! Nul à présent ne marcherait plus à l'aveuglette ni n'aurait à chercher sa voie dans la Bible. Ceux qui faisaient la sourde oreille, ceux qui se moquaient de Müntzer et de ses partisans ou qui, de quelque autre manière, offensaient les hommes qui s'étaient unis pour réaliser les desseins du Seigneur, ceux-là se livraient à Satan et seraient leur propre bourreau. Parce que le jour du Jugement était proche, ce jour qui verrait la perte de tous les impies !

Je ne puis expliquer son pouvoir, mais il suffisait de voir et entendre Thomas Müntzer pour croire en lui. Après avoir répété les mêmes phrases durant plus d'une heure, il attaqua un nouveau thème : Dieu lui avait révélé Son dessein sous la forme de quatre principes. Premièrement, tout un chacun peut expliquer la parole divine librement et sans restriction, mais on doit fermer la bouche des impies. Deuxièmement, tous auraient un libre usage des bois, des prés, des pâturages, et tous pourraient chasser et pêcher à leur convenance. Troisièmement, les nobles doivent détruire leurs forteresses et leurs châteaux, renoncer à leurs titres et ne plus rendre hommage qu'à Dieu. Quatrièmememt, et c'était la première fois que j'entendais cet article, les nobles auraient la possibilité de jouir des anciennes propriétés de l'Église et de recouvrer la totalité des biens que le manque d'argent les avait contraints à hypothéquer.

Un murmure d'étonnement accueillit ce dernier principe, que Müntzer fit cesser en frappant des deux poings sur la chaire; puis dressé sur la pointe des pieds, il cria que le Seigneur voulait dans Sa miséricorde que les princes se soumettent à Lui en toute liberté et de leur plein gré, sans que nul ne les y oblige par la violence.

Après avoir expliqué ces principes durant quelque deux heures, il se laissa peu à peu envahir par un enthousiasme délirant et demanda aux assistants de soumettre leur cœur et de se ranger humblement sous sa bannière en une ligue de perpétuelle union avec la volonté divine; tout serait mis en commun à l'intérieur de cette ligue et chacun de ses membres devrait obéir aveuglément à la volonté de Dieu, qui serait révélée de temps en temps par la bouche de Thomas Müntzer. Alors s'il disait : « Frappe ! » on devrait frapper, mais s'il disait : « Attends ! » on devrait obéir. Ils seraient prudents comme le serpent et inoffensifs comme la colombe en attendant le jour où le Seigneur déverserait le torrent de Son courroux sur la tête des impies. C'est Dieu qui choisit lui-même Ses serviteurs et nul ne pourrait donc entrer dans Sa ligue sans une épreuve. Et durant ce temps d'épreuve, il faudrait montrer sa foi et vaincre ses propres désirs pour enfin devenir le vase digne de contenir le dessein de Dieu.

Tout au long de son discours, des soupirs s'élevaient parmi la foule et beaucoup de braves gens versaient des larmes en disant que les conditions étaient trop dures et que Luther conduisait son troupeau à la félicité par de moins pénibles chemins. Mais ceux qui étaient sauvés imposaient silence aux hésitants et aux pusillanimes ! Müntzer haussa le ton pour crier qu'il était révolu le temps des lamentations et des grincements de dents et qu'il fallait à présent se réjouir parce que le Seigneur livrerait les impies à Ses serviteurs et partagerait entre eux leurs richesses, qui n'étaient autre que la sueur et le sang du pauvre monde. Que donc chacun s'affermisse contre les ruses de Satan, que donc chacun rejoigne les rangs des croyants pour prendre en charge avec eux l'administration du royaume de Dieu, qui bientôt s'installerait sur la terre dans toute sa gloire.

Il descendit de la chaire en essuyant la sueur coulant sur son front et resta debout, le regard sombre et oblique fixé avec sévérité sur la foule qui l'acclamait joyeusement. Il leva la main à plusieurs reprises pour réclamer le silence, afin de passer la parole au colonel Pfeiffer qui n'avait point l'air de trouver ces applaudissements prolongés à son goût. Mais il perdit son air renfrogné tandis qu'il montait à la chaire, et c'est avec un sourire plein de bonne humeur qu'il répondit aux cris de bienvenue et aux rires des assistants. Avec son visage sympathique et ouvert de buveur de bière, il était apparemment le favori du public qui lui lançait de grossières plaisanteries et retrouvait en lui sa propre vulgarité. Je ne répéterai point ce qu'il dit, ce fut un discours insignifiant émaillé de mots indécents auxquels du reste Luther lui-même ne répugne pas toujours de recourir. Je compris rapidement qu'il poursuivait le but d'entraîner les fidèles à une croisade contre les cités voisines, et il affirmait que les troupes princières, divisées entre elles et mortes de peur, n'étaient point à redouter. Ces déclarations pleines de bonhomie, après le discours inflexible de Thomas Müntzer, détendirent grandement l'atmosphère, et un nombre sans cesse croissant de fidèles s'approchèrent de lui pour manifester à grands cris leur désir de se ranger sous sa bannière. Je remarquai cependant que ce joyeux tumulte déplaisait à Müntzer qui faillit même une ou deux fois s'élancer en haut de la chaire pour faire descendre Pfeiffer. A la fin du discours, tandis que la foule quittait l'église, résolue à s'engager dès le lendemain dans une campagne qui s'annonçait facile et fructueuse, Thomas Müntzer prit le colonel par le cou et l'entraîna vers la sacristie. L'église à présent presque vide, j'aperçus Jacob le tailleur visiblement à ma recherche et me dirigeai vers lui. Il parut soulagé en voyant que dame Geneviève n'était pas avec moi et me conduisit auprès de son maître, qui désirait m'interroger au sujet de la bataille de Leipheim dont nous avions échappé par miracle.

Ainsi donc je me trouvais face à face avec Thomas Müntzer ! Il ne me tendit pas sa main et se contenta de me jeter un regard courroucé de ses yeux obliques. Mes genoux se mirent à trembler au souvenir de mes péchés et je me demandais en quoi je pouvais lui avoir déplu, lorsque je m'avisai que sa colère se dirigeait contre Pfeiffer qui, l'air tout penaud, se tenait en retrait et passait distraitement le doigt sur le fil de son épée. Tout au long de notre entretien, Müntzer, sans me quitter des yeux un seul instant, lança des pointes indirectes dans l'intention de blesser Pfeiffer, ce qui rendit notre conversation quelque peu embrouillée.

Je lui donnai des nouvelles de Baltringen et d'ailleurs, et ajoutai que von Truchsess, à mon avis, soumettrait les paysans souabes aussi facilement qu'il avait écrasé ceux de Leipheim. Le sombre récit de ces événements sanglants n'affecta guère Thomas Müntzer qui m'en parut au contraire plus calme.

— Vous parlez juste et avec sagesse, Mikaël Pelzfuss et Dieu vous a certainement octroyé le don de raison, me dit-il. Les chefs des paysans de la Souabe sont comme des sangliers sauvages dans les vignes du Seigneur. Ils n'ont pas la foi et ont renvoyé Jacob le tailleur en se moquant de lui. Mais que deviendront les vignes du Seigneur si je suis moi aussi entouré par ces bêtes malfaisantes ? Qu'arrivera-t-il si elles s'emparent de ma bannière sacrée pour entraîner mes fidèles séduits vers de malheureuses aventures ? Il m'incombe de conserver cette ligue comme une arme dans la main du Seigneur. Hélas ! Mes conseillers procèdent de Satan et conspirent pour anéantir mon œuvre, préoccupés qu'ils sont de leur panse et de leur gousset ! Pfeiffer, suppôt de Satan, remets ton épée au fourreau !

Alors Pfeiffer, rouge de colère, rengaina avant de répliquer :

— Maudit sois-tu, Thomas Müntzer ! Ne sommes-nous pas toi et moi deux pauvres diables égaux aux yeux de Dieu ? N'oublie pas que l'on t'a déjà chassé de cette cité ! Mülhausen m'appartient plus qu'elle ne t'appartient et mes femmes ont mis autant de zèle que les tiennes à broder notre bannière ! Je la porterai où bon me semblera et la ville de Langensalza m'a donné assez de souci pour que je ne la laisse point me glisser entre les doigts, à présent que ses habitants ont su voir les signes du temps et ont sollicité mon aide ! Ta lâcheté ne nous empêchera pas de lever l'étendard et si tu as une once de courage, tu verras de tes yeux que notre armée va grossir comme une avalanche si nous partons sans plus attendre. Par contre, si nous restons plantés là, nous la verrons fondre comme neige au soleil et une fois que nous serons à genoux devant le bourreau, je suis prêt à manger mon poids de fumier si nous trouvons un seul homme pour lever le petit doigt et venir à notre secours !

Ils continuèrent à se disputer en termes de plus en plus grossiers, de sorte que je ne savais plus que penser de ces hommes. Pfeiffer finit par hurler qu'il allait convoquer dès l'aube une assemblée pour voir à qui, de lui ou de Müntzer, les fidèles donneraient raison. Puis il quitta la pièce à grandes enjambées et ferma violemment la porte derrière lui.

Müntzer, à présent en larmes et tout tremblant, s'écria qu'il se réjouirait avec le Seigneur le jour où il verrait Heinrich Pfeiffer se balancer au bout d'une corde ! Le petit tailleur lui dit pour le consoler, le prenant par les épaules, que rien ne saurait advenir qui ne soit l'expression des desseins impénétrables de Dieu. Il lui dit aussi de rester fort pour suivre sa propre bannière et qu'il verrait ses ennemis tomber comme moisson sous la grêle. Je fis également de mon mieux pour le réconforter et il me pria de me joindre à sa troupe afin qu'il pût au moins compter sur un conseiller avisé et capable de transmettre aux princes les lettres que Dieu lui allait inspirer; car en vérité un divin message lui parvenait chaque semaine pour entretenir son courage.

La perspective de devenir son messager ne me souriait guère malgré les nombreuses garanties qu'il me donna pour ma sécurité et je regagnai l'auberge à la nuit noire, l'esprit agité de sombres pensées. Il est vrai que le sermon de Thomas Müntzer m'avait sur le moment profondément ébranlé même si, par la suite, je m'étais rendu compte qu'il n'était qu'un faible mortel rempli de doutes à l'instar de nous tous.

Je me tenais la face levée vers le ciel pour respirer l'air frais de la nuit et vis la voûte céleste toute scintillante d'étoiles. Je fus alors pénétré du sentiment de n'être moi-même qu'une autre étoile solitaire dans la nuit, poussée au gré du souffle puissant de Dieu afin de servir quelque dessein indéchiffrable dans cette marmite bouillonnante qu'était alors toute la Germanie.

Une tristesse que je n'avais point ressentie depuis de longs mois vint accabler mon âme, et je me souvins du serment puéril que j'avais proféré lorsque le sang de ma femme Barbara coulait chaud sur mes mains. Il me semblait voir la sainte Église en majesté s'élever jusqu'aux étoiles mêmes. Quinze siècles durant, elle avait surnagé sur un océan de péchés ! Purifiée par le sang de ses martyrs, illuminée par la gloire de ses saints, elle avait grâce aux sacrements offert à tous les pauvres pécheurs l'unique chemin du salut. Qui étais-je donc, moi, un misérable ver de terre, pour oser arracher la moindre pierre de cet immense édifice, fussé-je allié mille et mille fois aux prophètes en colère de la nouvelle doctrine pour tenter d'établir le royaume de Dieu ici-bas ?

J'allais ainsi, oublié de Dieu et la foi vacillante, sous les étoiles de cette nuit de printemps. Mon cœur était dolent, mes pensées dures et implacables et je ne pouvais souffrir cette vérité toute nue de n'être qu'un homme ! Je baissai alors les yeux et me hâtai pour retrouver la chaleur, la lumière et l'humble compagnie de l'auberge. La place de l'homme se trouve parmi ses semblables et la mort seule est capable d'endormir son incurable angoisse.

Avec le recul du temps l'errance de notre campagne me paraît aussi dénuée de sens que la marche serpentine qui mène l'homme pris de boisson de taverne en taverne. Nous atteignîmes Langensalza quand les habitants avaient déjà négocié avec leurs autorités et n'avaient plus aucun désir de nous voir nous mêler de leurs affaires. Nous dûmes donc reprendre la route. Les nobles fuyaient à notre approche, nous marchions sans crainte et sans privations, prélevions tout ce dont nous avions besoin sur les troupeaux et les viviers de poissons des monastères. Dans les villes et villages que nous traversions, Müntzer gagnait chaque jour à sa cause de nombreux partisans qui se joignaient à nous avec les chariots chargés de toute sorte de butin (vêtements, armes, grains, viande de porc) amassé au cours de leurs équipées antérieures. Il les accueillait du haut de sa monture, les saluait comme ses frères en Christ et les autorisait à partager leurs biens avec nous. De cette manière, notre troupe grossit comme une avalanche ainsi que l'avait prédit Pfeiffer. C'était le temps joli du mois d'avril et notre marche dut sembler à dame Geneviève, qui n'avait aucune raison de se plaindre, une véritable partie de plaisir.

La confiance de Müntzer augmentait de jour en jour et il prêchait juché sur son cheval sous la bannière de l'arc-en-ciel. Lorsqu'il apprit que le docteur Luther, prenant ombrage de sa renommée, s'était rendu en personne à Weimar pour convaincre ducs et margraves de prendre les armes contre lui, il me fit appeler.

— Ce docteur Luther, me dit-il, dont on nous a rebattu les oreilles et que le peuple considère à l'égal d'un dieu, se montre enfin sous son vrai jour ! Il a été pesé et voici qu'il ne pèse point le juste poids ! Son jour est arrivé et l'on peut à présent le juger sur ses actes, lui qui vient de s'allier au plus malfaisant et au plus sanguinaire des tyrans, ce margrave de Mansfeld qui m'expulsa jadis de ma congrégation et m'envoya mendier mon pain sur les routes ! Ainsi donc Luther prêche contre moi et défend au peuple de se ranger sous ma bannière ! Il va le payer cher ! Mais il faut en premier lieu l'empêcher de dresser contre moi Johann de Weimar; je dois prévenir le duc de ses détestables intrigues et l'exhorter à écouter la parole de Dieu plutôt que celle de la créature.

« Pars à Weimar, Mikaël Pelzfuss, remets cette lettre au duc en personne et rapporte-moi sa réponse où que je me trouve à ce moment-là. Ce n'est plus ma volonté qui me guide désormais mais Dieu lui-même, qui mène où il veut mon armée chaque jour plus nombreuse.

Il me montra la lettre d'avertissement griffonnée à l'intention du duc Johann et le peu que j'en pus lire m'enleva toute envie de la porter à ce puissant seigneur, mais Müntzer me reprocha mon manque de foi et m'assura que je ne courais véritablement aucun risque. Il me révéla qu'il retenait parmi ses troupes de nombreux otages qu'il condamnerait à mort sur-le-champ si l'on touchait un seul cheveu de ma tête.

J'allai donc sans autre discussion choisir le meilleur cheval et convaincre Antti de m'accompagner pour traverser cette contrée en ébullition. Je promis à dame Geneviève d'être de retour avant quatre jours et la recommandai en termes choisis à Jacob le tailleur, mais elle répliqua avec hauteur qu'elle n'avait nul besoin d'un tailleur pour la surveiller et je compris que j'avais cessé d'être dans ses bonnes grâces.

Une fois tout réglé, nous sautâmes en selle et en route ! Nous évitâmes dans la mesure du possible les villes et les régions très fréquentées et atteignîmes Weimar le soir du deuxième jour. Il y avait une grande concentration de cavaliers en armes et je ne jugeai point nécessaire de mentionner le nom de celui qui m'envoyait. A la porte du château, je me contentai d'expliquer à l'officier de la garde que j'apportais à Sa Grâce un pli secret et urgent et, pour preuve de ma bonne foi, lui donnai trois guldens. Fort impressionné, il nous fit immédiatement entrer dans la cour où il intima l'ordre aux palefreniers de bouchonner nos chevaux et de leur donner à boire. Le duc devait attendre des nouvelles, car deux gardes nous conduisirent sans tarder à l'intérieur du château après nous avoir à l'entrée dépouillés de toutes nos armes, y compris de mon couteau de table ! Décidément, pensai-je, le duc était un homme méfiant !

Antti déclara qu'il n'avait aucune envie d'aller faire des courbettes devant des ducs ou autres gens de cette espèce et qu'il préférait rester près de nos armes et chercher quelque chose à se mettre sous la dent.

Un chambellan aux cheveux blancs m'introduisit dans le cabinet de travail du duc où j'attendis seul l'arrivée du seigneur. Il vint, vêtu d'un pourpoint sale et coiffé d'une toque de velours élimé, et me parut en proie à l'inquiétude. Il me demanda d'une voix douce qui j'étais et pour quelle raison je venais déranger un vieil homme au lieu de remettre mon message à un domestique. Je me laissai tomber à genoux devant lui pour implorer sa grâce et lui annonçai que j'étais porteur d'une lettre de la part de Thomas Müntzer.

Le brave homme se signa avant d'ouvrir avec précaution le pli, comme s'il eût craint de se brûler les doigts. Après l'avoir déchiffré à grand-peine, il prit place dans son fauteuil en soupirant profondément.

— Que suis-je moi, pauvre mortel, pour pénétrer les intentions du Seigneur ? dit-il. Tout le monde paraît les connaître mieux que moi et chacun m'accable de conseils ! Personnellement, je me suis toujours fié aux jugements de mon frère bien-aimé l'électeur, qui est aujourd'hui à l'article de la mort. Ses propres sujets l'ont d'ailleurs surnommé Frédéric le Sage ! Dès que lui sont parvenues les rumeurs de la révolte des paysans, il a rassemblé ses forces déclinantes pour m'écrire une missive dans laquelle il me conseille vivement d'éviter la violence. Qui sait, dit-il, si ces pauvres malheureux n'ont point quelque raison d'agir ainsi ? N'ont-ils point été opprimés par les autorités temporelles aussi bien que par leurs chefs spirituels qui ont toujours interdit la diffusion de la parole de Dieu ? Il ne nous reste qu'à prier le Tout-Puissant de nous accorder le pardon de nos fautes et à placer en lui toute notre confiance ! Voilà ce que m'a écrit mon frère l'électeur qui, hélas, selon mes dernières informations, va rendre l'âme ! Je vais bientôt devoir hisser le drapeau noir sur la tour. Alors c'est moi qui, en qualité de nouvel électeur, prendrai les rênes du destin de ses domaines.

Puis il se tut en hochant la tête.

— Puis-je me permettre de considérer ceci comme votre réponse ? dis-je sur un ton empreint de respect. Puis-je rapporter à celui qui m'envoie que le bon duc ne lui souhaite aucun mal et n'a pas l'intention d'utiliser sa force contre les paysans ?

— Non ! Non ! se hâta-t-il de reprendre. Non ! Pour l'amour de Dieu, ne répétez jamais ce que je viens de vous dire ! Le docteur Luther, qui est mon hôte en ce moment, est un sévère et farouche serviteur de Dieu. Si cela venait à ses oreilles, il m'assourdirait une fois de plus de ses fulminations et ceci est au-dessus de mes forces.

« En outre, j'ai déjà rassemblé mes troupes et mon cousin, le duc George, a promis de venir de Leipzig pour combattre les paysans. Trop nombreux sont ceux qui m'ont offert leur aide pour que je puisse à présent changer d'avis quand bien même je le désirerais ! Il vaudrait mieux que le docteur Luther vous explique tout cela lui-même. Saluez de ma part Thomas Müntzer et demandez-lui de prier pour moi s'il est un serviteur véritable du Tout-Puissant. Pressez-le d'abandonner les armes et de gagner une autre région, sinon je crains qu'il ne coure à la catastrophe et n'entraîne avec lui maints hommes dans la mort !

Le duc se leva alors brusquement, me tendit sa main à baiser et quitta la pièce en laissant la lettre de Müntzer ouverte sur sa table de travail afin que le docteur Luther en prît connaissance à son tour. Je fus saisi d'un tremblement tandis que j'attendais l'arrivée du grand homme dont la renommée avait franchi en peu d'années les limites de la Germanie pour se répandre dans des contrées lointaines. Cette rencontre m'inspirait bien plus de crainte que mon audience avec le duc !

Mais cette peur se révéla sans fondement. Le grand maître, vêtu de la toge et de la toque de docteur, entra en agitant au bout de ses doigts tachés d'encre les lettres encore humides qu'il venait d'achever. Il avait aussi de l'encre sur le visage et paraissait avoir interrompu un travail urgent pour s'entretenir avec moi. Les yeux fixés sur les lignes qu'il finissait d'écrire, il riait encore en lui-même d'un petit rire qui ne laissait présager rien de bon.

J'eus le loisir de l'observer ainsi quelques instants. Il n'avait plus ce visage que ses portraits innombrables nous ont rendu familier, ce visage émacié de moine plongé dans ses pensées et prématurément vieilli qui s'était révolté contre le pape et le pouvoir impérial. Non ! J'avais à présent devant moi un homme à la fleur de l'âge, un homme robuste, puissant, aux mâchoires dures et aux joues roses.

— Mon pauvre garçon ! s'exclama-t-il. Sais-tu bien en quel piège du diable tu es tombé ? Ton visage respire la pureté et l'innocence ! On ne peut t'en vouloir de ton erreur que nous mettrons sur le compte du vent de folie qui souffle de l'Enfer sur toute l'Allemagne !

Il avisa la lettre de Müntzer sur la table, s'en saisit aussitôt et en parcourut quelques lignes. Puis, tremblant de rage des pieds à la tête, il la déchira en mille morceaux et la piétina.

Ses terribles yeux noirs me clouèrent sur place lorsqu'il dit :

— Le diable s'est montré sous son vrai jour et nul ne doit attendre miséricorde. Le jour de colère est arrivé ! Les paysans ont refusé de m'écouter et continuent de brandir l'Évangile pour servir leurs ignobles desseins. Un chrétien doit courber l'échine devant l'injustice et la violence et ne point chercher à se venger en dénaturant pour ce faire la parole de Dieu ! Au contraire, il doit tendre l'autre joue pour ensuite recevoir au ciel la récompense de ses longues souffrances.

« Ne vous ai-je point avertis, misérables bandits, agitateurs obstinés ! Ne vous ai-je point dit que je vous regarderais comme mes ennemis si vous cherchiez à contredire et dégrader mon Évangile plus abominablement encore que ne le fit le pape ou l'empereur ? N'attendez de moi nulle pitié ! J'ai dit ce que je pensais, je l'ai écrit afin qu'on le sût par toute l'Allemagne ! Écoute, jeune homme, écoute et rapporte ce message à ton maître en guise de réponse de Sa Grâce !

Il prit place à la table de travail du duc, disposa sa toge autour de ses genoux et se mit à lire à haute voix le pamphlet qu'il achevait de rédiger pour condamner les paysans assassins et brigands de grand chemin. Il l'avait écrit avec une telle hâte qu'il n'arrivait pas toujours à déchiffrer sa propre écriture; il se penchait sur sa feuille, s'interrompait parfois pour murmurer une correction, barrait une ligne, en griffonnait une autre, ou encore, en homme dont c'est l'habitude de corriger des épreuves, faisait une croix dans la marge où il notait une rectification. Ces continuelles pauses m'empêchaient quelque peu de suivre complètement, mais je compris cependant, sans doute possible, ce qu'il voulait dire.

Étant donné que les paysans s'étaient révoltés contre les maîtres que Dieu et la loi leur avaient assignés, étant donné qu'ils avaient pillé châteaux et monastères, qu'ils se couvraient du manteau de l'Évangile et s'appelaient entre eux frères en Christ, ils méritaient trois fois la mort, celle du corps et celle de l'âme. Le temps du pardon était passé, le jour de la colère et de l'épée arrivé !

Il lut à deux reprises le point le plus important afin que chaque mot en restât gravé dans ma mémoire; la première fois, il lut lentement, la plume en équilibre comme s'il cherchait le ton et la seconde, d'une voix rapide, cassante, avec une espèce de délectation :

— « Frappez-les ! Étranglez-les ou poignardez-les, agissez suivant les circonstances ouvertement ou en secret, mais gardez toujours présent à l'esprit que rien n'est plus venimeux ni plus abominable qu'un rebelle ! Il faut l'exterminer comme on extermine un chien enragé ! Écrasez-le, sinon il vous écrasera et la nation avec vous ! »

Je compris qu'il adressait cette lettre ouverte à la noblesse de l'Allemagne et ses paroles vengeresses m'emplirent d'une telle tristesse que j'aurais voulu mourir sur-le-champ. En cet instant, je ne voyais plus ni châteaux incendiés, ni monastères dévastés, ni cadavres dépouillés, non ! Je ne pensais qu'à ces braves gens pleins de piété qui avaient peiné leur vie durant sans jamais pouvoir amasser la plus petite somme et qui, à présent, dans leur foi naïve en la parole de Dieu, croyaient que grâce à leurs efforts Son royaume s'installerait sur terre.

Alors oubliant ma peur, je me jetai aux pieds du docteur, touchai le bas de sa toge et m'écriai à travers mes larmes :

— Illustre docteur Luther ! Je ne suis qu'un misérable pécheur mais il faut que vous me croyiez ! Ces hommes ne sont point des chiens enragés ! La plupart d'entre eux sont des êtres simples qui vivent dans la crainte de Dieu et ne recherchent que l'établissement de la justice divine sur la terre. C'est vous qui leur avez donné la Bible à lire dans leur propre langue, vous ne pouvez maintenant les abandonner alors que les princes se préparent à marcher sur eux ! Essayez au moins de leur pardonner même si vous refusez de faire cause commune avec eux, même si vous ne voulez pas fonder un ordre nouveau et durable en Germanie ! Essayez au moins de plaider pour eux ! Les princes ne sauraient aller contre votre autorité spirituelle ni seulement se mesurer à elle !

Il repoussa ma main et tira sur les pans de son habit comme si j'étais un de ces chiens enragés dont il parlait.

— Je n'ai en ce monde de compte à rendre ni à vous ni à personne, mais à Dieu Tout-Puissant et à ma seule conscience ! répliqua-t-il avec une voix pleine de ferveur. Non ! Je ne permettrai pas que ces canailles enragées réduisent en cendres mon Évangile et contre eux je mènerai jusques au bout une lutte sans merci comme je l'ai menée contre le pape et l'empereur !

Je me rendis compte dès lors que le docteur Luther était si grand à ses propres yeux qu'il ne pouvait tolérer de concurrent ni sur le plan de la connaissance ni sur celui de la doctrine, et qu'il considérait celui qui touchait à ses articles de foi comme un plagiaire et un faussaire ! Et si maintenant il se désolidarisait des paysans, c'était parce que ces derniers avaient interprété son enseignement d'une manière si libre qu'ils l'avaient déformé. Sans doute aussi pensait-il qu'il avait plus à gagner du côté des princes et, pour se disculper à leurs yeux, il leur adressait cette lettre ouverte qui deviendrait leur arme la plus redoutable tant son audience était large dans tout le pays.

Débordant d'un amer désespoir, je le regardai hardiment dans les yeux et dis :

— Je suis jeune encore et sais que près de vous je n'ai que peu de connaissances. Mon opinion ne pèsera guère plus qu'un grain de poussière sur la balance du temps où l'on évaluera vos paroles et vos actions. Toutefois la manière qui est la vôtre de dire « mon » Évangile blesse mes oreilles ! Car il ne s'agit point de votre Évangile à vous seul, mais de l'Évangile qui appartient à tous les hommes ! Et j'avais toujours cru que vous aviez fondé votre enseignement précisément sur cette base ! Dieu parle clairement contre vous, vous qui ne paraissez pas non plus disposé à tendre l'autre joue ! Je n'ai pas fini ! Vous avez fui la colère de l'empereur durant de longs mois alors que l'Allemagne entière vous appelait à elle et l'on dirait que vous vous cachez de nouveau, mais cette fois derrière les princes et pour les flatter bassement !

Il n'était guère convenable de m'adresser ainsi au grand homme et il avait tout à fait le droit de m'envoyer ce coup cinglant sur la joue. Mais j'avais le cœur si plein de rancune que je n'en sentis point la douleur et poursuivis, des larmes de rage et d'humiliation dans les yeux :

— Frappez-moi si bon vous semble ! L'encre que vous avez sur les doigts est le sang des innocents et il coule de chaque mot de votre pamphlet ! Pourquoi ne point reconquérir les princes, docteur Luther, en les nommant évêques de leurs provinces comme vous leur avez promis ? Ne sont-ils pas plus à même d'interpréter votre Évangile que d'ignares paysans ? Vous gagnerez plus sûrement la partie si vous soudoyez la noblesse avec les biens de l'Église, et vous pourrez alors construire tout autour de votre Évangile une muraille plus haute et plus forte afin que, cessant d'être le libre feu de Dieu, et un danger par conséquent, il reste désormais bien enfermé derrière les défenses que lui aura élevées votre propre vouloir ! Quel plaisir pour vous, n'est-ce pas ? Lorsqu'on lira votre lettre à voix haute dans toutes les églises d'Allemagne et que les princes catholiques, ces princes qui jusques à ce jour vous ont honni plus que le diable en personne, massacreront leurs serviteurs pour obéir à vos ordres ! Mais, en vérité, votre âme immortelle sera alors en grand péril d'être malade aux yeux de Dieu !

Le docteur Luther écoutait, blême de rage et comme si mes paroles lui eussent ôté toute force, il ne porta plus la main sur moi. Il me regardait fixement comme pour lire au plus profond de mon âme, puis se mit à parler pour lui-même.

— Peut-être as-tu raison, dit-il. Peut-être étais-je plus libre et plus heureux dans ma foi lorsque je défiais à moi seul le bûcher et l'empereur, qu'à présent que les ruses et les complots de Satan m'assaillent de toutes parts ! Est-il possible que toi, ô jeune homme pâle et en colère, tu sois la voix de la conscience ? Non ! Non, tu n'es que le dernier des phantasmes envoyés par le diable pour me troubler l'esprit ! Hors d'ici tentateur ! Va-t'en ! Retourne dans le cul du diable d'où tu es sorti !

Il était, je le sentis, mal à l'aise et sans nul doute dans une situation fort douloureuse depuis que, pris dans les rets de la noblesse, il en était devenu l'instrument. Mais il ne m'inspirait aucune pitié ! Je criai contre lui et par ma voix des milliers et des milliers de malheureux hurlaient leur désespoir.

— Courage, docteur Luther, vous tenez la victoire ! Et maintenant que vous vous êtes allié avec les princes, plus personne ne peut les convaincre et leur faire retrouver la raison. Seul le sang répandu criera depuis la terre pour porter témoignage de vos crimes. Ceux-là même qui ont béni le nom de Luther le maudiront désormais et prieront le Seigneur pour qu'Il vous punisse ! La voix des orphelins et des veuves vous parviendra de leurs foyers en ruine. Malheur à vous si vous sortez seul dans la nuit ou si vous vous aventurez sur la grand-route sans escorte armée ! Il n'est pas un paysan échappé à la machine que vous avez mise en marche qui ne croira, en vous ôtant la vie, agir agréablement devant Dieu !

« Cette haine, docteur Luther, vous accompagnera à

chaque jour de votre vie, et soyez persuadé que le peuple ne prêtera plus jamais foi à votre enseignement. Il se bouchera plutôt les yeux et les oreilles et retournera vers les ténèbres d'où vous l'aviez une fois sorti pour lui permettre d'entrevoir en un éclair l'espoir qu'apporte la brillante lumière de l'Évangile !

Il avait maintenant repris son sang-froid et, tel un roc, se tenait en face de moi. Quand je me tus, il remua la tête et dit en souriant sèchement :

— Je connais ce langage ! Crois-tu être le premier à me maudire ? Sache qu'à cause de mon Évangile, je suis sans doute l'homme le plus exécré de la Chrétienté et ta chétive voix ne peut rivaliser avec celle de Rome ! Retourne auprès de ton maître avec mon salut et garde pour toi ce conseil que je vais te donner : l'ennemi d'aujourd'hui peut devenir l'ami de demain et vice versa. Ne l'oublie pas !

« Mon nom a suffisamment été béni par les Allemands ! Et même plus que suffisamment ! Qu'ils le maudissent un peu à présent et ils ne tarderont guère à le bénir de nouveau !

Il posa sur moi son regard noir et ses mâchoires semblaient de fer. En vérité, je n'étais point de taille à ébranler ses convictions et ce fut pénétré du sentiment de ma petitesse que je regagnai la porte d'un air penaud et sortis, l'abandonnant à sa solitude.

Le chambellan à la tête chenue ne marqua aucun trouble lorsque en sortant je le surpris l'oreille collée à la porte.

— Mon ouïe n'est plus ce qu'elle était, très cher jeune seigneur ! dit-il. Et je ne pense pas commettre un grand péché en écoutant, puisque tout homme normal peut entendre à travers portes et murailles la voix du docteur quand il se met en colère. Maître Pelzfuss, vous êtes un garçon courageux de crier aussi fort que lui et je crois que le duc lui-même se divertira sous cape en apprenant ce qui s'est passé. Mais, hélas, les temps ne sont point au divertissement et, malgré la position que j'occupe, je suis profondément affecté étant moi-même fils de paysans, par les malheurs qui vont s'abattre sur le pauvre monde.

« Monseigneur le duc se voit assailli de tous les côtés et l'on ne peut en vouloir au docteur Luther, cet homme pieux et plus savant qu'aucun autre dans toute l'Allemagne. Il ne recherche que le bien du pays tout comme Sa Grâce, n'est-ce pas, maître Pelzfuss ?

Je répliquai que je désirais moi aussi le meilleur mais que le sort qui attendait les paysans m'emplissait de tristesse. Alors m'attirant près d'une fenêtre, il me montra à travers les vitres de couleur verte des cavaliers en armes et des piquiers qui s'entraînaient dans la cour avec la précision d'une horloge.

Puis, en faisant tinter sa bourse, il observa d'un air pensif :

— Nous vivons des temps agités et manquons d'espèces à la cour ducale... et j'ai des petits-enfants auxquels j'aimerais léguer un modeste héritage. J'ai ouï dire que vous aviez donné une somme considérable à un lieutenant de garde à la porte et ne puis que déplorer pareil gaspillage de bonnes monnaies sonnantes et trébuchantes. J'ai une bourse, moi aussi, et pourrais vous donner des conseils fort utiles !

Je m'empressai de lui assurer que j'étais un homme pauvre sans aucun pouvoir pour utiliser des conseils, aussi bons fussent-ils. Luther avait déjà dit son mot et je voyais que de nouvelles troupes ne cessaient de se présenter dans la cour. Il ne me restait plus qu'à retourner sur-le-champ auprès de Thomas Müntzer pour le pousser à se préparer sans délai à la bataille.

Le chambellan approuva puis ajouta :

— Il vaudrait presque mieux qu'il disperse sa troupe et renvoie ses hommes dans leurs foyers quoique dans ce cas l'on puisse craindre que les princes, libres de parcourir en tous sens le pays sans rencontrer de résistance, n'exigent leur droit des malheureux paysans. Ceux de la région des lacs de Souabe ont agi prudemment en se retranchant sur leur rocher inexpugnable où von Truchsess lui-même ne s'est pas aventuré à engager le combat. Vous savez, les forces princières ne sont guère nombreuses et quelqu'un de bien renseigné pourrait aisément donner chiffres et itinéraires... à condition évidemment d'avoir l'assurance de recevoir une juste récompense pour sa peine.

Il me jeta un regard de sous ses gros sourcils grisonnants. Il savait à l'évidence de quoi il parlait, mais, j'avais du mal à croire en l'honnêteté de cet homme qui était le bras droit du duc Johann. Je lui demandai cependant ce qu'il entendait par juste récompense et, balayant ma question d'un geste, il me répondit qu'il se contenterait de ce que je pourrais lui offrir.

Il me conduisit alors à travers un dédale de couloirs avant d'arriver dans une pièce retirée au milieu de laquelle une table chargée de pain, de fromage, de viandes et d'une chope de bière était servie. Il déploya une belle carte en couleurs et m'indiqua les divers points de rassemblement des forces princières.

— Le bon duc Johann va mobiliser ses troupes le sept du mois de mai, dit-il. Cela s'approche, vous voyez ! Mais l'ennemi le plus farouche de vos compagnons est le cousin de Sa Grâce, le duc George de Saxe, dont les biens ont fort souffert des incursions de Müntzer. Il doit quitter Leipzig ces jours-ci. Je ne pense point qu'il puisse réunir plus d'un millier de cavaliers et plus de deux compagnies de piquiers. Je comprends dans ces chiffres les forces de Mansfeld, qui doivent se joindre aux siennes en cours de route. Quant au jeune margrave Philip de Hesse, il a promis de venir apporter son secours en empruntant un autre chemin avec mille quatre cents cavaliers et autant de piétons. Sachez en outre qu'il n'est pas impossible que le duc de Brunswick l'accompagne.

« Les princes, en tout cas, se proposent d'avancer sur trois fronts, un à l'est, l'autre au sud et le troisième à l'ouest, et s'ils parviennent à faire leur jonction avant la bataille décisive, leur armée promet d'être redoutable. Mais il y a loin de la coupe aux lèvres et la situation des paysans n'est point complètement désespérée s'ils consentent à négocier pour arriver à un accord.

Je mangeai du pain et du fromage que j'arrosai de l'excellente bière du duc, tout en regardant tantôt la carte, tantôt les yeux vifs du vieil homme sous leurs sourcils fournis.

— Si vos renseignements sont exacts, tout l'or du monde ne les pourrait payer leur prix ! m'écriai-je. Car l'or ne peut acheter la liberté d'un homme une fois qu'il est déjà mort ! Pourtant je vous l'ai dit, je suis un homme pauvre et ne puis vous donner plus de... disons dix guldens. En revanche, je me souviendrai de vous dans mes prières !

Je sortis alors dix guldens de ma bourse en prenant soin de ne point faire tinter les autres pièces mais le vieillard parut tout à coup moins sourd qu'il ne l'avait prétendu. Il s'empara des monnaies d'un air moqueur puis étendit derechef sa main en disant :

— Mon cher ami, ce n'est guère le moment de vous montrer mesquin et je ne voudrais pas qu'il arrive le moindre mal à un beau jeune homme tel que vous.

« Si vous arrondissiez un tant soit peu cette somme, je pourrais trouver le moyen de vous procurer un sauf-conduit signé par le duc Johann. Un document pareil vous permettrait de sauver votre vie, votre honneur et vos biens pour le cas malheureux où vous tomberiez entre les mains des princes qui, sachez-le, sont gens cruels dans leur colère. J'ai idée que votre mine innocente et pleine de franchise n'a pas déplu à Sa Grâce et qu'elle ne refuserait pas de vous signer un sauf-conduit si je l'en sollicitais.

Personnellement, j'avais plutôt le sentiment qu'un papier de ce genre, s'il me sauvait des princes, risquait, si les paysans le trouvaient en ma possession, de me rendre suspect à leurs yeux et de me faire accuser d'espionner pour le compte de leurs seigneurs. Aussi, après avoir réfléchi quelques instants, répondis-je que ce document n'ayant pour moi qu'une valeur relative, je ne lui en donnerais que cinq guldens s'il me le pouvait obtenir. Et malgré son insistance, je restai ferme sur mon prix. Il s'éloigna alors en riant sous cape comme pour aller soumettre sa requête au duc et revint aussitôt avec le sauf-conduit signé et scellé. On pouvait lire que Mikaël Pelzfuss de Finlande était au service du duc et sous sa protection, et tous les intéressés étaient invités à lui apporter aide et assistance dans l'accomplissement de sa mission.

Je m'avisai alors que le vieux chambellan m'avait trompé

puisqu'à l'évidence et pour une raison que j'ignorais, ce certificat avait été préparé à l'avance et se trouvait déjà entre ses mains depuis un certain temps. Ce n'était donc qu'à l'instigation de son maître qu'il m'avait révélé les plans des princes et le duc essayait de se servir de moi à des fins personnelles. J'en vins même à penser, non sans un pincement de cœur, que pour me gagner à sa cause il devait avoir prévu à mon intention une certaine somme d'argent pour le voyage. J'avais été dupé par le vieil homme comme un paysan novice qui vient pour la première fois acheter un cheval à la foire !

Quel était donc le but que poursuivait Sa Grâce en agissant de la sorte et qu'attendait-elle de moi ? Ravalant de mon mieux ma déconvenue, je félicitai le chambellan pour sa ruse et lui demandai de me communiquer sans plus tarder ce que le duc l'avait chargé de me dire. Mieux je le comprendrais, mieux je le servirais !

Il me regarda avec gravité, me tapota la joue de sa main parcheminée et dit :

— Vous êtes beau joueur, jeune homme ! Après tout l'argent va et vient alors qu'un bon conseil ne perd jamais de sa valeur ! Sachez que les renseignements que je vous ai donnés sont aussi exacts qu'il se peut dans ce monde agité. Le duc désire avant tout apaiser la tourmente pour obéir au vœu de son frère; il fait tout ce qui est en son pouvoir pour empêcher que les paysans n'aient à affronter des forces écrasantes, mais s'ils persistent et choisissent le combat, il les abandonnera à leur sort. Et si les princes de leur côté veulent leur donner une leçon, à Dieu vat ! Le duc espère en tout cas que les pertes qu'auront à subir chacun des partis les inciteront à rechercher un compromis.

— Je ne comprends goutte à ces propos ! m'écriai-je. Comment Sa Grâce peut-elle ainsi trahir ses parents et ses pairs ?

— Qui sait ? Peut-être se réjouirait-elle de voir éliminer un ou deux de ces tyrans présomptueux avant de se lancer elle-même avec sa grande armée dans la bataille ? Mais quoi qu'il arrive, ne doutez point qu'elle saura tirer son épingle de ce jeu délicat. Elle peut se permettre d'attendre !

Un calcul aussi cynique me parut bien proche d'être un péché et je ne crus qu'à demi les histoires du vieux chambellan. Voyant que je ne pouvais en tirer rien de plus, je pris froidement congé de lui et sortis du château.

Antti était assis sur le bord de l'abreuvoir, au milieu de cavaliers revêtus de leur armure et de mercenaires appuyés sur leur lance. Du groupe fusaient de temps en temps de gros éclats de rire et j'entendis en m'approchant qu'Antti racontait la grande bataille de Pavie et ses propres aventures. Dès qu'il me vit m'ouvrir avec colère un passage entre les rangs serrés de ses auditeurs, il jeta un rapide regard autour de lui et attira son cheval tout près; puis, passant un bras sous le poitrail de l'animal et l'autre sous son ventre, il le souleva de terre. Des exclamations de surprise saluèrent ce tour de force et les soldats s'écartèrent de bon gré lorsqu'il se dirigea d'un pas tranquille vers la sortie avec le pauvre cheval impuissant sur les bras. De mon côté, je libérai ma propre monture de ses entraves et traversai la cour à sa suite. Une fois arrivé à la porte, Antti reposa l'animal sur ses pattes, lui flatta l'encolure et sauta en selle; il n'était même pas essoufflé ! Puis nous quittâmes côte à côte la forteresse en faisant de grands signes d'adieu aux soldats ébahis.

Je pensai qu'Antti devait être fin soûl pour se donner ainsi en spectacle, lui qui de coutume se montrait plein de modestie, et je ne lui adressai pas la parole avant d'avoir franchi les portes de la cité. Mais une fois en sécurité sur la route, je laissai éclater ma mauvaise humeur.

— J'ai honte de toi, Antti ! reprochai-je. Pendant que je me débattais dans les griffes du docteur Luther pour défendre notre cause au péril de ma vie, toi, tu t'amusais et t'enivrais avec nos ennemis et tu n'as même pas hésité à torturer un pauvre animal devant moi !

Il resta sans mot dire et son mutisme m'exaspéra au point que je lui réitérai mes reproches sur un ton plus acerbe. Ce ne fut qu'alors qu'il me dit en me regardant fixement :

— Sans moi, nous servirions à présent de pâture aux corbeaux dans la cour du château de Weimar.

Je voulais une explication, lui rétorquai-je, et non point écouter des propos d'ivrogne !

— Je n'ai rien bu, Mikaël ! Et je me demande d'ailleurs pourquoi tu te montres si sévère quand tu empestes toi-même la bière à une bonne longueur de cheval ! Quand j'étais assis sur cet abreuvoir, je me trouvais dans une situation aussi critique que saint Pierre près du feu dans la maison du Grand Prêtre. On me faisait des questions sans fin : Qui j'étais ? D'où je venais ? Si je n'étais pas un des assassins de Mülhausen ? Si je n'étais pas arrivé en compagnie de ce jeune homme au teint pâle qu'ils ne tarderaient pas à pendre ? Moi, je n'avais qu'une idée en tête, surveiller nos chevaux pour qu'ils ne les volent pas ! Comme je ne sais guère mentir, je n'ai point trouvé d'autre diversion que de me lancer dans le récit de la bataille de Pavie que je connais par cœur. Ils projetaient de provoquer une échauffourée à la porte pour nous tuer au moment de notre départ, je ne sais pour quelle raison, à moins que tu n'aies trop parlé là-bas dans le château !

« Tu comprends maintenant pourquoi j'ai soulevé le cheval ! D'abord pour leur faire peur et ensuite pour franchir la porte. Ah ! Nous avons été à deux doigts d'ouïr chanter le coq pour la dernière fois et si tu étais arrivé à peine un peu plus tard, mon très cher seigneur et maître, je t'aurais renié à ta sortie, disant : « Je ne connais pas cet homme ! »

Son récit me laissa tout pensif. Je me demandai si le duc avait eu l'intention de me faire assassiner à la porte avec le sauf-conduit sur moi afin de ne point être accusé de ma mort, mais le plan me parut inutilement tortueux même pour ce digne personnage ! J'arrivai à la conclusion que certains seigneurs de sa cour, informés de sa fourberie, devaient être les coupables; m'ayant vu parler familièrement avec le chambellan, ils avaient jugé opportun de m'éliminer avant que je ne puisse communiquer mes secrets aux paysans... Deux ou trois autres éventualités me vinrent également à l'esprit si bien qu'à la fin ma tête bourdonnait comme une ruche. Je pris alors la résolution, contrairement à ce que j'avais décidé, d'exposer toute l'affaire à Antti.

— Pardonne mes injustes soupçons, commençai-je, je vois que tu t'es comporté en homme de ressources ! Mais que donnerais-tu, dis-moi, pour posséder un sauf-conduit signé et scellé par le duc Johann, un sauf-conduit qui te sauve la peau dans le cas où nous combattrions, où nous serions battus et notre bannière traînée dans la boue ?

— Que nous combattions, c'est inévitable et je sais d'avance, d'après les exercices auxquels j'ai assisté au château, comment finira la bataille ! Comme ils ont aussi de l'artillerie, tu peux être sûr que ta bannière sera traînée dans la boue et nul doute qu'un sauf-conduit de la main du duc ferait bien l'affaire ! Quelque chose me dit que tu as gaspillé ton argent et qu'à présent tu voudrais récupérer la moitié de ce que tu as perdu en prenant le mien !

Ses paroles m'offensèrent d'autant plus que j'avais l'intention de partager les frais d'une manière équitable.

— Comment peux-tu penser si mal de moi, Antti ? N'avons-nous point toujours tout partagé entre nous ? Tu vois, à Weimar, j'ai réussi à obtenir une information de très grande valeur que j'avais dans l'idée de te confier si tu pouvais contribuer d'au moins cinq guldens à mes lourdes dépenses.

— Le ciel te pardonne ton avarice ! s'exclama-t-il en détachant les cordons de sa bourse. Que ce soit la dernière fois ! Tu vas me jurer que si malgré tout nous nous sortons sains et saufs de cette aventure, désormais, tu te fieras à moi, suivras mes conseils, et me laisseras te sauver et t'emmener dans un pays plus tranquille sans discuter, sans regimber ni en appeler à la Sainte Écriture !

Je trouvai cette pilule dure à avaler et nous chevauchâmes un long temps en silence, côte à côte, tandis que tombait la nuit de mai tout imprégnée du lourd parfum des forêts. Mais cinq guldens sont cinq guldens et je n'aurais pas de mal à les gagner puisque j'avais déjà décidé de tout révéler à Antti et de partager avec lui les avantages du sauf-conduit si son utilisation se faisait nécessaire. La douce mélancolie de ce crépuscule dans les vertes collines de Thuringe qui se teignaient des couleurs du couchant m'emplit le cœur de douceur.

— A ta guise, Antti ! dis-je enfin. Vois-tu, j'ai toujours nourri l'espoir que les hommes, qui ont une part égale dans la rédemption, parviendraient à vivre en paix tous ensemble et qu'il n'y aurait plus ni riches ni pauvres. C'est parce que je l'ai cru possible que je me suis rangé sous la bannière de l'arc-en-ciel mais si je m'étais trompé, plus rien n'aurait alors de valeur à mes yeux et j'irais où tu voudrais !

— Je comprends ta tristesse, Mikaël ! répondit-il. Lorsque j'étais enfant, je courais toujours dans les bois à la chasse à l'arc-en-ciel mais chaque fois que je croyais le tenir, il disparaissait devant moi pour s'évanouir dans les airs ! Et voici qu'à présent c'est toi qui cherches à attraper ton arc-en-ciel; pourtant, tu peux me croire, jamais tu ne l'atteindras ici-bas !

« Écoute-moi, il y a maintes autres choses dans le monde, des choses qui sont bonnes et agréables. Nous vivons en des temps de grands changements, Mikaël, une époque faite pour les jeunes et la vaste terre nous ouvre ses bras ! J'ai aimé l'Italie et je ne serais point surpris qu'il s'y trouvât quelque part une vallée souriante et couverte de vignes avec une tour crénelée qu'un homme résolu pourrait conquérir ! On a vu des choses extraordinaires, par exemple de simples mercenaires devenus maréchaux de camp accompagnés à leur dernière demeure par des cavaliers en armures dorées et des centaines de moines chantant psaumes et cantiques. Ce sont des histoires vraies, m'a-t-on dit, et quand, grelottant de froid et de faim devant un feu de camp, j'avais le sentiment d'être exilé dans un monde hostile tel un corbillat tombé du nid, je les écoutais et elles me réchauffaient le cœur.

Sans la magique beauté de cette fin d'après-midi baignée de lumière, jamais je pense Antti ne se serait laissé aller à faire ces confidences. Il s'oubliait, et oubliait sa stupidité pour glisser dans le monde des songes à l'instar des petits enfants. Et je n'eus le cœur à le blesser, même si mon amertume se riait au fond de moi de ses illusions.

— Tu as raison, c'est vrai que des fils de forgerons sont devenus rois et que l'un d'eux s'est assis sur le trône du Saint-Père. Cependant, dis-moi lequel de nous deux à présent essaye d'attraper l'arc-en-ciel ? Toi ou moi ?

— Mikaël, répondit Antti doucement, on peut obtenir tout ce que l'on désire, à condition d'en avoir la volonté et d'être en bonne santé. Je veux dire que l'on peut tout obtenir de ce qui se trouve en ce monde-ci, et non pas de l'arc qui se trouve dans le ciel ! Vois-tu, lorsque j'ai été sûr de cette vérité, je suis venu te chercher pour partager mes succès à venir avec toi et parce qu'aussi j'avais besoin de toi; d'abord tu sais lire, ensuite tu pourras veiller à ce que je ne mette pas mon âme inconsidérément en danger dans ma quête des biens de ce monde ! La perte du salut serait trop cher payer, même une couronne de comte !

« Voilà ! Maintenant tu sais pourquoi je te donne les cinq guldens !

Il tendit son bras vers moi et dans l'obscurité qui nous enveloppait, sa silhouette me parut plus grande; une étrange inquiétude s'empara de moi. Penché en avant pour essayer de discerner ses traits, je balbutiai, une sueur froide me coulant dans le dos :

— Antti ! Antti, est-ce toi ou un autre ?

Mais ma terreur s'évanouit à sentir sur ma main se poser sa chaude paume et les bonnes monnaies. Nous chevauchâmes ensuite en silence jusques à une grange incendiée, et dans l'étable abandonnée nous laissâmes nos montures avant de nous écrouler, morts de fatigue, pour prendre un peu de repos.

Puis, après deux jours d'errance au milieu des ruines fumantes des châteaux et des nuages de mouches innombrables qui volaient au-dessus des cadavres rigides, fatigués de suivre Müntzer à la trace, nous résolûmes de gagner directement Mülhausen où son armée finirait bien par revenir.

Nous n'avions point encore franchi les faubourgs de l'est de la ville que nous aperçûmes la bannière de l'arc-en-ciel ondoyer dans la brise fraîche et sous son ombre Müntzer à cheval, la tête baissée et le teint plus olivâtre que jamais. La troupe de ses partisans avait considérablement diminué et ce fut à peine si nous pûmes compter trois cents hommes. Venait en tête un groupe de mercenaires, l'arquebuse à l'épaule, suivis du reste de l'armée, forêt de lances agitées comme épis dans le vent, qui avançait péniblement. Le visage de tous ces hommes brillait de fervente croyance et tous chantaient à pleins poumons le chant de guerre de Thomas Müntzer : « Descends sur nous, ô Esprit Saint, descends ! »

Retenant les rênes de nos montures, nous attendîmes que l'étendard parvînt à notre hauteur.

— Que peut-il être arrivé, au nom du ciel ? m'écriai-je. Où est donc Pfeiffer ?

La réponse ne se fit guère attendre. Dès que Müntzer nous eut reconnus, d'un geste maladroit il tira brusquement sur les rênes pour arrêter son cheval et donna l'ordre de faire halte. Puis, sur un ton grincheux, il me reprocha violemment mon retard; je lui répondis courtoisement et lui demandai où nous allions, pourquoi la troupe s'était divisée et enfin où se trouvait Heinrich Pfeiffer.

Le seul nom de cet homme décupla sa mauvaise humeur et il déclara que Pfeiffer était un piège que Satan avait placé en travers de sa route mais qu'il avait fini par liquider les comptes et par le renvoyer au diable ! A présent, il était en route pour Frankenhausen avec le peu de partisans qui lui restait, semence féconde d'où l'ivraie s'était détachée et qui rendrait cent pour un ou mille pour un ! La ville de Frankenhausen avait accepté ses quatre principes et six mille paysans résolus attendaient sa venue pour fonder le royaume éternel, l'ordre chrétien et établir le rite germain. Jamais la Thuringe n'avait compté armée aussi imposante, c'était pour lui le doigt de Dieu et il s'y rendait, abandonnant Mülhausen à sa propre iniquité.

J'en conclus que Pfeiffer et lui avaient rompu définitivement les ponts et que l'officier avait dû le chasser de la cité dont il s'était rendu maître.

Je chevauchai aux côtés de Müntzer et l'interrogeai avec circonspection au sujet de dame Geneviève. Il m'expliqua qu'il avait expulsé toutes les catins qui suivaient sa troupe, à laquelle il avait imposé une chasteté absolue afin que les hommes, purs de corps et d'esprit, pussent se consacrer entièrement à la bataille. Je priai aussitôt Antti de retourner à Mülhausen pour y chercher dame Geneviève et la ramener discrètement à Frankenhausen. Il rechigna mais fit volte-face et partit au galop comme je le lui avais demandé.

Poursuivant la route avec Müntzer, je lui racontai mon expédition à Weimar, ou du moins tout ce qu'il en pouvait ouïr sans se mettre dans tous ses états. Je lui appris notamment que Luther s'était retourné contre les paysans et incitait les princes à les massacrer mais qu'il restait encore une chance de compromis. J'ajoutai que le bon duc Johann demandait à Müntzer de prier pour lui en qualité de messager de Notre-Seigneur afin qu'il pût prendre une sage décision.

Mon récit enflamma Müntzer qui repoussa jusques à l'idée d'une négociation avec les princes tant qu'ils n'auraient point renoncé à leurs titres et détruit leurs châteaux. Il lui suffisait d'avoir deux ou trois fidèles à ses côtés pour vaincre avec l'aide de Dieu une armée de plus de cent mille hommes ! Il parla de l'ordre nouveau et de la vérité divine dont il avait eu révélation le matin même... une vérité qui rendait superflus ses quatre principes et résumait les desseins de Dieu en trois mots. Il évoqua également sa vie passée ainsi qu'il arrive à un homme qui sent approcher l'heure de sa mort.

— Les soucis matériels rendent les hommes sourds et aveugles, observa-t-il. Ils écoutent sans entendre et regardent sans voir ! Nous devons nous courber sous le poids de la croix jusques à nous retrouver vides d'espoir, de désir et d'affection, vides même de désillusion, jusques à n'être plus qu'une coquille d'œuf vide ! Alors seulement nous pouvons recevoir la parole de Dieu ! Elle peut venir de la bouche d'un homme dépourvu de mérite, de la bouche d'un savant ou d'un ignorant, de la bouche d'un enfant ou d'un idiot et même de la bouche de celui qui ne comprend pas son propre message !

Je tremblais à l'écouter car je savais qu'il disait la vérité, je le savais pour en avoir moi-même fait l'expérience et, aujourd'hui encore, je ne laisse point de croire qu'il y avait de la sainteté en cet homme-là.

Le lendemain nous atteignîmes Frankenhausen, éreintés par notre chevauchée. Les deux capitaines qui commandaient l'armée paysanne de la région, un bourgeois et un noble qui avait perdu ses biens, se portèrent respectueusement à notre rencontre pour saluer Thomas Müntzer et sa bannière.

Je me réjouis de voir partout régner l'ordre dans la cité et ses environs malgré le nombre considérable de paysans qui y étaient rassemblés. Ces braves se tenaient impeccablement alignés en rangs serrés derrière leurs chefs, arborant une mine résolue et pleine de ferveur. C'était là le spectacle le plus réconfortant qu'il m'eût été donné de voir depuis des mois que nous vivions dans la confusion ! Gagné à mon tour par la conviction de Müntzer, je jugeai alors absurde toute tentative de négociation et me repentis de mes hésitations.

Nous étions un vendredi après-midi et Thomas Müntzer, sans tenir compte de la fatigue de son épuisant voyage, entreprit aussitôt de haranguer ses nouvelles recrues et mit tant de fougue à son prêche que plus d'un homme s'agenouilla pour le saluer comme l'envoyé du Seigneur.

Le temps des négociations, dit-il, était révolu ! Que les justes désormais s'arment de courage et se consacrent à la prière et au jeûne pour devenir les champions de Dieu !

Quand son exaltation eut monté après qu'il eut parlé quelque temps, il m'appela pour me dicter une lettre à l'intention du margrave de Mansfeld qui s'était montré l'ennemi juré de Dieu en chassant son messager d'une manière ignominieuse de la cité d'Allstedt.

Voici les termes de la lettre que je pris sous sa dictée :

Moi, Thomas Müntzer, autrefois prédicant en la cité d'Allstedt, je vous conjure au nom du Dieu vivant de mettre un terme à votre tyrannie. Vous avez commencé à torturer et tuer des chrétiens, vous avez comparé la foi chrétienne à un babillage d'enfant. Charogne ! Qui vous a appelé à gouverner un peuple rédimé par le Sang précieux du Christ ? Je vous défie de prouver devant la congrégation de la Foi que vous êtes digne de porter le nom de chrétien.

Si vous ne venez point, je vous proclamerai hors-la-loi et quiconque vous ôtera la vie accomplira un acte agréable à Dieu. De par l'autorité qui nous est conférée d'en haut, je vous dis : avec l'aide du Dieu vivant et éternel, si vous ne vous soumettez nous vous jetterons par la force à bas de votre trône ! Parce que loin de servir la Chrétienté, vous êtes un ulcère dans le corps des Élus de Dieu et votre repaire doit être lavé et effacé de la surface de la terre ainsi qu'en a ordonné le Seigneur !

Müntzer lut son message à voix haute devant les paysans assemblés qui l'approuvèrent et affirmèrent que le margrave de Mansfeld, maître dépourvu de pitié, méritait ce sort rigoureux. Mais Müntzer ne s'arrêta point là ! Il ordonna qu'on amenât devant lui trois des hommes de la suite du margrave qu'il retenait captifs; il y avait un noble, un prêtre et un jeune homme, le troisième, qui regardait bouche bée les hommes en face de lui. De sa voix la plus forte, Müntzer demanda si les serviteurs d'un maître aussi impie ne méritaient mille fois la mort eux aussi et si leur mort ne prouverait pas à Mansfeld que Müntzer ne plaisantait plus ! Les paysans, fanatisés par le sermon, agitèrent leurs lances en criant que la mort de ces hommes n'était que justice et Müntzer donna l'ordre de les exécuter sur-le-champ.

Ainsi, et pour la première fois, le sang fut-il versé de propos délibéré sous la bannière de l'arc-en-ciel. Müntzer, l'air effaré, devint plus jaune encore qu'à l'accoutumée quand le sang rejaillit devant lui et qu'il put voir les corps se tordre sur le sol dans des mouvements convulsifs. Toutefois il se maîtrisa rapidement et reprit sa prédication. Ses traits se mirent peu à peu à resplendir comme dans l'extase et sa voix retentit par toute la vallée tel le souffle même de Dieu.

Les quatre principes, dit-il en substance, ne constituaient que le premier pas sur la route du Royaume éternel où il n'y aurait plus ni riches ni pauvres, ni princes ni bourgeois, ni paysans ni apprentis mais seulement des hommes liges de Dieu. De Dieu qui venait de lui révéler Sa vérité en trois petits mots dont il leur ferait part le moment venu.

Cette nuit-là, à Frankenhausen, les paysans eurent matière à réflexion, mais je n'entendis que des louanges à l'égard de Müntzer qu'ils considéraient comme le véritable réceptacle du Seigneur. Tels sont les propos que je pouvais ouïr tandis que sur son ordre, je me promenais de campement en campement.

Le lendemain, des fuyards nous rapportèrent en pleurant que le duc George et les nobles de Mansfeld s'étaient mis en marche; mais, rassurés devant le nombre de nos partisans, ils affirmèrent que ceux du duc étaient beaucoup moins nombreux, même avec le renfort de cavalerie envoyé par le cardinal Albrecht.

Ce dernier, à l'époque où il n'avait pas encore atteint l'âge canonique, avait acheté au pape deux évêchés et l'archevêché de Mainz en empruntant de l'argent à Fugger auquel, en échange et comme garantie, il avait permis de se livrer sur ses domaines au trafic des indulgences. Cette pratique, Luther l'avait dénoncée parmi les quatre-vingt-quinze points cloués sur la porte de l'église de Wittenberg, et des coups de marteau de ce jour avaient jailli les premières étincelles de l'incendie qui, aujourd'hui, dévastait une grande partie de l'Allemagne : sans doute le cardinal estimait-il de son devoir d'en éteindre les flammes dans le sang ! Mais le plus atterrant de cette histoire, c'était que Luther faisait maintenant partie de ses frères d'armes, ce même Luther qu'il avait plus haï que le diable en personne !

Décidément le monde était malade et il était difficile d'imaginer que seulement sept années et demie avaient passé depuis que le docteur avait frappé ces coups fatidiques !

Les chefs des paysans, après avoir entendu les fuyards, firent manœuvrer leurs troupes, tandis que les mercenaires se hâtaient de fondre des balles de plomb pour leurs arquebuses. Il régnait dans la campagne et dans la cité une atmosphère joyeuse d'activité bien ordonnée, et l'on pouvait avoir la certitude que la bataille ne prendrait personne au dépourvu. Mais à la tombée du soir Müntzer interrompit les préparatifs, qu'il jugeait superflus puisque le Seigneur était avec lui, et réunit les hommes pour un autre sermon. Il parla cette fois du petit groupe des Élus de Dieu et invita tout le monde à s'y joindre et à recevoir le nouveau baptême.

Nombre de paysans se présentèrent avec ferveur, se dépouillèrent de leurs vêtements à l'injonction du maître, qui les conduisit au pied des remparts de la cité où il se mit en devoir de les baptiser; il les enfonçait de ses propres mains pour les submerger dans l'eau plutôt fraîche de ce début du mois de mai. Maints postulants, à la vue de leurs camarades grelottants de froid, se précipitèrent pour reprendre leurs vêtements et aller se cacher derrière les sergents. Müntzer bénit ceux qui avaient reçu le baptême et les nomma à la garde spéciale de la bannière, ce que tous considérèrent comme un grand honneur.

Le retard d'Antti commençait à m'inquiéter. J'avais réussi tant bien que mal à trouver un logement pour nous deux et dame Geneviève; c'était dans une boulangerie, on y faisait le pain pour les paysans durant la journée, de sorte que la nuit nous disposions d'un vaste local bien chauffé quoiqu'un peu saupoudré de farine. J'avais besoin des conseils d'Antti pour des questions militaires, la seule campagne à laquelle j'eusse participé à ce jour étant la fuite de Leipheim qui ne fut glorieuse ni pour moi ni pour personne. J'étais à présent très conscient de mes responsabilités et puisque Dieu m'avait octroyé plus d'intelligence et de connaissances qu'à ces braves capitaines, je me devais de les consacrer à Sa sainte cause.

J'essayai de rappeler à ma mémoire tout ce qu'Antti m'avait enseigné et me souvins, en particulier, de son récit des ravages causés à Pavie dans la cavalerie française par les arquebusiers de l'empereur. J'en conclus que les exercices des piquiers importaient moins que la remise en état de tous les fauconneaux, couleuvrines, arquebuses et autres pièces que les paysans avaient ramenées des châteaux conquis et entassées pêle-mêle dans la boue de la cour de l'hôtel de ville.

Le bourgeois-capitaine ne manifesta aucun enthousiasme à mon idée. Il fit remarquer que les canons sont armes dangereuses auxquelles on ne peut se fier et qui font souvent plus de mal à ceux qui les servent qu'à l'armée ennemie. Le noble, quant à lui, me regarda avec un souverain mépris et me dit que si cela me faisait plaisir il ne voyait nul inconvénient à ce que j'utilisasse mes petites sarbacanes !

Personnellement, il avait son plan, à savoir construire un cercle solide de chariots pour arrêter la cavalerie.

Je protestai avec la dernière indignation, quand Müntzer me coupa la parole.

— Le Seigneur sera notre bouclier le plus sûr et se montrera plus puissant que l'armure de nos ennemis ! C'est en Lui que nous devons avoir confiance !

J'acquiesçai, tout en lui faisant observer que l'on ne pouvait cependant espérer qu'Il vînt nous prendre par la main pour nous conduire à la victoire si nous ne levions pas le petit doigt pour nous aider ! Et l'on finit par m'autoriser à agir à ma guise.

Je commençai par réviser les canons dont cinq au moins me parurent en bon état. Il fallait ving-cinq hommes forts pour les servir, ainsi que des bêtes de trait, des harnais, des munitions, de la bourre, des allumettes et bon nombre d'autres fournitures. Je peinai toute la journée et une grande partie de la nuit pour me procurer le nécessaire et demandai aux femmes de coudre les sacs destinés à contenir les charges de poudre. A la mi-nuit, tout était terminé ! Après avoir établi des tours de garde pour surveiller nos animaux, je me jetai, mort de fatigue, sur quelques sacs de farine, appelai la bénédiction divine sur ma tête et sombrai dans le sommeil.

Il me semblait que je venais à peine de fermer les yeux, quand des roulements de tambours suivis d'une formidable explosion me réveillèrent en sursaut. Je m'avisai alors que quelqu'un m'appelait en me secouant avec vigueur. Il y avait dans le mur de la boulangerie un grand trou à travers lequel je vis qu'il faisait encore nuit, la poussière du mur écroulé m'étouffait et des pierres tombaient encore tout autour de moi. Je demandai au nom de Dieu ce qui s'était passé.

— La guerre a commencé ! dit Antti — car c'était lui — de sa voix tranquille. J'ai gagné d'une longueur à peine sur les cavaliers de Hesse. Je ne savais pas qu'ils transportaient leurs canons sur des chevaux, c'est la première fois que je vois cela ! J'allais te réveiller quand ce boulet a traversé la muraille et je peux remercier sainte Barbara qu'il ne m'ait point arraché la tête !

On entendait les cris des hommes, le hennissement des

411

chevaux, les pleurs des femmes et le martèlement des pas courant sur le pavé. Les tambours battaient et la cloche d'une église se mit à sonner le tocsin.

Croyant ma dernière heure arrivée, je me précipitai pour me réfugier dans le four, mais Antti me retint par le bras et dit pour m'apaiser :

— Les cavaliers en question n'étaient pas tellement nombreux ! J'imagine qu'ils constituaient une avant-garde du gros des troupes et ils ne vont sûrement pas se risquer à pénétrer dans la cité pour engager le combat. J'ai pris cependant la liberté de sonner l'alarme parce que je trouvais injuste que tout le monde fût plongé dans le sommeil alors que pour vous je venais de passer la nuit à galoper à un train d'enfer avec la mort aux trousses !

Je me rendis avec lui dans la cour où mes artilleurs, affolés, couraient comme poules surprises en criant : « Aux armes ! Aux armes ! » L'un d'entre eux m'avoua, la mine piteuse, que c'était lui qui, dans le feu de l'action, avait tiré un coup de canon. Fou de rage, je le giflai et lui promis de le faire pendre, mais Antti me calma; il n'y avait point eu de mal, dit-il, et l'homme n'était coupable que d'un excès de zèle ! A présent, l'important était avant tout de mettre notre artillerie en position.

La cité paraissait en ébullition. Je dis à Antti qui avait une voix plus puissante que la mienne, d'ordonner aux artilleurs de prendre leurs postes. Il cria et les hommes aussitôt se rangèrent près de leurs canons. Il inspecta ensuite soigneusement chaque pièce puis me félicita d'avoir agi au mieux que l'on pouvait attendre de moi dans ce domaine ! Il déclara également qu'il fallait espérer que ces canons fissent au moins du bruit, parce qu'ils n'avaient guère de chance en face des armes perfectionnées dont disposait l'armée des princes.

Je me rendis compte qu'il était un peu jaloux que j'eusse cinq canons sous mon commandement alors qu'il devait se contenter de sa seule épée.

— Les raisins sont trop verts, Antti ! lui répondis-je en lui tapant sur l'épaule. Mais qu'importe ! Je te nomme artilleur en chef, tu dirigeras le feu comme tu voudras sous

412

réserve d'obéir à mes ordres, car c'est à moi qu'incombe la responsabilité.

Antti, sans un mot de remerciement, grommela dans sa barbe, et me suivit en traînant les pieds sur la place du marché. On voyait encore des chandelles allumées dans les maisons et les braves citoyens amasser leurs misérables richesses dans des caisses et des ballots pour fuir sans même savoir où. Dans les rues, des paysans en armes couraient sans but ici et là. On n'entendait plus les tambours ni les cloches d'église et seule sur la place une trompette obstinée continuait à sonner le rassemblement.

Müntzer, en compagnie du bourgeois-capitaine, se tenait sur le parvis face à une foule de paysans massée sur la petite place carrée du marché. L'officier annonça que des cavaliers inconnus approchaient par l'ouest et que certains étaient déjà tout près de la ville. Müntzer lui rétorqua qu'il ne savait ce qu'il disait puisque l'ennemi devait venir de l'est et que personne ne pourrait arriver par l'ouest sans avoir d'abord soumis Erfurt et Mülhausen. Je le voyais grelotter en dépit de son beau manteau de fourrure, mais son courage s'exaltait à mesure que le jour se levait et il se mit à prêcher pour se tenir chaud.

Le noble-capitaine, arrivé au galop, interrompit le sermon. Il ne s'arrêta qu'à la porte de l'église, sauta à bas de sa monture et rapporta qu'à l'aube, la cavalerie ennemie avait attaqué le camp situé à l'ouest de la ville et que les paysans s'étaient retirés en désordre et réfugiés à l'intérieur de la cité. Nombre d'entre eux étaient tombés, mais les arquebusiers avaient ouvert le feu du haut des remparts et les attaquants s'étaient retirés dans les bois. Il ne pouvait préciser ni leur identité ni leur nombre, les appréciations variant de dix à mille !

Antti s'avança et, après avoir fait remarquer que décidément les paysans ne s'y connaissaient guère en chiffres, communiqua que d'après lui les cavaliers n'étaient pas plus d'une vingtaine. Il le savait pour les avoir eus sur les talons durant sa chevauchée nocturne; ils appartenaient au land-grave de Hesse et le gros des troupes les suivait de près, selon ce qu'ils disaient entre eux sans contrainte en le poursuivant.

413

Cette information ne laissa pas d'impressionner les officiers qui, pourtant, n'y crurent guère et tandis qu'ils engageaient une discussion, une sentinelle accourut pour signaler l'approche de forces montées d'environ deux cents hommes qui venaient lentement par l'ouest. La troupe et le train de bagages reçurent sur-le-champ ordre de se replier calmement par la porte du levant pour former avec les chariots un anneau de défense à l'extérieur de la cité. L'exécution de cette manœuvre fut catastrophique. Les conducteurs, dans leur précipitation à sortir des étroites ruelles, cravachèrent leurs équipages si bien que fardiers et chariots restèrent emmêlés inextricablement et la presse était telle à la porte qu'on compta plus d'une côte cassée. Je ne sais comment nous aurions réussi à sortir les canons si Antti n'eût prit le commandement de l'affaire. Il marchait sans hâte au milieu de la multitude en criant qu'à la guerre il ne faut jamais s'affoler et que celui qui se presse lentement arrive toujours le premier !

On finit par former le cercle sur le sommet plat d'une colline à une portée de fusil de la cité. Tandis que la file interminable de chariots continuait de s'écouler par la porte, nous nous mîmes en devoir de creuser les trous, de renforcer les amarres et de pointer les couleuvrines en direction du sud, puisque du sud devait venir l'attaque de la cavalerie. Pendant qu'Antti jetait un œil sur les pièces lourdes, je fis placer les arquebusiers sur une ligne à l'abri des chariots, leur enjoignit de préparer leur arme et d'allumer les mèches, mais leur interdit de faire feu tant qu'ils ne pourraient distinguer clairement les traits des cavaliers ennemis.

Les troupes princières, qui avaient fait un mouvement enveloppant autour de la cité, parurent soudain à nos yeux. Nos conducteurs encore en route abandonnèrent aussitôt leurs équipages, volant littéralement jusques aux défenses et les soldats en armes qui étaient avec eux, perdant eux aussi la tête, prirent leurs jambes à leur cou.

Quel spectacle tentateur pour l'ennemi ! On entendit une sonnerie de trompette, les cavaliers serrèrent les rangs, baissèrent leurs lances et chargèrent pour couper la route aux fuyards et les faucher au passage. Au bruit de la cavalcade et

du tintement métallique des harnais, les fugitifs se débarras-
sèrent de leurs armes et se dirigèrent vers le nord de la cité en
contournant la muraille, la cavalerie ennemie sur les talons.
On ferma les portes devant eux malgré leurs cris et leurs
supplications. Ce fut alors qu'éclata le tonnerre de notre
premier canon suivi bientôt des quatre autres, tandis que
d'épais nuages s'élevaient devant nos yeux.

Mille gorges hurlèrent à la fois pour saluer la chute de
quelques chevaux. D'autres couraient en tous sens et nos
arquebusiers ne pouvant plus longtemps s'empêcher de tirer,
lâchèrent une salve désordonnée. Certains cavaliers tombèrent à bas de leur monture et les autres tournèrent bride et
disparurent aussi vite qu'ils avaient chargé. Seuls, des
chevaux sans cavaliers galopaient à travers la campagne.

« Victoire ! Victoire ! » hurlèrent les paysans, et ceux qui
avaient fui s'en retournèrent pour récupérer leurs armes,
piller les morts et achever les blessés. Des hommes, malgré
les ordres de rester en place, sortirent du fort pour prendre
part à la curée pendant que d'autres braillaient à tue-tête et
s'embrassaient en riant. Tout le camp était sens dessus
dessous et l'ennemi eût pu prendre notre position sans coup
férir car seuls les artilleurs les plus aguerris restèrent à leur
poste pour recharger leur arme.

Lorsque enfin l'ordre fut rétabli, Antti, essuyant la sueur
qui coulait sur sa face, me dit :

— Avec des imbéciles pareils, même le diable ne gagnerait
pas une bataille !

Il ne semblait pourtant pas si mécontent, assis confortablement sur la prolonge d'un canon pour surveiller le
chargement des pièces et le correct entassement des boulets.

— Qu'on me donne un an, ou même seulement un mois,
poursuivit-il, et je me charge de convertir ces garçons en
véritables artilleurs. Mais qu'ont-ils donc fabriqué durant
ces trois dernières semaines ? Avec les morceaux de bronze
qu'ils ont pris dans les châteaux, moi j'aurais eu le temps de
fondre quatre demi-canons du nouveau modèle et huit pièces
plus petites ! J'aurais fait des roues, des chariots, des cales,
que sais-je ? et entraîné les hommes à leur maniement !

Il me fit alors un cours abrégé sur le rôle de l'artillerie dans la guerre moderne et dit en guise de conclusion :

— Je ne crains nulle cavalerie au monde avec une vingtaine de canons mobiles servis par des hommes aguerris ! Mais ici, d'une part nous avons peu de canons et nos hommes n'y connaissent rien, et d'autre part le reste est un ramassis d'imbéciles ! Oh ! Qu'ils crient ce qu'ils veulent, ils chanteront bientôt une autre chanson.

Mais l'allégresse générale m'avait gagné moi aussi et même Müntzer sortit en rampant du chariot dans lequel il s'était précipité pour dire ses prières. Il nous fit tous agenouiller afin de rendre grâce à Dieu pour cette grande victoire. Les paysans tout réjouis s'attroupaient, les bras chargés des vêtements, des armes et armures des morts, sans paraître un instant se souvenir de leur honteuse débandade.

Les couleurs et les insignes des trophées recueillis appartenaient au Hesse, ce qui nous donna à penser que les princes faisaient route vers nous par deux directions dans le but évident de nous encercler. Un des officiers tança vertement les hommes qui, sans réfléchir, avaient achevé les blessés avant qu'on les ait interrogés. On aurait en effet pu en obtenir de précieuses informations. Mais cette difficulté se trouva résolue par un paysan qui se rendait dans le voisinage pour apporter des provisions chez lui; il s'engagea à se renseigner en route sur le nombre d'hommes que le margrave comptait opposer à Frankenhausen.

On tint ensuite un conseil de guerre, un conseil tout à fait paisible et amical tandis que tout chantait victoire sous le soleil du printemps. On sollicita l'avis d'Antti qui ne consentit à parler qu'après s'être fait beaucoup prier. Se référant au marquis de Pescara, il suggéra de situer nos positions sur une éminence qui fût difficile d'accès tout en offrant aux défenseurs un chemin pour la retraite; la colline que nous occupions présentement n'était pas suffisamment élevée pour permettre de dominer l'ouest de la cité.

— Je vois là-bas au nord un rocher escarpé qui me paraît offrir sur trois côtés une large vue sur toute la vallée; plus loin, j'aperçois des bois où six mille des nôtres pourraient s'enfoncer et disparaître comme aiguille dans une botte de foin : jamais la cavalerie ne nous y suivrait ! Et puis il y a un étroit ravin qui serpente du sommet dans la direction de la cité où nous pourrions ouvrir un chemin pour les chariots qui seraient de la sorte à l'abri du feu ennemi.

« Je propose de nous rendre là-bas sans tarder, nous construirons au sommet une palissade et creuserons une tranchée pour dissimuler nos canons. C'est ainsi, j'en suis sûr, qu'agirait le marquis de Pescara !

Les capitaines examinèrent alors la colline et reconnurent le bien-fondé de ce plan que l'on se mit en devoir d'exécuter après une brève discussion. Tout en haut de l'éminence, Müntzer planta la bannière de l'arc-en-ciel et, le cœur rempli d'allégresse en la voyant ondoyer sous le vent, il baptisa ce lieu la « Colline de la Bataille ». Les paysans, amplement rassurés de sentir leurs arrières protégés par les bois, se mirent volontiers au travail, abattant des arbres, taillant des piquets pour construire la palissade, tandis qu'Antti veillait à la mise en place de l'artillerie. Quand il eut terminé d'inspecter avec soin notre position, il affirma que les princes, à moins de disposer de forces très supérieures aux nôtres, préféreraient négocier avant de se risquer à attaquer ce fort ! Il fut d'avis que l'on ne courrait aucun danger à retourner à la cité ainsi que l'avaient déjà fait Müntzer et bien d'autres, afin d'aller quérir quelques canons supplémentaires en état de marche. Nous descendîmes ensemble par le ravin transformé en chemin par le passage des attelages qui tiraient les canons et les chariots.

Ce ne fut qu'alors qu'il me vint à l'esprit d'interroger Antti au sujet de dame Geneviève.

— La mère de notre fils est en vérité une femme frivole et capricieuse ! Peu lui chaut, a-t-elle dit, que nous allions en enfer ! Elle n'a pas l'intention de rester en compagnie de propres à rien, ni de faire la guerre ni de perdre tout ce qu'elle a. Elle s'est installée chez un riche brasseur et dort sur ses deux oreilles dans le lit de l'épouse de ce dernier qui a envoyé sa famille à l'abri; lui est resté pour surveiller ses affaires à la brasserie.

Je lui demandai s'il jugeait cet homme à même de protéger la bonne renommée de dame Geneviève, protection qui en réalité nous incombait, à nous les pères de son enfant. Il me répondit que le brasseur ne s'occupait plus que de cela, à tel point même qu'il en avait laissé sa bière s'aigrir !

Lorsque nous eûmes rejoint notre logement de Frankenhausen, Antti sortit un paquet qu'il avait caché dans un coin ce matin en arrivant, l'ouvrit et me montra un élégant costume de velours, une toque ornée de plumes et des braies ajustées, le tout acheté à Mülhausen très bon marché et pour moi, me dit-il, afin que je puisse, le cas échéant, lorsque je ferai usage du sauf-conduit du duc Johann par exemple, m'habiller d'une manière adaptée à ma situation. Il n'avait payé qu'un gulden et demi ce costume en fort bon état et moi, qui ne portais d'habitude que la pauvre toge d'étudiant, je le regardais avec envie.

Mais je résistai à la tentation, je venais de payer leur salaire aux artilleurs, n'avais que très peu de pièces et, du reste, ne voyais guère ce que je pourrais faire de ce vêtement qu'un homme de ma condition n'avait pas le droit de porter.

Antti roula derechef le paquet qu'il cacha sous le pétrin.

— A ta guise ! souffla-t-il. Mais souviens-toi que c'est la demande qui détermine la valeur des choses, et si aujourd'hui je te laissais ce paquet au prix coûtant, une autre fois je pourrais t'en demander cinq guldens, quand tu auras un besoin urgent de vêtements par exemple; je récupérerai par la même occasion les pièces que tu m'as soutirées sur le chemin de Weimar ! De toute façon, c'est ton affaire !

Nous allâmes ensuite examiner le canon abandonné devant l'hôtel de ville, mais Antti secoua la tête négativement en le voyant et nous nous rendîmes de ce pas dans une taverne pleine à craquer. Notre bel argent et nos bonnes manières nous permirent d'obtenir à grand-peine une chope de petite bière et un morceau de porc; une fois un peu revigorés, nous prêtâmes l'oreille à ce que racontaient les paysans autour de nous : à les entendre, ils avaient battu à mains nues un millier de cavaliers bardés de fer et tué plus de deux cents ennemis. Ce qui me frappait le plus dans leurs discours, c'était cette confiance qu'ils avaient acquise de vaincre les troupes princières quelle que soit leur importance. Après les avoir écoutés un moment, nous nous dirigeâmes vers l'église pour obtenir des nouvelles plus conformes à la réalité.

Le paysan parti en visite chez les siens avait, au grand étonnement de tous, reparu. Il avait trouvé sa maison intacte bien qu'occupée par l'ennemi; sa famille s'était réfugiée avec les troupeaux dans les bois. Les soldats installés chez lui étaient au service du margrave Philip, avaient-ils dit, avec lequel le duc de Brunswick s'était allié. Ces hommes se vantaient d'avoir franchi la distance qui sépare Eisenach de Frankenhausen en une seule nuit, et cette halte chez lui avait pour seul but de faire reposer les chevaux; ils n'attendaient plus que les piétons pour aller attaquer et détruire les troupes des paysans ! Ils savaient aussi, lui dirent-ils, qu'il était venu pour les espionner, mais ils n'en avaient cure parce qu'ils étaient plus de deux mille ! Et en vérité, ajoutait le paysan, il avait vu de ses yeux les chevaux qui étaient en grand nombre.

On l'avait ensuite conduit en présence du margrave Philip, mis en joyeuse humeur par cette chevauchée historique, et qui le pria de communiquer aux hommes de Frankenhausen qu'il était prêt à pardonner s'ils laissaient leurs armes, leur bannière et leurs chefs et se dispersaient pour regagner leurs foyers, à charge pour eux cependant de réparer les dégâts faits aux châteaux et aux demeures seigneuriales.

— Les portes du pardon resteront ouvertes jusqu'à ce que mes chevaux se soient reposés, avait-il dit. Aujourd'hui, nous nous bornerons à te donner le fouet, demain, je te tuerai avec tes camarades !

D'après le paysan, qui faisait en parlant maintes grimaces grotesques et arborait un air tantôt matois tantôt stupide, le margrave ignorait l'avance du duc George du côté opposé et l'on pourrait peut-être parlementer avec lui. Mais tous les assistants s'y opposèrent bruyamment, hurlant que mieux valait d'abord se battre pour discuter ensuite ! Alors notre informateur posa sur nous un regard empreint de gravité : il n'était point un soldat, dit-il, de plus, il souffrait des coups qu'il avait reçus sur les épaules et pour finir, le margrave disposait véritablement de beaucoup de chevaux. En conséquence et avec notre permission, il s'en retournerait tranquillement chez lui.

Un tollé accueillit cette décision et des mains calleuses se tendaient de toutes parts pour s'accrocher à lui. Fort heureusement, il y avait dans l'église quelques compères de son village qui prirent sa défense en assurant que c'était un brave homme. On le laissa dès lors se retirer en paix et Müntzer lui cria, tandis qu'il s'éloignait, que la porte de la miséricorde était aussi ouverte pour les princes s'ils venaient humblement frapper et demander d'être reçus parmi les Élus de Dieu !

Nous devions tous nous retrouver à l'aube sur la Colline de la Bataille et je crois n'avoir jamais vu plus sombre lundi ! La pluie froide qui tombait ajoutait à la mauvaise humeur due au manque de sommeil. Mais le courage nous revint avec le soleil qui chassa pluie et nuages, hormis de petites averses de temps en temps. La bannière détrempée sécha bientôt et ondula de nouveau au-dessus de nos têtes. Une intense activité régnait dans le fort et les hommes se réchauffaient en consolidant les palissades et en colmatant avec de la terre les espaces vides entre les chariots : nos artilleurs avaient su durant la nuit préserver leurs munitions de la pluie; ils avaient en outre découpé les meilleurs morceaux d'un des chevaux tombés la veille, et cette viande grillée sur la braise nous fut un régal.

On ne tarda pas à distinguer des patrouilles montées qui venaient par l'est et dont quelques hommes s'aventurèrent jusques aux flancs de notre promontoire, assez près pour que nous parvinssent leurs insultes et leurs menaces. Peu après, dans la partie la plus évasée de la vallée, des colonnes en marche apparurent venant de l'est et de l'ouest mais à cette distance, elles ne nous semblaient guère redoutables; puis cuirasses et épées se mirent à étinceler quand le soleil eut chassé du ciel les nuages gris.

Antti, la main en visière sur ses yeux, commenta :

— Ils ont de l'artillerie lourde, je peux compter seize pièces dans un seul groupe... si ce sont des canons mobiles comme ceux de l'empereur, l'heure est venue pour notre chef de demander l'aide du Seigneur parce que nos petits jouets ne serviront pas à grand-chose contre les armes de nos ennemis.

Aussitôt après, les tambours battirent l'appel des chefs pour un conseil de guerre. Müntzer annonça que le duc George approchait et qu'il convenait de lui faire tenir un message des desseins de Dieu; il lut ensuite une lettre écrite par les capitaines disant que les paysans ne réclamaient que la justice divine et voulaient éviter d'inutiles effusions de sang. On allait mander la même missive au margrave Philip pour le prier de regagner son pays et de ne point ajouter de haine entre les hommes de bonne volonté. Les chefs approuvèrent ces termes modérés et choisirent quatre hommes sûrs pour porter les messages.

L'après-midi fut calme. Les troupes du margrave de Hesse s'établirent à l'ouest de la cité, hors de portée de nos canons; de l'est, arrivèrent entretemps les forces réunies du duc George et des nobles de Mansfeld qui se cantonnèrent sans hâte sur les pentes à l'est de la colline.

Les deux messagers envoyés au duc par Müntzer revinrent, tête basse, sans regarder leurs camarades ni répondre à leurs questions. Ils rapportèrent à Müntzer et aux chefs que le duc avait promis d'examiner plus tard, lorsqu'il en aurait le temps, les revendications des paysans mais à la seule condition qu'ils déposent leurs armes et se dispersent immédiatement; ils devaient en outre livrer Thomas Müntzer et ses plus proches collaborateurs. Tous les autres auraient la vie sauve et ne subiraient nulle mutilation, il leur en donnait sa parole ducale.

Un murmure sourd suivit ces paroles, un seul mouvement rapprocha toutes les têtes et les hommes se mirent à échanger des mots à voix basse. Müntzer alors leur imposa silence sur le ton de la colère. Seraient-ils assez fous pour croire les promesses d'un seigneur si cruel ? Dieu avait endurci son cœur comme jadis le cœur de Pharaon, et ainsi son armée connaîtrait-elle le sort de celle de Pharaon si seulement les paysans voulaient avoir foi en Lui !

Pendant la longue discussion qui s'ensuivit, les forces ennemies formèrent un cercle autour de la Colline de la

Bataille. Leurs mouvements nous parurent au début n'obéir à aucun plan concerté quand soudain un cri de désespoir s'éleva du côté nord de la palissade; les hommes couraient en tous sens en agitant les bras et nous montraient les hauteurs boisées situées au nord de nos positions. Grimpés sur les chariots, nous vîmes distinctement une forêt de lances scintillantes en marche : ainsi donc, sans tambour ni trompette, l'ennemi nous avait coupé la retraite et l'on voyait les hommes, groupe après groupe, hisser les pièces de combat au sommet de chaque colline.

On n'entendait partout que cris et lamentations et tous les paysans levaient des poings menaçants. Ils s'arrachaient les cheveux et exigeaient une négociation tant qu'il restait encore une chance de pardon; nombre d'entre eux voulaient livrer Müntzer à la condition toutefois qu'il lui fût permis de défendre les quatre principes de foi au cours d'une discussion publique. On fut bien près d'en venir aux mains et le groupe des Élus de Dieu se massa autour de la bannière, appelant mort et destruction sur ces fils de Satan qui, pour sauver leur misérable peau, n'hésiteraient point à trahir et à livrer le messager de Dieu !

Durant le tumulte, Müntzer, les deux mains croisées sur la poitrine et son visage olivâtre tourné vers les cieux, se tenait debout sur un chariot, la bannière de l'arc-en-ciel flottant au-dessus de sa tête. Il portait le long manteau de fourrure qui lui conférait dignité et hauteur et l'on eût dit qu'il recevait d'en haut son calme et sa sérénité. Il se fit un grand silence dans tout le campement quand il leva les bras et les agitateurs eux-mêmes commencèrent à murmurer : « Chut ! Écoutons-le ! Écoutons-le ! » Et l'on n'entendit plus bientôt que le claquement de la grande bannière dans la brise. Les cinq couleurs de l'arc-en-ciel resplendissaient au-dessus du visage pâle du prédicant et l'on pouvait lire les mots sacrés brodés sur la soie : VERBUM DOMINI MANET IN ÆTERNUM.

Il se mit à parler sur un ton mesuré et sa voix couvrit ainsi qu'un souffle divin les six mille têtes qui se levaient vers lui. Tous entendirent et comprirent ses paroles.

— Le temps de l'épreuve est proche. L'heure est venue où Dieu confondra les impies et placera chacun de nous en face de son choix final. Que s'éloigne d'ici celui qui veut partir ! Le Seigneur ne tolère ni les indécis ni les couards dans le groupe de ses Élus. Mais n'oubliez point le sort qui attend ceux qui abandonnent leurs armes pour se livrer sans défense à ces hommes pleins de cruauté ! Ceux qui resteront avec moi se battront et verront après la victoire le royaume de Dieu s'établir sur la terre, car Il détournera les boulets de canon et la cuirasse de l'Esprit Saint nous protégera des coups de lance et des coups d'épée !

Un sourire d'enfant illumina soudain son visage tandis qu'il poursuivait :

— Je ne refuserai point la négociation si le duc mande ses plus doctes savants pour engager avec moi une controverse sur le thème de la justice divine et s'il consent de bon gré à accepter les quatre principes dont je ne manquerai pas de démontrer l'excellence au cours de la dispute. Mais n'y comptons point ! La justice de Dieu est la seule que vous pouvez espérer ici-bas et vos princes au cœur endurci vous obligent à la conquérir l'épée à la main !

Sa voix se fit plus forte et il cria comme en extase :

— En quoi donc consiste la justice divine ? Je l'ai déjà proclamée en quatre principes, mais il est temps aujourd'hui d'arracher le dernier voile et vous pourrez alors la contempler dans toute sa gloire ! La voici révélée en trois mots : « *Omnia sunt communia !* »

Il se dressa de toute sa hauteur, les bras tendus vers le ciel, et cria à pleine voix :

— *Omnia sunt communia*, tout est commun ! Ainsi la volonté de Dieu est-elle proclamée par ma bouche et toute Sa justice comprise en ces trois mots ! Terres, champs, pâturages, oiseaux, gibiers et poissons, tout nous appartient en commun. Troupeaux, maisons, châteaux, greniers à blé, charrues, outillages, chacun les possède tous et rien n'appartient à personne ! Il n'y a plus ni riches ni pauvres, ni puissants ni faibles, et nul ne possède plus que son voisin parce que tout est en commun !

Les paysans fixaient sur lui des yeux comme des soucoupes et je me sentais moi-même foudroyé. Je compris qu'il annonçait là le véritable royaume de Dieu mais que

l'esprit de l'homme ordinaire refuserait pareil message.
Il régnait maintenant sur le camp un silence absolu.
Müntzer baissa les mains et les six mille hommes, subjugués,
se mirent à genoux pour prier. Seul, le malheureux Antti
resta assis sur un baril de poudre à mâcher un morceau de
viande de cheval.

Alors, devant ces six mille paysans agenouillés, pleins
d'une foi fervente en Dieu et en Son messager, Müntzer
éleva cette prière à haute voix :

— Mon Dieu ! Mon dieu ! Ô Toi qui T'es révélé à moi,
envoie-nous du ciel un signe pour confondre les incrédules !
Donne-nous un signe qui nous donne la foi et chasse de
notre cœur la crainte de la colère des impies !

Je levai machinalement les yeux comme beaucoup d'entre
nous. Des nuages sombres s'amoncelaient sur le camp ducal,
tandis que sur nous resplendissaient les rayons du soleil
couchant. A l'ouest naquit un éclair puis on entendit une
grande explosion et l'instant d'après un boulet vola
au-dessus de nos têtes tel un oiseau aux ailes bourdonnantes.
La foule se baissa et le boulet passa sans blesser personne.

Antti cracha, ôta son bonnet et se gratta la tête si
vigoureusement que ses cheveux lui faisaient une brosse
couleur de paille.

— Sainte Marie ! s'écria-t-il en me regardant. Devrais-je
croire que cet homme dit la vérité ? Comment allons-nous
tout posséder en commun ? Devrons-nous traire les vaches
les uns des autres ? Que je sois damné si je partage mon
argent si durement gagné avec le reste du monde ! Il n'y en
aurait pas assez pour tous et moi, je n'aurais plus rien !

Je lui répondis que tout serait expliqué à son heure et
qu'au lieu de nous casser la tête, nous devrions plutôt nous
réjouir de voir les boulets ennemis se détourner de nous !

Mais Antti se refusait à croire et reprit :

— Sottises ! Il faut savoir la technique du pointage quand
tu regardes les coups. Les canonniers envoient le premier
au-delà de leur objectif, le second en deçà, puis dirigent
toutes les pièces sur le point entre les deux, font feu tous
ensemble et touchent au but.

Cela ne se fit pas attendre ! Plusieurs coups tirés de l'ouest envoyèrent sur nous huit boulets qui firent des ravages : des cris déchirants se confondirent avec les craquements des chariots éclatés; des morceaux de bois, des roues, des membres, des têtes et des entrailles volèrent dans les airs; des hommes indemnes éclaboussés par le sang des autres se crurent blessés et traitèrent à grands cris Müntzer de menteur. La multitude en rangs compacts oscillait à la recherche désespérée d'un abri et certains s'entassèrent pêle-mêle dans les trous les plus proches. A l'est, des éclairs envoyèrent deux boulets qui tombèrent au milieu de la presse tandis que d'autres sifflaient au-dessus de nos têtes.

— Antti, pour l'amour de Dieu, tire ! hurlai-je.

Il esquissa un sourire; cependant pour me faire plaisir et redonner courage à ses canonniers, il prit une allumette et l'approcha de la lumière du canon qui tonna et lâcha un nuage de fumée, mais je vis avec horreur le boulet frapper le sol et rebondir une ou deux fois à mi-distance au moins des lignes ennemies.

— Tu as vu ? Eh bien, nos canons ne portent pas plus loin ! me dit-il après avoir ordonné de recharger. L'ennemi peut tirer sur nous en toute tranquillité avant d'attaquer notre position. En attendant, autant creuser quelques tranchées pour les contenir. J'aurai peut-être le temps de dire quatre ou cinq mots, dix en allant très vite, aux cavaliers et aux piétons quand ils donneront l'assaut en ordre serré.

Müntzer s'efforça de ranimer la foi de ses hommes terrorisés et le groupe des Élus entonna l'hymne de combat qui se mêla au grondement des canons. Le fragile remblai de terre fut bientôt rasé et les palissades volèrent en éclats au-dessus des tas de blessés. Puis le chant s'éteignit, couvert par celui des boulets qui apportaient la mort et chacun n'eut plus qu'une idée : fuir !

Les hommes jetèrent leurs armes, levèrent le poing contre Müntzer, frappèrent leurs officiers et les piétinèrent : Müntzer n'était qu'un faux prophète ! Ils ne voulaient partager ni leurs champs ni leurs troupeaux avec personne ! C'était dans le seul but de défendre leurs biens qu'ils étaient venus faire la guerre !

Les premiers à franchir la palissade se ruèrent dans le ravin protégé du feu et furent suivis aussitôt d'une foule désordonnée. Ils renversaient leurs propres chariots pour aller plus vite et ceux qui tombaient étaient foulés aux pieds par leurs camarades plus robustes.

On entendit alors sonner les trompettes tout autour de la colline; les cavaliers s'avancèrent dans la vallée et les piquiers, frais et reposés, s'ébranlèrent en une terrible charge. Mais la bannière de l'arc-en-ciel flottait toujours au-dessus de nous et Müntzer, debout sur un chariot, élevait ses mains sur les quelques fidèles demeurés près de lui.

— A présent, il faut penser vite ! dit Antti. Je préfère encore boire la coupe du bourreau plutôt qu'être égorgé comme un cochon au milieu de cette misérable racaille ! Dorénavant, je ne me battrai qu'au service de rois ou d'empereurs. Eux comprennent le travail et un bon général te donne au moins la chance de mourir face à l'ennemi !

Il poussa un hurlement à l'adresse de ses artilleurs qui faisaient mine d'abandonner leurs postes, puis me pressa :

— Dépêche-toi de dire tes prières, Mikaël, pendant que je m'occupe de moi. Si nous arrivons à réunir un groupe d'hommes raisonnables, nous réussirons peut-être à nous frayer un passage pour aller nous cacher dans le bois.

Je vis alors la bannière de l'arc-en-ciel osciller puis tomber, foulée dans la boue par les Élus qui fuyaient pris de panique avec Müntzer à leur tête, empêtré dans son manteau de fourrure et le visage tordu de terreur. A ce spectacle, je perdis complètement la tête et pris moi aussi la fuite plus vite que nul d'entre eux. Ma rapidité fut d'ailleurs ce qui me sauva la vie parce qu'en cet instant précis, j'entendis derrière moi une explosion assourdissante et toute la palissade disparut sous un nuage de fumée noire. Je suppose que quelque artilleur jeta, dans son affolement, sa mèche allumée sur un baril de poudre mais ne m'arrêtai guère pour élucider l'affaire. Le vacarme me donna des ailes et je courus encore plus vite qu'avant.

Je ne m'arrêtai pour reprendre haleine qu'arrivé presque en bas du sentier où m'attendait une vision d'horreur : les cavaliers du margrave chargeaient sauvagement d'un côté tandis que de l'autre, les piquiers du duc couraient le long des pentes escarpées en hurlant les noms de Jésus et de la Vierge Marie. Au milieu d'eux, la masse compacte des fugitifs qu'ils taillaient, écrasaient et fauchaient, piétinant dans leur sang mêlé à la boue.

J'entendis alors cinq coups de canon tirés du haut de notre colline et, tandis que cloué par la terreur, je cherchais alentour un chemin pour m'échapper, je distinguai dans le vague une forme sombre qui descendait du fort apparemment dans le même but. Je crus voir le diable en personne et ne m'en étonnai guère en pareil lieu ! Mais le spectre en question me saisit par le cou et m'administra deux gifles qui me firent revenir à moi. Je reconnus alors Antti, noir des pieds à la tête et les cheveux, la barbe, les sourcils complètement brûlés. Je lui demandai la raison de ses coups alors qu'avec mon sauf-conduit dans la poche, je ne risquais rien !

— Je ne te retiens pas ! me dit-il gentiment en me montrant d'un geste large le désordre sanglant de la vallée. Tu as un excellent passeport qui te servira de cuirasse, mais ils tireront d'abord et liront après... si toutefois ils savent lire ! Je suis bien content tout de même d'avoir tiré une fois de nos canons, même si je ne suis pas resté pour les enclouer comme un artilleur doit faire !

Il avisa quelques Élus qui remontaient le sentier en se cachant les yeux, et se posta en travers du chemin, l'épée à la main.

— A présent, mes chers amis, chacun de vous va devoir faire son choix comme l'a dit votre maître Müntzer ! leur cria-t-il. Choisissez donc : préférez-vous être tués par moi ou par l'ennemi ? Allons ! Si vous êtes raisonnables, vous ramasserez quelques armes tombées par ici et vous me suivrez. Un bon soldat n'abandonne jamais son chef dans l'adversité et j'aperçois là-bas, au beau milieu de la bataille, un manteau de fourrure qui semble se diriger vers nous. Ne laissons pas à moitié une chose si bien commencée et je vous guiderai. Frère Mikaël, prends une épée ou une pique et suis-moi !

Mais les paysans ne voulurent point obéir et tentèrent même de l'écarter de leur route à coups de poing et de coude.

Alors Antti leva son épée à deux mains et fendit l'homme le plus près de lui, de la tête jusques à la ceinture, de sorte que le sang et la cervelle éclaboussèrent partout. Les autres changèrent d'avis aussitôt et se mirent en devoir de ramasser les armes utilisables parmi les massues, piques et autres épieux à loups abandonnés sur le sol. Ils le maudirent mais promirent de le suivre.

Sans plus de bavardages Antti reprit sa route vers le bas de la colline, tout en me glissant par-dessus son épaule :

— Ferme la marche, Mikaël, et transperce tous ceux qui feront mine de retourner en arrière !

Et de ce pas, nous descendîmes en direction de ce moulin infernal qui ne broyait que de la chair humaine. Nous trébuchions sur des monceaux de cadavres et le sang courait en ruisseaux le long des pentes escarpées et balayées par la pluie. Notre petit groupe ne cessa de grossir, car Antti enrôlait d'office tous les malheureux qui, pataugeant dans la boue et le sang, tentaient de s'enfuir. Il lui suffisait de brandir son épée pour être obéi et nous fûmes bientôt près de cinquante à le suivre. Les premiers du groupe, reprenant courage, encadraient les nouvelles recrues pour les empêcher de remonter. La pente nous entraînait dans une course de plus en plus rapide et nous nous efforcions de seconder Antti de notre mieux. Soudés les uns aux autres, nous passions à une telle vitesse et Antti abattait si impitoyablement amis ou ennemis que nous réussîmes à nous frayer un chemin dans cet enfer; plus d'un combattant préféra s'écarter, livrant passage à notre troupe dure et acérée comme le tranchant d'une épée, pour reprendre ensuite son travail après notre disparition. Ainsi qu'un boulet hérissé de piquants, notre groupe quitta en courant le chemin creux et Antti en passant attrapa Müntzer par son col de fourrure, le tira et le jeta derrière lui au milieu de nous. Je ne me souviens guère de la suite des événements sinon que nous eûmes tout à coup les remparts de la ville dressés devant nous, que nous nous engouffrâmes en paquet sous la porte et sortîmes de l'autre côté comme sort le bouchon d'une bouteille ! Dès qu'il y eut de l'espace autour de nous, notre groupe se dispersa comme par magie et chacun alla chercher refuge pour son propre compte, qui dans un grenier, qui dans une cave.

Antti resta seul avec moi à les regarder s'éloigner. Je n'avais même pas eu le temps d'évaluer nos pertes mais je crois qu'elles furent très faibles. Je venais de recevoir une splendide leçon sur l'art et la manière de se tirer d'affaire, même en cas désespéré, quand on est un homme de ressources !

— Sauvés ! m'écriai-je. Nous sommes sauvés ! Désormais, nous voyagerons toujours ensemble, toi devant et moi pour garder tes arrières !

Et je serrai dans mes bras, en versant des larmes de joie, mon ami Antti qui, noir et sanglant des pieds à la tête, offrait un spectacle terrifiant.

— Ne m'embrasse pas trop vite, frère, l'affaire est loin d'être conclue ! Allons tout d'abord dans notre bonne boulangerie parce qu'ici, cela devient un peu bruyant et je crains que la moisson à laquelle nous venons d'assister ne se poursuive très bientôt dans les rues.

Nous gagnâmes donc en hâte notre logis et Antti, après avoir bien fermé la porte derrière nous, demanda :

— Alors ? Qu'en dis-tu, Mikaël ? Que me donneras-tu à présent pour un costume en bon état ?

Après un bref regard sur ma personne, je compris que sale et couvert de sang comme j'étais, je n'inspirerais guère confiance même avec mon sauf-conduit. Je lui répondis donc de mauvaise grâce que j'étais prêt à lui en donner un gulden et demi, mais il fit la sourde oreille et s'assit sur le pétrin de façon à m'empêcher d'attraper le paquet; puis tout en jurant il se mit en devoir de nettoyer la suie et le sang qui couvraient son visage écorché en maints endroits par la poudre. Par chance, les femmes avaient apporté à la boulangerie plusieurs seaux d'eau pour pétrir leur pâte et je pus également me laver la face et les mains et me coiffer; j'offris mon peigne à Antti pour l'amadouer, mais il eut l'air de considérer qu'il n'en avait nul besoin et, à vrai dire, ses cheveux étaient tellement roussis que son visage faisait presque peine à regarder.

Je lui offris deux, trois puis cinq guldens pour les habits

mais seul un petit rire moqueur répondait à mes offres. Il jeta dans un coin ses haillons brûlés et tachés de sang, et, ne gardant sur lui que son linge de corps, s'empara de son épée puis m'annonça qu'il allait quérir des vêtements plus convenables; je pourrais pendant ce temps réfléchir en toute tranquillité ! J'eus beau le supplier de ne point s'éloigner, il passa à travers le trou creusé par le boulet dans le mur et je le vis traverser la place, l'épée à la main.

Je n'hésitai pas davantage ! Les mains tremblantes, je sortis le paquet de sa cachette et après m'être dépouillé de mes guenilles, passai les élégantes grègues et le pourpoint de velours; à première vue, boutons et collerette valaient à eux seuls plus de deux guldens et une fois que j'eus posé sur ma tête la toque de velours ornée de sa plume de cigogne, je ne pus résister plus longtemps et me regardai dans l'eau du seau. Des chaussures rouges qui m'allaient parfaitement, complétaient cette toilette qui, je n'en doutais point, me sauverait la vie. Je résolus donc de payer à Antti ce qu'il voudrait.

J'attendis dès lors avec impatience son retour, mais ce ne fut que bien plus tard qu'il reparut, vêtu des larges braies et du gilet mi-parti de cuir d'un mercenaire; il tenait à la main un heaume et une cuirasse et sous le bras une épaule de mouton.

— Ah ! Je vois que le marché est conclu ! remarqua-t-il. Tiens, aide-moi à me harnacher !

Je lui attachai les courroies des épaules tout en lui demandant la provenance de cet équipement. Il me raconta la sombre histoire d'un mercenaire qu'il avait tué et dépouillé et d'une femme que, ce faisant, il avait sauvée d'un viol; la dame reconnaissante l'aurait alors invité à poursuivre le travail si bien commencé par le mercenaire vainqueur et lui aurait donné ensuite deux coupes d'argent et cette viande pour le remercier.

Je le priai de garder pour lui ses histoires de brute sans vergogne et de me dire plutôt combien je lui devais pour le costume.

Une autre question, posée d'une voix fort aimable, répondit à la mienne :

— Combien te reste-t-il ?

J'avais dix-sept guldens et un peu d'argent, bien maigre récompense pour tous mes efforts en faveur du royaume céleste ! Il devait tenir compte de mon dénuement !

— Je n'y manquerai point ! assura-t-il. Donne-moi donc dix-sept guldens et garde la monnaie !

Ni larmes, ni prières, rien ne le fit changer d'avis et quand j'ouïs de plus en plus près le martèlement des sabots sur le pavé et le choc des armes, force me fut d'en passer par ses exigences. Je ne trouvai quelque consolation qu'à la pensée des cinq guldens cousus dans l'ourlet de ma chemise et que je ne lui avais pas déclarés.

Le massacre se poursuivit tout au long de la nuit et je ne crois pas que plus de deux cents paysans réussirent à y échapper. Nul ne songea à nous, tapis dans cette pièce obscure, et Antti estima au lever du jour que la cité était redevenue assez calme pour que nous puissions sortir avec notre sauf-conduit; personne, à son avis, ne se douterait que nous soyons restés cachés. Après avoir épousseté la farine de nos vêtements, nous quittâmes donc ouvertement la boulangerie, moi de l'air affecté qui sied à un jeune seigneur et Antti, traînant les pieds à ma suite, l'épée à la ceinture et une pique sur l'épaule.

La petite cité de Frankenhausen offrait un bien triste spectacle en ce matin de mai ! Quelque part, dans un poulailler, un coq chanta sans enthousiasme mais son chant mourut bientôt, rauque et hésitant; peut-être tentait-il de nous dire que tant qu'il y avait quelque vie, l'espoir demeurait ! Des corbeaux innombrables dessinaient des cercles au-dessus de nos têtes, assombrissant le soleil de leurs lourdes ailes. Des citoyens qui avaient quelque chose à cacher ou à craindre restaient tremblants dans leur cave ou leur grenier, tandis que d'autres affichaient leur innocence sur la place du marché où les princes passaient leurs troupes en revue.

Nous arrivâmes au bon moment; tout le monde en effet

avait les yeux tournés vers les vainqueurs qui rendaient la justice sur le parvis, de sorte que nul ne prit garde à nous. Près des princes gisait, dans une flaque de sang séché, le corps mutilé d'un prêtre exécuté durant la nuit par les femmes. Comme je me demandais si Müntzer avait réussi à s'échapper, je le vis, petit et voûté, les mains attachées derrière le dos et son visage olivâtre maculé de sang et d'immondices; il ne portait plus le manteau de fourrure qui le grandissait si fort la veille et, campé fièrement près de lui, se tenait le mercenaire qui l'avait déniché dans une cave, feignant d'être malade.

Les princes avaient en vérité fière allure ! Tous arboraient encore l'armure complète avec le heaume surmonté de plumes ondulant dans le vent et la cuirasse inscrutée d'or. Je trouvai dans le visage brutal du duc George, homme corpulent de petite taille, un air de ressemblance avec le duc Johann et une expression semblable d'astuce paysanne; l'écharpe noire, nouée autour de son heaume, me donna à penser que Frédéric était mort et Johann à présent électeur, circonstance qui renforçait encore la valeur de mes lettres de créance.

Le seul, cependant, de tous ces nobles réunis qui semblât exercer quelque autorité sur les autres et retînt mon attention fut le margrave Philip de Hesse, celui-là même qui avait avec ses hommes réussi l'incroyable tour de force de se rendre en une nuit à Frankenhausen; il avait un sourire hautain figé sur son visage osseux et allongé, et le regard de ses yeux bleu clair se posait avec une égale expression de froideur implacable sur Müntzer ou sur ses pairs.

Les princes harcelaient Müntzer de questions sur sa doctrine; celui-ci répondait humblement d'une voix calme lorsque Ernst de Mansfeld, excédé, le frappa de son gantelet de fer sous le menton. La réaction de cet homme cruel ne pouvait étonner personne après la lettre que Müntzer lui avait mandée à peine trois jours avant. Ce dernier cracha un peu de sang, releva la tête et déclara être prêt à démontrer la vérité de son enseignement devant les plus grands sages d'Allemagne, y compris Luther; et si l'on pouvait lui prouver par la Sainte Écriture que ses croyances étaient erronées, alors il se soumettrait à leur verdict en toute humilité; en attendant, il ne cesserait de se considérer comme le serviteur zélé de Dieu et Son messager.

Les princes éclatèrent de rire, mais le duc George souligna avec colère que Luther était un misérable hérétique au même titre que Müntzer, et le duc de Brunswick ajouta qu'il mériterait la mort sur le bûcher pour toute l'agitation dont il était la cause ! Seul le margrave de Hesse fut en désaccord et parla en termes favorables, quoique avec ironie, de cet homme dont somme toute ils ne faisaient que suivre les conseils et qu'à son avis il faudrait nommer pape de Germanie. Le duc George interdit que de tels propos fussent tenus en présence du peuple et Müntzer, relevant la tête, une fois de plus réclama qu'il lui fût accordé de participer à une dispute publique.

Le duc George posa une main doucereuse sur le cou décharné de Müntzer.

— Pourquoi refuser à cet homme obstiné la dispute qu'il demande ? dit-il en le tapotant du bout des doigts. Je prie Votre Altesse de me le laisser emmener sur-le-champ à Feldrungen où nulle querelle grossière ne viendra troubler son grave discours et où il pourra défendre sa thèse devant des témoins impartiaux et un bourreau d'une intégrité à toute épreuve. Et je vous garantis qu'il ne manquera ni matériaux ni instruments nécessaires à une pareille dispute !

Un éclat de rire accueillit cette proposition et le duc lui-même faillit s'étrangler.

— Je ne lui veux que du bien, poursuivit-il, et pour l'amour de son âme, je lui chercherai un digne adversaire qui saura le convaincre de l'efficacité de la doctrine de l'Église hors de laquelle il n'est point de salut ! Ce qui me paraît également souhaitable pour l'amour des pauvres malheureux qu'il a induits en erreur !

Müntzer, le visage déformé par une indicible horreur, jeta sur les princes un regard rempli d'effroi. L'on eût dit quelque misérable blaireau pris au piège. Il supplia à genoux qu'on ne le livrât point aux mains de son plus mortel ennemi, mais qu'on lui accordât une honorable dispute !

Hélas, nulle voix ne s'éleva pour le défendre et je ne fis pas un pas en avant pour témoigner que Müntzer était, d'une certaine façon, un homme réellement inspiré, même si Dieu s'était gaussé de lui et l'avait anéanti avec les six mille pauvres paysans qui l'avaient suivi. Non ! Je ne fis pas un geste, et pourtant je savais le sort qui l'attendait. Je me cachai, au contraire, derrière Antti tandis qu'on l'entraînait, pleurant et hurlant au secours, cherchant, mais en vain, quelqu'un qui se levât pour le défendre dans cette cité où la veille on l'avait acclamé comme l'envoyé du Seigneur.

Il n'est point dans mes intentions de m'étendre plus longuement sur les détestables événements survenus à Frankenhausen; j'ajouterai seulement que, dès que s'en présenta l'occasion, je m'approchai du margrave Philip et lui présentai mon sauf-conduit. Je lui fis part des efforts dignes d'éloges que j'avais accomplis au sein de l'armée des paysans afin d'inciter leurs chefs à négocier et à éviter la violence; je n'avais hélas ! point réussi, dis-je, mais j'espérais cependant qu'il m'accorderait sa protection et me permettrait d'accompagner ses troupes à Mülhausen.

J'étais obligé de faire cette démarche malgré le risque énorme que je courais, parce qu'à tout moment un habitant pouvait me dénoncer comme un des pires fanatiques de Müntzer. Et je jugeai prudent de m'adresser au margrave Philip plutôt qu'au duc George, bien que ce dernier fût le chef de cette région; ce faisant, je frappai juste car, flatté dans sa vanité, Philipp me félicita avec bienveillance de mon travail puisque les tergiversations des paysans avaient donné aux troupes le temps d'encercler la colline pour couper toute retraite. Tout l'argent de Fugger n'aurait point suffi, dit-il, à payer assez d'hommes pour nettoyer les bois !

Il poursuivit sur ce thème et comme il semblait heureux d'avoir rencontré un auditeur, je me risquai à lui demander ce que l'argent de Fugger venait faire dans cette histoire.

— Et comment aurais-je pu entretenir mille six cents cavaliers et autant de piétons ? dit-il en me regardant fixement. Les princes allemands, sans l'argent du riche Jacob, se seraient trouvés bien seuls et les gueux transformés en maîtres. Mais il se trouve que les paysans gênent les affaires de Jacob et c'est la raison pour laquelle il finance nos campagnes. Jamais von Truchsess n'eût recruté une seule lance sans les douze mille guldens prêtés par Fugger qui réclamera, en temps utile, leur remboursement à l'archiduc Ferdinand. Car il ne faut pas oublier que c'est toujours avec le même argent que Ferdinand avait acheté le duché de Wurtemberg d'où Fugger avait chassé le duc Ulrich qui avait le tort de ne lui point rembourser ses dettes : crois-moi, le riche Jacob est un véritable génie quand il s'agit pour lui de rentrer dans ses fonds !

Les yeux baissés respectueusement, je restai planté devant lui à caresser les doux poils de la barbe que j'avais laissé pousser pendant la campagne et n'avais pas voulu raser ce matin en trouvant qu'elle m'allait bien.

— Dois-je comprendre, dis-je, ma curiosité se révélant plus forte que ma peur, dois-je comprendre alors que tous ces pauvres gens ont été massacrés non pour leur hérésie mais pour plaire à Jacob Fugger ?

— C'est une question qui mérite d'être posée ! observa le margrave. Et plus j'y réfléchis d'ailleurs, plus je me sens enclin à prendre Martin Luther sous ma protection pour en faire mon chapelain; comme il me faudra payer mes dettes d'une manière ou d'une autre, si j'embrassais la foi évangélique, je pourrais m'emparer de fort riches monastères que je connais sur mes domaines. Il ne convient guère à un prince-margrave de devenir le garçon de courses de Jacob ! Car enfin il n'a consenti à payer mes troupes qu'à la condition que je me rendisse tout droit sur Frankenhausen !

« Savez-vous qu'il possède, entre Leipzig et Erfurt, d'importantes fonderies de cuivre ? C'est là qu'il envoie le minerai de ses mines de Hongrie; ce minerai brut contient de l'argent, mais il n'a pas le droit de l'extraire sur place sous peine de ne pouvoir le sortir du pays : voilà pourquoi ses fonderies sont ici !

« Et il vous sera facile maintenant de comprendre que dès qu'il a appris la révolte de six mille paysans à proximité de ses précieuses fonderies, Jacob, dans tous ses états, m'a dépêché un agent pour me convaincre de me rendre sur les lieux à marche forcée. Cependant, si vous imaginez qu'il a pour autant soldé mon compte, vous commettez une erreur grossière !

— Ainsi la sainte parole de Dieu aura donc été traînée dans la boue pour un peu de cuivre ? m'écriai-je.

Pour la première fois, il posa sur moi ses yeux bleu pâle.

— Je souhaite pour votre bien que vous ne soyez point un disciple de Müntzer ! dit-il en me scrutant avec insistance.

Puis il se pencha pour jeter un coup d'œil sur le sauf-conduit que je tenais toujours dans ma main et épela mon nom.

— Mikaël Pelzfuss de Finlande, je vais vous donner un conseil qui me tient fort à cœur : quand il s'agit de questions de foi, on doit choisir celle qui présente le plus d'intérêts. Il n'y a rien à gagner à défendre les thèses de Müntzer, bien au contraire !

Il me congédia et je repartis en quête d'Antti. Nous passâmes une nouvelle nuit dans la boulangerie mais j'avais beau être hors de danger grâce à la protection du margrave, je me sentais mal en point; ni l'élégance de mes vêtements ni la finesse de ma barbe ne me donnaient plus nul plaisir et je me blottis en frissonnant dans un coin; mes sombres pensées m'ôtèrent tout appétit et Antti commença à craindre sérieusement que je n'eusse bu par inadvertance quelque eau frelatée. Il fit preuve de générosité en louant une charrette pour me transporter jusques à Mülhausen sous la protection des troupes de Hesse et je ne sais si j'aurais été capable de marcher tout ce long trajet. Pourtant, je demeure persuadé que mon cœur plus que mon corps était malade en ce temps-là.

Je garde un souvenir confus des jours qui suivirent. Je sais seulement qu'après maintes hésitations, l'électeur Johann s'allia aux princes des autres régions et que les forces réunies étaient si redoutables que le pauvre bravache Pfeiffer ne pensa pas un seul instant engager le combat; il s'enfuit une belle nuit de Mülhausen en compagnie de près de deux cents fripons de son acabit, mais fut pris et ramené chargé de chaînes.

Afin d'éviter sa destruction totale, la cité s'engagea à verser aux princes la somme de quarante mille guldens dans un délai de cinq années; elle devait en outre raser murailles et tours et remettre immédiatement toute l'artillerie, tous les objets d'or ou d'argent, la totalité des provisions, les chevaux et autres animaux de trait; alors seulement les princes consentirent à entrer solennellement dans la ville. Je suivis discrètement avec Antti le cortège, puis me rendis au logis du brasseur Eimer.

Le brave homme venait à peine de se débarrasser du bâton de saule écorcé qui était symbole de soumission et lavait la boue qui maculait ses jambes après qu'il se fut traîné aux pieds des vainqueurs avec ses concitoyens. Pas plus lui que dame Geneviève ne reconnurent Antti, sans cheveux ni sourcils. Maître Eimer, à notre vue, nous lança une malédiction et nous avertit que plus rien chez lui ne restait à voler, la canaille de Pfeiffer s'étant déjà partagé, à la manière chrétienne, tout ce qu'elle avait pu emporter.

Mais dame Geneviève finit par se détromper et s'empressa autour d'Antti jusques au moment où elle m'aperçut. Elle examina longuement mon visage et mes nouveaux vêtements, puis tomba dans mes bras pour me donner de frénétiques baisers pleins de passion. Sa tendresse inattendue me toucha profondément et je fus heureux de presser ma tête contre son cou blanc et parfumé tout en répandant quelques larmes salées. Elle me murmura doucement des paroles de réconfort et me dit que jamais elle n'aurait imaginé combien une barbe et de beaux atours pouvaient m'embellir et me rendre séduisant.

Le brasseur, en revanche, ne montra qu'un plaisir mitigé à nous voir chez lui et à constater l'accueil de dame Geneviève; mais outre que cette dernière exerçait une grande influence sur lui, la lecture du sauf-conduit signé de l'électeur, l'amena bientôt à penser que je pouvais, le cas échéant, lui être utile. C'était un homme de grande taille, âgé d'une cinquantaine d'années; il avait des yeux noirs et des sourcils très fournis, quelques rares fils gris dans ses cheveux et sa barbe et de petites veines bleues qui couvraient son visage au teint coloré. Dès qu'il eut compris qu'il pouvait nous faire confiance, il nous conduisit dans la pièce située à l'étage au-dessus. Quelle différence avec le rez-de-chaussée qu'il avait lui-même vidé et saccagé afin de convaincre les intrus que tout avait été pillé ! Il nous servit un bon repas arrosé de bière forte et nous invita à passer la nuit dans un lit de plume. J'aurais fort à dire de cet homme qui était loin d'être un sot, mais je veux tout d'abord conter la mort de Müntzer.

Durant leur séjour à Mülhausen, les princes rendirent la justice et l'on vit les habitants venir à l'envi se dénoncer les uns les autres pour écarter d'eux-mêmes tout soupçon. Le jour de l'exécution, on compta cinquante-quatre d'entre eux, le nœud coulant autour du cou ou à genoux devant le billot suivant leur rang.

Le margrave de Mansfeld ramena à Mülhausen Thomas Müntzer, ou du moins ce qui restait de lui après sa dispute avec un bourreau compétent. Il n'était plus qu'un pauvre homme brisé et claudicant et lorsqu'il fit sa confession publique, ce fut d'une voix faible et toute cassée.

Il reconnut la fausseté de ses enseignements et recommanda son âme à la sainte Église, qui seule pouvait lui apporter le salut. Le pieux duc George, ému aux larmes par la parfaite contrition de Müntzer, exprima sa joie à voir que l'hérétique, à présent repenti, recevait avec gratitude le saint sacrement.

Tandis que j'écoutais la confession soumise et bavarde de Müntzer, mon ultime espoir s'écroula. Si Dieu eût réellement parlé par la bouche de cet homme, ne l'aurait-Il point soutenu même dans les tourments les plus insupportables pour le commun des mortels ? Non ! Plus jamais je ne croirais que le Royaume des Cieux descendrait un jour sur la terre !

Comme il était ordonné prêtre, on le décapita alors que Pfeiffer fut pendu. Jusques à la fin, ce fier-à-bras ne se départit point de son insolence et en grimpant à la potence, il fit rire les soldats de ses plaisanteries égrillardes et impies; puis il se passa lui-même la corde au cou, le bourreau ôta l'échelle et Pfeiffer dansa alors son ultime gaillarde.

Voilà ! J'en ai fini avec Thomas Müntzer et sa bannière de l'arc-en-ciel ! Je parlerai dans le prochain livre de dame Geneviève, d'Eimer le brasseur, de l'empereur Charles et de maintes autres matières instructives et édifiantes.

NEUVIÈME LIVRE

L'EMPEREUR INGRAT

Dès que les princes eurent achevé de rendre leur justice et qu'il ne leur resta plus rien à extorquer aux citoyens, ils quittèrent la ville. Eimer le brasseur m'interrogea sur nos intentions et, croyant qu'il désirait se débarrasser de nous, je lui parlai de mon chien en garde à Baltringen et d'un coffre laissé à Memmingen qui me serait d'une grande utilité, si par chance je le retrouvais. Sur quoi Antti me rappela d'un air guindé la promesse que je lui avais faite et annonça que je devais l'accompagner en France avec dame Geneviève, à laquelle il avait jadis promis de l'accompagner pour aller faire la connaissance de notre fils.

Eimer s'éclaircit la voix d'un air embarrassé avant de demander à dame Geneviève si elle voulait ajouter un mot à ce sujet puis, devant son silence, se mit en devoir de nous expliquer qu'il éprouvait pour elle une grande estime et n'avait nul désir de s'en séparer, que bien qu'il fût un des bourgeois les plus riches de Mülhausen, les impôts avaient si fort augmenté qu'il ne tarderait, s'il demeurait ici, à se voir obligé de mendier son pain ! Il venait le matin même de réussir la vente de sa brasserie pour une somme modique étant donné les circonstances et n'avait plus qu'une hâte, quitter la ville. Ce n'était pas sous le coup d'une lubie ! Certes non ! Il caressait ce projet depuis plusieurs années et nous ne devions point nous imaginer qu'une femme le menait par le bout du nez ! Quant à sa mégère d'épouse, il ne l'avait prise que pour la brasserie et avait toujours regretté cette affaire; d'ailleurs il n'avait pas eu d'enfants ! A présent, il se proposait de se rendre à Nuremberg où il lui serait possible de convertir quelques billets de change, et nous invita à l'accompagner; ensuite, nous nous dirigerions vers la Hongrie, la Confédération suisse ou l'Italie.

Antti, éberlué, jeta un regard chargé de reproche à dame Geneviève qui s'empressa de dire :

— Voyons, Antti, tu seras toujours le père de mon fils avec Mikaël ! Mais que puis-je si ce brave homme, encore dans la force de l'âge, s'est énamouré de ma personne ?

— Quel scandale ! dis-je. Et vous, maître Eimer, vous vivrez assez longtemps pour le regretter amèrement, si amèrement que vous appellerez la mort à grands cris ! En vérité, vous ne connaissez pas cette dévergondée !

A la mi-juin, nous étions à Nuremberg, la plus belle de toutes les villes que j'avais vues en terre allemande. Nous y demeurâmes le temps que maître Eimer réglât ses affaires, et ce séjour dans cette opulente cité me fit l'effet d'une île au milieu d'un océan d'inquiétudes. Personne en effet n'avait la moindre idée, si ce n'est par ouï-dire, des troubles qui secouaient le pays; d'après Eimer, nul désordre ne pouvait se produire ici, où se trouvaient concentrés tant de négoces qui mettaient en jeu de trop considérables intérêts.

— Si vous regardez une carte, Mikaël, vous constaterez que les endroits les moins touchés sont ceux où Fugger est implanté ! me dit-il, de retour de la banque où il avait échangé ses billets. Ce qui n'empêche guère ses agents de prélever le pourcentage éhonté de trente pour cent !

Mais la manière qu'il avait de se frotter les mains et le sourire de ses lèvres humides laissaient présager une transaction quelque peu louche.

Il avait un large cercle de relations parmi la bourgeoisie et il nous présenta à un certain Anton Seldner auquel il confia son intention d'aller installer une brasserie dans un autre pays.

— Je suis l'homme qu'il vous faut, dit aussitôt Seldner, et je vous conseille vivement de vous rendre en Hongrie. D'abord parce que chaque jour une foule d'Allemands en fuite va s'y réfugier, et nous savons tous que ce sont des buveurs de bière; ensuite, et ce point est plus important pour vous, parce que c'est mon frère Martin qui dirige désormais les mines de cuivre des Carpates pour le compte de la couronne; avec une lettre d'introduction de ma part, il vous vendra le droit de fournir ses travailleurs.

— Je me souviens bien de votre frère et je plains la couronne s'il a la haute main sur les mines ! Mais comment peut-il se trouver là-bas ? Fugger ne possède-t-il point tout le cuivre du monde, hormis ceux de Suède et d'Espagne ?

Seldner tapa en riant sur l'épaule d'Eimer et se moqua de lui comme on se moque d'un cousin fraîchement débarqué de la campagne.

— Est-ce possible que vous ignoriez tout des plus grands événements de notre temps ? Fugger n'a plus de monopole. La couronne hongroise a pris les mines en charge ! Ce fut une véritable révolution, à Buda, ils ont attaqué et pillé l'agence de Fugger et l'aristocratie du pays a interdit depuis l'exploitation des ressources naturelles à tous ceux qui ne sont point au service de la couronne.

Eimer, soudain l'air inquiet, tiralla sur sa barbe.

— Le monde est vraiment sens dessus dessous ! Cela ne m'étonne plus qu'il prenne trente pour cent ! Quel scandale ! Les Hongrois sont un peuple barbare et en retard; ils ne pourront jamais réussir sans le savoir et la méthode des Allemands !

— Ce sont gens capricieux, belliqueux, bons bergers et ils détestent les Allemands et les Juifs ! reprit Seldner. Jacob doit sans doute leur en avoir donné quelque bon motif et cette fois il a dû aller trop loin ! D'après ce que l'on raconte, il aurait avec ses associés escroqué la couronne pour plus d'un million de guldens hongrois.

Maître Seldner nous conta par le menu les énormités

commises et les immenses domaines que cette firme haïe avait acquis.

— Mais il a réussi son meilleur coup l'année dernière ! dit-il pour finir. Au début de la poussée de haine, il a acheté pour Thorza, un de ses partenaires, un titre qui lui permet de contrôler toute la frappe des monnaies. Le roi, véritable enfant en matière de négoce, comme d'ailleurs la plupart des Hongrois, jette son argent par les fenêtres. Afin d'avoir davantage de monnaies à sa disposition, il a autorisé Thorza à utiliser pour la frappe un alliage composé d'un quart d'argent, au lieu de moitié comme jadis, et trois quarts de cuivre.

Maître Eimer laissa échapper plusieurs jurons, plongea sa main dans sa bourse et jeta sur la table une poignée de pièces frappées d'un bel écu et de la tête du roi Louis.

— Dieu ! s'exclama-t-il. Je comprends maintenant pourquoi cet homme m'a demandé si j'accepterais de la monnaie hongroise à la place d'une autre dont il ne disposait pas ! Comment diable pouvais-je savoir qu'elle avait perdu la moitié de sa valeur ?

— Exactement ! souligna Seldner. Mais les Hongrois connaissent de pires jurons que les vôtres, mon cher ! Ils en ont appris l'art auprès des Turcs ! Je continue donc mon histoire : quelques commerçants, je ne cite personne, tirèrent alors leurs vieilles pièces de leurs coffres et coururent à l'Hôtel de la Monnaie pour les faire frapper derechef : chaque pièce ancienne leur en a rapporté deux nouvelles. Le roi, quant à lui, n'a pas gagné un liard avec cette émission; certains, en revanche, ont touché des bénéfices de cent pour cent ! Les seigneurs propriétaires terriens ont, en outre, acheté aux anciens prix mais avec les nouvelles pièces tous les biens disponibles en Hongrie : troupeaux de chevaux, de moutons, de vaches et coetera; cependant, lorsqu'ils ont ensuite voulu acquérir des produits en provenance de l'étranger, ils se sont avisés que les prix avaient doublé ! Ce fut alors qu'une épouvantable agitation secoua le pays et que les agents de Fugger ont bien failli y laisser leur peau.

Cette remarquable histoire plongea Eimer dans un abîme de réflexion.

— En tout cas, je suis persuadé d'une chose, finit-il par dire, c'est que Jacob ne tolérera pas longtemps de voir ses agents maltraités ni de perdre ses mines. Il va laisser le jeune souverain dans son coin et le pays ira à la ruine ! Je n'ai plus nulle envie d'aller là-bas installer une brasserie !

— Pourtant, la Hongrie est un pays riche, fertile, insista maître Seldner, couvert à l'infini de plaines et de pâturages avec des troupeaux de chevaux et de moutons innombrables. On y trouve également de nombreux vignobles, et enfin, les propriétaires hongrois ne connaissent rien au commerce ! Quand ils ne sont pas occupés avec les Turcs, ils boivent du vin, écoutent de la musique, dansent, chassent ou galopent à cheval. Avec eux, un homme intelligent peut en un rien de temps prospérer et grossir comme une tique !

« Mais ils se montrent impitoyables à l'égard des hérétiques. Leurs luttes contre les Turcs ont sans doute renforcé leur foi et ils ne tolèrent point de discussion au sujet de la religion; ils craignent que pareils discours ne soulèvent les serfs contre eux et par Dieu ! nous savons bien qu'ils n'ont pas tort !

Il parla bien et en termes alléchants de la Hongrie. Par exemple, il expliqua que le pouvoir de Fugger se trouvait pour l'heure si ébranlé qu'il y avait la place pour d'autres entreprises. Il y partirait lui-même volontiers si seulement il arrivait à persuader le Sénat de Nuremberg d'accorder son appui à son frère, les mines étant de toute façon une bien trop grosse affaire pour un seul homme.

Enfin le jour vint où maître Eimer, ayant résolu toutes ses affaires, nous annonça son intention de partir sans délai à Venise, le plus grand marché du monde. Il pourrait y acquérir une nouvelle identité en changeant de nom et en se coupant la barbe.

— Ç'eût été folie d'emporter beaucoup de liquide pour un si long voyage, aussi ai-je échangé toute ma fortune contre des lettres de crédit sur la maison Bisani du Rialto. Dame Geneviève va m'accompagner et, pour plus de sécurité et de rapidité à la fois, nous ferons route avec les courriers de Fugger. Vous pouvez évidemment venir avec nous si vous le désirez mais comme maintenant votre protection ne m'est plus nécessaire, ce sera à vos propres frais.

Cette nouvelle me chagrina sincèrement. J'avais cru que nous irions tous ensemble en Souabe récupérer mon chien Raël, puis que nous traverserions la Confédération pour gagner Lyon et Tours où nous ferions enfin la connaissance de notre fils. Antti avait même acheté à son intention un cadeau chez un habile fabricant de jouets de Nuremberg, un petit âne qui remuait les pattes. Du reste, je remarquai que les plans de maître Eimer étaient loin de plaire à dame Geneviève qui déclara, avec un sourire pincé, que ses projets à elle étaient tout à fait différents. Mais le brasseur promit de lui acheter à Venise des aunes de brocarts d'or, un miroir et quelques-uns des fameux verres. Comme je ne pouvais supporter les frais d'un voyage en poste en leur compagnie, il fut décidé qu'Antti et moi traverserions à pied la Souabe et la Confédération jusques en Lombardie, afin de les rejoindre à Venise après l'été. En arrivant, nous devrions nous enquérir à *L'Auberge des Tudesques* d'un certain Kaspar Rotbart et nous serions sûrs de les retrouver.

Dès que je pus parler seul à seul avec dame Geneviève, je lui reprochai son inconstance. Elle se défendit ardemment en prétendant qu'elle avait toujours brûlé du désir de voir Venise; elle eût, certes, préféré que maître Eimer emportât sa fortune sous forme de monnaies sonnantes et trébuchantes mais, après tout, il y aurait sûrement quelque chose à gagner dans ce voyage; enfin, elle me rappela les innombrables preuves de véritable affection qu'elle m'avait données et me supplia de venir en hâte à Venise pour la délivrer d'Eimer, qu'elle ne suivait que pour assurer l'avenir de ses enfants.

Dame Geneviève m'avait, comme elle le disait, fréquemment exprimé sa tendresse et j'avoue que, lorsque maître Eimer vaquait à ses affaires, ses attentions avaient été parfois épuisantes ! Le souvenir de mon petit chien et l'approche du beau temps me rendirent la séparation moins pénible. N'étais-je point, en ma folie, parvenu à croire qu'elle ne pouvait vivre sans moi ?

Avant le départ, Antti avait résolu de laisser en dépôt ses importantes économies et de retirer à la place des lettres de crédit; Eimer se montra si empressé à lui servir d'intermédiaire, qu'il affecta ensuite de changer d'avis et attendit que le brasseur eût quitté la ville pour se rendre à la banque Fugger où, en échange de son argent, on lui remit une lettre qu'il lui suffirait de présenter dans les agences de Venise, Milan ou Genève pour recevoir l'équivalent en espèces. Il sifflota avec désinvolture lorsque je lui fis remarquer qu'il avait misé sur le mauvais cheval étant donné les événements de Hongrie, et assura prendre volontiers le risque de ne pas être payé parce qu'à son avis la terre arrêterait de tourner autour du soleil avant que le riche Jacob ne commençât à perdre son argent.

Nous quittâmes Nuremberg pour aller tout d'abord à Baltringen, mais ce fut loin d'être l'excursion agréable que j'avais envisagée ! Tout le long du chemin, on voyait des os de pieds et de mains émerger de monticules de terre, et les corbeaux volaient en cercle autour des fermes incendiées. Nous croisions des femmes, l'œil hagard, des enfants effarés qui ne nous adressaient point la parole et, dans les villages encore debout, nous avions bien du mal à trouver quelque chose à manger. Trois fois, nous vîmes des potences où pendaient encore les cadavres de prêtres, reconnaissables aux lambeaux de leurs vêtements; les paysans rencontrés maudissaient Luther qui n'avait réussi qu'à rendre princes et prélats plus arrogants qu'auparavant et leur sort beaucoup plus pitoyable.

Nous cheminâmes donc sans nous attarder. Arrivés à Baltringen, nous nous rendîmes directement chez la digne veuve qui nous croyait morts depuis longtemps. Comment dire les fêtes que me fit mon chien dès qu'il m'aperçut ? Il sautait sur moi, me léchait les mains, courait comme un fou par tout le logis, bousculant dans sa joie tables et bancs. Son pelage avait repoussé dru et lustré et il était gras comme un petit cochon. La veuve me dit l'avoir nourri de son mieux et, à vrai dire, elle s'était si fort attachée à lui qu'elle éprouvait un réel chagrin de le voir partir avec moi, ce qui ne laissa point de me faire de la peine. Je résolus donc de laisser Raël choisir lui-même entre une bonne chère devant un feu de cheminée et les privations d'un voyage en ma compagnie. Lorsque je le quittai sur le seuil de la maison à l'intérieur de laquelle la veuve l'attirait avec un bel os, il lança un jappement d'adieu, lui lécha la main, se saisit de l'os et courut à ma suite. Antti déclara que Raël était un chien prévoyant et rempli de sagesse puisqu'il apportait ses provisions de bouche !

Nous nous dirigeâmes ensuite d'un pas allègre vers Memmingen. A l'hôtel de ville, nous descendîmes ce sombre escalier qui menait à mon ancien foyer qu'occupaient encore l'huissier et son épouse marquée par la petite vérole. Ils ne parurent guère enchantés de me revoir, car ils avaient caressé l'espoir de s'approprier mon coffre et même fait proclamer publiquement que, sans nouvelles pendant une année, ils le garderaient. Ils se plaignirent de leur pauvreté et de la dureté des temps, mais ils n'avaient pas ouvert le coffre. Je ne gardai qu'un peu de linge, quelques fines dentelles et le gobelet d'argent et vendis, quoique à regret, le manteau de fourrure de maître Fuchs ainsi que tout le reste. Avec ce que j'en obtins, je fis dire une messe pour l'âme de maître Fuchs, bien que je n'eusse plus guère la foi en toutes ces choses, donnai une aumône pour les pauvres de la maison du Saint-Esprit et une gratification à l'huissier pour avoir veillé sur mon bien. Enfin, après avoir réglé quelques dettes à Antti, ma bourse contenait encore une bonne centaine de guldens.

Il me sembla dès lors au-dessous de ma dignité de voyager à pied et, pour le reste de la route, je résolus de louer un cheval à chaque relais. Antti marchait, la main posée sur mon étrier. Quand Raël montrait quelque signe de fatigue, je l'asseyais sur la selle devant moi; nous avancions beaucoup plus rapidement en cet équipage et, en peu de jours, atteignîmes Landau où se trouvait l'arsenal de l'empereur. Nous prîmes là une barque pour traverser le grand lac en direction du territoire suisse et de la liberté !

A présent que les hauts sommets bleutés couverts de neige nous entouraient de toute part, nous avions enfin atteint la grande barrière, sans doute la plus haute que Dieu eût jamais élevée ! Le souffle coupé, nous la contemplions avec crainte et il nous parut impossible que de pauvres mortels pussent franchir pareil obstacle. Pourtant, à mon grand étonnement, nous le franchîmes en compagnie de quelques marchands. Nous avons certes souffert du froid de la nuit et des vents effroyables qui soufflaient en haut des cols, et nous avons dû souvent écarter les blocs de rochers qui avaient roulé sur les pentes et bloquaient le chemin. Raël maigrit et fut dès lors capable de parcourir de longues distances sans haleter; je crois que jamais en ma vie je n'avais respiré un air aussi pur et vivifiant. A présent je comprenais pourquoi nul empereur n'avait réussi à subjuguer cette nation. C'est en réalité un pays créé par des hommes durs et tenaces qui n'éprouvent aucune crainte devant la mort violente ni les hauteurs vertigineuses.

En une seule journée, nous plongeâmes de l'air stimulant des Alpes dans la chaleur suffocante d'un mois de juillet italien. La petite ville dans laquelle nous fîmes halte pour la nuit empestait le légume pourri et les ordures; ses habitants, gens de petite taille à la peau brune, s'attroupèrent autour de nos chariots en poussant de grands cris, vociférant et agitant leurs armes de manière menaçante, mais Antti m'assura que c'était là l'attitude courante de ces populations. Il me conseilla d'apprendre le plus vite possible l'italien, la langue commerciale la plus utilisée dans le monde.

Nous nous séparâmes des marchands qui se dirigeaient vers Milan et poursuivîmes sans hâte notre route, traversant les domaines impériaux pour gagner la puissante république de Venise. Nous étions à la mi-juillet, il faisait une chaleur terrible et les champs de blé avaient la couleur de l'or. Il nous arrivait souvent de dormir pendant la journée et de voyager du crépuscule au matin ou par les nuits de lune. Et malgré tout, Antti m'assurait que je n'avais encore rien vu de la véritable chaleur italienne.

J'arrive maintenant à l'aventure la plus extraordinaire sans doute de toutes celles qui ont jalonné ma vie; et pour répondre aux calomnies et aux soupçons qu'elle a plus tard suscités, je tiens à insister sur le fait que nous possédions, Antti et moi, suffisamment d'argent pour subvenir à nos besoins et que nous ne portions des armes que pour nous défendre et non pour attaquer et voler, activités qui n'ont jamais fait partie de nos projets d'avenir. Il me paraît indispensable de donner ces explications parce que, depuis que j'ai atteint la position élevée que j'occupe, d'aucuns ont prétendu que j'ai fui la Chrétienté précisément à cause de cet épisode de ma vie; il est avéré pourtant que je ne suis parti que deux années plus tard et pour les meilleures raisons du monde. J'ai jusques ici tout conté sans mentir et sans chercher à dissimuler ni mes fautes ni mes erreurs et je ne vois point de raison de ne pas poursuivre de même ce récit.

Antti souhaitant, pour raison personnelle, éviter la ville de Breschia, nous fîmes un détour par un chemin cavalier avant de rejoindre ensuite la route principale à la tombée de la nuit. Soudain nous entendîmes devant nous trois coups de feu suivis de cris et de cliquetis d'armes; un cheval sans cavalier passa près de nous, crinière au vent et les yeux pleins de furie, faisant détaler mon chien, la queue entre les pattes. Je dis à Antti que ce n'était point notre affaire et qu'il valait mieux prendre par les bois, mais il répondit, après avoir vainement tenté d'arrêter l'animal emballé, qu'il ne se cacherait pour rien au monde tant que la route serait pleine de montures dont leurs cavaliers semblaient n'avoir nul besoin. Ainsi donc, nos armes à feu prêtes à tirer, nous continuâmes d'avancer, Antti le premier, moi surveillant les arrières et Raël fermant la marche, la queue toujours entre les pattes.

Nous nous trouvâmes bientôt en présence d'une bande de voleurs; l'un d'entre eux maintenait deux chevaux, pendant que les autres dépouillaient de leurs vêtements et de leur bourse deux cavaliers légèrement armés et déjà morts. Antti tira un coup d'arquebuse, poussa un horrible cri et fondit sur eux en brandissant sa grande épée. Le premier effet de surprise passée, ils s'avisèrent que nous n'étions que deux et s'apprêtaient à nous trucider lorsque j'appuyai le canon de mon arme sur la poitrine d'un des bandits et pressai sur la détente en priant Dieu que la platine fonctionnât et que s'allumât l'amorce. Le coup partit, l'homme tomba tandis qu'Antti faisait son affaire à un autre; sans demander leur reste, les survivants sautèrent à califourchon sur les deux chevaux volés et disparurent avec leur butin : cette petite lutte, qui en soi ne comptait guère, ne nous rapportait strictement rien ! Mais il arriva que mes intestins se relâchèrent sous le coup de l'émotion et que je dus me retirer dans les taillis. Raël vint avec moi et après avoir folâtré entre les arbres, se mit à grogner puis à lancer des aboiements aigus. Il ne répondit point à mon appel et en allant le chercher, je trouvai le corps d'un jeune homme; le sang coulait de ses blessures et son visage était encore chaud. Je pensai que ce devait être le cavalier du troisième cheval, celui que nous avions croisé sur le chemin; tombé de sa monture quand il avait été blessé, sans doute avait-il rampé pour échapper à ses assassins.

Je poussai un cri de joie en ouvrant sa bourse qui contenait vingt ducats de Venise et des monnaies d'argent. J'étais encore occupé à compter les pièces lorsque Antti, qui m'avait appelé en vain du sentier, se rapprocha de moi. Il devint vert de jalousie à la vue de l'or ! Les vêtements élégants du jeune homme ne laissèrent point de me tenter, mais je jugeai préférable de quitter les lieux sans plus tarder. Antti retourna le cadavre dans l'espoir de trouver quelque autre argent et s'empara d'un bijou d'or épinglé à la chemise. Ce fut alors qu'une chose curieuse attira notre attention : le jeune homme qui ne s'était point soucié de sa bourse, tenait encore dans la mort, serré contre sa poitrine, un long tube gainé de cuir.

— Regarde ! Il y a trois fleurs de lys ! s'exclama Antti en desserrant les doigts du cadavre. Voilà peut-être mon bâton de connétable ! Enfin, si jamais le roi de France me nomme chef de son armée !

Il cacha l'étui dans son sein comme s'il eût été sa propriété, et nous nous hâtâmes de quitter les bois pour poursuivre notre route en direction du sud. Nous marchâmes à la clarté de la lune et quand elle se cacha, nous fîmes halte pour manger et dormir à l'abri des arbres près d'un ruisseau. Nous ne voulûmes point courir le risque d'allumer un feu de crainte d'être découverts et pendus haut et court. Qui donc pourrait croire à notre histoire ?

A notre réveil, le soleil était déjà levé, et nous examinâmes notre butin; la bourse ornée de fils d'or et de perles, valait à elle seule au moins deux ducats et, tandis que je faisais tinter l'or pour faire enrager Antti, il dénoua le cordon de l'étui rouge et sortit un cylindre de fer muni d'une serrure. Des fleurs de lys et les armes du roi de France étaient gravées dans le cuir.

— Je sais ce que c'est ! s'écria Antti brusquement. C'est une boîte à dépêches de la Cour de France ! J'en ai déjà vu et nul n'en a la clef hormis le Garde des Sceaux et les ambassadeurs de Sa Majesté à l'étranger.

Pris de panique, je laissai tomber une de mes pièces et dus passer un long moment à sa recherche.

— Nous devons enterrer cet homme tout de suite ! dis-je après l'avoir trouvée. Nul ne vole impunément le courrier du roi et ces bandits devaient ignorer ce qu'ils faisaient en s'attaquant à un messager du souverain.

Mais Antti s'entêtait à découvrir le contenu d'un tube si important et passa plus d'une heure avant de réussir à forcer la serrure. Hélas ! Il en fut pour ses frais car au lieu de l'or attendu, il ne trouva que des lettres scellées adressées à Lyon à la reine mère de France qui, à cette époque, régentait les affaires du royaume au nom de son fils prisonnier. Antti jura en jetant les papiers. Pourtant, à présent que le cylindre était ouvert de toute façon, une fatale curiosité s'empara de mon esprit : je mourais d'envie de fourrer un peu mon nez dans les affaires du monde ! Ce n'était pas bien, je l'admets, et tout ce que je puis dire pour ma défense, c'est que je n'avais aucune idée des aventures extraordinaires dans lesquelles j'allais me voir entraîné par ce simple geste. J'insiste une fois encore sur le fait que ce fut un pur hasard si les lettres tombèrent entre mes mains, et que jamais le projet de me les approprier ne m'avait effleuré l'esprit !

Je brisai donc les scellés et me mis en devoir de lire les dépêches écrites en français. La plus longue émanait du comte Alberto Pio, ambassadeur de France à la curie de Rome, qui mandait ses instructions à son secrétaire, Sigismondo di Carpi, au sujet de certaines négociations à Venise, et donnait l'ordre de faire parvenir cette missive à la régente de France.

La deuxième lettre était de ce Sigismondo di Carpi qui déclarait avoir confié les dépêches à son propre secrétaire, Sismondo Santi; il faisait savoir que la Signoria de la grande République procédait actuellement à l'équipement d'une armée et que personnellement il se rendait dans les États de la Confédération afin d'y recruter dix mille soldats.

Il y avait également une lettre de la Signoria, mais je ne pus en prendre connaissance parce qu'elle était écrite en italien.

La reine mère n'avait donc plus qu'à signer le traité d'alliance, écrivait le comte Alberto Pio, et lorsque Sa Sainteté le pape Clément VII recevrait le document, il serait prêt à mander ses troupes unies à celles de Florence pour se battre contre le royaume de Naples.

Il me fallut un certain temps pour saisir la signification de ces divers messages. Comme tout le monde, je m'étais laissé bercer par l'illusion d'une paix durable et à mesure que je lisais, je lançais des exclamations et implorais l'aide de Dieu pour m'éclairer. Je compris rapidement que ces dépêches me coûteraient la vie si on les trouvait sur moi tant à Venise, qu'à Milan, Florence ou Rome, ou encore en terre française parce qu'elles ne concernaient rien de moins qu'un épouvantable complot fomenté contre l'empereur et la paix du monde. Sa Sainteté le pape tirait les ficelles de cette conspiration qui devait apparemment être conduite par le marquis de Pescara, commandant en chef de l'armée impériale à Milan.

Je sentis bientôt que cet énorme secret pesait trop lourd pour un seul homme, et dévoilai toute l'histoire à Antti qui n'avait cessé de me poser des questions en me voyant en proie à une si grande agitation.

— Mauvaise affaire ! commenta-t-il placidement. L'empereur a congédié ses troupes faute d'argent mais, à Milan, le marquis de Pescara jouit encore d'une certaine autorité et Frundsberg peut faire surgir du sol dix mille piquiers à n'importe quel moment.

— Tu oublies l'essentiel ! intervins-je. Pescara a conspiré contre l'empereur qui ne l'a guère bien traité ni récompensé comme il le mérite. Souviens-toi qu'on lui a arraché des mains le roi de France pour l'emmener en Espagne et qu'il est furieux contre de Lannoy, le vice-roi de Naples, et contre le duc de Bourbon, tous les deux tranquillement installés là-bas pour surveiller le butin et faire leur cour à l'empereur. Le pape, en revanche, lui a promis soit la couronne de Naples soit celle des Deux-Siciles quand ils prendront Naples, et mandé plusieurs docteurs en théologie et en jurisprudence afin de lui démontrer qu'il peut, sans faillir à l'honneur, abandonner l'empereur et s'allier avec ses ennemis bien qu'il occupe le poste de commandant en chef des armées impériales.

— Diable ! s'exclama Antti qui resta bouche cousue pendant un moment. (Puis il rompit le silence pour dire :) Si c'est vrai, je plains le pauvre empereur ! Le voilà embarqué dans une galère prête à couler, car sache qu'il n'y a aucune commune mesure entre le marquis de Pescara et de Lannoy ou Bourbon ! Il faut que nous allumions tout de suite un feu pour brûler ces papiers ! On va oublier toutes ces histoires et reprendre la route la conscience tranquille !

Mon esprit bouillait déjà de plans inspirés par ma cupidité et mon ambition ! La pensée que nous tenions la destinée du monde entre nos mains me montait à la tête !

— Dieu te prenne en pitié, Antti ! Ces papiers ont une valeur inestimable, ne soyons pas si stupides pour les brûler ! Essayons plutôt de réfléchir à qui nous en pourrait donner le meilleur prix !

— A la table du lion, il n'y a point de place pour les rats ! rétorqua sentencieusement Antti. Rien à gagner pour nous dans un jeu de cette envergure ! Peu importe celui auquel nous vendrons ces lettres, nous n'en pouvons retirer qu'une mort violente. Les sceaux brisés prouvent que nous en connaissons le contenu : le pape nous brûlera sur un bûcher, Pescara nous fera écorcher et écarteler et la régente pendre pour le vol de son courrier !

— Mais Antti ! insistai-je sur le ton du reproche. Il s'agit d'une affaire d'une telle importance que nous ne pouvons nous borner à ne penser qu'à notre peau ! C'est la paix du monde qui se trouve en grand péril et la Providence a mis ces lettres entre nos mains afin que nous puissions la sauver ! Seul l'empereur est à même de détourner la menace qui pèse sur son pouvoir et c'est donc à lui que nous devons, sans tarder, faire parvenir ces papiers; s'il lui plaît alors de nous en donner le prix convenable, nous l'accepterons humblement comme un don venu de Dieu.

— L'empereur est si absolument pauvre que nous ne gagnerions rien à l'aider ! Tu te trompes de porte, Mikaël ! Et tu prends un raccourci pour l'enfer si tu cherches à soutenir son trône chancelant alors que Pescara lui-même l'abandonne ! Le marquis sait ce qu'il fait, n'en doute point !

— Dieu semble avoir élu ce brave jeune homme pour restaurer l'ordre dans notre monde troublé, repris-je avec obstination. Malgré sa pauvreté, il n'est pas loin de dominer la terre et lorsqu'il aura pris connaissance de la trahison du pape, je suis convaincu qu'il l'écrasera et purifiera l'Église. Il a également juré d'arracher l'hérésie de la terre germaine et je l'approuve parce que j'ai vu de mes propres yeux qu'il n'entre point dans les desseins de Dieu de porter le Royaume des Cieux sur la terre. Luther est fini et l'Allemagne entière maudit son nom ! Et puis, je ne peux m'empêcher d'espérer que le vœu prononcé sous l'échafaud de mon épouse (non, je ne te le répéterai point, tu me croirais fou !) ne soit juste et qu'il ne voie bientôt son accomplissement !

Antti me rappela alors sur le ton de l'aigreur la promesse que je lui avais faite sur la route de Weimar, mais je m'en déliai avec cinq ducats tirés de la bourse du jeune Santi. Il protesta, une promesse est une promesse et je devais suivre le chemin qu'il choisirait, parce qu'à son avis j'avais déjà suffisamment attiré de malheurs sur nos deux têtes ! Il finit par prendre les monnaies qu'il glissa en soupirant dans sa bourse quand il se rendit compte que ma décision était inébranlable.

— Si j'ai bien compris ces lettres, dit-il, il semble que le Saint-Père et les autres princes italiens soient fatigués d'un joug étranger et réclament l'Italie pour les Italiens ! Cela n'a rien d'étonnant pour celui qui, comme moi, a vu agir les troupes impériales à Milan et en Lombardie ! Mais qui suis-je, moi, pauvre ignorant, pour discuter avec toi ? Il faut donc que je t'accompagne de peur qu'une fois de plus tu ne te précipites la tête la première contre un mur ! Retournons sans tarder à Milan !

Je le regardai, incrédule : Milan, le quartier général de Pescara, était le dernier endroit où j'aurais songé à me rendre ! Antti répliqua que c'était aussi le dernier où l'on viendrait nous chercher !

Nous atteignîmes Milan à la fin du mois de juillet. Les maigres troupes impériales maintenaient leur siège devant le château que Sforza, le seul duc légitime, défendait avec ténacité. Antti retrouva nombre d'anciens camarades du siège de Marseille, mercenaires espagnols ou allemands auxquels il demanda, pour sauver les apparences, s'il était possible de s'enrôler; l'empereur ne pouvait se permettre d'engager de nouvelles recrues, lui répondit-on, et les hommes déjà à son service devaient se débrouiller pour se procurer leur propre nourriture ! La population de cette cité jadis florissante avait diminué du tiers, toute la région avait été détruite par le feu et pourtant, la confiance dans une paix durable avait stimulé le commerce. Je me rendis aussitôt à la banque Fugger où j'écrivis une lettre à dame Geneviève pour lui annoncer notre changement de plan. Je lui dis qu'Antti et moi, soudain accablés par le poids de nos péchés, avions décidé de faire un pèlerinage au monastère Santa Maria de Compostelle en Espagne; elle ne devait donc plus nous attendre mais poursuivre son voyage jusques à Lyon où nous espérions la retrouver dès notre retour; dans le cas contraire, nous irions à Tours pour porter l'âne à notre fils et regagnerions ensuite Venise pour l'y quérir. En lisant ce message, dame Geneviève croirait sans nul doute que nous avions complètement perdu l'esprit, mais je ne pouvais lui fournir d'autres explications sur nos activités. J'apposai un sceau à ma lettre et la confiai à l'agent de Fugger auquel je laissai une gratification d'un ducat et demi afin qu'il se chargeât d'envoyer ce courrier à l'adresse de Kaspar Rotbart, *Auberge des Tudesques*, à Venise.

Nous avions déjà achevé nos préparatifs pour nous rendre

à Genève lorsque soudain la chance nous sourit. Le bruit courut qu'un certain don Gastaldo, un des lieutenants de Pescara, se rendait en Espagne auprès de l'empereur et qu'une foule de mercenaires nostalgiques de leur pays briguaient une place dans sa suite. Un officier qu'Antti avait connu à Pavie lui procura une introduction auprès de ce seigneur; notre projet de pèlerinage eut l'heur de plaire au messager, jeune homme confit en dévotion, qui nous entretint des miracles de Compostelle et nous autorisa sans difficulté à l'accompagner, à condition toutefois que le voyage fût à nos frais et que nous lui fissions escorte jusques à la cour de l'empereur.

Ce fut donc en compagnie de don Gastaldo que nous nous rendîmes à Genève où il donna congé au reste de ses hommes, hormis deux arquebusiers espagnols. Il était manifestement chargé d'une mission d'importance, car nous empruntâmes une grande galère à plusieurs files de rames, de celles qui permettent la navigation sans tenir compte du vent. Elle était en outre pourvue de nombreux canons et le capitaine mit à la disposition de don Gastaldo une riche cabine placée en poupe du bâtiment; nuit et jour à sa porte l'un de nous montait la garde, mèche allumée, et lorsque don Gastaldo s'allait promener sur le pont, un homme le suivait toujours comme son ombre. Ces précautions pouvaient, à cette époque, paraître exagérées; des événements ultérieurs en démontrèrent le bien-fondé.

Durant le voyage, j'admirai les longues files de rames qui se levaient et s'abaissaient dans un bel ensemble. J'aurais aimé parler avec les galériens enchaînés mais tant qu'ils nageaient, on ne pouvait les déranger et lorsqu'ils se reposaient, ils gisaient, épuisés et haletants comme une meute efflanquée. Leur pont empestait et les hommes chargés de fouetter les paresseux pour leur donner plus de cœur à l'ouvrage me déconseillèrent vivement de descendre parmi eux qui n'étaient que de sauvages criminels endurcis et rendus enragés par le manque de nourriture. A vrai dire, d'autres histoires, certainement exagérées, refroidirent mon désir de les approcher et me portèrent à surveiller mon chien avec vigilance.

Les vents nous furent favorables et après une quinzaine de jours en mer, nous entrâmes dans le port de Valence, en Espagne; cependant nous n'eûmes guère le temps de nous attarder dans cette grande cité haute en couleur avec ses navires innombrables, en raison de la hâte de don Gastaldo à rejoindre son but. Sitôt à terre, nous enfourchâmes nos chevaux pour nous engager sur la longue et pénible route qui mène à la ville de Madrid, aux environs de laquelle le roi de France était retenu prisonnier. Au cours des journées lentes et monotones qui suivirent, je me lassai de respirer cette éternelle poussière et de voir les collines arides et jaunes de l'Espagne avec leurs misérables chevriers à la face noiraude qui grimaçaient à notre approche sur le bord des chemins. Il est vrai que dans la vallée des fleuves l'on voyait des terres fertiles et de belles cités, mais les palais et les aqueducs construits par les Maures tombaient en ruine et la chaleur torride du mois d'août avait teint le sol le plus riche de cette couleur jaune pâle propre à la sécheresse. Je dois avouer que ce pays de collines dénudées et de plaines à l'infini m'effrayait, que son vin avait pour moi le goût de la poussière rouge des chemins et me brûlait la gorge et que je n'arrivais point à concevoir la raison pour laquelle les deux arquebusiers à la mine revêche avaient si ardemment désiré quitter l'avenante et belle Italie pour revenir ici !

Plus nous approchions de Madrid, plus je me rendais compte des difficultés que j'allais devoir surmonter pour obtenir une audience de l'empereur. Les affaires de l'État l'absorbaient complètement et l'on nous rapporta que les envoyés de France étaient arrivés depuis le mois de juillet pour négocier la libération de leur souverain. Je ne trouvais aucun réconfort à mes soucis dans les hurlements des loups sur les collines lorsque, Raël tremblant à mes côtés, nous passions la nuit dans quelque misérable masure de terre; pas plus que dans l'odeur des bûchers brûlant devant l'église d'une petite ville. Il nous arriva de nous trouver sur le parvis au moment où l'on brûlait un Juif et un Maure; ils étaient attachés dos à dos aux même fagots et portaient tous deux des bonnets ornés de diables peints; des moines vêtus de robes noires chantaient en brandissant leur croix et don

Gastaldo, malgré sa hâte, voulut s'arrêter afin d'assister à la lugubre cérémonie. Il nous dit que l'Espagne était le pays le plus troublé par les hérétiques et qu'ici, la sainte Inquisition avait à lutter à la fois contre l'hérésie judaïque et contre un mahométisme fortement enraciné. L'odeur de cette fumée le toucha donc profondément et lui ramena en mémoire de précieux souvenirs de son enfance.

Nous atteignîmes Madrid l'un des ultimes jours du mois d'août, fatigués et malades de voyager dans cette fournaise et cette poussière aveuglante. Don Gastaldo apprit avec grand plaisir que l'empereur venait précisément d'arriver de Tolède et, sans prendre le temps de brosser ses vêtements ni même d'ôter ses éperons, il alla demander audience à Sa Majesté. Nous ne nous étions jamais interrogés sur l'objet de sa mission mais j'éprouvais une profonde admiration à son égard, car si les rigueurs de notre voyage l'avaient amaigri et avaient creusé des cernes profonds sous ses yeux, il était demeuré toujours aussi souple et alerte que du vif-argent. Du reste, Antti me dit que nul soldat au monde n'était plus résistant ni plus coriace qu'un soldat espagnol.

Quant à nous, nous nous traînâmes, engourdis et perclus de douleurs, dans une auberge pour commander à boire et à manger en latin, français et italien. Le vin me monta aussitôt à la tête, tandis qu'Antti le buvait à même la cruche et que Raël, sous la table, rongeait un os avec voracité en grognant contre tous ceux qui faisaient mine de le lui prendre. Un groupe d'Espagnols fut bientôt attroupé autour de notre table pour nous regarder boire et manger; ils ne cessaient de faire de grands signes de croix tout en suivant de leurs yeux noirs chaque bouchée qu'enfournait Antti en particulier. Ce dernier, en veine de charité à l'égard du monde entier, commenta :

— Ces pauvres épouvantails ont part à la rédemption au même titre que nous ! Ils ne peuvent rien à leur naturel ténébreux et nous allons les gorger de vin pour voir s'ils sont capables de sourire !

Et ainsi fut fait ! Mais le bruit que l'on pouvait boire gratis se répandit par toute la cité en un clin d'œil, si bien qu'il y eut bientôt tant de presse dans l'établissement que l'on ne pouvait même plus lever le coude et que le propriétaire dut barrer sa porte. Seul un homme de petite taille parvint encore à se joindre à nous en grimpant par-dessus le mur. Il avait des oreilles de chauve-souris et des yeux vifs et, comme il parlait assez bien l'allemand et le latin, nous lui souhaitâmes la bienvenue ainsi qu'à un chrétien. Quand il eut fini de boire, nous le portâmes dans la chambre que l'aubergiste nous avait réservée et le couchâmes entre nous pour la nuit. Décidément, il ne tenait pas le vin !

Mais la chance nous souriait toujours car ce petit homme se révéla pour nous d'une appréciable utilité. Le lendemain matin, au réveil, tandis que nous buvions précautionneusement du vin pour nous éclaircir les idées, il nous apprit qu'il était le barbier du noble de Lannoy avec lequel il venait d'arriver de Tolède; il se flattait, outre ses talents de barbier, d'être entremetteur et d'avoir ses entrées dans les meilleurs bordels de la cité. Notre épuisement, d'une part, et d'autre part la peur salutaire que m'inspirait le mal français, nous amenèrent à refuser ses services en cette occurrence. Néanmoins, constatant ses excellentes dispositions à notre égard, je lui demandai de quelle manière un homme sans fortune pouvait avoir quelque chance d'être reçu par l'empereur : nous étions des pèlerins arrivés de terre lointaine et après avoir voyagé en compagnie d'un officier espagnol jusques à Madrid, nous brûlions du désir de rencontrer le plus grand monarque du monde afin de pouvoir plus tard le conter à nos petits-enfants pour le cas où nous en aurions.

— Notre jeune souverain, répondit le brave barbier en posant sur moi des yeux scrutateurs, notre jeune souverain s'est vu dans l'obligation de s'entourer d'un rempart composé de centaines si ce n'est de milliers de personnes, afin de se préserver de ceux qui souhaitent obtenir une audience. Il est sans relâche assiégé d'une foule de quémandeurs qui viennent de partout, inventeurs, mathématiciens, philosophes, et qui tous arrivent avec des projets plus extravagants les uns que les autres ! Il en est un néanmoins qui leur est commun, à savoir : obtenir quelque chose de l'empereur ! Et pourtant, il faut que vous sachiez qu'il s'est endetté auprès de tous les marchands et princes de la Chrétienté ! Il y en a bien peu auxquels il ne doive rien et ses créanciers ne le laissent jamais en paix. Je comprends pourquoi, malgré sa jeunesse, notre empereur s'est fatigué de l'humanité pour devenir un amoureux de la solitude !

« Il se trouve précisément que ces temps-ci, il est encore plus difficile de capter son attention du fait que Français, Anglais, Vénitiens et envoyés du pape, sans compter les inévitables duc de Bourbon et sieur de Lannoy, tous tournent autour de lui comme des mouches pour l'espionner et mener leurs intrigues respectives : d'un côté, la France a offert pour son souverain une rançon de trois millions de ducats, à condition de conserver le duché de Bourgogne; d'un autre côté, l'empereur et le duc de Bourgogne exigent la cession de ce duché tandis que, d'un autre encore, le bon sieur de Lannoy préférerait accepter la rançon et gagner ainsi l'amitié et l'alliance du roi François qui, quant à lui, est un prisonnier aussi têtu que l'empereur lui-même. Comment s'étonner dès lors que Sa Majesté Impériale aspire à un peu de paix et de tranquillité pour réfléchir à de si graves affaires ?

Les observations du barbier me donnèrent matière à réflexion et notre entreprise me parut encore plus compliquée que je ne l'avais imaginé parce que si, dès le départ, je ne frappais point à la bonne porte, la personne contactée ferait n'importe quoi pour empêcher notre audience. Les papiers en ma possession indiquaient clairement que l'empereur avait tout intérêt à montrer de la modération dans la signature d'un traité de paix, à relâcher le roi François et si possible à s'en faire même un ami. Dans le cas contraire, la France s'allierait à l'Italie pour le délivrer.

— Supposez, dis-je, qu'une personne puisse fournir une preuve irréfutable qu'il est du plus grand intérêt pour l'empereur de se hâter de conclure la paix avec la France et qu'en poursuivant la lutte, il ne fait que se nuire et détruire son empire. Pensez-vous que cette personne obtiendrait une audience et dans l'affirmative, à qui devrait-elle s'adresser ?

Le barbier se raidit et me regarda avec des yeux vidés de toute expression.

461

— Êtes-vous ivre ? s'exclama-t-il. Un tel homme devrait à l'évidence vendre son secret aux envoyés de France ! Mais il devrait surtout éviter d'en bavarder avec un compagnon de beuverie rencontré au hasard ! Vous me paraissez bien naïf, Mikaël Pelzfuss ! Encore quelques conversations de ce genre et vous vous retrouverez dans un cachot de l'Alcazar, si ce n'est pas avec une épée d'un des hommes du Bourbon plantée dans le corps !

— Mon excellent frère, remarqua Antti, est un garçon bizarre qui parfois dit n'importe quoi lorsque son esprit se trouve obscurci par les vapeurs du vin. Cependant, et pour des raisons de sécurité, je vais, bien qu'à contrecœur, me voir dans l'obligation de tordre votre petit cou de poulet !

Le barbier porta la main à sa gorge et, toute trace d'ébriété à présent envolée, il jeta un regard furtif vers la porte dont Antti barrait la sortie. Il lui donna alors un léger coup de son index sur la poitrine puis dit en soupirant :

— Vous ne gagneriez pas grand-chose en me supprimant ! Si vous possédez vraiment un tel secret, je suis peut-être l'homme le mieux placé pour vous aider. Je crois que de Lannoy serait en mesure d'obtenir une audience pour vous derrière le dos du Bourbon, il vous paierait même pour cela parce qu'il adore damer le pion au duc chaque fois qu'il le peut !

Et ce fut ainsi qu'il nous conduisit en présence de son seigneur. Il persuada ce dernier de nous écouter tandis qu'il lui taillait la barbe, bouclait et huilait sa chevelure. Après que je lui eus conté de mon histoire ce que j'en osai dire, de Lannoy parut transporté de joie à l'idée de tenir enfin l'occasion de démasquer son rival, le marquis de Pescara, en révélant sa trahison.

— Voilà de grandes nouvelles ! s'écria-t-il. Laissez-moi les documents et je tâcherai de les mettre entre les mains de Sa Majesté au plus tôt. Ma faveur vous est désormais acquise et vous pouvez compter sur une belle récompense.

Antti alors se racla la gorge et me donna un coup de coude.

— Nous sommes deux pauvres malheureux et certes quelque argent ne nous viendrait point mal ! dis-je en

rassemblant mon courage. Mais nous avons engagé les frais
de ce voyage long et périlleux pour prouver notre loyauté à
l'égard de l'empereur, aussi ne puis-je remettre ces précieux
papiers qu'à Sa Majesté en personne ! Laissez-lui le soin de
nous attribuer la récompense qu'elle jugera convenable et
nous ne vous demanderons rien.

— Et le moyen de savoir si vous n'êtes pas de vulgaires
imposteurs ? dit de Lannoy, le visage devenu sombre.
Comment deviner si cette histoire n'est point un des tours
inventés par le duc de Bourbon ? Et qu'est-ce qui m'empêche d'appeler mes domestiques et de leur ordonner de
vous prendre ces documents par la force ?

Antti prit négligemment sur la table un grand vase
d'argent et le pressa sans effort entre ses doigts jusqu'à le
réduire en une masse informe. De Lannoy se signa et je
poursuivis :

— Votre honneur, noble seigneur, votre honneur et votre
réputation de prince de la chevalerie et de général le plus
habile d'Europe vous empêcheraient de supporter que l'on
fît du tort à de pauvres garçons tels que nous !

Ce dernier argument sembla le toucher, ainsi que le fait
que nous ne cherchions rien à obtenir de lui. Il me fallut tout
de même lui montrer la lettre concernant l'alliance de
Pescara avec l'ennemi et la récompense qui lui était promise,
à savoir la couronne des Deux-Siciles. Après en avoir pris
connaissance, il se signa à plusieurs reprises en disant que
jamais il n'eût pu imaginer plus noire et plus infâme félonie,
mais je remarquai qu'il exultait intérieurement à l'idée de
nuire à son rival; il rêvait que l'empereur le manderait
sur-le-champ à Milan pour arrêter et exécuter Pescara; on le
sentait prêt à renoncer immédiatement à son honorable
charge de geôlier royal pour s'acquitter de cette mission qui
le comblait d'aise.

Il s'éloigna ensuite pour chercher le meilleur moyen
d'obtenir une audience le plus tôt possible, et le petit barbier
s'enquit alors sur un ton acerbe de qui allait le récompenser
de ses services. Il était pauvre, nous dit-il, et renoncerait à
toute réclamation lors du partage du cadeau de l'empereur en
échange d'une modeste rémunération versée sur-le-champ,

ce qui, somme toute, nous parut un marché assez avantageux; après avoir quelque peu chicané, il finit par accepter quinze ducats et j'estimai par devers moi qu'il était bien naïf de vendre sa part à si bon compte ! Mais, hélas, nous étions encore plus naïfs que ce petit homme !

Dès ce jour, nous logeâmes au palais du vice-roi et sous sa protection, ce qui était pour nous la solution la plus sage dans un pays grouillant de trahisons et d'intrigues. Plus tard, dans la soirée de ce même jour, de Lannoy nous annonça avoir organisé une entrevue secrète avec l'empereur : ce dernier, en revenant de sa chasse du lendemain, affecterait de souffrir d'une soif ardente et s'arrêterait chez de Lannoy afin qu'on lui servît du vin pendant que ses compagnons l'attendraient dehors.

Messire de Lannoy, faute d'autre convive, m'invita ce soir-là à sa table, et ce fut bien le plus grand honneur dont il m'eût jamais gratifié ! Mon apparence et mes manières l'avaient sans doute induit à croire que j'étais un jeune homme de noble origine désireux pour quelque raison de garder le secret; on voyait en ce temps-là, et particulièrement en Germanie, nombre de jeunes seigneurs appauvris ou objets de soupçons, aller chercher fortune en terres étrangères. Il me pria de lui conter des nouvelles d'autres pays, mais je n'avais guère à lui dire, hormis que Luther avait cet été épousé une religieuse en rupture de cloître; je tenais cette information de l'agent de Fugger à Milan; mon hôte, en l'entendant, se signa avec dévotion et dit que l'on ne pouvait rien espérer de mieux de cet homme qui venait ainsi de couronner son hérésie ! Après avoir bu davantage, sa curiosité se piqua à mon sujet et il me fit quelques questions sur mon lignage parce que, se plut-il à dire, mon éducation, la finesse de mes traits et de mes mains révélaient la distinction de mes origines. Je lui dis alors de mon pays ce qu'il en pouvait entendre et lui contai que j'avais été conseiller des affaires finnoises auprès du malheureux Christian II, mais que j'avais perdu ma position et ma fortune lorsque mon souverain avait perdu sa couronne. Quant à ce qui concernait ma naissance, j'ajoutai d'un air suffisant que j'étais un bâtard. Cette dernière assertion accrut son estime à mon égard et il dit que l'empereur aimait tendrement sa fille bâtarde Marguerite qui avait épousé le fils du duc de Ferrare et de Lucrèce Borgia, elle-même fille naturelle du pape; le duc de Ferrare possédait en outre la meilleure artillerie du monde, ainsi qu'une fortune colossale, et serait un allié appréciable pour l'empereur quand il irait mettre de l'ordre dans les affaires d'Italie. De Lannoy rappela également que le pape Clément VII lui-même était un fils illégitime du Médicis que les Florentines éprises de liberté avaient trucidé dans l'église; sa mère était une misérable petite paysanne de la région et le Médicis s'était trouvé fort embarrassé pour acheter ceux qui devaient témoigner d'un mariage secret.

— Je ne voudrais vous offenser pour rien au monde, me dit mon hôte avec délicatesse, mais n'est-ce point un mal et une preuve de la décadence de l'Église que le trône du Saint-Père soit occupé par un bâtard qui, de surcroît, a l'impudence de porter une barbe ! Je ne serais guère surpris qu'un pape pareil sciât la branche sur laquelle il est assis en conspirant contre l'empereur ! Ne doit-il point sa tiare à la seule faveur impériale ?

Le noble de Lannoy, avant de rejoindre la partie de chasse, prit en sa demeure les dispositions nécessaires afin de donner à la visite de l'empereur un caractère purement accidentel. Il congédia pour la journée ses domestiques, ne laissant à leur poste que les gardiens du palais; il mit ensuite un cruchon de vin à rafraîchir dans un salon et nous plaça, Antti et moi, près d'une fenêtre de façon que nous fussions à même d'accourir dès l'arrivée de Sa Majesté. Vers la fin de l'après-midi, nous vîmes déboucher d'une étroite ruelle un groupe animé de cavaliers. Les gens se penchaient à leurs fenêtres ou s'arrêtaient pour voir passer l'empereur à cheval. Il montait sans apparat particulier une belle mule à la robe grise et portait une toque plate. Tandis qu'il approchait du palais du vice-roi, nous le vîmes se plaindre de la soif et descendre de sa monture soutenu par de Lannoy; il fit ensuite un geste à l'adresse des autres cavaliers de sa suite, auxquels il intima l'ordre de l'attendre et pénétra dans le palais, un énorme épagneul couleur d'argile rouge sur les talons.

Ce fut alors que commencèrent les catastrophes ! Une vieille servante avait à notre insu profité de ce que la maison était vide pour laver le vestibule à grande eau; l'empereur, en entrant, glissa sur les dalles humides et serait tombé sans de Lannoy qui le retint par le bras; la vieille, foudroyée à la vue de Sa Majesté et dans ses efforts pour faire une révérence, renversa le seau plein d'eau sale sur les pieds du souverain, ce que voyant, de Lannoy furieux lui donna un violent coup de pied; elle poussa alors les hauts cris en implorant la Vierge, le gifla avec sa serpillière mouillée et hurla que ses ancêtres à elle luttaient déjà contre les Maures quand les siens n'étaient encore que des voleurs de chevaux et des gibiers de potence ! J'avais laissé la porte du salon grande ouverte et, pendant que cette scène se déroulait dans l'entrée, le redoutable chien de chasse avait bondi pour se ruer sur Raël; c'était une de ces bêtes sauvages et diaboliquement rusées que les Espagnols utilisent dans le Nouveau Monde pour la chasse aux Indiens; ils les tiennent là-bas en si haute estime qu'ils leur distribuent la même part de butin qu'à leurs hommes. Dans sa lutte pour la vie, mon petit chien saisit entre ses mâchoires l'oreille du monstre, et s'entêta à ne point lâcher prise malgré les violents coups de tête de celui-ci qui le lancèrent plusieurs fois dans les airs ! J'intervins de mon côté en donnant étourdiment un coup de pied à l'épagneul impérial qui me mordit si violemment à la jambe que je me mis à hurler aussi fort que Raël.

On jugera aisément que mon audience ne débutait pas du tout comme prévu et n'allait guère m'attirer la sympathie de l'empereur qui cria un ordre, appela son chien et, l'air plein de courroux, se mit en devoir d'examiner avec délicatesse l'oreille déchirée. Je m'empressai alors de prendre Raël dans mes bras, refuge d'où il se mit à gronder et à défier tous les grands chiens de l'Espagne entière ! J'allai le déposer dans une pièce voisine où je le laissai occupé à lécher sa patte blessée, puis je revins en boitant me présenter à Sa Majesté.

Je dois reconnaître que le monarque était parfaitement dans son droit de venir dans une maison étrangère accompagné d'un garde du corps, et que ce terrible animal plein d'intelligence valait mieux qu'un être humain; une fois sa rage passée, il se mit en effet à parcourir la pièce en tous sens, reniflant dans les coins pour s'assurer que nulle oreille indiscrète n'était cachée ni derrière les tentures ni dans les grands placards.

L'empereur prit place derrière la table de travail tandis que de Lannoy, au désespoir de ce qui venait de se passer, versait du vin dans une coupe d'or. Je n'eus même pas le temps de me jeter aux genoux de Sa Majesté ! A peine étais-je revenu que je l'entendis exiger sur un ton fort peu amène les papiers que le vice-roi lui tendit aussitôt avec respect. Il lut lentement, avec attention, et sans trahir le moindre trouble. A la fin de la première lettre, il but une gorgée de vin du bout des lèvres puis intima à de Lannoy l'ordre de congédier ses invités sous prétexte que, se sentant légèrement indisposé, il ne voulait point les retenir plus longtemps; il lui enjoignit également de rester lui-même devant la porte afin de monter la garde contre les importuns. Ce dernier ordre était manifestement fort peu du goût de De Lannoy, mais force lui fut pourtant d'obéir et nous ne tardâmes guère à ouïr la compagnie qui s'éloignait au galop. L'empereur n'avait rien à craindre : son grand chien était assis, langue pendante, près de son fauteuil et son air me semblait dire qu'il ne demanderait pas mieux que de me mordre l'autre jambe !

J'eus tout le loisir d'observer le monarque pendant qu'il lisait les documents d'un bout à l'autre. Agé à l'époque d'à peine vingt-cinq ans, il avait deux ou trois ans de plus que moi et me parut à peu près de ma taille, c'est-à-dire ni grand ni petit; il était d'une élégance sobre et ne portait pour tout ornement que l'ordre de la Toison d'or pendu à son cou par une chaîne. Sa personne dégageait une impression de tristesse et, sous son front bas, ses yeux froids et gris avaient un regard fermé et attentif abrité sous de lourdes paupières, comme pour dissimuler ses pensées; son menton saillant couvert d'une barbe clairsemée lui conférait un air obstiné; son corps paraissait sans défaut et, avec son maintien élégant et ses jambes d'une exceptionnelle finesse, il ressemblait à n'importe lequel de ces jeunes gens bien nés qui se sont exercés, depuis l'enfance, au maniement des armes. Tout, dans son attitude, exprimait la gravité, la fermeté et la maîtrise de soi. L'on pouvait également deviner que, trop tôt en sa vie, un fardeau accablant avait été placé sur ses épaules, un fardeau auquel il ne s'était point dérobé, et bien qu'il y eût en lui un je-ne-sais-quoi de dur et d'implacable, je fus pénétré du sentiment que jamais l'empereur Charles ne ferait de tort à un de ses sujets délibérément : plus je le regardais et plus je sentais croître en moi le respect qu'il m'inspirait.

À la fin de sa lecture, sa belle et blanche main négligemment appuyée sur la pile des documents, il fixa pour la première fois sur moi son regard scrutateur, dans lequel je crus déceler une nuance de mépris.

— Vous imaginez-vous que tout ceci est nouveau pour moi ? dit-il.

La foudre ne m'eût point laissé plus interdit et je ne pus que balbutier que j'avais traversé la mer au péril de ma vie pour le servir et lui apporter les preuves de cette odieuse trahison au plus vite.

— Pas assez vite cependant ! laissa-t-il tomber avec une moue. Il y a déjà deux jours que je suis informé ! Je ne vous dois aucune explication, mais afin que vous n'alliez pas imaginer que j'essaye de faire baisser la récompense que vous attendez certainement, sachez que le marquis de Pescara est le plus fidèle de mes sujets. Il a feint de se joindre aux conspirateurs pour en découvrir les plans. Cette attitude l'a certes mis dans une position difficile et fort déplaisante, et je lui suis reconnaissant d'avoir su placer sa loyauté à mon égard au-dessus de son honneur personnel. Dès qu'il a eu rassemblé toute l'information nécessaire, il m'a dépêché son lieutenant, don Gastaldo, avec une lettre d'explication.

« Je vous dis tout cela afin d'éviter que des commérages malveillants n'aillent salir la réputation du marquis ! J'ai dès hier exprimé devant le légat du pape mon opinion sur son maître et son diabolique conseiller Ghiberti. Cela devrait suffire, je pense, pour dissuader les conspirateurs.

Ainsi donc, tous mes espoirs étaient réduits en cendres et

je me sentis aussi vide qu'une coquille d'œuf ! J'avais dépensé mon argent et récolté pour toute récompense une morsure à la jambe !

L'empereur, la tête appuyée sur ses mains, poursuivit d'un air las :

— Je ne nierai point que ces papiers n'aient une certaine valeur dans la mesure où ils viennent confirmer les informations du marquis. Mais il faut que je sache comment ils ont pu tomber entre vos mains, je n'arrive point à me l'imaginer !

M'armant de tout mon courage, je lui contai alors sur le ton de l'innocence et aussi brièvement que je pus, l'histoire du vol auquel nous avions assisté près de la cité de Breschia, mais je me sentis pris au piège de mes propres mots quand il s'agit d'expliquer comment nous en étions venus à forcer la serrure et à rompre les scellés. L'empereur m'écouta avec patience, ses froides prunelles grises dissimulées derrière ses paupières tombantes.

— Votre récit éclaire nombre de points restés jusques ici dans l'ombre, observa-t-il, et me confirme en ma conviction que je ne puis me fier sans réserve à personne en ce monde. Ainsi, cette lettre de Pescara m'avait paru toute limpide, mais à la lumière de votre récit, il est clair que dès que le marquis apprit que ces dépêches étaient tombées en des mains étrangères il n'eut d'autre choix que de renverser sa tactique pour se mettre à couvert dans le cas où elles seraient entre les miennes ! Ceci explique pourquoi il a soudain été saisi d'une telle hâte à m'écrire, alors qu'il était resté durant deux mois en pourparlers avec nos ennemis sans daigner m'envoyer la moindre information sur cette affaire, et je comprends également la raison qui incite les envoyés français à rejeter mes propositions avec une telle opiniâtreté.

Il parut réfléchir un moment, puis laissa libre cours à ses pensées comme s'il eût été seul.

— Je ne pense pas que la France osera me déclarer la guerre tant que je retiendrai son roi prisonnier; les Français se sont lancés dans une intrigue de ce genre plutôt pour me forcer à conclure une paix indigne de ma position et de ma victoire. Je suis sûr, en tout cas, que dès que la reine mère apprendra le vol de son courrier, elle me révélera, à l'instar de Pescara, tout le complot pour ainsi brandir la menace d'une guerre dans laquelle elle n'a nullement l'intention de se risquer. Ce m'est une fois de plus l'occasion de vérifier que fort peu de ces conspirations représentent un réel danger, et que les hommes trahissent facilement leurs complices pour peu qu'ils y voient quelque chose à gagner !

Après avoir de la sorte médité à voix haute, il se souvint soudain de ma présence et s'adressa alors à moi :

— Je vois que vous attendez votre salaire et je reconnais que vous avez le droit de solliciter ma faveur. Nous vivons en des temps impies où l'on se trouve parfois contraint de recourir à d'infâmes instruments même dans les plus hautes sphères de la politique ! Cependant, récompenser le meurtre et le vol de ce jeune secrétaire reviendrait à faire tomber sur ma propre tête le sang de votre victime. Il me faut donc quelque temps afin d'étudier la meilleure façon de vous payer le service que vous m'avez rendu. Si, en attendant, il vous sied de vendre aux délégués de la France la nouvelle de la trahison de Pescara, je ne vous en empêche pas. L'affaire ne demeurera pas longtemps secrète, de toute façon, et j'espère qu'ils vous paieront bien !

Il me croyait plus malin que je n'étais, car jamais l'idée de vendre mon information aux Français ne m'était venue à l'esprit ! Une fois qu'il me l'eut suggérée cependant, je m'avisai qu'il était possible de gagner quelque argent honnêtement de ce côté-là. Dans le même temps, je tremblais de constater que Sa Majesté ne croyait point notre histoire et qu'elle était au contraire convaincue que nous n'étions que de vulgaires bandits et meurtriers du courrier français. Sans doute avait-il vu trop d'actions douteuses présentées sous un jour favorable pour s'attendre encore à quelque bien de la part d'aucun homme ! Alors je me jetai à ses pieds et jurai par le sang du Christ que j'étais innocent du meurtre et du vol et que s'il était vrai que j'avais espéré en sa faveur, je ne saurais accepter nul bien matériel tant qu'il me croirait coupable !

Il m'imposa silence d'un geste excédé comme pour me signifier qu'il avait déjà trop entendu de serments sacrés pour ne point en connaître la valeur. Son chien en cet instant s'étira en se redressant et me bâilla en plein visage, puisque encore à genoux, j'avais la tête exactement au niveau de la sienne. L'empereur se leva à son tour et me promit de me faire signe le moment venu. Il ne me restait plus qu'à lui tenir la porte en m'inclinant profondément sur son passage. De Lannoy s'empressa d'ouvrir l'entrée et, tandis que Sa Majesté s'arrêtait pour mettre ses gants, son chien en profita pour lever la patte contre le chambranle. Alors pour la première et unique fois, je vis un fin sourire sarcastique se dessiner sur les lèvres de l'empereur.

De Lannoy lui tint l'étrier puis fit mine de l'accompagner, mais Sa Majesté le congédia d'un geste rempli de grâce et s'éloigna dans la seule compagnie de ses gardes et de l'épagneul. Le vice-roi claqua la porte et je n'ai jamais entendu un homme jurer comme ce seigneur en cette circonstance ! Lorsque je lui appris que Pescara nous avait devancé en trahissant ses complices et que donc nos nouvelles n'en étaient point, il sortit complètement de ses gonds ; au paroxysme de sa rage, il se rua sur moi, me gifla et donna un coup de pied à mon chien. Par chance, le barbier se porta à mon secours avant qu'il ne m'eût infligé quelque grave blessure, il calma avec tact son maître et nous conduisit hors de sa vue en nous priant de ne point nous offenser de cette violence. De tels accès de colère n'étaient-ils point l'apanage des chevaliers qui ne sont point tenus de garder la maîtrise d'eux-mêmes comme le pauvre monde ?

De Lannoy, une fois apaisé, nous parut aussi bien disposé à notre égard qu'auparavant, et sans doute aurions-nous dû l'accompagner à Tolède au lieu de demeurer à Madrid privés de notre seul protecteur et mal pourvus d'une bourse qui allait s'amenuisant.

Le cœur gros, je racontai au barbier mon entrevue avec Sa Majesté, tandis qu'il exerçait son art sur ma personne et procédait à ma toilette et à mon habillement après m'avoir bandé la jambe. Peu à peu le vin que je ne cessais de boire me redonna courage et je finis par trouver quelque espérance dans la promesse que l'empereur m'avait faite de se souvenir de moi, ce qui, de l'avis d'Antti, n'était que tromperie.

— Nous n'avons point encore vu la fin de nos malheurs, frère Mikaël, dit-il en sirotant tranquillement. M'est avis que la Fortune s'est gaussée de nous en nous envoyant ici en compagnie de don Gastaldo ! Et je crois qu'elle a encore plus d'un tour dans son sac !

Je lui communiquai alors que l'empereur ne s'opposait point à ce que nous vendions aux Français la nouvelle de la trahison du marquis de Pescara, trahison vis-à-vis de ses complices et non plus de son souverain, et je demandai au brave barbier de nous conseiller pour mener au mieux cette affaire.

— Je pourrais à coup sûr arranger cela moi-même, dit-il en se grattant le nez d'un air méditatif. Je connais deux ambassadeurs français par le truchement de mes collègues barbiers et quelque autre personne qui s'intéresse à moi. Mais il ne convient pas d'agir à la hâte ! Si l'empereur cherche à effrayer les Français en divulguant cette nouvelle, il ne pourra nous reprocher de la vendre également au légat du pape de même qu'aux envoyés de Venise, de Florence, de Mantoue, de Ferrare et d'ailleurs !

« Il est évident, cependant, que le prix qu'ils en voudront bien donner va dépendre du vendeur. Par exemple, mon maître, qui est un seigneur de haut rang, en obtiendrait cent fois plus que vous. Il nous faut en outre trouver le plus de clients possible avant que l'affaire ne s'ébruite.

Le brave barbier accepta de se contenter du dixième de nos gains et nous aida à dresser une liste de tous les ambassadeurs que son maître aurait pour mission de rencontrer à Tolède. Le sire de Lannoy, après avoir pris connaissance de notre projet, nous accorda sa protection, mais refusa de s'engager dans une entreprise aussi dégradante s'il ne devait en recueillir au moins la moitié des cadeaux, car, précisa-t-il, il n'était pas question de recevoir autre chose que des cadeaux ! Jamais il ne s'abaisserait à demander de l'argent et lorsqu'il s'agirait de monnayer ensuite ces cadeaux chez les Juifs, il ne pourrait le faire qu'à perte ! Son barbier lui conseilla d'exiger plutôt le plus strict secret de chacun de ses interlocuteurs puis, sous prétexte de se trouver dans une passe difficile, de leur demander un prêt substantiel dont la garantie serait une information tout à fait extraordinaire concernant Pescara.

Antti et moi, nous finîmes par convenir de diviser nos bénéfices en parts égales avec de Lannoy, à charge pour nous en sus de donner sa commission au barbier; notre propre part ne serait donc que de vingt pour cent pour chacun de nous, mais nous étions fort soulagés de rester à l'écart des obstacles et des dangers de la négociation et nous pensions que plus vite l'on saurait que Pescara avait trahi, plus vite tomberait dans l'oubli le vol sur le chemin; nous espérions, de cette manière, sauver à la fois notre vie et notre honneur.

En attendant, nous devrions nous cantonner tranquillement à Madrid et laisser de Lannoy partir au grand galop en direction de Tolède, avec tous nos meilleurs vœux de succès.

Nous commençâmes pourtant à éprouver de l'inquiétude après être restés quelque temps sans nouvelles du seigneur de Lannoy et de son barbier. Nous passions nos journées confits en prières à l'intention de Sa Majesté Très Chrétienne de France, dont la piteuse santé et la mélancolie étaient le centre de toutes les conversations; ou plongés dans la contemplation du plateau brûlé de soleil et des étiques flaques d'eau que l'on apercevait dans le lit desséché de la rivière. Les jours succédaient aux jours en vaine attente et le soupçon d'avoir été ignominieusement bernés par de Lannoy pénétra en nos cœurs.

Mais tout n'allait pas aussi mal que nous le craignions ! Nous reçûmes l'ordre, après une quinzaine de jours, de nous rendre sans tarder auprès du vice-roi et partîmes donc au galop pour le rejoindre à Tolède. Je dois reconnaître que la vue de cette belle et très riche cité, perchée sur son rocher dans une boucle du fleuve, remonta considérablement l'Espagne dans mon estime. Le seigneur de Lannoy résidait en un palais baigné de silence où l'eau des fontaines, dans le jardin entouré de colonnes, jouait parmi les treilles lourdes de grappes.

— Je vous dois une explication et vais être franc avec

vous, nous dit le maître de céans après nous avoir accueillis avec courtoisie. L'affaire n'a point tourné aussi bien que je l'eusse souhaité !

Le barbier lui tendit alors un papier et il se mit en devoir de nous lire une liste de noms et de chiffres que j'écoutai bouche bée : de Lannoy avait traité avec dix-huit personnalités différentes. L'ambassadeur de Venise était celui qui avait payé la plus grosse somme, à savoir trois cents ducats; le cadeau le plus pauvre provenait du roi de Hongrie dont l'envoyé n'avait pu offrir que dix ducats; le légat du pape, quant à lui, n'en avait donné que deux cents, en déclarant qu'il avait prévu cette histoire. De Lannoy, qui avait en tout ramassé neuf mille cent dix ducats, reconnut que les choses auraient pu être pires !

Mais son visage s'assombrit quand il ajouta :

— A vrai dire, je n'ai récolté qu'une immense colère de la plus grande partie de mon travail parce que tous mes clients, faisant fi de la promesse de garder le secret que j'exigeais d'eux, se sont empressés d'aller le vendre à leur tour si bien que l'affaire ne tarda point à arriver aux oreilles de l'empereur ! Et ce dernier me vint aussitôt emprunter huit mille ducats pour payer l'arriéré de ses troupes de Milan; ce n'était après tout que justice, me dit-il, que ce fussent ses ennemis qui financent indirectement son armée et il me donna sa parole de me rembourser. Vous aurez donc à ce moment-là votre part, c'est-à-dire quatre mille cinq cent cinq ducats, desquels vous verserez neuf cent onze à mon barbier.

Ingratitude et injustice pareilles me firent monter le sang à la tête ! Je lui demandai alors qu'il nous donnât au moins la part des onze cents ducats qui lui restaient.

— Hélas ! soupira-t-il. Voilà bien ce que je redoutais ! Un noble comme moi s'entend si peu aux affaires d'argent ! Ulcéré d'avoir dû prêter à l'empereur ce que j'avais gagné à si dure peine et au péril de mon honneur, j'ai voulu tenter ma chance aux dés, mais n'y fus point heureux et perdis un millier de ducats... de sorte qu'il ne m'en reste plus que cent dix et si vous insistez en votre manière d'interpréter ce que je vous dois, je suis prêt à partager cette somme ainsi que nous en sommes convenus.

Je lui rappelai sèchement qu'il n'avait pas le droit de jouer avec notre argent; je ne prolongeai guère la discussion qui s'ensuivit. Que gagnerais-je en effet à susciter son courroux ! Nous divisâmes donc les ducats de la manière suivante : il en garda cinquante-cinq, le barbier en reçut onze et Antti partagea le reste avec moi, c'est-à-dire que nous eûmes vingt-deux pièces chacun !

Vingt-deux pièces ! Antti estima que nous ne nous étions pas trop mal sortis de cette affaire, mais il me fallut à moi plusieurs jours avant de digérer ma déconvenue; je recomptais sans cesse tantôt sur un papier tantôt de mémoire pour toujours en arriver à la conclusion que nous aurions dû recevoir mille huit cent vingt et deux ducats chacun, ce qui aurait fait de nous deux hommes riches ! Il ne nous restait plus qu'à attendre à présent la gratitude de l'empereur et je commençais à comprendre les sentiments de Pescara après Pavie, lorsque en la lointaine Italie, il espérait en vain mois après mois de recevoir la récompense de son impossible victoire. Près de deux mois passèrent avant que Sa Majesté Impériale daignât se souvenir de nous !

Point n'est besoin de parler de ces deux mois ! Tout le monde sait comment le roi François tomba dans une mélancolie qui menaçait sa vie et par là même les plans de l'empereur. Chacun se souviendra également que sa docte sœur, la duchesse Marguerite, qui devait devenir plus tard reine de Navarre, accourut au chevet de son frère, amenant dans sa suite plusieurs beautés de la cour de France afin de lui redonner du courage et de le distraire durant le temps qu'il devait passer au lit. Le roi fut rétabli au début du mois de novembre et sa sœur quitta l'Espagne sans avoir réussi à diminuer en rien le temps de détention de son auguste parent.

A présent, le roi français, poussé à bout, menaçait d'abdiquer en faveur de son fils encore mineur. Je consacrai dès lors mes derniers ducats à acheter de Lannoy afin qu'il se chargeât de rappeler sa promesse à l'empereur. La reprise de la guerre n'était plus qu'une question de temps et il n'y aurait alors pour nous plus rien de bon à en espérer !

L'empereur tint enfin parole et m'accorda une audience dans son propre bureau. Il me demanda mon nom et celui d'Antti et enjoignit à son secrétaire de les ajouter à un document sur lequel ensuite il fit apposer son sceau impérial.

— J'ai réfléchi à votre sujet, dit-il, et, en dépit de quelques scrupules, décidé de vous récompenser d'une manière plus généreuse encore que vous ne l'avez espéré, parce qu'un empereur ne doit pas rester en dette vis-à-vis d'assassins et de voleurs. L'on m'a rapporté récemment qu'un certain Pizarro, porcher de son métier, préparait une expédition vers Panama dans le Nouveau Monde; il pense avoir découvert la route qui mène au royaume de *l'El Dorado*, là où les chemins sont semés de poudre d'or; cette région, d'après lui, s'appellerait Biro ou Pérou. Je ne puis me permettre de lui envoyer les soldats, navires, chevaux et autres mulets qu'il me requiert et, à vrai dire, je suis las de gaspiller de l'argent dans des entreprises qui ne mènent à rien ! Mieux vaut un seul vaisseau qui arrive au port chargé d'épices que dix bâtiments pleins de pierres précieuses qui, tous, coulent à pic inexplicablement ! Je ne puis donc venir en aide à ce Pizarro qu'en vous mandant auprès de lui, et ce document vous garantit un passage gratuit pour Panama le printemps prochain. Votre équipement sera à votre charge, cela va de soi, et je vous recommande de ne point oublier d'amener des chevaux qui inspirent un redoutable respect aux sauvages Indiens de là-bas.

Il me lança un regard et sans doute perçut-il toute l'étendue de mon amer désappointement car il s'empressa d'ajouter :

— Lisez attentivement les termes de ce papier ! Outre le passage gratuit, il vous octroie de plus hauts privilèges que ceux dont jouissent les grands d'Espagne en ce vieux monde surpeuplé. Il vous confère le gouvernement d'une province du Pérou, cette dernière restant à déterminer par un accord entre vous et Pizarro. Il vous concède également le droit d'occuper tout territoire gagné par l'épée, à la condition de convertir les Indiens au christianisme et de leur enseigner à cultiver la terre, à produire des épices et à exploiter les mines d'or et d'argent; à la condition encore de vous engager à ne point posséder plus de quatre mille esclaves. Enfin, lorsque vous serez venu à bout de la conquête, vous manderez quérir en Espagne un procureur compétent afin qu'il procède, à vos frais et pour mon compte, au contrôle de vos activités.

Il poursuivit en parlant de taxes, d'impôts, de redevances ainsi que d'un éventuel anoblissement pour moi et mes héritiers. Enfin le secrétaire me tendit le document que force me fut de recevoir genou en terre ! Il ne me resta plus dès lors qu'à me retirer de l'impériale présence, emportant avec ce papier sans valeur mon unique récompense ! Des larmes d'indignation me brûlaient les yeux tandis que je me rendais directement à la taverne où Antti attendait avec le petit barbier le partage du butin.

Que Dieu me pardonne ! J'ai dépensé mon ultime pièce d'argent pour m'enivrer tant et tant qu'à la fin, je maudis à voix haute l'avarice de l'empereur Charles et son ingratitude ! Mais je ne fus pas le seul ! Nombre de clients firent chorus avec moi pour clamer qu'il était plus facile de faire sortir du sang d'une pierre que de l'empereur ! Pendant que ma rage impuissante me poussait à pester, jurer et frapper du poing sur la table en répandant du vin sur le précieux document, un Espagnol s'approcha de moi; ses vêtements n'étaient guère reluisants mais son épée paraissait des meilleures. Il se saisit du papier et le lut de bout en bout puis, fixant sur moi des yeux pleins d'ardente avidité, des yeux qui semblaient avoir toujours contemplé de lointains horizons, il souffla :

— Que voulez-vous pour ceci ?

— Miséricorde ! m'exclamai-je. Je me suis décidément égaré au pays de la folie ! Je ne veux rien !

— Mon nom est Simon Aguilar ! Souvenez-vous de moi en vos prières, j'en aurai sans doute besoin ! Je ne vous cacherai point que ce papier placé en bonnes mains, et je crois que les miennes conviennent, rendra riche son propriétaire. Il me permettra de surcroît d'emmener avec moi mon jeune frère qui ne sortira de prison qu'à condition de s'embarquer pour le Nouveau Monde; si par malheur, il devait demeurer en Espagne, on lui couperait les oreilles et le nez pour la grande honte de notre famille.

— Prenez donc ce chiffon au nom de Dieu ! lui dis-je. Il ne vous en coûtera que le timbre et la signature d'un notaire pour légaliser le transfert.

Simon Aguilar nous embrassa et promit de se souvenir de nous lorsque à son retour, il serait grand d'Espagne et prince du Nouveau Monde. Après avoir conclu l'affaire en présence d'un homme de loi, nous prîmes congé du malheureux dément et regagnâmes, la tête basse, la demeure de De Lannoy.

Notre fureur en la taverne ne passa point inaperçue et nous fûmes suivis comme nous nous en avisâmes dès le lendemain. A peine en effet avions-nous eu le temps de mettre notre tête douloureuse sous le jet d'eau d'une fontaine qu'un capitaine coiffé d'un chapeau à plumes, se présenta à nous pour nous inviter à boire une coupe de vin et discuter avec lui d'une affaire lucrative.

Il nous conduisit non dans une taverne mais dans une maison adossée aux remparts de la ville et dont la façade ne comportait nulle ouverture sur la rue. Il nous pria de l'excuser de nous amener dans cette obscure retraite; il désirait, en effet, éviter qu'on le vît. Il nous dit s'appeler Emilio Cavriano, être originaire de Mantoue et travailler au service du roi de France; il était venu en Espagne afin de porter des lettres et des présents d'encouragement au royal captif. Il nous servit un bon vin, puis nous demanda si nous étions sincèrement mécontents de l'empereur et prêts à servir un maître plus généreux. Je rétorquai que je regrettais d'avoir ainsi maudit l'empereur ouvertement mais Antti déclara être prêt en sa qualité d'honnête soldat, à vendre son épée au plus offrant et à lui jurer fidélité, à condition toutefois de n'avoir point à traverser les mers pour se rendre dans des contrées lointaines et qu'on lui demandât seulement de combattre comme un bon chrétien contre d'autres chrétiens.

— Qui donc a parlé de combattre ou même de se défendre ? protesta notre amphitryon. Loyauté, obéissance et adresse en l'art de l'équitation, voilà tout ce que l'on nous demandait ! Et pour preuve de sa bonne foi, il nous remit à chacun trois ducats en guise de salaire puis nous fit jurer de rester fidèles durant un mois au roi de France.

— Les serments ne signifient guère pour l'importante affaire dont il s'agit, nous expliqua-t-il. Mais si vous me trahissez, sachez que je n'hésiterai pas à vous ôter la vie où que vous alliez vous cacher. De toute façon, la récompense qui vous attend vous va lier à moi plus solidement que le plus terrible des serments.

Il ne s'agissait de rien moins que d'aider le roi de France à s'évader de l'Alcazar et de l'accompagner jusques aux frontières de son pays ! Nous devions donc savoir qu'un homme qui risquerait sa vie pour le roi François serait riche le reste de son âge — n'avait-il point offert trois millions de ducats pour sa rançon ?—, sans parler des honneurs et de la position que la faveur du roi lui pourrait octroyer ! Voici brièvement quel était le plan : le temps commençant à se rafraîchir, tous les soirs un domestique noir pénétrait dans l'appartement qui tenait lieu de prison royale pour allumer du feu; cet homme n'étant qu'un domestique noir, nul ne surveillait ses allées et venues; il suffirait donc à Sa Majesté de se noircir le visage avec de la suie et de se revêtir de son uniforme, pour sortir à sa guise du palais à la faveur de l'obscurité. On avait acheté le domestique et la fuite ne saurait être découverte avant le lendemain matin; des chevaux frais attendraient le fugitif en des points choisis au long de la route et toute la cavalerie d'Espagne ne parviendrait jamais à rattraper le meilleur cavalier de France avec sa nuit d'avance sur elle !

— Mais si tout est prêt, interrogea Antti, le Noir suborné et les chevaux déjà en attente, en quoi pouvons-nous vous être utiles ?

Cavriano expliqua que le souverain avait gaspillé maints jours précieux pour en appeler une nouvelle fois à son vainqueur et lui faire changer les termes du traité de paix; au cours de cette période, les conspirateurs avaient subi des pertes considérables : l'un d'eux avait été tué en duel, un autre emprisonné pour dettes, un troisième s'était cassé une jambe quand on l'avait jeté dehors d'un bordel et une dague avait dû imposer silence à un quatrième trop bavard. Il avait donc besoin de deux nouvelles recrues, l'une pour parcourir une dernière fois la route de la fuite et vérifier que les chevaux attendaient aux endroits convenus et l'autre, pour l'évasion proprement dite, un contretemps imprévu pouvant rendre nécessaire l'intervention d'un homme aussi fort et vaillant que possible. Il fut donc entendu que je partirais à cheval jusques à la frontière où je devrais attendre Sa Majesté sur la rive en face de Bayonne et la faire traverser dès son arrivée dans un petit bateau à rames. Antti, quant à lui, accompagnerait le roi de l'Alcazar au premier poste prévu. Le capitaine me procura une carte sur laquelle il m'indiqua l'emplacement des divers relais; il me donna également un passeport et vingt ducats à utiliser dans le cas où l'un de ses hommes, las d'attendre, aurait vendu ses chevaux contre du vin. J'aurais à lui rendre un compte précis de l'argent. Sans message de ma part, l'évasion aurait lieu la nuit de la pleine lune.

Dès le lendemain nous prîmes congé du seigneur de Lannoy, sous prétexte que nous nous étions enfin décidés à poursuivre notre pèlerinage à Santa Maria de Compostelle, et ce fut avec un visible soulagement qu'il nous souhaita un bon voyage.

Le cœur lourd de pressentiments, je galopai de place en place, constamment en proie à la peur des voleurs et des loups, mais la fortune me sourit et j'arrivai sans encombre à la frontière, près de la ville de Bayonne; je n'avais dépensé que trois ducats pour le strict nécessaire. Je stationnai durant le jour sur la rive française et traversai la nuit dans la solide embarcation que j'avais louée pour aller m'embusquer derrière les roseaux. J'avais voyagé à une allure raisonnable, pour épargner mon petit chien, et arrivai deux nuits après la pleine lune : le roi serait donc là dans trois ou quatre jours au plus tard.

Mais hélas ! Ce fut encore une aventure manquée ! Deux jours après, en effet, alors que j'étais en territoire français, j'aperçus une dizaine d'hommes qui se dirigeaient au galop vers le bac de la rive opposée en hurlant, jurant et en poussant devant eux un troupeau de chevaux. Ils agitèrent leurs armes, envoyèrent rouler au loin les malheureux douaniers et obligèrent le passeur à les faire traverser en remorquant les bêtes derrière eux. Tandis que la barque gagnait la rive française, je reconnus à son bord Antti et me précipitai vers lui pour lui demander de me dire au nom de Dieu ce qui était arrivé et où se trouvait le roi de France. Il me répondit brièvement que François devait encore se morfondre dans sa tour à moins qu'on ne l'eût transféré dans un plus sûr endroit ! Puis il s'enferma dans le silence et ce ne fut que lorsque, les montures à sauf loin de la frontière, nous chevauchions déjà dans la ville de Bayonne qu'il me révéla que le capitaine Cavriano avait été arrêté et le complot découvert à cause de l'arrogance et de la susceptibilité des Français ! Un Montmorency, gentilhomme de la suite du prisonnier, avait giflé un domestique de confiance du souverain parce qu'il lui avait donné un coup de coude par inadvertance; le domestique mortellement blessé et que sa basse origine empêchait d'exiger réparation, se vengea en découvrant toute la conspiration à l'empereur. Heureusement pour Antti, Sa Majesté Impériale refusa d'ajouter foi à si indigne machination et tandis que l'on interrogeait le capitaine Cavriano, notre ami prit tranquillement son cheval et partit vers la frontière. Comme il ignorait l'endroit précis des différents relais, il fit halte dans chaque village où il repérait des cavaliers à l'allure bizarre et les emmenait avec lui, eux et leurs montures. Il avait de cette manière sauvé dix des quatorze relais préparés. A quoi bon les laisser tomber aux mains de l'empereur ? commenta-t-il.

Après avoir repris haleine et mangé leur content, les fugitifs entamèrent une violente dispute au sujet des chevaux et se rendirent dans le bois voisin pour régler leur différend. Hélas ! Ils ne vinrent point à bout de ce règlement sans bataille, si bien que chaque survivant reçut deux montures en partage, hormis Antti qui, lui, en reçut quatre.

En ce qui me concerne, cette affaire me fut passablement profitable puisqu'il me restait dix-sept écus de mon voyage plus les trois de mon salaire et, lorsque j'eus vendu mes chevaux — l'un à Bayonne et l'autre à Lyon — je me trouvai à la tête d'une somme de quarante-huit écus d'or français.

Ce fut en effet la ville de Lyon que nous gagnâmes par le plus court chemin et nous y fûmes à temps pour célébrer la nativité de Notre-Seigneur. La reine mère résidait encore en cette cité avec toute sa Cour de telle sorte que les auberges regorgeaient de monde. Mais nous avions vendu nos montures un bon prix, ainsi que je l'ai déjà mentionné, et après la messe de minuit et un repas bien arrosé, nous nous mîmes en tête de vérifier si dame Geneviève était arrivée de Venise en compagnie d'un certain Kaspar Rotbart. Nous posâmes la même question maintes fois en maintes hôtelleries, mais Lyon est une très grande cité et je crois que nous ne les aurions jamais retrouvés sans l'idée d'Antti. Il pensa en effet, après deux jours d'inutiles recherches, à rendre visite à un bordel afin d'y consulter les noms des courtisanes les plus réputées.

Ce projet me parut tout d'abord insultant et inconvenant pour l'honneur de dame Geneviève, or dès le premier établissement dans lequel nous pénétrâmes, on nous parla d'une femme insolente et cupide arrivée récemment de Venise et qui se permettait de rivaliser avec les plus anciennes et les plus vénérables maisons de Lyon; elle avait amené des filles d'Orient et loué une demeure près des remparts, toutes les plaintes élevées contre elle étaient restées lettre morte parce qu'elle comptait parmi ses protecteurs les courtisans les plus distingués et qu'elle donnait des aumônes généreuses à l'Église. La digne matrone avec laquelle nous devisions, nous prévint de toutes les manières contre cet endroit et nous conta d'effrayantes histoires de maladies honteuses et de vices venus d'Orient auxquels nul chrétien ne pouvait goûter sans y risquer son âme.

Nous n'eûmes aucun mal à trouver la mystérieuse maison près des remparts, et un Noir vêtu de rouge et or se présenta aussitôt à notre appel. Après un coup d'œil sur notre mise, il refusa de nous laisser entrer et tenta de nous fermer la porte au nez. Antti, qui était par chance plus fort que cette insolente brute, lui administra un coup de poing sur le nez et nous franchîmes le seuil. Dame Geneviève en personne, alarmée par le bruit, vint à notre rencontre, plus belle et plus splendidement parée que jamais. Notre présence ne parut guère la réjouir et elle nous reprocha d'avoir interrompu sa sieste et frappé son Noir. Nonobstant, elle nous invita à prendre quelque rafraîchissement dans sa chambre jonchée de tapis moelleux et décorée de miroirs de Venise.

— Jamais je n'aurais cru que vous me joueriez un tour pareil ! se lamenta-t-elle. M'abandonner avec ce brasseur ! Moi qui comptais sur vous pour me délivrer de lui ! Quand la lettre de Mikaël est arrivée, j'ai pleuré toutes les larmes de mon corps et je me suis juré de ne plus jamais en ma vie ajouter foi aux promesses d'un homme !

« Sachez que lorsque Eimer eut coupé cheveux et barbe et changé de nom, il se montra encore plus fastidieux avec son amour et ne cessa plus de m'importuner pour que je l'accompagne en Hongrie ! Cet homme a réussi à faire de ma vie un véritable enfer ! Mais je devais songer à mon avenir car bien que je sois toujours l'ornement de mon établissement, je ne suis plus aussi jeune qu'autrefois ! Alors je pris la résolution de renoncer à mes habitudes frivoles et de me construire un solide avenir dès que je serais débarrassée de cet insupportable brasseur !

Dame Geneviève soupira au souvenir de ses angoisses passées, avant de poursuivre :

— Par chance, son prochain départ pour la Hongrie l'obligea à changer ses misérables billets de crédit en bonnes pièces sonnantes et trébuchantes. Aussitôt qu'il l'eut fait, je sollicitai l'aide d'un galant officier sur le point de s'embarquer pour un voyage au long cours : cet homme avait envie de distraction et de compagnie pour calmer la douleur que lui donnait son départ et il me promit de me secourir après avoir ouï mon histoire. Il versa du vin drogué à maître Rotbart puis, quand nous eûmes passé une agréable nuit ensemble, ordonna à ses hommes de porter le brasseur à bord de sa galère et de l'enchaîner tout endormi à un banc de rameurs. Vous ne pouvez imaginer comme nous avons ri tous les deux à l'idée de la surprise de maître Rotbart quand les coups de fouet le réveilleraient en pleine mer !

— Très chère dame Geneviève, dis-je, permettez-nous de ne point rire du triste destin de maître Eimer mais bien plutôt de prier pour lui ! On ne doit jamais se moquer d'un galérien !

— S'il n'avait tenu qu'à moi, il y a longtemps que vous lui auriez coupé le cou ! reprit dame Geneviève. Et s'il n'avait pas gardé sa fortune ficelée dans ces papiers ! Mais de cette manière j'ai pu hériter de ses biens sans soulever le moindre soupçon. Tout le monde savait qu'il devait partir et nul ne s'étonna donc de sa disparition ! J'ai ensuite acheté trois jeunes filles tout à fait parfaites à un marchand de Turquie, quelques meubles élégants, des tapis et des miroirs que j'ai expédiés à Marseille par mer. Et j'ai meublé ainsi cette maison où je ne reçois que des gentilshommes distingués qui peuvent payer dix écus pour une seule nuit.

Elle frappa alors dans ses mains et aussitôt les trois jeunes filles parurent. Elles étaient toutes trois voilées et portaient une longue culotte transparente à la mode orientale; l'une d'elle avait la peau presque noire, l'autre brune et la troisième, la plus belle, avait une peau d'une blancheur si translucide qu'on y voyait le fin réseau bleuté de ses veines. Elles se touchèrent le front et la poitrine du bout des doigts en s'inclinant profondément pour signifier qu'elles étaient prêtes à nous servir.

— Ces voiles ne leur sont d'aucune utilité, nous expliqua dame Geneviève, puisqu'elles ont reçu le baptême et que je leur ai appris les prières chrétiennes. Espérons que cela me sera compté au jour du Jugement ! Mais la présence d'hommes inconnus les intimide toujours et elles préfèrent mille fois découvrir leur corps plutôt que leur visage ! Ce phénomène a fait, croyez-moi, sensation et plus d'un gentilhomme a payé un écu pour les voir dévoilées !

« Ah ! Les hommes ont vraiment des goût bizarres ! Rien ne les attire plus que ce qui est illégal et défendu ! Depuis que je me consacre avec sérieux à cette profession, j'ai appris bien des choses sur des plaisirs foudroyants et insolites ! Je pense d'ailleurs être bientôt en mesure de satisfaire les exigences des évêques et des cardinaux eux-mêmes, que seules les courtisanes romaines savent habituellement combler.

Lorsque à ma requête elle eut renvoyé les filles, elle nous conta qu'après s'être établie ici, elle avait mandé quérir ses enfants à Tours et qu'ils vivaient dans un village du voisinage; tous les jours elle leur rendait visite, les conduisait à la messe et un prêtre qu'elle avait engagé leur apprenait à lire et à écrire.

Elle mettait tant de naturel à parler de son honteux métier que je ne trouvai rien à dire bien que son infidélité me touchât et que je fusse torturé par la jalousie. Je priai Antti de nous laisser seuls et me répandis alors en accusations pleines d'amertume : qu'était donc devenu, lui demandai-je, ce tendre amour qu'elle m'avait mille fois juré à Nuremberg ? Mais elle se défendit avec ardeur et dit que cet amour, véritable à l'époque, était mort quand je l'avais abandonnée dans l'embarras. Je compris à présent ce qu'elle était réellement, je compris qu'elle m'avait trompé dans le seul but de m'induire à tuer maître Eimer ! Ecœuré, je repoussai ses mains caressantes et quand, pour m'apaiser, elle m'offrit la place d'entremetteur en réservant à Antti celle de portier, ma colère ne connut plus de bornes et je quittai sa maison en la maudissant.

Antti, cependant, me convainquit d'aller le jour suivant rendre visite aux enfants en compagnie de leur mère, et je dois avouer que j'éprouvais quelque curiosité à l'égard de notre fils. Dans cette affaire au moins, dame Geneviève n'avait pas menti : l'enfant avait les yeux somnolents d'Antti et le même épi de cheveux sur le sommet du crâne ! La petite fille aussi était ravissante avec ses joues rondes et rouges, ses boucles dorées et ses yeux brillants. Dame Geneviève prédit avec fierté qu'un jour cette enfant ferait honneur à sa mère ! Elle me serra si fort dans ses petits bras potelés et joua si gracieusement avec mon chien, que je me sentis envahi de tendresse et lui offris un écu d'or neuf afin qu'elle n'éprouvât nulle jalousie à l'encontre de son frère quand Antti lui donna le petit âne qui marchait; il l'avait traîné avec lui depuis Nuremberg !

Ainsi dame Geneviève réussit-elle à m'attacher encore à elle grâce à ses enfants et je ne pouvais la blâmer trop sévèrement de travailler à assurer leur avenir dans la seule profession pour laquelle elle avait des capacités.

La nourriture et le vin étaient excellents dans cette riche ville de Lyon. Le temps y filait rapide. Nous n'avions aucun but; ici ou ailleurs, tout nous était bon.

Un jour, dame Geneviève nous raconta de son air candide qu'un de ses clients, un malheureux gentilhomme de la Cour, devait partir en mission secrète à Constantinople, ou Istanbul, du nom païen que les Turcs lui ont donné. Il en était si fort accablé que tout son art suffisait à peine à le distraire ! Il est vrai que son prédécesseur avait été assassiné par les sauvages qui vivent dans les montagnes de Dalmatie, alors qu'il se rendait par terre de Raguse à la capitale ottomane.

— Mais au nom du Dieu vivant, qu'a donc à faire la Cour de Sa Majesté Très Chrétienne chez le plus féroce ennemi de la Chrétienté ? m'exclamai-je étonné.

— D'après ce que je sais, répondit-elle avec innocence, la régente sollicite au nom du roi François, l'alliance du sultan contre l'empereur Charles. De secrètes négociations se sont engagées depuis la défaite de Pavie et le Turc a promis son aide.

Jamais je n'aurais pu imaginer une chose aussi abominable, un complot plus horrible'! J'eus soudain l'impression d'étouffer, d'être prisonnier dans cette pièce aux coussins parfumés, comme si tout ce qui me restait d'honneur et de décence s'asphyxiait lentement au-dedans de moi ! Sans un mot d'adieu, je sortis de la maison et arpentai les rues de la cité une grande partie de la nuit, l'esprit en proie à une angoisse oppressante.

— Levons-nous à l'aube et quittons la France le plus vite que nous pourrons ! dis-je à Antti à mon retour. La malédiction de Dieu va s'abattre, j'en suis sûr, sur ce misérable pays !

— Pour une fois, tu parles sagement, Mikaël, répondit-il. La Providence a béni cette région avec un vin trop délicieux pour un pauvre malheureux de mon espèce et je n'aurai bientôt plus un sou ! J'ai la nostalgie des canons et d'une bonne guerre capable d'apporter gloire, richesse et honneur à celui qui choisit le côté des vainqueurs !

Ainsi donc, une fois encore, nous sommes-nous ceint les reins et avons-nous laissé derrière nous cette opulente cité décadente. Après avoir franchi ses portes, je secouai la poussière de mes pieds, craignant pour elle le destin de Sodome et Gomorrhe, destin auquel elle ne pourrait échapper quand la coupe de la colère divine serait pleine. Après avoir cheminé quelque temps, nous avons traversé le Rhin au cours majestueux pour atteindre la jolie ville de Bâle; les bâtiments de sa nouvelle université accrochés à ses flancs escarpés semblaient des nids d'hirondelles tandis qu'à l'arrière-plan s'élançaient les flèches aiguës de sa cathédrale. Nous prîmes un logement à l'auberge des *Trois Rois* à proximité du bac. Je m'attachai bientôt à cette ville libre et pleine d'animation, si bien que je résolus d'entrer à l'université pour étudier aussi longtemps que ma fortune me le permettrait.

Il y avait maintes imprimeries à Bâle et l'on pouvait rencontrer nombre de savants dans ses librairies; le grand Érasme en personne y trouva refuge après que des étudiants fanatiques de l'université de Louvain eurent renversé son bureau en l'accusant faussement d'hérésie. Les libraires permettaient aux écoliers démunis de feuilleter les nouveaux livres, et les nouvelles du monde entier nous parvenaient plus vite qu'ailleurs dans cette cité libre de la Confédération, située au carrefour des routes de commerce entre la France, l'Italie et les principautés allemandes.

Ce fut au cours de ce printemps si lourd d'événements que le roi François accepta les termes du traité de paix; il s'inclina devant l'intransigeance de l'empereur et la vanité de tous ses efforts et se soumit à toutes les exigences, laissant ses deux fils en otage pour gage de sa bonne foi. Mais je ne fus guère surpris d'apprendre qu'à peine en liberté et de retour sur le sol français, il avait rompu tous ses engagements sous prétexte qu'extorqués par la force, ils ne valaient rien. Il établit ensuite sa résidence à Cognac où il reçut les ambassadeurs du Vatican, de Venise et des autres États d'Italie, ainsi que ceux d'Angleterre, et constitua avec eux la Sainte Ligue afin de déclarer une nouvelle guerre à l'empereur. Dès l'été, les combats faisaient déjà rage et les armées alliées se dirigeaient vers l'infortuné Milan gouverné alors, depuis la mort récente de Pescara, par le duc de Bourbon.

Antti, jugeant la cause de l'empereur perdue, choisit de se rendre en Hongrie pour combattre les Turcs plutôt que de rejoindre son armée. De cette façon au moins il sauverait son âme s'il tombait dans la bataille et gagnerait de riches butins s'il arrivait à survivre. Je l'encourageai dans cette noble entreprise car dans notre monde chaotique, le devoir d'un chrétien n'est-il point de lutter contre les Turcs, et contre eux seulement afin d'être certain de la justice de la cause qu'il défend ? Mais on apprit peu après que le sultan combattait avec le Saint-Père et qu'il avait levé une grande armée pour marcher sur la Hongrie et attaquer les domaines impériaux par le sud-est, tandis que les troupes de son allié le pape marchaient sur Milan !

— C'est le véritable enfer ! s'écria Antti en apprenant cela. Pitié ! Même moi je me ferai luthérien si le pape et le Turc s'allient pour se battre contre des chrétiens !

Je lui conseillai vivement de garder pour lui d'aussi dangereuses pensées quand il se trouverait en Hongrie, où tous croyaient lutter contre les Turcs au nom de la sainte Église catholique et romaine.

Nous nous séparâmes avec tristesse et il me laissa vingt guldens pour mes études. A quoi bon, pensait-il, emporter beaucoup d'argent sur lui, et s'il n'avait point la chance de revenir, ne vaudrait-il pas mieux avoir consacré son bien à une aussi louable entreprise ? J'eus grand-peur que cette séparation ne fut la dernière et pensai ne le revoir jamais. D'horribles histoires sur la cruauté inhumaine des Turcs nous parvenaient de Venise et de Hongrie, et l'Église avait promis une entrée immédiate en paradis à tous ceux qui tomberaient au cours d'une bataille contre les infidèles. Cette pensée fut mon meilleur réconfort au moment de notre adieu.

Ma vie aurait pu dès lors s'écouler doucement, m'apportant honneurs et distinctions au sein du monde des savants, si le docteur Paracelse ne se fût trouvé une fois de plus sur mon chemin. Mais pour parler de lui, il me faut à présent entamer un nouveau livre et ce livre sera le dernier que j'écrirai sur les vagabondages de ma jeunesse. Écrire en effet, commence à me peser. Je dois cependant raconter comment s'est accompli mon vœu, et pour ce faire tremper ma plume dans le sang et prendre du papier de couleur noire.

DIXIÈME LIVRE

LE SAC DE ROME

Le docteur Paracelse était en ce temps-là célèbre par toute l'Allemagne pour ses guérisons miraculeuses, et ce fut la raison de notre rencontre inopinée dans la taverne de l'hôtellerie des *Trois Rois*. Non que le fait de le trouver dans une taverne fût en soi extraordinaire, le docteur était chez lui en de tels lieux; mais l'on pouvait s'étonner de le voir à Bâle alors qu'il exerçait très loin dans le Nord, précisément dans la bonne ville de Strasbourg située dans la vallée du Rhin.

Je le reconnus du premier coup d'œil bien qu'en dépit de son âge encore jeune, il fût devenu presque chauve et que les soucis, les voyages et l'excès de boisson lui eussent marqué le visage de profondes rides. Je m'empressai d'aller le saluer et l'embrasser, mais il me reçut fort mal, allant même jusques à poser sa main sur la garde de sa grande épée. Je lui fis reproche de cette froide hostilité, puis lui parlai du passé et particulièrement du massacre de Stockholm où il avait acquis cette arme; je lui dis mon nom et lui rappelai que j'avais été son premier assistant et disciple. A ces mots, il me lança un regard furibond de ses yeux avinés et me dit sur un ton courroucé :

— Des dizaines de mes disciples ont fini sur la potence et c'est exactement l'endroit qui leur convenait ! Pas un n'a eu la loyauté de rester à mes côtés plus de trois mois ! Ils viennent m'espionner pour surprendre mes secrets, puis s'enfuient en se vantant de par le monde d'avoir étudié avec moi, et leur science incomplète nuit à ma bonne réputation ! Que le diable t'emporte si tu es un de ceux-là !

Il finit tout de même par se souvenir de moi et me parla dès lors sur un ton plus amène. Il me raconta que Frobenius, le fameux imprimeur de Bâle, avait perdu l'usage d'une jambe après un coup et qu'il l'avait mandé quérir à Strasbourg parce que les médecins du cru voulaient, dans leur incompétence, le faire amputer par un barbier-chirurgien ; Paracelse, quant à lui, était convaincu de pouvoir le guérir sans opérer, mais avant de se rendre chez son patient, désirait boire pour se rafraîchir après une chevauchée harassante. Nous passâmes la soirée ensemble et je dus l'aider à regagner sa chambre où il se jeta habillé sur sa couche, non sans avoir tout d'abord pourfendu de sa grande épée les forces primitives qui l'attaquaient toujours quand il était sous l'empire du vin.

Je le rencontrai vers la fin de l'été quand mon enthousiasme premier pour l'étude s'était déjà considérablement refroidi. Être toujours plongé dans de vieux grimoires que les étudiants tiennent en plus grande estime que le témoignage de leurs propres sens, commençait à me lasser et j'acceptai de reprendre mes études auprès du docteur Paracelse, malgré son orgueil maladif, accru avec les années, et en dépit de son humeur batailleuse qui en faisait souvent un compagnon peu commode. Je dois reconnaître cependant que son comportement changeait comme par magie quand il se trouvait au chevet d'un malade ; son visage alors irradiait la gentillesse et la force morale, et le simple contact de sa main apportait un soulagement au malheureux dont il gagnait rapidement la confiance. Il guérit la jambe du vieil imprimeur en peu de semaines, ce qui assit sa réputation à Bâle. Les patients accoururent en masse à la porte de la chambre qu'il occupait à l'hôtellerie, tandis que Frobenius et le grand Érasme chantaient à l'envi ses louanges à leurs nombreuses et influentes relations.

Érasme de Rotterdam en personne devint d'ailleurs son client. Le docteur Paracelse, après l'avoir examiné consciencieusement, lui annonça qu'il souffrait d'une maladie du tartre, maladie qui suscite des troubles divers en attaquant soit le foie, soit la vésicule biliaire, soit les reins et qui peut provoquer des douleurs aiguës. Le docteur se vanta d'être le premier médecin à étudier ces affections, à les soigner et à leur avoir donné leur juste appellation. Il ne se trompa guère pour Érasme, prescrivit une diète légère, et lui interdit de boire autre chose que du vin de Bourgogne.

En ma qualité de garçon de courses du docteur, j'eus l'occasion de rencontrer le grand Érasme à maintes reprises, mais je dois avouer que j'en sortis fort déçu. C'était un petit homme tout ratatiné qui, tout au long de l'année, portait des fourrures et restait confiné chez lui même en été; un homme toujours grognon avec ses visiteurs qu'il recevait en les houspillant pour qu'ils fermassent bien la porte, car il craignait les courants d'air comme la peste; difficile pour la nourriture, il se plaignait sans cesse de sa faiblesse physique et, à ses yeux, l'interprétation correcte d'un mot grec représentait une victoire supérieure à celle que peut gagner un roi sur un champ de bataille ! Un fourneau couvert de carreaux bleus ne cessait jamais de chauffer dans sa chambre, et il redoutait si fort la maladie et la mort qu'il refusa de rendre visite à son bon ami Frobenius tant que ce dernier fut cloué dans son lit.

Son plus grand plaisir — en réalité, son unique plaisir — consistait à descendre l'escalier pour se rendre auprès des presses cliquetantes afin de respirer l'odeur de l'encre d'imprimerie, de passer son doigt sur les feuilles humides et de faire çà et là des corrections de son écriture menue de vieillard. Frobenius préparait, à cette époque, une édition nouvelle et plus complète de ses travaux, mais il ne cessait de maugréer sans lui manifester la moindre reconnaissance. Il logeait pourtant dans la demeure de l'imprimeur qui lui payait le bourgogne et tous les mets délicats susceptibles de séduire son palais desséché. Érasme, malgré tout, envoyait sans se lasser des missives à tous ses protecteurs des quatre coins de l'Europe pour se plaindre de son dénuement ! Il n'y avait ni roi, ni prince, ni seigneur au monde qui n'eût reçu quelque jour une de ces pétitions ! Et sa bourse regorgeait de l'or qui arrivait continuellement à son lieu de résidence. Quel homme raisonnable aurait risqué d'encourir la colère de cet écrivain qui, dans ses dialogues, pouvait châtier sans pitié toute personne ou toute opinion en désaccord avec lui-même ? En revanche, il se montrait fort avaricieux dès qu'il s'agissait pour lui de dépenser de l'argent !

Quand, pour la troisième fois, le docteur Paracelse m'envoya auprès de lui afin de recouvrer ses honoraires, voici ce qu'il proposa :

— Quelle perte pour le monde si la science à nulle autre pareille de votre maître et sa nouvelle conception des principes de la médecine venaient à se perdre à cause de la vie instable qu'il mène ! Le poste de médecin de la ville, qui inclut la charge de donner des conférences à l'université, se trouve actuellement vacant et je compte appuyer de toute mon influence, ainsi d'ailleurs que Frobenius, pour lui obtenir cette situation tout à fait avantageuse. Et si j'y réussis, je puis vous assurer que jamais nul patient n'aura payé son médecin de plus royale manière !

Il me regarda en souriant de ce fin sourire particulier aux vieilles personnes, et ajouta :

— Nous connaissons tous de reste la faiblesse de notre docteur, mais je ne doute point qu'une fois titulaire de la chaire de médecine de l'université, il ne mette bon ordre à sa vêture et à sa conduite et ne fasse l'effort de se convertir en une personne décente. Nous ne pouvons permettre qu'un si grand homme soit perdu pour l'humanité à cause de quelques menus défauts ! Croyez-moi, jeune homme, si cette proposition n'agrée pas à notre ami, c'est que je ne connais rien à l'humaine nature !

« J'espère en tout cas qu'il s'abstiendra désormais de ces désagréables rappels ! Avoir Érasme pour patient est pour lui, après tout, un grand honneur !

De retour aux *Trois Rois*, je transmis le message à mon maître qui, loin de se courroucer comme je m'y étais attendu, se montra ravi à la perspective de mettre un terme à ses errances grâce à une situation bien rémunérée et qui lui permettrait de surcroît d'exposer publiquement ses nouveaux principes du haut d'une chaire universitaire.

— Mais qu'ils ne s'imaginent point que je vais donner mes leçons en latin ! s'écria-t-il. J'ai l'intention de parler une langue accessible à tous les honnêtes gens ! Tout homme qui préfère lire dans le grand livre de la Nature plutôt que s'échiner à déchiffrer de vieux grimoires poussiéreux, pourra devenir mon élève même s'il est dépourvu de tout diplôme universitaire ! Je vais enseigner en particulier la manière de traiter à peu de frais et à coup sûr la vérole française avec le mercure rouge. Je ris déjà à l'idée de l'agitation que cela va provoquer chez les apothicaires, et en pensant à la tête que va faire Fugger quand il devra jeter aux ordures toute l'écorce de gaïac qu'il s'est fait venir à grands frais d'Amérique ! De même que Luther jeta un jour au feu la bulle d'excommunication du pape, de même je jetterai les travaux d'Avicenne et de Galène ! Je pense que je le ferai à l'occasion de la prochaine fête de la Saint-Jean, au moment où s'allument les feux du solstice d'été quand les étudiants se réunissent avant de s'égailler pour les vacances estivales. Oui ! Ainsi la nouvelle s'en répandra rapidement par toute l'Allemagne, je le ferai, dût-on pour cela m'appeler le Luther de la médecine ! D'ailleurs, je compte, à l'instar de Luther, m'en tenir à mes actes !

J'eus moult peine à lui représenter combien lui porteraient préjudice des conférences données en langue ordinaire ! La première condition du savoir était une parfaite maîtrise du latin, grâce auquel les érudits du monde entier pouvaient se comprendre quelle que soit leur langue d'origine. Ses collègues de l'université retourneraient contre lui pareille innovation et prétendraient que ses connaissances étaient sans doute trop rudimentaires pour lui permettre de donner ses cours en cette langue; je savais également qu'ils exigeraient de voir son diplôme et le docteur se montrait singulièrement réservé sur ce point, même s'il se vantait d'avoir étudié en diverses universités de différents pays jusques au moment où il s'était lassé de l'enseignement incomplet et erroné que l'on y dispensait. Pour tout dire, le latin n'était guère son fort comme je pouvais m'en apercevoir lorsque le soir en sirotant une coupe de vin, il essayait de me dicter ses pensées; il avait tôt fait de se remettre à l'allemand me laissant le soin de traduire de mon mieux en latin ses réflexions.

Mes craintes ne se révélèrent, hélas, que trop justifiées ! Quand Érasme et Frobenius avancèrent devant le Conseil de la ville le nom du docteur Paracelse, étudiants, médecins et apothicaires se levèrent comme un seul homme pour s'opposer à cette candidature; et quand ils le sommèrent de montrer son diplôme, le docteur répliqua avec hauteur qu'il y avait beau temps qu'il en avait fait le seul usage qui convînt à tel papier ! Entretemps, les apothicaires avaient envoyé un avis à Augsbourg pour faire connaître la condamnation par Paracelse du gaïac comme remède du mal français, ce qui avait provoqué l'inimitié du puissant Fugger. Je ne m'étendrai pas sur les histoires malveillantes qui coururent à ce sujet mais on disait, entre autres, que le diable en personne lui avait octroyé à la fois la connaissance du mal et le remède; et ses étranges habitudes, ses vitupérations, ainsi que le langage qu'il tenait au cours de ses batailles avinées contre les forces élémentaires, fournissaient sans cesse nouvelle matière à calomnies. Le docteur, dans son incommensurable mépris pour ses adversaires et leur superstitieuse ignorance, dédaigna de réfuter ces rumeurs.

Loin de moi l'idée de déprécier le génie de cet homme et son pouvoir phénoménal de guérison, mais il faut tout de même avouer que plus les rangs de ses ennemis grossissaient, plus il prenait plaisir à les effrayer et quand il se trouvait en peine de crédit dans quelque taverne, il tirait gloire trop volontiers de ses remarquables talents, si bien que les manants finissaient par les croire diaboliques. Bref, sa conduite excessive et ses propos venimeux lui rendirent un fort mauvais service pour son éventuelle nomination à cette charge et Érasme finit, en compagnie de Frobenius, par lui conseiller de s'en retourner à Strasbourg pour y attendre la décision du Conseil, sa présence à Bâle risquant de rendre vains tous les efforts tentés en sa faveur.

Le docteur Paracelse était sans doute, quant à lui, absolument persuadé d'avoir adopté une attitude des plus conciliatrices : il avait soigné son apparence, baissé le ton de sa voix et bu de manière plus raisonnable; en vérité, il désirait ardemment ce poste et les chances par lui offertes de défier la docte faculté de Médecine, mais il était facilement offensé et très chatouilleux sur le chapitre de sa réputation. Il arriva à la fin à un tel point de lassitude et de découragement, que je le vis fondre en larmes pour la première fois.

— Tout le monde me déteste parce que je suis un solitaire et un Allemand ! dit-il. Ils me détestent aussi parce que j'enseigne de nouveaux principes, mais mon savoir procède de Dieu ! Tout ce qui est parfait vient de Dieu et toute imperfection du diable ! Moi je ne demande qu'à lire dans le grand livre de la Nature afin de guérir les gens de leurs maux et détruire le tissu de mensonges et d'erreurs légué par les anciens et révéré par les étudiants d'aujourd'hui !

Il voulait partir tout de suite, cette nuit même, malgré le froid de novembre et les sombres chemins où fourmillaient les brigands si friands de couper le cou des voyageurs solitaires. Je réussis à le convaincre d'attendre le matin pour me donner le temps de décider de ce que j'allais faire. J'hésitais entre trois solutions, l'accompagner à Strasbourg, rester à Bâle ou partir vers le sud, ce qui me tentait depuis quelque temps déjà. Cet automne en effet des nouvelles venues de Hongrie nous avaient appris l'extraordinaire victoire remportée par les Turcs sous le commandement du sultan en personne dans les plaines près de Mohacs, et j'en avais conclu à la mort d'Antti. Ce terrible spectacle de sang et de feu qui se dressait menaçant à l'horizon dans le ciel de l'Orient n'avait point réussi cependant à unir la Chrétienté contre l'ennemi commun et la guerre se poursuivait en Italie; il semblait même qu'en dépit de toutes les prévisions, l'empereur allait l'emporter. Ainsi le seul bénéficiaire de la Sainte Ligue était en fait le sultan ottoman qui avait pu, sans encombre, conquérir la Hongrie pendant que les chrétiens plongeaient leur poignard dans leur propre sein ! En Italie, les événements prouvaient que Venise ne se souciait que de ses seuls intérêts et qu'elle ne se préoccupait de la Sainte Ligue que dans la mesure où cette dernière assurait la sécurité de ses frontières de Lombardie, menacées par la présence des troupes impériales dans le duché de Milan. Un observateur impartial eût aisément pu découvrir dans l'attitude des Vénitiens une certaine duplicité, un certain désir de ne point trop affaiblir le pouvoir de l'empereur qui demeurait le seul adversaire en Europe capable de s'opposer au sultan, principale menace pour leur commerce et leurs possessions maritimes.

Toutes ces nouvelles résonnaient dans ma tête pareilles à des trompettes de défi ! En Allemagne, des hordes innombrables de mercenaires se ralliaient à la bannière du fameux Frundsberg et si grande était leur hâte de marcher contre Rome et le pouvoir du Saint-Siège, qu'ils se contentaient de recevoir une avance et de vagues promesses de solde à venir. Mais Frundsberg ne se fût jamais risqué à faire de si libérales promesses à ses troupes sans l'accord de l'empereur et l'on en pouvait conclure que celui-ci, n'hésitant pas à faire appel à des alliés hérétiques, rassemblait toutes ses forces pour écraser la papauté. Serait-ce dont la volonté de Dieu de me permettre d'assister à l'accomplissement de mon vœu et de voir le pape chassé de son trône ? Sans plus hésiter, quand le départ de mon maître m'obligea à prendre une décision, je résolus de me pourvoir de quelques médicaments indispensables, puis de rejoindre comme chirurgien l'armée impériale cantonnée à Milan et de marcher avec elle sur Rome !

Le docteur Paracelse se montra généreux quand nous nous séparâmes : il me donna huit pilules d'une drogue miraculeuse appelée laudanum, qui peut soulager les plus terribles souffrances, ainsi que d'autres médicaments et onguents contenant du mercure rouge pour le traitement de la vérole. Puis il me fit maint sage conseil au sujet de la peste et m'entretint pendant plus d'une heure des fièvres italiennes.

— Sache qu'au cours de vastes campagnes, dit-il, plus d'hommes périssent victimes de la vérole, la peste ou la fièvre que de l'acier et du plomb ! Personnellement, Mikaël Pelzfuss, je pense que tu ne seras jamais un bon médecin, mais plus d'un chirurgien militaire a fait fortune avec de moindres connaissances que les tiennes et bien plus dangereuses ! Essaye de ne pas faire plus de mal que de bien avec tes médicaments et chaque fois que tu le jugeras possible, laisse agir seules les forces guérisseuses de la Nature.

Ses paroles d'adieu me raffermirent dans ma résolution. Je l'accompagnai jusques aux rives du Rhin aux eaux rapides et me sentis ému aux larmes lorsqu'il monta à bord du bateau. Je restai à le regarder jusqu'à ce qu'il ne fût plus qu'une tache grise dans le lointain, qui s'évanouit peu à peu.

L'année suivante, le Conseil de la ville le rappela à Bâle et, suivant sa promesse, il brûla les livres de Galène dans les feux de la Saint-Jean. J'appris plus tard qu'il était mort six mois après cet événement.

La fréquentation et les enseignements de cet homme à la personnalité si marquante exercèrent une influence considérable sur moi, comme je pus m'en rendre compte par la suite, et je reconnais volontiers qu'il était dans sa discipline un véritable génie d'une parfaite honnêteté, quoiqu'il ne soit jamais parvenu à formuler ses découvertes d'une manière claire et précise. Il était sans doute de la même dureté et de la même solidité que les sapins et les pierres de son pays natal et il aimait lui-même à s'appeler le « vagabond » et l'« âne sauvage des montagnes ». J'éprouvais en tout cas à son égard plus d'admiration que je n'en éprouverai jamais à l'égard d'Érasme avec son fourneau, son atrabilaire érudition et son attitude obséquieuse vis-à-vis des grands de ce monde !

Si, après les tempêtes de neige essuyées dans les cols alpins, je m'étais imaginé trouver à Milan un havre de paix, je dus vite déchanter car je n'y rencontrai que chaos et famine. Les troupes impériales, privées d'argent et de discipline, n'avaient pas été payées depuis des mois, n'obéissaient plus à leurs officiers et chacun des hommes devait subsister par ses propres moyens. A peine le convoi de ravitaillement avec lequel je voyageais eut-il franchi les portes de la cité qu'il fut attaqué et dévalisé, et j'aurais sans doute moi-même été volé si je n'avais suivi en qualité de chirurgien. Je me vis obligé, cependant, de serrer Raël sous mon bras afin de le protéger de ces hommes hirsutes au regard farouche qui en auraient fait sans remords leur repas ! Heureusement pour moi, la ville regorgeait de malades et les médicaments étaient épuisés. J'aurais pu faire fortune si seulement la nourriture n'eût été si chère ! Tous mes gains, en effet, partaient en un clin d'œil avec le pain, la viande et la boisson que je devais acheter pour mon chien et pour moi.

J'appris à mon arrivée, un peu avant Noël, que Frundsberg, parti depuis longtemps en direction du sud en compagnie de douze mille piquiers, pressait à présent le duc de Bourbon de quitter Milan pour réunir les deux armées sous son commandement. Le duché était à bout de ressources, il ne restait plus un sac de farine, plus une poule, plus un cochon, tout avait été volé et l'on n'eût pu trouver dans tout Milan une seule porte qui n'eût point été enfoncée ! Bourbon et ses officiers fondirent leur vaisselle, leurs bijoux et leurs chaînes d'or pour frapper monnaie et la distribuèrent aux hommes afin de prévenir les mutineries et les inciter à poursuivre leur service. Quant à moi, étant donné que je venais d'arriver, je ne pouvais prétendre à aucune solde de chirurgien et n'avais donc d'autre recours que de partir avec eux. Je fis l'acquisition d'un pauvre âne efflanqué, le chargeai de tous mes biens et vers la fin du mois de janvier, suivis les hommes du duc. Ainsi commença pour moi l'an de grâce 1527, cet an inoubliable et couleur de sang.

Pour empêcher la jonction des armées impériales, les troupes de la Sainte Ligue, placées sous le commandement du duc d'Urbino, engagèrent plusieurs combats contre les hommes de Frundsberg mais, après avoir essuyé quelques défaites, l'Italien ordonna la retraite, sans doute pour mieux réfléchir à la manière de servir la cause vénitienne. Nous parvînmes donc au mois de février à réunir nos forces à celles de Frundsberg sur les bords de la Trébie. Dès le premier soir, Espagnols et Germains en vinrent aux mains et j'eus à soigner autant de blessures que s'il y eût eu bataille véritable. La rixe avait eu pour point de départ une discussion au sujet des sommes que l'empereur leur devait aux uns et aux autres : auquel des deux groupes devait-il le plus et lequel serait payé le premier ? Dispute vaine s'il en fut, puisque jamais l'empereur n'envoya les fonds nécessaires !

Notre commandant en chef trouva moyen cependant d'obtenir un prêt du duc de Ferrare qui souhaitait vivement voir s'éloigner ces alliés maraudeurs de ses domaines; toutefois, il ne régla que les Allemands sur la somme prêtée, ce qui lui coûta cher par la suite. Nous laissâmes donc Ferrare pour nous diriger vers Bologne mais, après une quinzaine de jours, les hommes, harassés par la faim et la pluie, exigèrent une nouvelle halte pour procéder à la liquidation des soldes en retard.

J'avais quitté Milan en compagnie des Espagnols, dont je parlais fort mal la langue et, rien ne me liant à eux, je me ralliai dès que je pus aux Germains de Frundsberg, parmi lesquels m'attendait une des plus grandes surprises de ma vie. Je venais d'attacher mon âne sous un olivier et m'apprêtais à soigner quelques hommes atteints par la vérole, lorsque nous fûmes attaqués par un groupe imposant d'Espagnols en guenilles et nu-pieds qui voulaient nous voler. Mes patients n'étaient guère en condition de se défendre et comme ils avaient de surcroît baissé leurs braies pour l'examen médical, ne se trouvaient même pas en mesure de fuir en courant ! J'aurais été perdu si leurs cris de détresse n'eussent attiré un garçon de forte carrure qui se précipita à notre secours en brandissant son épée et en lançant des hurlements de bête féroce. Les Espagnols prirent la fuite devant lui et lorsque je me retournai pour remercier mon sauveur, je me trouvai face à face avec Antti ! Je le pris d'abord pour un fantôme sorti du règne des ombres grâce à mes ardentes prières, tant sa mort m'avait paru certaine; mais quand il me reconnut à son tour, il rengaina son épée et pressa ma main entre les siennes.

— Par mon âme, Mikaël ! s'écria-t-il. Pour l'amour de Dieu, dis-moi ce que tu fais ici parmi ces loups alors que je te croyais à Bâle, occupé à parfaire ton esprit ?

Il s'assit, prit dans son sac un os plein de jus, le partagea en deux entre ses dents et en malaxa les morceaux avant de donner la moelle à lécher au petit Raël. Ses gros orteils noueux sortaient par les trous de ses bottes et ses manches n'étaient plus qu'un souvenir, mais il portait une cuirasse polie et sans tache et son épée était en parfait état. Je lui demandai comment il avait pu revenir sain et sauf de la bataille de Mohacs et trouver son chemin jusques à cette misérable troupe que l'Italie entière maudissait.

— Je suis revenu de Mohacs sain et sauf pour la bonne raison que je n'y étais pas au moment de la bataille ! me répondit-il de cet air innocent qui lui était habituel. Je n'ai jamais vu nobles plus arrogants ni plus coléreux que les Hongrois et toute envie de combattre à leurs côtés m'eut bientôt quitté ! Ils n'ont que mépris pour l'artillerie et seuls leur inspirent confiance leur armure et leurs rapides coursiers. A Mohacs, ils se sont jetés au grand galop droit sur les centaines de canons que le sultan avait dissimulés derrière ses premières lignes. Des témoins dignes de foi racontent que les Turcs attendirent pour faire feu que la cavalerie hongroise fût à deux pas des bouches des canons, et que la première salve suffit à déterminer l'issue de la bataille. Il ne fallut pas plus de deux heures à l'armée ottomane pour annihiler les chrétiens, et c'en fut fait de la Hongrie ! Bien peu, crois-moi, en réchappèrent pour venir raconter l'histoire !

Je le priai de me donner plus de détails, mais il ne parut guère disposé à s'étendre sur ses expériences hongroises.

— J'ai entendu dire, se borna-t-il à ajouter, que tous les paysans fuient l'oppression de leurs seigneurs pour aller chercher refuge dans les domaines du Turc qui ne persécute pas les chrétiens en tant que tels et leur permet de pratiquer leur religion en toute liberté, tandis qu'il interdit les extorsions et les injustices. C'est une des raisons pour lesquelles j'ai décidé de ne plus me battre pour le roi légitime; l'on m'a dit d'ailleurs qu'au moins deux des hommes les plus éminents du pays briguent déjà la faveur du sultan dans l'espoir d'obtenir la couronne de Hongrie, désormais placée sous la suzeraineté du monarque ottoman.

Antti se refusa de poursuivre sur ce sujet et sans plus de discours me conduisit dans son campement où un groupe de piquiers l'avait pris pour chef; là, à l'abri d'une tente en lambeaux qui nous protégeait de l'averse de printemps, je partageai le repas de ces soldats. J'étais fort heureux de me trouver au milieu d'eux, quand cette même nuit éclata dans le camp une mutinerie. Les piquiers allemands durent s'armer de pied en cap et former des carrés pour se défendre des Espagnols qui, fous de rage, avaient attaqué leurs propres officiers et menaçaient à présent de découper leurs soldes sur la peau du dos du Bourbon, lequel se vit contraint d'aller chercher refuge sous la tente de Frundsberg.

Lorsque le lendemain les chefs espagnols eurent rétabli un ordre relatif parmi leurs hommes, les Allemands, à leur tour, commencèrent à se plaindre, en se montrant les uns aux autres leurs chaussures éculées et leurs vêtements en haillons. Au crépuscule, ils entourèrent la tente de Frundsberg, hurlant qu'on les avait trompés et qu'ils exigeaient leur salaire sans plus de délai !

Je me trouvais au milieu de cette foule vitupérante lorsque Frundsberg sortit de sa tente. Ce fut la première et dernière fois que j'eus l'occasion de voir le grand général dont le nom seul faisait trembler les hommes. A la vue de ce chef à l'allure de taureau et au visage massif, tous se turent un instant, un ou deux soldats se mirent même à applaudir, mais les cris reprirent bientôt de plus belle et les piquiers lancèrent dans la boue devant lui leurs bottes déchiquetées, arrachèrent leurs chemises pour lui montrer leurs côtes et exigèrent leur argent.

Frundsberg n'était point homme accoutumé aux révoltes et sa large face se couvrit du rouge de la colère. Il cria en rugissant avec tant de passion que la voix lui manqua. Il rappela à ses hommes les règles de la guerre auxquelles ils avaient fait serment d'obéir et les menaça de les faire tous passer par les baguettes. Son intervention ne fit qu'exaspérer les soldats ! Ils hurlaient que Frundsberg ferait mieux de se souvenir des règles selon lesquelles il s'était engagé à les payer régulièrement sans jamais permettre plus d'un mois de retard ! Et soudain, les hommes qui l'entouraient le plus près abaissèrent leurs piques si bien que le puissant Frundsberg se trouva cerné de pointes scintillantes, spectacle fort désagréable sans doute pour un général attaché à sa dignité. Comment s'étonner alors qu'il en arrivât à l'extrême des mouvements inspirés par la passion ? Ses yeux se remplirent de larmes, il perdit l'usage de la parole, gesticula à la manière d'un aveugle puis tituba avant de s'abattre de tout son long sans que nul n'ait porté la main sur lui. Les mutins, déconcertés, cessèrent de crier puis s'enfuirent, tandis qu'un silence de mort descendait soudain sur le camp. J'avais par bonheur sur moi ma lancette et pus ainsi procéder à une petite saignée à l'intérieur du coude du général. Il avait été victime d'une attaque d'apoplexie et ne pouvait ni bouger ni parler; seuls ses yeux injectés de sang lançaient autour de lui des regards pleins de désespoir et c'était un spectacle terriblement pitoyable. On le ramena plus tard à Ferrare où il reçut les soins nécessaires, mais jamais il ne se remit complètement de cette attaque.

Ainsi, le seul chef capable de maintenir la discipline au sein des troupes de piquiers était-il parti ! Ses deux lieutenants assumèrent dès lors le commandement et le duc de Ferrare, comprenant que des troubles graves menaçaient de se produire, consentit un nouveau prêt de quinze mille ducats de sorte qu'on en put distribuer un à chaque piquier. Ils cessèrent de se plaindre, fortement impressionnés par ailleurs du malheur qu'ils avaient attiré.

Après cet incident, le duc de Bourbon réunit ses officiers en conseil au cours duquel il les exhorta à ranimer le courage de leurs hommes par la description des richesses qui les attendaient à Florence et à Rome. Une semblance d'ordre était donc rétablie dans le camp et les troupes prêtes à reprendre la marche quand, comble d'infortune, le maître de la cavalerie impériale arriva de Rome pour annoncer que de Lannoy, le vice-roi de Naples, venait de conclure au nom de l'empereur la paix avec le pape ! On avait déjà signé cet hiver-là je ne sais plus combien de traités avec le pape qui en avait trahi plus d'un, mais selon les termes de ce dernier-né, il avait payé soixante mille ducats que le maître de la cavalerie apportait pour le distribuer aux hommes avant de les licencier.

La première révolte avait été passablement violente, pourtant je n'ai jamais entendu pire vacarme que celui qui s'éleva lorsque ces nouvelles se répandirent par tout le camp. Allemands et Espagnols oublièrent leurs querelles face au commun péril de se voir frustrés du butin espéré. Ils s'interpellaient et s'appelaient frères d'armes et constituèrent ensemble un conseil de soldats qui se rendit chez le duc de Bourbon pour lui demander quelles étaient ses intentions ; ils lui déclarèrent que quoi qu'il arrive, l'armée poursuivrait sa campagne ou bien sous le commandement de ses anciens chefs ou bien sous celui de nouveaux qu'ils éliraient parmi les hommes de la troupe.

Le duc reçut la députation avec cordialité et déclara que si l'armée décidait de continuer, il la conduirait lui-même à Rome avec l'aide de Dieu, au risque d'encourir la colère de l'empereur. Sa Majesté ne l'avait point récompensé selon ses mérites et il avait d'ailleurs perdu tous les bénéfices qu'elle lui avait octroyés quand le roi de France avait rompu le traité de paix. Du reste, Bourbon ne haïssait personne au monde comme il haïssait le seigneur de Lannoy et que lui importait après tout de respecter une paix que ce chevalier s'était plu à signer ! Il considérait même qu'il servirait mieux la cause de l'empereur en passant outre, le pape étant prompt à reprendre sa parole dès qu'il y trouvait quelque avantage !

Le duc de Ferrare, à l'évidence heureux de se débarrasser de nous, fournit les provisions nécessaires, chariots, poudre et canons légers et nous levâmes le camp à la fin du mois de mars. Une fois en marche, notre armée grossit comme boule de neige car les réfugiés politiques, les bandits et les criminels de tout poil, attirés par l'odeur du butin, se joignirent à nous. Au cours de notre longue marche, nombreux furent ceux qui s'enfoncèrent dans la neige ou que les loups dévorèrent sans que l'on pût leur venir en aide ; nombreux aussi furent ceux que massacrèrent les paysans et les bergers, poussés au désespoir par les brutalités des soldats. Le duc de Bourbon, afin d'éviter les vallées de la Toscane occupées par les troupes ennemies, nous fit passer les cols les plus ardus des Apennins, l'épine dorsale de la péninsule italienne.

Cette année-là, le printemps tardait à venir, la neige tombait toujours dans les montagnes, nos provisions s'épuisaient et l'on ne trouvait plus rien à voler. Rien d'étonnant dès lors que certains d'entre nous, envahis par la nostalgie de leur mère ou de leur foyer, songeassent à retourner en arrière bien qu'ils ne le pussent. Enfin, le jour où précisément le pain et la farine vinrent à manquer, le duc nous désigna du doigt une terre riche et fertile qui s'étendait là-bas, dans le lointain où l'on voyait les eaux vertes du puissant Arno serpenter à travers des vallées luxuriantes. Il nous montrait, étendue sous nos pieds, la richesse de Florence et de Rome ! Alors, nous dévalâmes les flancs de la montage et l'on eût dit à nous voir une bande sauvage de bandits enragés et non point les soldats d'une armée régulière. En course folle, nous atteignîmes la vallée de l'Arno. Les Florentins furent avertis du danger qui approchait et le duc d'Urbino mit fin à sa torpeur pour traverser en hâte la Toscane. Je ne sais s'il avait réellement l'intention de défendre Florence, mais son avance incita en tout cas Bourbon à la prudence, qui préféra nous mener à dures et longues marches forcées droit sur Rome. Nous ne sentions plus rien, ni faim ni privations, nous abandonnâmes même nos canons en chemin, toujours luttant pour aller de l'avant, attirés par ce mirage lumineux, et nous pressions nos camarades comme nos bêtes de somme, n'ayant plus qu'une idée en tête : Rome ! Rome !

Ces jours épuisants et pleins de fièvre demeurent inscrits dans ma mémoire comme enveloppés de brume; mais il me souvient qu'un jour, alors que je me traînais par un sentier, penché sur les ballots de mon âne, j'eus soudain l'impression de voir en ces épouvantails hagards, blêmes et courbés en avant, une harde de loups.

Notre armée, harassée de fatigue, parvint aux portes de Rome après une semaine de marches forcées et nous étions à présent trente mille au lieu de dix mille, car les hommes d'armes que le pape avait licenciés se joignaient à nous au fur et à mesure que nous approchions de la ville. La nuit, durant les courtes heures consacrées au repos, on entendait résonner les marteaux autour des feux de camp où nos hommes fabriquaient des échelles de siège, et nous voyions passer sans cesse un flot de malheureux fuyards dans des chariots pesants et chargés de ballots crevés.

Le cinq mai, l'armée impériale investit la colline de Mario et j'aperçus enfin les fières murailles, les tours et les toits de la Ville sainte dorée par le soleil couchant. Je contemplai la ville qui avait attiré durant plus d'un millier d'années les pèlerinages de foi et de pénitence de toute la Chrétienté et dont les églises, les autels et les reliquaires étaient ornés d'or et d'argent venus de tous les coins du monde. Je crois que la même crainte s'empara de chacun de nous quand nous fîmes halte pour voir, le souffle suspendu, ce mirage soudain devenu réalité. Et je me demande si Rome apparut jamais plus magnifique et plus accablante dans sa gloire aux yeux d'un pèlerin que lorsqu'elle nous apparut ainsi baignée dans la lumière du couchant, telle un coffre fermé sur un trésor doré, un coffre que nous allions forcer et briser, précipitant dans les ténèbres une ère révolue.

Le duc de Bourbon se tenait à cheval au sommet de la colline et son armure resplendissant dans les rayons du soleil. Après un instant de silence, un rugissement rauque jaillit de toutes les gorges à la fois et le duc, les yeux étincelants, cria les ordres pour disposer les troupes : demain, à l'aube, on donnerait l'assaut.

Je doute qu'une armée attaquante se soit jamais trouvée dans une situation aussi lamentable que l'était la nôtre cette veillée-là. Il ne nous restait qu'une ration de pain et les troupes bien entraînées et disciplinées de la Sainte Ligue approchaient lentement pour nous écraser contre ces murailles qui, dans l'obscurité de la nuit, nous paraissaient inexpugnables. Nous ne disposions d'aucune artillerie pour ouvrir des brèches et chaque arquebusier espagnol n'avait de poudre que pour tirer un ou deux coups, le reste ayant été mouillé et détérioré par les pluies incessantes. Assis devant un feu de camp, j'observai les bastions en songeant qu'il serait plus facile sans doute de casser des pierres avec une massue de bois que d'abattre ces remparts avec nos piques et nos épées.

Notre commandant en chef avait réuni un conseil d'officiers dans le monastère de Saint-Onofrio, tandis que maintes assemblées de soldats, que des gardes protégeaient des importuns, se tenaient autour des feux de camp comme cela se produisait de plus en plus fréquemment depuis Bologne. L'objectif principal des Espagnols était de maintenir coûte que coûte le pillage de la ville car ils craignaient que le gros butin ne leur glissât entre les doigts après des négociations de dernière minute; quant aux Allemands, ils prirent la ferme résolution de ne laisser le pape leur échapper sous aucun prétexte : ils lui prendraient ses richesses d'abord et le pendraient ensuite ! Comme les Espagnols ils redoutaient de se voir arracher les fruits de leur victoire par les officiers. Cette méfiance ne cessa de croître au cours de la nuit, si bien qu'Allemands et Espagnols jurèrent de tout risquer pour gagner un butin tel que jamais nulle armée de la Chrétienté n'en avait ramené chez elle. On parlait de ces assemblées secrètes dans tout le camp et bien peu sans doute en ignoraient l'existence. On avait appris également que le pape avait excommunié le duc de Bourbon et que ce dernier en était profondément affecté.

Au point du jour, des nappes de brume s'élevèrent des marécages alentour et quand les trompettes et les tambours donnèrent le signal de l'assaut, nous eûmes le plaisir de voir les murailles de Rome ensevelies sous un épais brouillard qui nous déroberait à la vue des défenseurs. On plaça les échelles sur deux points différents, mais la garnison les repoussa à coups de fusil et en combats au corps à corps, tandis que la citadelle Saint-Ange tirait sur nous des coups de canon. Le duc de Bourbon, sans souci du feu ennemi, parcourait à cheval nos lignes, vêtu d'un ondoyant manteau blanc et d'une armure étincelante qui le rendait facilement reconnaissable. Ses grands yeux lançaient des éclairs dans son visage émacié pendant qu'il exhortait au combat ses hommes dont l'apathie l'irritait et le troublait à la fois. Il y avait en effet d'un côté les Espagnols qui se contentaient de clouer leurs supports au sol et de pointer leurs armes en direction des remparts, et de l'autre côté les Allemands, qui se serraient les uns contre les autres en chuchotant et murmurant. Fou de rage, le duc sauta à bas de sa monture près du rempart et intima l'ordre aux Allemands de placer leurs échelles d'assaut, puis il dirigea lui-même la charge contre la base de la muraille. Nombre d'échelles furent posées en même temps dans le brouillard qui nous enveloppait encore, et nul témoin ne peut prétendre avoir vu de ses yeux ce qui se passa exactement.

Quand le duc posa son pied sur l'échelon le plus bas, des coups de feu partirent à la fois des rangs des assiégés et des assiégeants et notre chef tomba, tête la première, en criant : « Mère de Dieu ! Je me meurs ! » Une balle de plomb l'avait frappé à la hanche et à l'aine. Les hommes d'armes le relevèrent et le prince d'Orange le couvrit de son manteau pour que l'on ne tirât plus sur lui du haut des murailles. On le transporta ensuite dans la chapelle d'un vignoble voisin où, malgré l'excommunication, son confesseur lui administra les derniers sacrements. Il ne vécut que peu d'heures encore et, dans le délire de la mort, arrachait les bandages qui couvraient ses blessures, faisait mine de se redresser en criant d'une voix terrible : « A Rome ! A Rome ! » et ses cris parvenaient aux soldats qui poursuivaient l'assaut par les fenêtres grandes ouvertes de la chapelle.

Les historiens ont écrit depuis de beaux récits pour relater comment les hommes de l'armée impériale avancèrent alors, irrésistibles comme les flots de la marée montante pour venger leur général. Mais la vérité est tout autre ! Ni les Allemands ni les Espagnols ne sortirent de leur apathie tant qu'ils ne tinrent pas pour certain que la blessure était mortelle et ce ne fut que lorsqu'on les en assura, qu'ils se lancèrent vigoureusement à l'assaut, s'interpellant et se criant les uns aux autres avec enthousiasme que plus personne désormais n'empêcherait le sac de Rome.

Très nombreux furent ceux qui revendiquèrent l'honneur d'avoir tué le duc ! Je ne citerai qu'un orfèvre, un certain menteur du nom de Benvenuto Cellini qui dirigeait le feu des canons de Saint-Ange. Il faut savoir qu'après le licenciement des troupes de la papauté, le commandant de la citadelle s'était vu dans l'obligation de confier ses canons à des artistes ou autres canailles ! Pour ma part, je suis persuadé que ce fut un arquebusier espagnol, poussé par ses camarades, qui abattit le duc.

Quoi qu'il en soit, Espagnols et Allemands rivalisèrent alors d'ardeur dans le combat. Les premiers découvrirent dans le jardin du cardinal Armellini un édifice adossé à la muraille de la cité. Un passage souterrain, bouché à la hâte avec des moellons, conduisait de la maison à l'intérieur de la ville; pendant qu'avec leurs pelles, ces hommes s'ouvraient le chemin, les piquiers allemands plaçaient une longue file d'échelles contre la porte du Saint-Esprit. Le premier homme à parvenir vivant au sommet de la muraille était un prêcheur, tisseur de son état, appelé Nikolaï et le deuxième, Antti, qui renversa les artilleurs d'un seul coup de sa grande épée et pointa aussitôt les canons contre la citadelle Saint-Ange. Quand je vis les portes s'ouvrir, les piquiers s'y engouffrer en masse et Antti lutter seul au milieu des canons, je recommandai mes blessés à la sainte garde de Dieu et escaladai la muraille pour me porter à son secours.

Devant l'église de Saint-Pierre, les Suisses de la garde du pape avaient entretemps péri jusques au dernier. Les hommes des troupes papales ne se contentaient pas de tuer, ils lançaient des tisons enflammés à l'intérieur des maisons et déjà la fumée s'élevait en tourbillons jusques au ciel. Ils abattaient aussi tous les chevaux et les mules qu'ils trouvaient, de peur qu'on ne les utilisât pour emporter des biens avant la chute totale de la ville. La conquête de ce quartier fut terminée rapidement.

Les canons de Saint-Ange tonnaient toujours et rendaient dangereux l'accès à la citadelle, mais nul parmi nos hommes ne se souciait de répondre à leur feu et nous nous retrouvâmes bientôt seuls, Antti et moi, sur le rempart. L'incessante lamentation qui montait de la foule nous parvenait telle la rumeur de la mer et l'on pouvait entendre, dominant tous les bruits, les cris de bataille, stridents et triomphants : « *Imperio ! Imperio !* » et « *España ! España !* »

Atteint moi aussi de la folie universelle, je ne prêtais nulle attention aux dangers qui m'entouraient ! Nous descendîmes la muraille pour nous ruer vers la citadelle, tandis que les Espagnols attaquaient Saint-Pierre et les Allemands le Vatican. Nous n'apprîmes que plus tard de quelle manière le pape avait réussi au dernier moment à leur filer entre les doigts : le Saint-Père avait passé sa matinée à faire ses dévotions dans la chapelle Sixtine en compagnie des cardinaux et des ambassadeurs étrangers; lorsque les Allemands furent à ses portes, essayant de les enfoncer, Sa Sainteté, bousculée par ses domestiques, s'engouffra dans un passage secret qui menait du Vatican au château Saint-Ange. Des groupes de fugitifs, auxquels venaient se joindre les malheureux du quartier de Borgo, se pressaient à présent sur les ponts du Tibre pour aller chercher refuge eux aussi dans le château, de sorte qu'une multitude effrayante s'entassait devant le fossé et le pont-levis de la forteresse. L'on a vu des femmes et des enfants piétinés et ceux qui tombaient à l'eau, emportés par le fleuve. Les soldats de la garnison de Saint-Ange firent alors une brusque sortie pour aller récupérer des vivres dans les maisons les plus proches, le château n'étant point approvisionné pour soutenir un siège. Ils avaient interrompu le feu de peur de blesser les citadins et nous nous trouvions, Antti et moi avec de nombreux Espagnols et piquiers allemands, au centre même de cette indescriptible confusion. Ce fut à ce moment précis que nous aperçûmes le groupe de dignitaires qui sortaient en courant du passage secret et tentaient de se frayer un passage sur le pont en direction de la forteresse; à leur tête, avançait un homme courbé à l'allure titubante, sur les épaules duquel on avait posé le manteau de pourpre de quelque cardinal. Nous apprîmes par la suite que ce fuyard brisé et affolé n'était autre que le pape en personne. Ainsi j'avais atteint mon but, ce but si improbable pourtant quand j'avais prononcé mon serment de mort tandis que sur mes mains coulait le sang de mon épouse Barbara !

Il était déjà tard que nous n'avions point conquis le quartier fortifié du Trastevere, sur la même rive du fleuve, que la citadelle n'était pas encore totalement encerclée et que les chefs des troupes impériales n'avaient pu encore réorganiser leurs forces en ordre de bataille. La vieille cité, sur l'autre rive, tenait toujours, mais une telle panique s'était emparée de la population que bien peu de Romains songeaient à la défendre ! La plupart d'entre eux ne pensaient qu'à trouver un lieu sûr où cacher leur fortune. De riches fugitifs se dissimulaient à l'abri des énormes murs des palais et maints cardinaux qui se comptaient au nombre des amis de l'empereur, restèrent tranquillement installés dans leur demeures, confiants en leur immunité et offrant l'asile à maintes personnes distinguées. Les ambassades étaient également assiégées de réfugiés, tandis que les pauvres qui ne bénéficiaient d'aucune puissante protection, rassemblaient leurs bagages et s'allaient abriter dans les innombrables églises et monastères de la cité.

A ce moment de la bataille, nul parmi les Romains n'avait saisi clairement la situation et, quand au cours d'une réunion du Conseil de la ville, quelques personnes prudentes suggérèrent de démolir les ponts sur le Tibre afin de protéger les districts de la rive gauche, les conseillers s'opposèrent à l'unanimité à une mesure aussi draconienne, sous prétexte que les ponts étaient beaux et coûteraient trop cher à reconstruire ! En vérité, Dieu frappait alors les Romains de cécité !

A la nuit tombante, les trompettes donnèrent de nouveau le signal de l'attaque et les troupes impériales marchèrent en bon ordre en direction du pont Sisto. Seule la conquête de la ville tout entière nous donnerait la victoire. Les troupes furent retenues au dernier moment par le margrave de Brandenburg, un jeune homme de dix-huit ans qui faisait ses études à Rome et venait, à la tête d'une délégation de citoyens, pour tenter d'apaiser ses compatriotes. Mais nos piquiers barbus et crasseux lui rirent au nez, l'inclurent dans leurs rangs et dispersèrent la solennelle délégation avec leurs piques baissées.

De jeunes aristocrates romains, qui avaient réussi à rassembler près de deux cents hommes, défendirent le pont jusques à la nuit. Ils portaient une bannière sur laquelle on pouvait lire : « *Pro Fide et Patria* », mais les piquiers eurent tôt fait de la fouler aux pieds après avoir passé sur les cadavres de ses défenseurs. Ils traversèrent ensuite le pont pour envahir, tels les flots d'une inondation, le district désormais sans protection. Je pense que ce premier jour, il y eut environ dix mille morts, fugitifs sans armes pour la plupart.

Lorsque la nuit fut tombée, les chefs de l'armée sonnèrent

le rassemblement : les Espagnols installèrent leur bivouac sur la Piazza Navona et les Allemands dans le Campo di Fiore où ils allumèrent leurs feux de camp avec des portes et des meubles volés; puis ils transportèrent des tonneaux de vin pris dans les caves et commencèrent à boire pour se rafraîchir après cette dure journée de labeur. Rome était à nous et comme nous ne déplorions dans nos rangs que peu de pertes, nous avions toutes les raisons de nous réjouir. Les chefs, cependant, tenaient à garder leurs troupes réunies par crainte d'une attaque surprise de la part des armées alliées. Et certes les signaux qui brillèrent jusques à une heure avancée de la nuit dans la citadelle Saint-Ange semblaient indiquer que le pape attendait l'arrivée de ses amis pour le délivrer. Les troupes impériales restèrent donc ensemble jusques à la mi-nuit, soudées devant le péril commun. Mais ensuite, les soldats pris de boisson commencèrent à s'agiter et à manifester leur mauvaise humeur. Par Dieu, criaient-ils, n'avaient-ils conquis Rome, l'épée à la main, que pour demeurer assis à trembler sur ses pierres pendant que les officiers s'amusaient allègrement sur des couches moelleuses avec les dames romaines ? Peu à peu, l'effectif allait diminuant, des groupes d'hommes, les uns après les autres, se glissaient dans les ruelles sombres jusqu'à ce qu'il ne restât plus que des braises mourantes qui brillaient dans les feux sur les places désertées. Seul, un chat gris léchait encore le sang sur le marbre usé qui pavait le sol de notre bivouac.

J'avais été fort occupé jusques à présent par les blessés et venais de m'asseoir aux côtés d'Antti sur cette place silencieuse; nous écoutions le bruit des portes qu'on enfonce, les hurlements des femmes et les coups de marteau sur les coffres de fer. Antti me regarda avant de se signer.

— Ces bruits me paraissent suspects ! dit-il. Je parie que les Espagnols essayent de prendre de vitesse nos braves Allemands, alors qu'il était convenu que le pillage ne commencerait point avant le lever du jour. Je pense que nous ferions bien d'aller un peu voir ce qui se passe malgré l'obscurité. Nous aurons peut-être la chance de trouver une couche plus accueillante que ce marbre-ci !

Nous ne savions ni l'un ni l'autre nous diriger dans Rome

et allions au hasard, suivis par trois des piquiers d'Antti qui s'étaient attardés au bivouac. Des lumières brillaient à travers les fenêtres brisées de maintes maisons, et l'on entendait les cris des soldats ivres qui s'amusaient à l'intérieur. Nous prîmes par une rue latérale encore plongée dans l'ombre, bien que l'on pût apercevoir des torches se mouvoir à son autre extrémité et que nous parvînt le bruit du bois que l'on casse. Un homme aux joues rondes ouvrit sa porte à notre passage et tout en protégeant d'une main la flamme de sa chandelle, nous salua en nous souhaitant la bienvenue dans sa maison. Il avait, nous dit-il, toujours aimé l'empereur et ne désirait rien tant qu'avoir l'honneur de recevoir ses braves, à condition qu'ils ne fussent point trop nombreux. C'était un marchand de vins et il avait rempli beaucoup de flacons de ses meilleurs crus à l'intention de ses hôtes, tandis que son épouse nous avait préparé un repas. Il voyait bien à notre visage que nous étions gens de bonne compagnie et puisque nous n'étions pas plus de cinq, nous pouvions nous installer chez lui comme dans notre propre maison.

Touchés par la cordialité de cette invitation, nous nous engageâmes à faire tout ce qui serait en notre pouvoir pour écarter d'ici les intrus, promesse qu'Antti eut d'ailleurs l'occasion d'honorer au cours de l'excellent dîner dont il nous régala. Lorsque les trois piquiers d'Antti eurent fini de manger, ils s'essuyèrent les lèvres du revers de la main et suggérèrent, sur un ton embarrassé, d'en terminer maintenant et de réaliser enfin le projet qui les avait conduits à Rome. Antti se tourna vers son amphitryon et lui dit :

— Si vous êtes un fidèle serviteur de l'empereur, comme vous le prétendez, payez-nous donc nos arriérés et portez-le sur le compte de notre souverain !

La figure du marchand de vins s'allongea, il essuya la sueur froide qui perlait à son front et se plaignit de sa pauvreté puis, après bien des marchandages, finit par nous remettre une vingtaine de ducats, bien maigre somme qui ne donnait que quatre pièces à chacun de nous ! Les piquiers murmurèrent que le marchand était sans nul doute plus riche qu'il ne voulait l'avouer et, pendant qu'Antti continuait à boire tranquillement, se mirent en devoir de casser et d'ouvrir tiroirs, coffres et armoires, et à répandre leur contenu sur le sol, malgré les cris et les supplications du marchand et de son épouse, tous deux tombés à leurs genoux. Ensuite, leurs yeux s'arrêtant sur les rondeurs potelées de l'hôtesse, ils exprimèrent le désir de célébrer leur grande victoire dans une plaisante compagnie féminine et se mirent à la pincer et à la frapper de la manière la plus inconvenante. La femme s'accrochait, terrorisée, à son époux qui implorait, au nom de la Vierge, qu'on épargnât l'honneur de sa moitié; il s'empressa d'aller chercher deux jeunes servantes, restées jusques alors cachées à l'étage au-dessus. Ces deux pauvres filles aux yeux noirs eurent beau pleurer et se débattre, deux des hommes les entraînèrent avec eux sur la propre couche du marchand de vins, tandis que le troisième descendait à la cave chercher encore du vin en attendant son tour.

Quant à moi, trouvant odieuse la conduite de notre hôte à l'égard de ces malheureuses, je lui dis sur le ton de la colère :

— Chien menteur ! Je vois à ton regard que tu nous as trompés et que tu caches de l'argent ! Nous allons nous voir dans l'obligation de te pendre pour cette trahison envers les loyaux soldats de l'empereur !

Antti convint avec moi qu'un fourbe de cette espèce ne méritait autre récompense et me pria d'aller chercher une corde. Qu'il parlât sérieusement ou non, peu importe, le marchand, en tout cas, le crut et promit de nous montrer sa cachette si nous épargnions l'honneur de son épouse et sa vie à lui. Puis il nous conduisit dans sa cave où, les mains tremblantes, il fit rouler une grande barrique sur le côté, découvrant ainsi une petite porte. Nous trouvâmes, dans cette seconde cave, un jeune garçon et une adorable fille, âgés tous deux d'une quinzaine d'années, qui se tassaient contre le mur moisi, tout tremblants des pieds à la tête et persuadés que leur dernière heure était venue. Il y avait également en ce lieu quantité de vaisselle d'argent, des candélabres et un grand sac de cuir rempli de ducats d'or.

La jeune fille sortit à notre appel en sanglotant de terreur, et Antti poussa le bonhomme à l'intérieur en lui enjoignant de remettre les trésors à sa femme et à sa fille pour les monter à l'étage au-dessus. Après avoir vérifié que le trou moisi était bien vidé, hormis la nourriture et l'eau qui avaient été déposées à l'intention des enfants, Antti déclara au marchand de vin que mieux valait pour lui demeurer ici enfermé avec son fils et que son épouse et sa fille seraient aussi aptes que lui à faire les honneurs de la maison. Aussitôt dit, aussitôt fait, il ferma la porte et replaça la barrique sans se soucier des plaintes et des malédictions de son prisonnier.

La jeune fille se répandait en larmes aussi amères que son père, mais je la consolai du mieux que je pus, lui demandai son nom en lui caressant les cheveux et, après m'avoir dit s'appeler Giovanna, elle me supplia de la prendre en pitié. Une fois de retour dans la pièce, j'étalai sur la table du dîner le butin que nous nous partageâmes d'une manière équitable : Antti, en tant que chef, eut droit à trois huitièmes, moi comme chirurgien à deux et chacun des piquiers en reçut un. Ces hommes, nullement envieux et enchantés de ces richesses inespérées, donnèrent chacun un ducat aux jeunes servantes qui séchèrent alors leurs larmes, retrouvèrent leur sourire et burent en notre compagnie en apprenant l'italien aux piquiers. La nuit passa ainsi joyeusement et Antti n'eut à se lever qu'une ou deux fois pour chasser des hommes d'armes qui cognaient à la porte dans l'espoir de piller la maison que nous avions prise sous notre protection. Il discuta longuement et fort courtoisement avec la maîtresse de maison pour la persuader de boire un peu de vin et, malgré la perte de sa fortune, elle sourit une ou deux fois quand Antti la serra dans ses bras.

Giovanna était si jeune et si jolie que je ne pouvais détacher d'elle mon regard ; je caressai sa douce chevelure et m'efforçai de sécher ses larmes. Quand elle se fut rendu compte que, malgré mon ébriété, je ne lui voulais point de mal et me bornais à l'embrasser et à la caresser, elle me rendit mes baisers et nous nous endormîmes comme deux innocents dans les bras l'un de l'autre.

Le lendemain matin, quand en me réveillant je la vis qui me souriait de ses yeux sombres, je compris que je l'aimais de tout mon cœur. Pour gagner l'estime de sa famille, je restituai tous les objets d'argent qui m'étaient échus en partage et ne conservai que les monnaies, plus faciles à transporter. Nous quittâmes la maison, reposés et d'excellente humeur, et Antti promit à notre hôtesse de revenir le soir même pour protéger son honneur.

Hélas, à notre retour, les Espagnols étaient déjà passés ! Ils avaient pendu l'homme à une poutre et lui avaient brûlé la plante des pieds pour lui faire avouer sa cachette; la femme et le fils gisaient morts dans une flaque de sang et je découvris le corps nu de Giovanna dans le lit que nous avions partagé; ils l'avaient étranglée et elle n'était plus jolie. J'aurais mieux fait de ne pas respecter sa virginité, j'aurais dû la prendre, l'enlever de force et la défendre, l'épée à la main !

Ce pillage forcené dura huit jours et huit nuits et lorsque aujourd'hui, il m'arrive de me vouloir représenter les peines de l'enfer, il me suffit d'évoquer en mon esprit quelques-unes de ces scènes. Il n'est nul crime, nulle profanation, nulle sauvagerie qui se puisse concevoir dans le cœur d'un être humain, qui ne se fût perpétré là-bas, et les tableaux des plus grands peintres représentant le Jugement Dernier ne sont qu'enfantillages en comparaison des horreurs du sac de Rome ! Là-bas, nul homme, qu'il fût saint ou savant, ne pouvait racheter sa vie avec sa fortune ! Là-bas, il n'y eut nulle femme, quel que fût son rang, dont la vertu fût épargnée ! Ivres de vin et de sang, Espagnols, Allemands et Italiens rivalisaient d'imagination pour extorquer l'argent et comptaient sans distinction au nombre de leurs victimes les partisans du pape aussi bien que ceux de l'empereur. Nul doute qu'après être passés entre leurs mains, les malheureux n'avaient plus rien à redouter des supplices de l'enfer ! Mais qui donc était chrétien là-bas ? Les Espagnols se comportaient comme des bêtes sauvages et sans âme, et les Allemands donnaient de la doctrine de Luther une hideuse caricature.

Loin de moi l'idée de me défendre ici ni de jouer les innocents ! Pendant les trois premiers jours, j'avoue n'avoir songé qu'à mes intérêts, mais le massacre, l'horreur et les cris des suppliciés me rendirent malade et je me réveillai un beau matin de mon égarement. Ce matin-là est d'ailleurs resté gravé en ma mémoire tel une eau-forte sur une plaque de cuivre, prêt à être imprimé sur le papier blanc de mon âme. J'avais dormi sous une colonnade du Campo di Fiore et me réveillai, les yeux éblouis par le soleil de ce mois de mai. Des flammes et des volutes de fumée noire s'élevaient des deux maisons les plus proches et l'air matinal était empuanti par l'odeur de sang, de suie et de vomi. Je n'arrivais point à me souvenir comment j'avais retrouvé le chemin de notre campement mais ma bourse était intacte, mon âne attaché à un pilier et mon chien gisait, le museau collé au sol, l'air accablé de chagrin, sans même avoir le courage de me venir saluer. Je conduisis mon âne au bord du Tibre mais m'abstins d'y boire moi-même car le courant charriait des corps sans vie qui passaient le long des rives. J'aperçus ainsi au fil de l'eau des prêtres, des moines, des nonnes et même les cadavres couverts de plaies et de pustules des malades de la maison du Saint-Esprit que les soldats avaient arrachés de leurs lits, tués et jetés dans le fleuve pour la seule raison que quelques hommes riches avaient trouvé refuge parmi eux.

Je souffrais d'une abominable soif et pénétrai dans une église proche dans l'espoir d'y rencontrer une connaissance qui me donnerait quelque chose à boire. Une foule de soldats éméchés avaient, à l'intérieur, fait rouler des tonneaux de vin devant l'autel et se bousculaient pour remplir leur coupe : ils buvaient dans la vaisselle consacrée et nombre d'entre eux s'étaient affublés des vêtements sacerdotaux. Lorsque j'entrai, un arquebusier assis sur le bénitier qu'il venait de souiller, visa et fit feu sur le crucifix qui vola en éclats au-dessus de l'autel dévasté. Plus loin, d'autres hommes jouaient au ballon avec le crâne d'un saint.

En passant devant le château Saint-Ange, j'avisai une petite troupe de religieux, moines et éminents laïques qui creusaient maladroitement à coups de pioche et de pelle des tranchées tout autour de la forteresse sous le commandement de soldats qui les insultaient et les frappaient de la hampe de leur lance. Une petite fille s'approcha du capitaine espagnol, lui montra une botte de légumes verts et lui demanda la permission de la porter jusques au pied de la citadelle d'où l'on avait crié que le Saint-Père manquait de verdure.

L'homme lança une malédiction à l'enfant, puis se signa et la laissa passer. Elle courut, les yeux brillants, sur le bord du fossé et on lui jeta aussitôt du haut des remparts une corde où elle s'empressa d'accrocher sa botte; ensuite elle se mit à genoux et cria de sa petite voix aiguë une bénédiction pour le pape quand soudain des piquiers allemands agitèrent les bras en hurlant et un coup de feu retentit un instant plus tard. L'enfant tomba en poussant un cri et resta face contre terre, tandis que sa botte de légumes roulait lentement dans le fossé.

Je pressai l'allure de mon âne, suivi par Raël collé à mes talons. Nous débouchâmes sur la grand-place devant Saint-Pierre où les cadavres en décomposition des gardes suisses empuantissaient l'atmosphère. Je restai, les yeux fixés sur le temple le plus puissant de la Chrétienté, sur la basilique dont les lignes pures et majestueuses emplirent mon esprit de paix et de sérénité au milieu du carnage. Des cavaliers appartenant au prince d'Orange passèrent à mes côtés. Ils venaient d'amener leurs chevaux boire et je leur demandai où je pourrais trouver une écurie pour mon propre animal. Mon habit de chirurgien les induisit à me répondre aimablement et ils m'invitèrent à les suivre. Sous mes yeux ébahis, ils firent gravir les larges marches de Saint-Pierre à leurs montures et pénétrèrent avec elles à l'intérieur de l'église. Je les suivis et pus entendre retentir sous la voûte pleine d'échos le hennissement de nombreux chevaux, peut-être plusieurs centaines. Il est vrai que l'édifice était si grand qu'ils n'occupaient que peu d'espace ! Frappé de stupeur, je m'arrêtai un instant pour regarder autour de moi : j'avais le sentiment de n'être qu'un minuscule scarabée au pied de ces gigantesques piliers.

Suivant le conseil des cavaliers, j'attachai mon âne à la grille de fer d'une des chapelles latérales et les palefreniers me donnèrent une généreuse ration de foin et d'avoine dont ils avaient ramené de nombreux sacs des écuries de la papauté. On entendait des pierres rouler, des marteaux frapper et le bruit de leviers en action à l'intérieur même de l'église et, tout en me promenant au milieu des splendeurs de cette immense demeure du Seigneur, je remarquai çà et là des groupes de mercenaires très occupés à forcer les tombes des anciens papes pour les piller. Je vis que certains s'étaient attaqués à la tombe de saint-Pierre lui-même et ne pus en supporter davantage. Saisi d'horreur, les genoux tremblants, je m'enfuis, de la cathédrale.

Personne ne gardait la porte latérale par laquelle je pénétrai dans le Vatican où le prince d'Orange avait établi son quartier général. La rue était jonchée des documents d'archives que les pillards allemands avaient jetés par les fenêtres. Deux sentinelles me conduisirent à la chapelle Sixtine où reposait le corps livide et nauséabond du duc de Bourbon dans la lumière vacillante des chandelles de cire. Ainsi donc ce prince, traître à son roi et excommunié, en la dernière nuit de sa vie était enfin arrivé à Rome, Rome qu'il avait tant désirée jusques en son délire sur son lit de mort ! Malgré l'interdit, deux prêtres s'efforçaient de célébrer une messe de requiem, mais les étoffes déchirées et les meubles détériorés gênaient quelque peu le rituel sacré. Insouciants de la cérémonie et du dernier repos de leur général, des soldats arrachaient des murs de magnifiques peintures; ils m'expliquèrent qu'on leur avait offert un bon prix de ces tableaux d'un peintre apparemment connu du nom de Raphaël, et qu'ils regrettaient d'avoir brûlé la nuit de leur arrivée quantité de ces peintures avec leur cadres uniquement pour se chauffer. D'après le peu que j'en pus voir, ces œuvres étaient de toute beauté.

En sortant de la chapelle, je tombai sur un groupe d'arquebusiers espagnols qui, avec la crosse de leurs armes, faisaient voler des vitraux en éclats pour en récupérer le plomb; ces vitraux étaient spendides et portaient gravées des scènes à sujets religieux; je demandai à ces hommes pourquoi ils prenaient plaisir à détruire ces merveilles pour rien ! Ils me répondirent qu'ils ne faisaient rien de mal mais bien plutôt œuvre utile, puisqu'ils s'étaient ainsi réapprovisionnés en plomb pour fabriquer des balles; un escadron de la cavalerie alliée avait atteint les portes de Rome, leur avait-on dit, et ils n'avaient point l'intention de rendre le pape avant qu'il n'eût payé sa rançon !

Je sortis à l'air libre sur la colline du Vatican d'où j'aperçus des nuages de fumée noire se profiler au lointain dans la clarté du ciel de mai. Une lassitude sans espoir s'empara alors de mon âme : qu'avais-je gagné à posséder une bourse bien remplie, du vin, et toutes les bonnes choses de la vie, si je ne pouvais encore dire qui j'étais, ni ce que j'étais, ni où j'allais, ni ce que j'attendais de la vie ? Certes, comme je l'avais ardemment désiré, le pape n'était plus qu'un misérable fugitif et la papauté, à présent brisée, ne se relèverait sans doute plus jamais ! Et pourtant, si un monde nouveau allait naître, quelle sorte de bénédiction nous apporteraient donc ce massacre déchaîné et cette rage inouïe de destruction ? Oui ! Mon vœu était accompli, mais quelle joie en retirais-je ? M'étais-je pour autant rapproché de Barbara ou bien plutôt ne l'avais-je pas perdue à jamais ?

Et tandis que je demeurais à contempler les monceaux de papiers qui tourbillonnaient dans la rue et que j'écoutais l'écho des coups de marteau qui me rappelaient la profanation de la tombe de saint Pierre, je fus pénétré du sentiment que je ne savais rien de moi-même, rien de cet étranger nu et abandonné, sans foyer et sans famille, sans patrie et sans avenir. Alors je frissonnai sous le soleil de mai.

Mon chien, mon seul ami, qui était accroupi à mes pieds, leva vers moi son regard plein de tristesse. Il avait perdu sa maîtresse, on l'avait battu, torturé et brûlé et pourtant il n'avait jamais souhaité la vengeance. Il souffrait au spectacle de l'humaine sauvagerie et me regardait en une prière muette comme s'il eût voulu sauver mon âme.

Accablé sous le poids de ces lourdes pensées, je contemplai Rome à mes pieds, Rome où des hommes volaient et tuaient d'autres hommes, et où, dans leur sauvage volonté de puissance, la vie d'un homme et la vertu d'une femme ne comptaient plus pour personne ! Un doute terrible naquit alors en mon esprit sur l'existence même de Dieu. L'intelligence humaine ne pouvait concevoir un Dieu miséricordieux qui, après avoir envoyé Son fils pour racheter les péchés du monde, permettrait la destruction de Sa Ville sainte ! Non ! La chute de Rome ne présageait point la naissance d'une ère nouvelle mais la fin du monde, le déchaînement des armées de Satan et la victoire de l'Antéchrist en la personne de l'empereur.

Si je sentais le vide de mon cœur mis à nu, mon misérable corps me rappela sa faim et j'en vins à souhaiter que ma détresse présente ne fût rien d'autre que la conséquence naturelle d'un usage excessif de boissons. Je ne pus trouver dans ce quartier, pourtant plongé dans un silence de désolation, une seule maison qui n'eût point été déjà saccagée. Je finis par me résoudre à franchir un portail qui ouvrait sur le jardin d'une maisonnette au milieu des arbres en fleurs. Je visitai toutes les pièces dévastées l'une après l'autre sans rencontrer âme qui vive jusqu'à ce qu'enfin, dans une chambre tout au fond, une femme échevelée vînt à moi, les yeux remplis d'épouvante. Un doigt sur les lèvres, elle me montra un vieillard couché sur le lit : il avait une respiration difficile et ses lèvres et ses joues étaient bleues; je compris qu'il souffrait de quelque grave affection du cœur et qu'il ne tarderait point à mourir.

La femme me poussa hors de la chambre, me suivit, puis, après m'avoir lancé un regard, ouvrit sa robe d'un air las et dégoûté, et me dit en s'étendant par terre :

— S'il est en vous une étincelle de pitié humaine, dépêchez-vous, mon bon monsieur, d'en terminer avec moi et laissez-moi retourner au chevet de mon père malade pour que je sois auprès de lui quand il rendra le dernier soupir. Je vous jure, par tout ce qu'il y a de plus sacré au monde que je n'ai rien caché dans son lit et que j'ai déjà donné notre dernière pièce de monnaie pour sauver nos vies. Faites vite maintenant ! Vous pourrez ensuite emporter ce que bon vous semblera pourvu que vous me laissiez en paix !

J'étais moi-même si accablé par mes propres sentiments, que je ne saisis pas tout de suite ce qu'elle voulait. Puis la honte s'empara de mon cœur et je dis en détournant mon regard :

— Je n'en ai point à votre vertu ! Je voulais seulement vous demander à manger si vous avez quelque chose ! Je vous paierai ! Je suis chirurgien et j'aiderais volontiers votre père si je le puis mais je crains fort que plus personne, hélas, ne puisse rien pour lui !

Raël s'approcha de la femme pour lui lécher la main. Elle s'assit, l'air étonné, rougit légèrement et se couvrit le sein.

— Est-il possible qu'il y ait un être humain au milieu de toutes ces bêtes sauvages ? s'écria-t-elle. Je ne crois plus en personne, pas même dans les saints ! Mes ardentes prières n'ont rencontré qu'un outrage après l'autre auprès de ces barbares ! Ils ont arraché le lit de mon père et ont fouillé son matelas à la recherche de quelque argent ! Mais si vous êtes vraiment un brave homme, au nom de Dieu je vous conjure, trouvez un prêtre, mon père en a plus de besoin que d'un médecin ! Nos serviteurs se sont enfuis pour se joindre aux pillards et hier, lorsque je suis sortie en quête d'un religieux, l'on m'a attaquée et dévalisée dans la rue et je n'ai point osé me risquer plus avant.

Je lui rappelai que le pape avait interdit la pratique de la religion dans la Ville sainte et qu'il était fort improbable qu'un prêtre osât défier cet interdit. Elle ne pouvait croire, affirma-t-elle avec hauteur, que le Saint-Père refusât le sacrement de l'extrême-onction à l'un de ses plus fidèles croyants, lui qui à présent souffrait à son tour. Elle avait abandonné son humiliante posture et se tenait debout devant moi, la tête fièrement rejetée en arrière. C'était une jolie femme à peu près de mon âge, manifestement issue d'une bonne famille. Sa douleur me poussa à lui obéir.

— J'irai chercher un prêtre, dis-je, et vous l'amènerai s'il en reste un seul vivant en cette cité !

Après avoir pris le pouls du malade et l'avoir ausculté, je constatai qu'il ne lui restait que peu de temps à vivre, doutant même qu'il se trouvât en état de recevoir le sacrement; je le quittai toutefois à la hâte pour tenter de remplir mon engagement.

Je trouvai un prêtre qui venait de sortir d'une église près d'un des ponts. Je l'agrippai par le bras et le retins en dépit de ses efforts pour échapper à mon étreinte. Je le priai respectueusement de me suivre pour venir remplir ses fonctions sacrées, mais il se déroba sous prétexte de l'interdit. Je posai alors mon épée sur sa poitrine et lui demandai de choisir s'il voulait mourir martyr de sa foi ou vivre hérétique. Après réflexion, il opina que la sainte Église avait plus besoin de lui vivant que mort et qu'après tout, il obtiendrait l'absolution de ce péché. Il retira donc l'huile et les vases consacrés de sous une pierre tombale où il les avait cachés et nous nous rendîmes en silence, sans faire tinter la clochette, au chevet du moribond.

Tandis que le prêtre officiait dans la chambre et que la fille priait pour l'âme de son père, j'explorai la maison. Je remarquai de nombreux volumes d'œuvres d'anciens philosophes grecs et romains éparpillés pêle-mêle sur le sol avec des manuscrits qui avaient été piétinés par des pieds sales; il y avait également maintes sculptures antiques, dont la couleur jaunâtre indiquait qu'elles avaient été trouvées enfouies dans la terre. Mais les soldats avaient jeté à bas de leur piédestal ces divinités païennes dont le cou et les bras s'étaient brisés en tombant. Mes yeux suivant l'harmonieuse courbe d'une hanche de marbre, je me pris à penser à la main de l'artiste, mort bien longtemps avant le début de l'ère chrétienne, et au ciseau qui, dans un monde païen, avait tiré d'une forme humaine périssable ces impérissables images que je contemplais au moment où s'écroulaient les fondations du monde chrétien ! Puis je repoussai du bout du pied les fragments éclatés et entrai dans la cuisine où je trouvai quelques têtes d'ail et du pain.

A peine avais-je coupé le pain pour le partager avec Raël que la femme sortit de la petite chambre et me dit en hésitant un peu et sans me regarder que le prêtre venait d'achever et réclamait à présent six ducats. Elle me pria de lui prêter cette somme jusqu'à ce qu'elle pût se rendre chez les riches protecteurs et amis de son père. Je lui donnai l'argent mais la rapacité de cet homme d'Église me mit dans une telle rage que je quittai la maison pour l'attendre dans la rue; dès que je le vis sortir, je courus à sa suite et lui assenai un coup de poing sur la tête qui l'étendit raide.

Maintenant que ses comptes avec Dieu étaient réglés, le vieil homme avait retrouvé le calme. Il caressait d'une main tremblante les cheveux de sa fille agenouillée auprès de lui, et je pense qu'il ne devait guère avoir idée de la calamité qui s'était abattue sur Rome car il me demanda d'une voix éteinte de faire en sorte qu'il fût enterré convenablement et que sa fille pût se rendre au palais du riche Massimo. Il ne voulait point de chevaux empanachés pour tirer son char funèbre, précisa-t-il, et se contenterait d'une simple civière pour le conduire au cimetière. Je n'eus pas le cœur à lui dire la vérité et lui promis d'obéir à ses volontés du mieux que je pourrais. Puis je m'agenouillai aux côtés de sa fille pour prier pour son âme et par respect devant la mort qui vole à l'homme son plaisir, réduit en poussière les princes les plus puissants et transforme l'étude en pure vanité. Quand le vieil homme rendit l'âme, je me levai pour lui fermer les yeux, attachai sa mâchoire avec un mouchoir et croisai ses mains sur sa poitrine.

Sa fille versa quelques larmes qu'elle sécha bientôt avant de dire avec un soupir de soulagement :

— Mon père est mort comme un chrétien et c'est pour moi une grande consolation. Quand il vivait, il a souvent manqué la messe et négligé ses prières pour étudier les œuvres des païens de l'antiquité, et a dépensé plus d'argent pour acheter des reliques anciennes que pour orner les autels de nos églises ! Mais à présent son âme repose en paix et il ne reste plus qu'à réaliser sa dernière volonté en l'enterrant en la terre consacrée du cimetière.

Je finis par répondre sur le ton de l'énervement à une obstination aussi stupide; je lui fis remarquer que des dizaines de milliers de corps gisaient puants et sans sépulture le long des rives du Tibre et sur les parvis, et qu'il était donc vain d'espérer que quelqu'un se dérangeât pour creuser une fosse à l'intention d'un seul malheureux érudit !

— Je vous dois six ducats, répliqua-t-elle avec arrogance, mais une fois que vous aurez enterré mon père et m'aurez accompagnée au palais de Massimo, vous serez remboursé et recevrez une gratification pour le dérangement ! Le riche Massimo ne saurait refuser son aide à la fille de mon père !

Je lui rétorquai avec plus de douceur que les Espagnols ainsi que les Allemands avaient pillé et dévasté le palais de Massimo, qu'ils avaient enchaîné Massimo lui-même et violé sous ses yeux ses deux filles avant de les envoyer dans les égouts déterrer le trésor qu'ils pensaient caché là. J'ajoutai qu'il me paraissait en conséquence improbable qu'elle trouvât le moindre secours chez Massimo ou l'un de ses parents.

Elle se mordit les lèvres, puis des larmes lui montèrent aux yeux quand elle s'avisa de toute l'étendue de son impuissance et comprit qu'elle dépendait entièrement de moi.

— Pour moi qu'importe ! dit-elle après un silence lourd de réflexion. Je suis déshonorée à jamais et peu me chaut la vie à présent ! Mais je veux pour mon père une sépulture décente et vous m'aiderez si vous êtes un être humain !

Je ne sais ce qui, en cette femme, me toucha si fort lorsqu'elle en appela à mon humanité, mais je lui promis de faire de mon mieux et partis aussitôt en quête d'Antti. J'eus la chance de le trouver sur le pont Sisto entouré d'une troupe de piquiers qui riaient et criaient; Antti portait sur ses épaules un vieillard aux cheveux blancs qu'il me présenta comme le cardinal Ponzetto et qu'il emmenait de palais en palais pour en tirer une rançon.

Je lui fis part de ma préoccupation et le mot enterrement fit germer une nouvelle idée dans la tête des piquiers, le cardinal Ponzetto méritant d'être enterré vivant pour ne leur avoir rien rapporté. Ils le soulevèrent alors du sol où Antti l'avait laissé tomber et l'emportèrent vers l'église la plus proche. Antti les suivit et force me fut de suivre Antti.

Les soldats mirent le vieillard dans une bière qu'ils avaient dénichée je ne sais où et le posèrent sur une civière au centre de l'église. Le vieux, plus mort que vif, ne fit pas un geste tant que dura la pantomime grotesque de chants et de prêches des piquiers excités. Ensuite, ils soulevèrent une des dalles de pierre en faisant mine de le mettre en dessous; le vieux ne réagit pas davantage. Fatigués de leur jeu, les soldats décidèrent de s'inviter chez le cardinal et d'y célébrer un grand banquet.

Antti serait bien parti avec eux pour manger, mais je le suppliai et le conjurai de m'aider puisque la Providence nous avait déjà envoyé un beau cercueil et une civière. Il persuada deux piquiers de nous accompagner, après quoi, ayant battu le rappel dans les maisons du voisinage où nous trouvâmes suffisamment d'hommes pour porter un cercueil et deux moines pour chanter, nous nous dirigeâmes en cortège solennel, sous la protection de l'épée d'Antti, vers la maison du défunt érudit.

Nous avons alors revêtu le vieil homme d'une chemise propre, nous l'avons enveloppé dans un linceul puis déposé dans la bière au son des chants et des psaumes. Ensuite, la femme nous a conduits dans un petit cimetière où, à la tombée du soir, les Italiens creusèrent une tombe. Et ce fut de cette manière que le vieil érudit eut un enterrement convenable.

Quant tout fut terminé et nos aides partis avec notre bénédiction, nous nous retrouvâmes tous les trois seuls au bord de la tombe à regarder le ciel assombri du crépuscule s'embraser de la rouge lueur des incendies qui faisaient rage dans la ville. La femme récita une dernière prière se leva puis nous embrassa l'un et l'autre et nous dit que nous étions des hommes de bien. Elle nous pria de venir partager avec elle les maigres provisions qui restaient dans la maison de son père.

Nous fouillâmes les habitations situées sur le chemin du retour et trouvâmes de la viande fraîche, des légumes et un petit tonneau de vin qu'Antti ramena sur ses épaules.

D'une main inexperte la femme alluma du feu dans la cuisine et se mit en devoir de faire griller la viande, tandis qu'Antti me contait ses aventures du jour et me montrait une poignée de pierres précieuses rouges et vertes qu'il avait arrachées d'un reliquaire dans un couvent. Il me dit aussi qu'il avait vu le crâne de saint Jean-Baptiste et qu'il aurait bien voulu s'en emparer pour l'envoyer à la cathédrale d'Åbo ! Voilà qui eût été digne de louanges, affirma-t-il, car nous avions chez nous peu de reliques de valeur ! Mais un autre l'avait pris le premier ! Après avoir disserté un moment sur la sauvagerie des Espagnols, il conclut :

— Ils trouvent du plaisir à torturer et forcent les femmes ainsi que les enfants aussi à les servir pour toutes sortes de vices, alors que le bonheur d'un honnête homme réside dans le consentement et l'attirance des femmes ! Il ne manque pas à Rome de joyeuses filles prêtes à partager de leur plein gré le repos du guerrier !

La femme, oubliant la viande sur le feu, se tourna vers nous pour dire :

— J'ai vécu une vie calme et studieuse dans la maison de mon père. Un gentilhomme fort distingué voulut m'accorder sa protection mais, comme il devait entrer dans les ordres et ne pouvait m'offrir que l'incertaine position de maîtresse, je l'ai repoussé. Plus tard, j'ai dédaigné plusieurs prétendants d'un rang inférieur. Aujourd'hui, Dieu m'a punie de mon orgueil et je crois que je ne pourrai jamais plus regarder un homme sans dégoût.

« Quand l'ordre sera rétabli et qu'on aura chassé les bandits de Rome, peut-être entrerai-je dans un couvent où la règle ne sera point trop austère.

— Il y aura assez de place dans les couvents romains, très noble dame, et vous aurez un vaste choix ! dit Antti. A Saint-Sylvestre, par exemple, il ne reste plus qu'une seule nonne vivante et la dernière fois que je l'ai vue, elle courait nue derrière l'homme qui avait volé le crâne de saint Jean-Baptiste !

« Mais laissez-moi vous dissuader d'un projet hâtif et mal conçu ! Nul ne sait aujourd'hui quelle sorte d'Église l'empereur mettra à la place de celle qui vient de tomber. Tout ce que je puis dire, c'est que douze mille hommes valeureux ont résolu d'élire pape le docteur Luther, par la force si nécessaire, et que le docteur Luther n'aime ni les couvents ni le célibat ! Il a épousé une religieuse !

La femme, à ces mots, oublia derechef sa grillade qui tomba dans les braises.

— N'y a-t-il donc plus de refuge pour une femme sans défense ? demanda-t-elle en nous regardant d'un air effaré.

Antti retira la viande du feu, la sentit et ôta les morceaux carbonisés. Nous prîmes place autour de la table et commençâmes le repas. Nous buvions à larges rasades pour avaler la viande, brûlée d'un côté et crue de l'autre. Soudain la femme se cacha le visage dans ses mains et pleura sur sa misérable situation.

— Je comprends votre chagrin, dit Antti en guise de consolation, mais il n'y a rien d'irréparable en ce monde, hormis la perte de la vie ! Quand vous aurez eu le temps de réfléchir calmement, vous verrez que la vie peut encore vous être douce, meilleure en tout cas que ce morceau de viande un peu trop cuit ! J'ai cru comprendre que de grossiers personnages vous ont violée, mais rendez grâce au ciel de n'être point tombée sur des Espagnols qui vous eussent mutilée pour vous extorquer de l'argent.

« Croyez-moi, vous n'êtes pas dans une situation pire que celle de l'homme qui, sous l'empire du vin, a commis toutes sortes de folies, et, une fois dessaoulé, se considère comme le plus misérable de tous les misérables pécheurs ! Vous seriez surprise de voir comment cette sensation disparaît rapidement après une ou deux coupes de vin pour éclaircir ses idées ! Laissez-moi donc vous donner un conseil : buvez, mangez et reprenez des forces et pensez seulement que vous avez donné à votre père des funérailles telles que les plus riches et les plus dignes cadavres de Rome ne peuvent espérer de plus belles en ces jours que nous vivons.

Ces mots pleins de bon sens redonnèrent vie et chaleur à la fille du défunt érudit.

— Je suis vraiment confuse et je manque à tous mes devoirs de maîtresse de maison ! dit-elle en s'efforçant de sourire. Votre gentillesse me donne à regretter de n'avoir point consacré plus de temps à l'art de la cuisine au lieu de celui de la versification ou des drames sacrés ! Vous avez peut-être raison ! Peut-être Dieu a-t-il voulu punir mon arrogance en souillant mon corps que j'avais si jalousement préservé des caresses les plus tendres et, bien que la pensée que les choses auraient pu être pires ne me soit guère d'un grand réconfort, je l'accepte en bon philosophe !

« Mon seul souci est de savoir comment je pourrais vous récompenser, moi qui ne sais même pas faire griller une viande de manière à vous plaire ! Si vous le désirez, je puis en revanche vous réciter quelques beaux vers ou vous dire la tirade de la sainte Madeleine dans le drame de la Passion, où j'ai obtenu un beau succès.

Antti s'excusa sous le prétexte qu'il avait abandonné ses piquiers depuis trop longtemps déjà et insista pour me laisser assurer seul la protection de la dame dont, en ma qualité d'étudiant, je saurais apprécier la poésie. Il sortit à ces mots, nous laissant seuls dans cette maison bouleversée qui était, il y avait à peine deux jours, le foyer de cette adorable jeune femme. Nous ne trouvions plus rien à dire et restions assis en silence à la lumière des deux chandelles de cire. Elle finit par murmurer avec douceur qu'elle s'appelait Lucrèce et me demanda de lui parler comme un frère. Puis elle me tendit ses mains parce qu'elle avait peur et froid, dit-elle.

Mon chien était pelotonné devant le foyer aux braises mourantes et moi, je gardais le silence.

— Le cœur de mon père s'est brisé dans sa poitrine, reprit-elle, lorsque les soldats ont abattu ses sculptures antiques et piétiné les volumes dans lesquels il avait englouti toute sa fortune. Je crois qu'il est mort d'avoir vu l'œuvre de sa vie détruite en un instant !

« Maintenant qu'il est mort, je suis libre et j'ai peur de ma liberté. J'ai le sentiment d'être un oiseau emporté au loin de sa cage par une rafale et tombé dans un monde plus sauvage, plus terrible, peut-être aussi plus exaltant. Prends-moi dans tes bras, Mikaël, réchauffe-moi, protège-moi ! Il n'y a ici que deux chandelles, éteignons-les ! Nous pourrons aussi bien parler dans l'obscurité.

Elle éteignit, je la pris dans mes bras et moi, dont l'esprit était si lourd d'angoisse, je trouvai une consolation à serrer contre moi un être aussi isolé et abandonné que moi-même. Le matin, elle se leva la première, je la vis pâle, silencieuse et vêtue de noir. Quand je lui parlai, elle évita mon regard et au cours du déjeuner que nous fîmes avec les restes de la veille, elle me traita comme un étranger, voire un ennemi, sans que je parvinsse à découvrir ce qu'elle pensait ou ressentait. J'avais à cœur cependant de ne point la laisser seule et l'emmenai avec moi au campement des piquiers où je la confiai aux soins des sentinelles. Les braves Allemands avaient sauvé de la fureur des Espagnols nombre de malheureuses qu'ils avaient installées aux cuisines et aux lavoirs. Mes intérêts m'obligeant à aller çà et là dans la ville tant que le pillage continuerait à être permis, je ne pouvais trouver meilleur refuge pour Lucrèce. Quand je revins le soir lui apportant de la nourriture, elle avait disparu. Les autres femmes me dirent sur un ton moqueur que l'eau de lessive lui avait sans doute paru trop dure pour ses mains délicates et qu'elle avait couru derrière un groupe d'Espa-

532

gnols en quête d'un meilleur protecteur ! Atterré par cette folie, je partis la chercher à la maison mais elle n'y était point revenue.

Je restai pourtant dans cette demeure qui, étant proche de Saint-Pierre, me permettait de surveiller aisément mon âne tout en attendant le retour de Lucrèce. Lorsque le pillage eut pris fin, Antti vint me retrouver pour se reposer de ses excès; il amena avec lui quelques-uns de ses hommes afin d'être à même de défendre notre havre contre les intrus. Nous fîmes provision de farine et de viande séchée car nous nous aperçûmes bientôt que, loin de vivre au temps des vaches grasses de l'Égypte, nous allions vers une période de vaches maigres et de famine comme nul d'entre nous n'en avait encore connu.

L'ennemi aurait eu beau jeu de pénétrer dans la ville et d'enlever le pape du château Saint-Ange durant ces huit jours où nos troupes, complètement dispersées, s'adonnaient au pillage et à la débauche. Un jour, le prince d'Orange, qui s'était établi au Vatican pour n'être point le témoin de ces désordres sans limites, fit sonner l'alarme dans l'espoir que la peur ramènerait l'ordre et la discipline dans son armée. Seuls cinq mille hommes répondirent sur les trente mille que comptaient ses troupes !

On se partagea les dépouilles, au terme de la semaine, en accord avec les lois de la guerre. On avait ramassé dix millions de ducats en pièces d'or et d'argent et autant en vases, candélabres et pierres précieuses. Après la distribution, tous les piquiers et les arquebusiers allaient vêtus de soieries et de velours avec des chaînes d'or pendues autour du cou et le moindre petit palefrenier comptait au moins cent ducats dans sa bourse ! Les autres biens, tels que meubles, tableaux, livres, reliques et étoffes précieuses que l'on avait détruits ou vendus à bas prix dans le quartier des Juifs, valaient au moins autant que ce que nous avions partagé, sans parler des palais et maisons innombrables anéantis par les incendies ou les explosions et dont la reconstruction coûterait plusieurs millions de ducats.

Quand l'ordre se trouva suffisamment rétabli pour permettre aux colporteurs de revenir et aux tavernes de rouvrir leurs portes, il devint très vite évident que la richesse n'avait plus aucun sens ! Trois semaines ne s'étaient point encore écoulées, que le pain coûtait un ducat pièce et que les habitants les plus démunis se mouraient de faim. Nul paysan ne se montrait assez fou pour apporter de la nourriture à Rome dont les réserves avaient toutes été dévorées dans la première furie des assaillants ou jetées aux cochons. L'air empestait la chair en décomposition, les rats, grouillant de toutes parts, rongeaient les cadavres et un jour, des Espagnols près du Colisée, tuèrent deux loups attirés dans la ville par l'odeur de charogne.

Après la famine, survint la peste et si je n'avais jusques ici jamais eu affaire à elle, j'en eus alors pour le restant de mes jours ! Lorsque les premiers piquiers commencèrent à se plaindre d'une soif inextinguible, à me montrer du doigt leurs aisselles et leurs aines gonflées, je compris sur-le-champ ce que nous allions devoir affronter et, faute de médicaments, me bornai à faire des saignées et à administrer des émétiques pour éviter que la fièvre ne les rendît fous et qu'ils ne se jetassent dans le fleuve. L'épidémie gagna la citadelle Saint-Ange et nombreux furent ceux qui redoutèrent alors de voir le pape leur glisser entre les doigts.

Il me semblait vivre un cauchemar; je trébuchais en marchant et souffrais de nausées mais faisais l'effort chaque jour de donner à boire et à manger à mon âne. Un matin, alors que je vaquais précisément à cette tâche à l'intérieur de Saint-Pierre, une centaine de piquiers pénétrèrent précipitamment dans l'église, détachèrent les mules et me contraignirent à leur céder mon âne dont ils avaient besoin pour je ne sais quelle farce sacrilège. Je leur emboîtai le pas afin de ne point perdre mon bien de vue. Quand, peu après, je cherchai à le récupérer, ils se saisirent de moi et m'obligèrent à les suivre jusqu'à ce que la troupe rencontrât un prêtre sur son chemin. On trouvait peu de religieux à Rome prêts à exercer encore leur ministère malgré l'interdit, à administrer les sacrements aux victimes de la peste et de la famine, à assister les malades et à réconforter les malheureux. Un de ces braves ecclésiastiques eut la malchance de croiser notre route et les piquiers lui intimèrent l'ordre d'offrir la sainte Eucharistie à mon âne. Mais on eut beau le frapper et le rouer de coups de bâton jusqu'à ce que le sang lui coulât du nez et de la bouche, il résista farouchement, disant qu'il préférait mourir que profaner le sacrement. Sa fermeté poussa ces êtres endiablés à une véritable frénésie, ils le tuèrent puis jetèrent l'hostie dans la boue. Mon âne alors se mit à braire, et, ce vacarme dans les oreilles, je tombai évanoui.

Je me réveillai dans une épouvantable pestilence et souffrant d'une soif ardente et de violentes douleurs. J'attrapai à tâtons un bras humain décomposé qui se détacha du corps. Dans mon délire, je crus être plongé dans les affres de l'enfer mais peu à peu, mes idées s'éclaircirent et je compris que l'on m'avait volé puis jeté nu devant une petite église parmi les cadavres de ceux qui étaient morts de la peste. L'horreur me donna les forces suffisantes pour me traîner sur la rue et lancer un faible appel au secours. Bien des gens passaient par là mais, en entendant mes cris, ils pressaient le pas pour m'éviter. Les abcès qui gonflaient mes aisselles et mes aines me faisaient souffrir mille morts ! J'avais l'esprit tout embrumé de fièvre et croyais entendre encore le braiment aigu de mon âne tel qu'il m'avait frappé au moment où le prêtre mourant étendait ses doigts vers les objets consacrés pour les protéger des pieds des soldats.

Convaincu à présent que ma mort était proche, je m'évanouis de nouveau et ne me réveillai qu'à la nuit tombée pour sentir une langue menue qui me léchait le visage. Raël était près de moi ! Il avait erré parmi la foule et avait fini par retrouver ma trace ! En voyant que j'avais ouvert les yeux, il lança de petits jappements de joie et me mordilla l'oreille pour me faire lever; la fièvre me donnait l'impression d'être aussi léger qu'une plume et, à l'instar de nombreux pestiférés, je me levai et me traînai en m'accrochant aux murs des maisons, mais en tombant souvent la face contre la terre.

Je ne savais point où j'allais mais le chien me conduisait

vers la maison de Lucrèce près de laquelle je m'écroulai, cette fois sans plus pouvoir me relever. Raël me poussa avec sa truffe, puis me tira pour enfin partir en aboyant afin d'alerter Antti et le ramener à l'endroit où je gisais. Antti me souleva et me porta à l'intérieur de la maison. Il fit preuve, ce faisant, d'une abnégation sans égale car même un médecin évite de toucher un pestiféré et se tient à l'autre bout de la pièce à moins qu'il n'ait à le saigner, auquel cas il ne manque point de se laver les mains avec du sel et du vinaigre.

Mon délire dura plusieurs jours et lorsque Antti m'apportait de l'eau fraîche ou baignait mes bubons avec des compresses de vinaigre, je lui parlais comme s'il eût été dame Pirjo ou Barbara. Durant le temps qu'il prenait un peu de repos, Raël me surveillait et chassait les rats. Au bout de cinq jours, les bubons crevèrent d'eux-mêmes et la fièvre se mit à baisser. Je commençai alors à sortir de ma torpeur et à reconnaître l'endroit où je me trouvais. Je savais, étant médecin, que je ne pourrais me rétablir que si je survivais à cette période de faiblesse et pouvais me nourrir convenablement. Je fis donc l'effort d'avaler le brouet d'avoine que m'avait préparé Antti et suçai des fruits secs dont la douceur me ranima. Je n'avais point encore la force de me lever et, lorsque mon ami partait quérir notre repas, il laissait les piquiers de faction car nous avions encore la plus grande partie de notre butin caché dans la maison; mais les hommes, trop confiants en la sûreté de notre cachette, préféraient délaisser leurs devoirs par crainte de la peste et partaient rendre visite aux demeures du voisinage pour bavarder et se distraire avec les femmes. Ce fut la raison pour laquelle Antti décida de placer une arquebuse près de mon lit.

Un jour donc que je me reposais dans cet état d'extrême faiblesse qui accompagne la peste, et que je méditais sur ma vie en allée, j'entendis soudain des voix. Lucrèce apparut dans l'embrasure de la porte et me regarda d'un air étonné. Elle portait une robe de velours couleur de feu qui découvrait sa gorge et ses bras et un ruban de perles entrelacé dans sa chevelure. Des pierres précieuses pendaient à ses oreilles et je vis briller à ses doigts de lourdes bagues lorsqu'elle posa ses longues mains sur sa bouche en signe de surprise. Je crus d'abord que mon délire se poursuivait puis souris et appelai d'une voix faible :

— Lucrèce ! Lucrèce !

— C'est toi, Mikaël ? demanda-t-elle en se signant. As-tu la peste ? J'ai vu la croix sur la porte !

Je passai ma main sur mon visage amaigri couvert de barbe et ne m'étonnai plus qu'elle ne m'eût point reconnu du premier coup d'œil. Hélas ! Le simple fait de lever la main me laissa hors d'haleine ! Elle se pencha sur moi en prenant garde à ne point me toucher et aperçut un morceau de pain et un peu de brouet disposés à côté de moi dans un plat de terre cuite.

— J'ai trouvé à manger ! cria-t-elle d'une voix forte et sans plus attendre, elle mordit dans le pain, ses grands yeux noirs toujours fixés sur moi.

Un Espagnol barbu entra à grandes enjambées dans la pièce et aussitôt avala mon avoine.

— Pour l'amour de Dieu, Lucrèce ! m'écriai-je. Voilà tout ce que j'ai à manger et ma guérison en dépend ! As-tu donc oublié ce que j'ai fait pour toi ?

— Il en a peut-être encore sous le lit ! dit-elle en se tournant vers son compagnon. Je suis sûre qu'il a de l'argent caché quelque part !

L'Espagnol me fit tomber du lit en me tirant par les talons pour éviter de se contaminer les mains, puis il fendit le matelas d'un coup d'épée. C'était un homme grand et mince avec une barbe brillante d'un noir bleuté, il portait pendue à son cou par une chaîne d'or une croix pectorale de rubis.

— Dois-je vous brûler la plante des pieds avec des morceaux de bois goudronnés, demanda-t-il d'un air froid, ou êtes-vous disposé à nous dire où vous avez caché la nourriture et l'argent ?

— Lucrèce ! criai-je. Jamais je n'aurais cru une chose pareille, ni de toi ni de personne ! Est-ce ainsi que tu me récompenses de ma bonté à ton égard ?

Lucrèce, s'adressant à l'homme, déclara :

— Il m'a couverte d'une honte épouvantable ! Après m'avoir violée quand il m'avait à sa merci, il m'a obligée de lui laver ses chemises ! De plus, c'est un suppôt de Luther et en le supprimant nous nous rendrons agréables à Dieu !

L'Espagnol, toutefois, ne semblait guère désirer toucher mon corps de pestiféré et il quitta la pièce, suivi de la jeune femme. Je les entendis fouiller les meubles et soulever les carreaux qui recouvraient le sol à la recherche de notre butin. Je parvins pendant ce temps à me saisir de l'arquebuse et, assis par terre, le dos calé contre le lit, réussis à l'armer. A ce moment une dispute éclata entre Lucrèce et l'Espagnol et l'homme réapparut, un tison enflammé à la main. Il sursauta et s'arrêta en voyant mon arme et j'eus ainsi le temps de viser et d'appuyer sur la détente. La balle l'atteignit en pleine poitrine et il tomba sur le dos en travers de la porte sans même avoir eu le temps de lancer un juron.

La chambre s'emplit aussitôt de flots de fumée; Lucrèce s'agenouilla près du corps de son amant mais quand elle vit qu'il avait rendu l'âme, elle se leva, folle de rage et, empoignant l'épée de l'Espagnol, fit mine de venir à moi. Je la mis en joue et la menaçai de tirer si elle faisait un pas de plus. Dieu sait que j'avais des raisons pour ce faire ! Cette femme en sa folie ne songea point qu'avant de faire feu, je devais recharger mon arme ! Elle jeta l'épée au sol et vint me supplier de lui laisser la vie sauve. J'avais d'ailleurs tout intérêt, me dit-elle, à redevenir son ami, sinon elle enverrait des Espagnols pour me tuer. Cependant je m'avisai qu'elle était morte de peur et, ne voulant point la laisser partir à si bon compte, brandis mon arme d'un air menaçant en lui enjoignant d'ôter ses bracelets, bagues et boucles d'oreilles et de les jeter à côté de l'Espagnol. Elle pleura, supplia, essaya par tous les moyens de m'attendrir, mais en vain ! Elle m'accabla alors d'injures si abominables que jamais je n'eusse cru une femme capable de les apprendre en si peu de temps, fût-elle la compagne des Espagnols !

Je ne sais comment cette histoire se fût terminée si les piquiers, alertés par le coup de feu au milieu de leur fête, n'eussent surgi dans la pièce à ce moment-là. Ils se saisirent aussitôt de Lucrèce et jetèrent un regard épouvanté à l'Espagnol à la pensée qu'Antti les écorcherait vifs pour avoir abandonné la maison ! Ils traitèrent cette femme diabolique plus durement que je ne l'eusse souhaité. Après l'avoir dépouillée de sa robe rouge, ils la fouettèrent avec des baguettes pleines d'épines jusqu'à ce que le sang ruisselât sur tout son corps. Ils l'auraient à coup sûr tuée, ce qui sans doute eût été le plus prudent, si le spectacle de sa lamentable situation ne m'eût induit à leur ordonner de la lâcher. Ils la jetèrent alors à la rue, nue comme au jour de sa naissance, mais de ce point de vue, elle n'était guère plus démunie que quantité d'autres femmes à Rome.

Sa trahison tourna en définitive à notre avantage car l'on trouva près de cinq cents ducats dans la bourse du mort et la croix pectorale à elle seule en valait au moins cent ! Nul doute que cet homme était un homme de haut rang parmi les siens !

Nous quittâmes la maison sans attendre dès le retour d'Antti. Les piquiers me transportèrent sur l'autre rive du fleuve où nous trouvâmes refuge dans une maison abandonnée. Nous redoutions en effet que Lucrèce soulevât les Espagnols afin qu'ils vinssent dans la cité nous chercher pour venger leur frère d'armes. Ce peuple est aussi agressif que vorace et n'oublie jamais une injure.

L'infection commença à disparaître et je pus enfin me lever. Je dis un jour à Antti :

— J'ai eu tout le temps de réfléchir pendant ma maladie et j'ai bien peur que nous nous soyons faits les complices des pires actes de banditisme que le monde ait jamais connus. Nous n'aurons pas assez de tous les jours qui nous restent à vivre pour expier la part que nous y avons prise ! Nos châtiments ont été la peste et la famine et je crois que l'empereur en personne devra payer pour les horribles crimes que nous avons commis en son nom ! Il est temps à présent que chacun regarde au fond de son âme ! Quant à nous, il ne nous reste plus qu'à fuir de cette ville, jadis l'orgueil de la Chrétienté mais que nous avons transformée en un champ de ruines !

Antti répondit sur le ton de la gravité :

— Il est vrai que nous avons recueilli à Rome tout ce que l'on peut recueillir dans une ville de cette sorte. Il est vrai aussi que le pape n'a toujours pas payé sa rançon, mais j'imagine que bien peu de ducats tomberont dans l'escarcelle de chacun de nous et que le haut commandement se taillera la part du lion ! Je suis donc prêt à quitter Rome, et le plus vite possible même, à cause des Espagnols que tu as offensés. Ils ne tarderont pas à nous retrouver, je le crains ! Cependant deux questions difficiles se posent maintenant à nous : comment partir et où aller ?

Raël qui était couché à mes pieds, attentif à ce que nous disions, leva alors sa tête et me regarda d'un air suppliant. J'étais si faible qu'à sa vue, les larmes me montèrent aux yeux.

— Nous sommes souillés de toutes ces impuretés ! dis-je. Nous avons perdu la foi de notre enfance et ne pouvons espérer de pardon. Durant ma maladie, j'ai acquis la conviction que toutes nos misères ont commencé le jour où nous avons abandonné notre pèlerinage pour la Terre sainte. Je n'ai point l'intention de te convaincre malgré ta volonté, Antti, mais j'ai décidé de reprendre ce voyage avec ou sans toi, et nulle puissance au monde ne me fera changer d'avis.

— La route pour Jérusalem est pénible et semée d'embûches ! objecta Antti. Nous risquons de tomber aux mains des infidèles ! Ne pourrions-nous trouver plus aisément notre salut ici ? Un des piquiers de Schärtlin a volé la lance de saint Longinus, cette lance avec laquelle il a percé le flanc de Notre-Seigneur ! Il l'a attachée à sa propre pique et jure qu'avec elle il ira droit en paradis en se frayant un chemin parmi les milliers de démons qui se trouveront sur sa route ! Peut-être nous la vendra-t-il si nous lui en offrons assez d'argent et cela ne nous coûtera pas plus cher qu'un voyage en Terre sainte !

Je soupirai devant son stupide entêtement.

— Tu ne comprends rien et ferais mieux de tenir ta langue ! dis-je sévèrement. Pendant ma convalescence, j'ai rêvé que nous marchions le long d'un chemin éblouissant de lumière. Au fur et à mesure que nous avancions, nous trébuchions sur des buissons d'épines et des décombres mais tout au bout du chemin se dressait Jérusalem, la ville sainte, Jérusalem, la ville d'or. Le lendemain de ce rêve, Lucrèce est venue dans notre maison avec l'Espagnol et j'aurais péri d'une mort atroce si la Providence ne m'eût octroyé la force nécessaire pour tirer sur cet homme. C'est là un présage que je ne peux ignorer ! Quant aux dangers et aux difficultés du voyage, tu en exagères l'importance puisque l'empereur verse désormais au sultan vingt mille ducats par an pour protéger les pèlerins et les lieux saints. Il suffit de s'adresser aux Turcs à Venise pour obtenir un sauf-conduit, et notre fortune nous permet aujourd'hui d'embarquer sur le vaisseau vénitien de notre choix et d'acheter les provisions nécessaires pour le voyage. N'en doute point, Antti, c'est la Providence qui m'a envoyé cet Espagnol avec sa bourse pour remplacer ce que j'ai perdu lorsqu'on m'a volé dans la rue avant ma maladie !

Mon ami commençait à comprendre que je ne délirais plus et que j'avais soigneusement dressé mes plans. Il se gratta la tête et finit par dire :

— La mer ne doit point être trop agitée en été et je n'ai gardé que de bons souvenirs de notre traversée de Gênes à Valence !

— Merveilleux, Antti ! m'écriai-je. Voilà la meilleure façon de prendre les choses ! Tu peux dès maintenant organiser notre voyage à Venise, moi je m'occuperai de la route à partir de là-bas jusques en Terre sainte, et ainsi verrons-nous s'accomplir la pieuse résolution du temps de notre jeunesse ! Oui, oublions nos années d'errance et gagnons notre salut ! Laissons l'empereur répondre de ses actes et nous, nous répondrons des nôtres !

Deux jours plus tard, déguisés en portefaix, nous descendions le Tibre à la rame en direction d'Ostie. Nous partions en compagnie de Domenico Venier, l'ambassadeur de Venise, et de deux nobles dames de la Cour de Mantoue, tous également déguisés. J'étais encore si affaibli que je pouvais à peine manier la grande rame, mais j'avais le sentiment de renaître en voyant Rome s'estomper au loin derrière nous et respirais largement l'air frais du mois de juin après la puanteur des ruines fumantes et des cadavres en décomposition. En laissant Rome au loin, cette carcasse ravagée, la Chrétienté tout entière m'apparut soudain telle une créature blessée, pestiférée et gémissante qu'un homme devait fuir pour sauver son âme.

A Ostie, nous étions hors de danger ! Domenico Venier avait l'intention de convaincre la Seigneurie de sa puissante république de prêter au Saint-Père l'argent de sa rançon, si bien que les forces impériales qui occupaient la ville s'efforcèrent en tout de faciliter notre voyage. Ensuite, une fois en pleine mer, nous naviguâmes sous la protection de la flotte alliée commandée par Andrea Doria et atteignîmes sans encombre Venise d'où nous voulions nous embarquer pour la Terre sainte.

A présent, j'ai terminé le récit des aventures nombreuses et extraordinaires de ma jeunesse; j'ai toujours raconté avec sincérité, sans chercher à celer mes erreurs ni à placer mes actions sous un jour plus flatteur. Le récit suffira à lui seul pour convaincre mon sage lecteur de mes bonnes intentions et l'humilité chrétienne dont j'ai fait preuve après le sac de Rome témoignera également en ma faveur.

J'espère toutefois trouver un jour l'occasion de raconter notre départ de Venise et le nouvel échec de notre voyage en Terre sainte; je dirai comment j'ai dû, en échange, coiffer le turban et me convertir en un serviteur du Prophète. Et je réfuterai alors les infâmes mensonges répandus sur mon compte dans les pays chrétiens, lorsque après bien des revers, je conquis enfin honneur et renommée au service du sultan.

PETIT AIDE-MÉMOIRE
HISTORIQUE

LES GUERRES D'ITALIE.

Ensemble des expéditions et conflits dont l'Italie a été l'enjeu et le plus souvent le théâtre de 1494 à 1559, dont la France, d'une part, et l'Empire avec l'Espagne d'autre part, ont été les acteurs principaux.

1494-1521, première période qui comprend les différents essais de conquête par la France du royaume de Naples et du Milanais. Charles VIII et Louis XII se battent ou s'allient avec le pape Jules II, l'Autriche et Ferdinand d'Aragon.

Victoire française à Marignan (1515) qui donne le Milanais à François Iᵉʳ.

1521-1529, seconde période qui voit un véritable duel entre François Iᵉʳ et Charles Quint.

Le Français ne peut s'assurer l'alliance d'Henri VIII à l'entrevue du camp du Drap d'Or (1520) ni retenir le connétable de Bourbon. Défaite de Pavie (1525) où François Iᵉʳ est fait prisonnier.

Pillage de Rome en 1527 par le connétable de Bourbon.

En 1529, la trêve de Cambrai laisse la Bourgogne à François Iᵉʳ et l'Italie à l'empereur.

1536-1559, troisième période qui se termine par le traité de Cateau-Cambrésis : la France abandonnait l'Italie qui passait aux mains des Habsbourg. Fin de l'indépendance de l'Italie.

LA GUERRE DES PAYSANS.

Révolte générale des paysans allemands (1524-1526) en Souabe, en Thuringe, en Alsace et dans les Alpes autrichiennes. Suscitée par les conditions misérables de vie dans les campagnes, elle trouva son ciment religieux dans la doctrine révolutionnaire des anabaptistes. Luther, après avoir encouragé le mouvement, s'en détourna et demanda sa répression. Cette guerre fit plus de 100 000 victimes.

FINLANDE.

Au XIIIe siècle, la Finlande devint un duché suédois dont l'indépendance et le particularisme se développèrent. A partir du XIVe siècle, l'assimilation légale à la Suède était quasi complète. Une noblesse suédoise formait les cadres du pays tandis que les villes accueillaient nombre d'Allemands. Le XVIe siècle vit l'apparition de la Réforme sous le règne de Gustav Vasa qui fonda Helsinki (1550) et confisqua les biens ecclésiastiques.

UNION DE KALMAR.

Traité d'union entre le Danemark, la Suède et la Norvège signé en 1397 sous l'autorité d'Erik XIII de Poméranie. Chacun des États gardait ses lois et ses institutions propres mais était dominé par un même roi et en cas de guerre étrangère, tous devaient s'allier contre l'ennemi commun. Cette union dura 125 ans. Plusieurs fois rompue, elle fut dissoute en 1523 à la suite de la révolution qui renversa Christian II et apporta au trône de Suède Gustav Vasa.

PETIT INDEX
DES PERSONNAGES HISTORIQUES

CHARLES QUINT (1500-1558).

Fils de Philippe le Beau, archiduc d'Autriche, et de Jeanne la Folle, fille des rois catholiques, Ferdinand et Isabelle.

Héritier en 1516 de la couronne d'Espagne, il est élu en 1519 à la tête du Saint Empire romain germanique contre François Ier le roi de France.

La rivalité de ces deux souverains entraînera une longue série de guerres, interrompue à intervalles plus ou moins longs, par des périodes de trêves ou de paix.

En Allemagne, Charles Quint eut à lutter contre la Réforme et contre les Turcs du côté de la Hongrie.

Il abdiqua en 1555, laissant la couronne impériale à son frère Ferdinand, l'Espagne, les colonies américaines, les Pays-Bas et l'Italie à son fils Philippe II.

CHRISTIAN II DE SUÈDE (1481-1559).

Surnommé le Mauvais, roi de Danemark, de Norvège et de Suède. En 1513, il succède à son père sur les trônes de Danemark et de Norvège. Après plusieurs années de guerre, il s'empare de Stockholm et prend la couronne de Suède, mais sa cruauté (« Bain de sang » de Stockholm) provoqua le soulèvement de Gustav Vasa en 1521. Abandonné par l'aristocratie danoise, il se retira en Allemagne en 1523 et fut pris par son successeur Frédéric Ier en 1531. Il mourut en captivité.

ÉRASME (Desiderius Erasmus). Rotterdam vers 1467 - Bâle 1536.

Humaniste hollandais.

Études au couvent des Augustins de Steyn où il fut ordonné prêtre, puis au collège Montaigu à Paris. Précepteur en Angleterre, il se lie d'amitié avec Thomas More.

Entre 1500-1506 : *Les Adages* et le *Manuel du chevalier chrétien*.

Entre 1506-1509, séjour en Italie où il apprend le grec. *Éloge de la folie*.

Aux Pays-Bas, conseiller un temps du futur Charles Quint. Écrit *Institutio principis christiani*, un *Novum testamentum* et les *Colloques*.

En 1521, s'établit à Bâle. *Essai sur le libre arbitre* et *De sarcienda Ecclesiae concordia*.

A cherché à concilier l'étude des Anciens et les enseignements de l'Évangile.

FUGGER.

Famille de banquiers allemands qui débute avec le tisserand Jean vers 1368. Les Fugger connaissent un essor particulier avec Jacob Ier Fugger qui étendit son empire commercial sur toute l'Europe occidentale et centrale. Financier des empereurs Maximilien et Charles Quint; ce dernier lui doit, entre autres, son élection et la victoire de Pavie.

FRANÇOIS Ier (1494-1547).

LUTHER MARTIN (1483-1546).

Réformateur religieux allemand. Famille de paysans. En 1505 maître de philosophie à l'université d'Erfurt. Reçoit la prêtrise en 1507.

En 1517 il afficha sur les portes du château de Wittenberg ses 95 thèses où il dénonçait, entre autres choses, la vente des indulgences. Cet acte marqua le début de la Réforme.

En 1520, il fut excommunié par le pape Léon X dont il brûla la bulle *Exsurge Domine*.

En 1521, il fut mis au ban de l'Empire et son protecteur Frédéric de Saxe le cacha dix mois au château de la Wartburg où il entreprit la traduction en allemand de la Bible.

Contre les prophètes célestes marqua sa rupture avec Thomas Müntzer et lorsque éclata la révolte des paysans en 1524, il prit le parti des princes.

En 1525, il épousa une ancienne nonne, Elisabeth von Bora. A partir de 1526, il se consacra à l'organisation de l'Église réformée et rédigea le *Grand* et le *Petit Catéchisme*.

MÜNTZER THOMAS (1490 ?-1525).

Réformateur religieux allemand.

Successivement prédicateur à Zwickau, Wittenberg et Allstedt avant d'être chassé de chacune de ces villes.

En 1519, il rencontra Luther, approuva la Réforme mais trouva bientôt la doctrine de Luther insuffisante.

A Mülhausen, en Thuringe, il prit le pouvoir avec ses disciples, établit un gouvernement démocratique, noua des relations avec les anabaptistes de Suisse puis parcourut l'Allemagne méridionale en prêchant la révolte. Il fut bientôt à la tête d'une armée de plus de 40 000 paysans mais ses bandes furent écrasées par l'armée des princes à Frankenhausen en 1525. Reconnu et arrêté, il fut torturé et décapité cette même année.

PARACELSE (Philippus Aureolus Theophrastus Bombastus von Hohenheim) (1493 ?-1541).

Médecin et alchimiste suisse.

STURE.

Nom d'une famille suédoise qui a joué un rôle capital dans l'histoire de son pays au XVe et au XVIe siècle.

STEN STURE, dit le Jeune (1493-1520).

Élu régent en 1512, il déposa l'archevêque d'Uppsala, Gustav Trolle, qui appela les Danois à son secours.
Il repoussa deux expéditions danoises (victoires de Vaedla en 1517 et de Brannkyrka en 1518) mais blessé à Asunden en 1520, il ne put arrêter la marche victorieuse de Christian II et mourut en regagnant Stockholm.

VASA.

Vieille famille suédoise originaire de l'Upland où elle possédait le domaine de Vasa.
Gustav Vasa roi de Suède (1496-1560).
Gustav Eriksson combattit les Danois. Livré en otage à Christian II en 1518, il réussit à s'échapper et, après de nombreuses aventures, s'empara de tout le pays et fut élu roi en 1523.
A imposé le luthéranisme, favorisé le développement économique de la Suède, réprimé durement les révoltes paysannes et fait de son royaume une grande puissance.

ZWINGLI (1484-1531).

Réformateur suisse.

Études d'humaniste à Bâle, Berne et Vienne. Prédicateur à Zurich, il attaqua le pape, les lois de l'Église catholique et sa corruption.

Il adhéra à la Réforme mais ses positions diffèrent de celles de Luther.

Chef religieux soutenu par ses paroissiens et le Conseil de Zurich, il entreprit deux campagnes contre les cantons catholiques. Mortellement blessé à la deuxième bataille de Cappel, il fut achevé d'un coup d'épée par un officier ennemi, et son cadavre fut écartelé et brûlé par les soldats.

LES PAPES
par ordre chronologique

JULES II (1443-1513), pape de 1503 à 1513.

Amoureux des arts et guerrier. Allié à Louis XII contre Venise en 1508 puis à Venise contre Louis XII dans la Sainte Ligue où il fit en outre entrer les Suisses, Ferdinand d'Aragon, Henri VIII d'Angleterre et l'empereur Maximilien.

Réunit le concile du Latran en 1512 et jeta l'interdit sur la France gouvernée par François Ier.

LÉON X (1475-1521), pape de 1513 à 1521.

Jean de Médicis, fils de Laurent le Magnifique.
Education humaniste qui en fit un protecteur des lettres et des arts (Raphaël, Michel-Ange...)
En politique, tente comme Jules II de libérer l'Italie et le domaine pontifical.
Au point de vue religieux, met fin en 1517 aux conciles du Latran. Excommunie Luther en 1520 par la bulle *Exsurge Domine* que celui-ci brûle à Wittenberg.

ADRIEN VI (1459-1523), pape de 1522 à 1523.

Élu pape en 1522 malgré son origine flamande et son humble extraction, grâce à l'appui de Charles Quint. Il essaya sans succès de réformer le Saint-Siège, d'arrêter en Allemagne les progrès de Luther, de réconcilier Charles Quint et François Ier et de les unir dans une expédition commune contre les Turcs. Il mourut en considérant son accession au pouvoir suprême comme le plus grand malheur de sa vie.

CLÉMENT VII (1478-1534), pape de 1523 à 1534.

Jules de Médicis, fils naturel de Julien de Médicis et neveu de Laurent le Magnifique.

Il dut après le sac de Rome (1527) couronner empereur Charles Quint. Sous son pontificat, le luthéranisme progressa considérablement et il vit naître le schisme anglican après son refus d'approuver le divorce d'Henri VIII d'Angleterre.

TABLE

Cet ouvrage a été réalisé sur
Système Cameron
par la SOCIÉTÉ NOUVELLE FIRMIN-DIDOT
Mesnil-sur-l'Estrée
pour le compte de France Loisirs
le 15 juillet 1986

Imprimé en France
Dépôt légal : juillet 1986
N° d'édition : 11585 – N° d'impression : 4767